Angélina
Les Mains de la vie

Marie-Bernadette Dupuy

Angélina
Les Mains de la vie

ÉDITIONS FRANCE LOISIRS

Édition du Club France Loisirs,
avec l'autorisation des Éditions JCL

Éditions France Loisirs,
123, boulevard de Grenelle, Paris
www.franceloisirs.com

© Les Éditions JCL inc., 2011

ISBN : 978-2-298-05343-2

À toutes les femmes qui ont souffert en donnant la vie et qui, avant de contempler l'enfant tant espéré, ont vu se pencher sur elles une des leurs venue les aider, les soutenir… avec « les mains de la vie » !

Note de l'auteure

La découverte des Pyrénées fut pour moi une source d'émerveillement. Chaque année, avec mes chers parents, j'y passais d'inoubliables vacances.

Bien que lointains, les précieux souvenirs que j'en avais gardés me revenaient souvent, comme pour m'inviter à retourner là-bas un jour.

C'est ainsi que, depuis quelques années, grâce à l'hospitalité d'amis, l'Ariège m'a ouvert ses portes à nouveau. Au fil de mes séjours, j'ai appris à mieux connaître et apprécier ce département parfois méconnu du sud de la France, où alternent collines, plaines et sommets montagneux.

En face du majestueux mont Valier, un des point culminants des Pyrénées ariégeoises avec le Montcalm, j'ai pu écouter de nombreuses anecdotes sur cette région où jadis la vie paysanne était très rude, compte tenu des hivers rigoureux et des étés brûlants. J'ai visité des villages, des hameaux, mais aussi l'antique cité de Saint-Lizier et ses ruelles au charme médiéval, dominées par l'imposant palais des Évêques qui fut, au gré du temps, séminaire, prison, hôpital pour aliénés.

Peu à peu m'est venue l'idée d'un roman ayant pour cadre l'Ariège, notamment Saint-Lizier et les vallées voisines où j'ai fait tant de promenades, sur les traces du passé. Après bien des rêveries, un personnage féminin s'est dessiné dans mon imaginaire.

Je le prénommai Angélina, et je décidai qu'elle exercerait le métier de sage-femme à la fin du XIXe siècle, de *costosida* en langue régionale.

Comme le lecteur peut le supposer, son quotidien ne sera pas souvent de tout repos. Je l'ai voulu parfois aussi tumultueux que les torrents des Pyrénées, auxquelles je me devais de rendre enfin hommage, après avoir choisi pour décors, dans d'autres romans, la Corrèze, ma Charente natale, l'Alsace et le lointain Québec au parfum de neige. Cependant, je tiens à le préciser, ce livre pourra paraître un peu différent des autres, car j'ai voulu y instaurer une atmosphère plus intime, qui évoque le rythme de vie de cette époque, dans une région un peu coupée du monde, des grandes villes.

Certaines personnes voyageaient beaucoup, même à pied, comme les colporteurs ou les artistes ambulants, mais, en règle générale, on demeurait chez soi, sur son pan de montagne, dans son hameau ou son village.

J'espère que ce nouvel ouvrage, consacré à un terroir riche en histoire et en bouleversements, saura séduire mes fidèles lecteurs.

M.-B. D.

Table des matières

1   La grotte du Ker 13
2   Angélina 44
3   Le poids du silence 80
4   Le violoniste 119
5   Mademoiselle Gersande 156
6   Jours d'été .... 194·
7   Loin des montagnes 233
8   Le docteur Coste 271
9   Le venin des secrets 306
10 Le bourrelier 340
11 Au bord du canal 373
12 Le temps du doute 407
13 Le temps de La peur 442
14 Le feu de la Saint-Jean 474
15 Jean Bonzom 510
16 Dénonciation 546
17 Vers l'automne 587
18 Les mains d'Angélina 627
19 Retour aux sources 678
20 Sauveur 712

1

La grotte du Ker

Ariège, gorges de Peyremale, 10 novembre 1878

Les sabots de la mule frappaient la terre noire et boueuse à une cadence régulière. Angélina caressa sa monture en jetant un coup d'œil inquiet au ciel où roulaient de lourds nuages d'un gris métallique. Il pouvait pleuvoir d'un instant à l'autre.

— Avance, mais avance donc ! cria la jeune fille. Allez, Mina, dépêche-toi.

Le chemin suivait le cours d'une rivière tumultueuse dont les eaux grondaient entre les berges hérissées d'une végétation brune à l'agonie, flétrie par l'humidité.

Les ombres du crépuscule gagnaient déjà les gorges de Peyremale, un défilé encaissé planté de hêtres et de chênes. Dans la langue du pays, Peyremale signifiait : les mauvaises pierres. Et, les jours de déluge, des carrioles se retrouvaient bloquées ou broyées par des éboulis, qui jetaient en travers du chemin de gigantesques amas d'une roche noire en larges plaques. Les arbres, droits et volontaires, se cramponnaient à ce sol instable, leurs racines nichées profond dans la pente sablonneuse. Mais il pleuvait tant au printemps et à l'automne que certains géants s'écroulaient alors avec de sourds craquements.

Angélina savait tout cela. Elle n'aimait pas ces gorges où, même en été, le soleil pointait rarement.

— Allez, Mina, par pitié, avance ! répéta-t-elle en talonnant les flancs de sa bête.

Une nouvelle douleur irradia son bas-ventre et ses reins. La jeune fille se figea, bouche bée, l'air inquiet. Elle ouvrit grands ses yeux d'un violet délicat, celui des frêles petites fleurs qui couvraient les talus, en avril. Sa mère, Adrienne, s'extasiait devant cette couleur si rare, qui était l'héritage d'une lointaine ancêtre, l'arrière-grand-mère Desirada.

— J'aurais pu t'appeler Violette, disait-elle, mais ton père souhaitait te baptiser Angélina. J'ai respecté son vœu. On ne peut rien refuser à un si bon époux.

Depuis un an déjà, Adrienne Loubet reposait au cimetière de Saint-Lizier. Cette noble cité était perchée sur une colline surplombant le Salat, puissante rivière agitée de vagues écumeuses à la fonte des neiges et dont les flots argentés couraient vers les plaines.

— Maman, si seulement tu étais encore là, près de moi ! gémit Angélina tout haut. Tu m'aurais sûrement sermonnée et peut-être aurais-tu eu honte, mais j'aurais pu compter sur toi et sur ta bonté.

Surprise par une rafale, la mule se mit à trottiner. Ballottée de droite à gauche, Angélina se cramponna à sa crinière.

— Enfin, Mina, tu te décides ! Je voudrais tant être arrivée !

Un étrange chargement sautillait sur la croupe de la mule. La jeune fille avait tout prévu. Maintenant, elle n'était plus qu'impatience. Il fallait sortir des gorges, entrer dans la vallée de Massat et se retrouver enfin à l'abri pour mener son œuvre à bien, loin de tous.

« Mère, tu parlais ainsi, et cela m'intriguait quand j'étais petite ! songea Angélina. "La grande œuvre des femmes", disais-tu. Et père souriait… Je ne comprenais pas, mais ce soir, c'est mon tour ! »

Un pan de ciel topaze lui apparut. Poudrées de blanc, les falaises s'écartaient sur les crêtes anguleuses du massif des Trois Seigneurs.

« Courage ! » se dit-elle.

Depuis son départ de Saint-Lizier trois heures plus tôt, Angélina n'avait pas cessé de s'exhorter à la vaillance, mais le plus dur restait à venir. Elle se revit dans l'atelier de cordonnier de son père, bien droite sous sa lourde cape en drap brun.

— Papa, je reviendrai après-demain ! J'ai promis à cousine Léa de l'aider à coudre son trousseau. Je ne peux pas la décevoir.

— Va, ma fille ! avait répondu Augustin Loubet, penché sur une botte en cuir qu'il s'apprêtait à garnir d'une talonnette en métal.

Depuis la mort de sa mère, elle l'appelait de plus en plus souvent papa. Avide de lui montrer sa tendresse, elle l'avait même embrassé sur la joue, un geste spontané qui avait fait sourire cet homme encore marqué par le deuil.

— Tu es bien douce, ce soir, pitchoune ! s'était-il étonné.

Angélina avait souri à son tour, malgré la douleur qui lui tordait le ventre à cet instant précis. La troisième. Dès la première alerte, elle avait rassemblé tout ce dont elle avait besoin. Et c'était ainsi que, juchée sur le dos de la vieille mule Mina, elle avait quitté la maison natale. « J'étais bien obligée de te mentir, papa, de te cacher mon état. Jamais je ne salirai notre nom, jamais je ne te causerai de tort », se dit la jeune fille en empruntant un nouveau chemin, herbu celui-ci, qui longeait une muraille de pierre ponctuée de fines cascades. Puis elle s'aventura sur un sentier qui grimpait à l'assaut du roc de Ker, une masse de calcaire dans ce pays de granit blond. On en racontait, des choses, sur ce Ker ! Les anciens de la vallée prétendaient que des hommes, dans un temps très reculé, habitaient la grotte qui s'ouvrait à mi-hauteur de l'énorme rocher et qu'ils avaient laissé de mystérieux dessins dans les profondeurs de la terre. Dix ans plus tôt, un certain Garrigou, archéologue à Toulouse, avait découvert un galet orné d'une gravure représentant un ours[1]. Sur le plateau du Ker, des prêtres rebelles, surnommés les petchets, enterraient leurs morts en grand secret, la nuit, à la clarté des torches, si bien que les gens des villages alentour se signaient quand ils devinaient des lumières tout là-haut.

La jeune Angélina savait tout cela et elle comptait sur la sinistre réputation de ces lieux pour ne pas être dérangée.

— Sainte Marie, mère de Dieu, protégez-moi ! pria-t-elle d'une voix faible.

La douleur revenait, d'abord sourde, ensuite aiguë, lancinante. Le travail était bien engagé, et l'interminable trajet à dos de mule n'avait fait que précipiter le rythme

1. Fait authentique : il s'agit d'une pièce unique, joyau des collections préhistoriques françaises.

des contractions. Angélina serra les dents, angoissée. Elle s'interrogeait sur les souffrances à venir, en les imaginant encore plus intenses, plus vives.

« Mère répugnait à me décrire ce qu'on ressent en mettant un bébé au monde ! se dit-elle. Elle a pourtant eu trois enfants. »

De ces trois petits, la jeune fille était la seule encore en vie. Ses frères, baptisés Jérôme et Claude, elle ne les connaissait que de nom. Ils avaient été emportés par le redoutable croup, comme l'avait affirmé le docteur.

Angélina venait d'arriver dans la grotte, une vaste cavité en demi-cercle dont le sol plat était jonché de feuilles mortes, de bouts de bois, de galets et de sable. Elle descendit avec précaution du dos de Mina et attacha l'animal à un arbuste.

— Sois patiente, Mina ! déclara-t-elle. Tu auras ton picotin d'avoine, mais plus tard.

Sur ces mots, elle sortit d'une besace tendue à craquer un carré de drap de laine et l'étendit par terre. Elle y déposa son briquet d'amadou, ainsi que des objets enveloppés dans du linge propre.

— La paire de ciseaux, l'alcool, l'éther, un drap ! énuméra-t-elle.

L'instant suivant, elle enflammait un morceau de papier qui embrasa à son tour des feuilles de chêne bien sèches, de la mousse et des brindilles. Le feu prit rapidement, en dispersant de son éclat doré les ténèbres environnantes. Un vague sourire sur les lèvres, Angélina ajouta du bois avant de dénouer les cordons de sa cape.

— Je peux enfin ôter ce corset et les bandages ! déclara-t-elle tout haut.

Au prix de terribles efforts, Angélina avait dissimulé sa grossesse à tous. Habile couturière, elle s'était confectionné deux tabliers en tissu fleuri, sans ceinture et ne marquant pas la taille. Dès la fin de l'été, la maison étant fraîche, elle avait ajouté à son accoutrement une capeline en lainage qui cachait son ventre peu proéminent. Mais, les deux derniers mois, elle s'était imposé un vrai supplice en portant un corset et des bandes de tissu qui comprimaient son ventre. Ce fut une réelle délivrance pour elle de se débarrasser de ce carcan pour enfiler une longue chemise blanche à col plissé. Afin d'être vraiment à son aise, elle natta en une seule tresse sa somptueuse chevelure aux boucles souples d'un roux sombre, chaud et mordoré. C'était sa parure, sa fierté, et elle portait souvent à regret le bonnet de calicot dont se coiffaient les honnêtes femmes.

De se retrouver dans cette grotte, en tenue de nuit, à l'heure où dans les maisons on s'attablait devant une soupe fumante, lui procurait une étrange sensation.

— Je suis peut-être folle, mais personne ne me montrera du doigt, personne ne saura, dit-elle encore, son fin visage à la peau laiteuse rosi par le feu.

Sans s'apitoyer sur son sort, Angélina Loubet sortit d'un autre sac une bassine en zinc et un bidon d'eau. Elle reproduisait les préparatifs auxquels elle avait participé durant des mois, en assistant sa mère. Adrienne Loubet était sage-femme, la meilleure costosida[1] du pays. On la demandait dans les hameaux reculés, où on la payait d'une poule, d'un panier d'œufs, mais aussi, dans les riches demeures bourgeoises, de dons plus conséquents. Là, elle recevait des pièces d'argent, quand on ne lui

1. Nom donné aux sages-femmes en occitan.

18

offrait pas un objet de valeur, statuette, pendulette, ou bien de la vaisselle. Au fil des ans, cela avait contribué à donner à l'intérieur des Loubet un petit air cossu qui suscitait parfois des jalousies.

— Mère, si tu me vois du ciel, guide-moi ! implora la jeune fille qui, dans l'attente d'une nouvelle douleur, marchait d'un bout à l'autre de la grotte en respirant à pleins poumons.

Le clocher de Biert sonna huit coups sonores. Émue, Angélina tendit l'oreille. Elle se hasarda même au bord de l'esplanade, afin de scruter l'obscurité qui envahissait à présent la belle vallée de Massat. Dans un pré bordant la rivière, des lueurs tremblaient, accompagnées par le meuglement rauque d'une vache.

Un homme devait rentrer ses bêtes. Elles se rangeraient le long du râtelier garni de foin, les pis gonflés de lait, et des odeurs fortes s'élèveraient de la litière souillée. Angélina écoutait attentivement chaque bruit afin d'éloigner ses pensées de son unique souci. Parviendrait-elle à donner la vie, sans aucune aide à espérer ?

— Oui, ce n'est pas si compliqué ! déclara-t-elle à mi-voix. Mère prétendait que les femmes, jadis, accouchaient souvent seules, et même en bordure d'un champ pendant la moisson, ou bien sur la paille d'une étable. La paille d'une étable…

Elle répéta ces mots-là ! Ils lui faisaient penser à la représentation de la Nativité où Marie, pressée elle aussi de trouver un lieu pour mettre au monde l'enfant qu'elle portait, trouvait refuge dans une étable. C'était ainsi que Jésus était né sur la paille. Ensuite, montée sur un âne, Marie avait dû fuir en Égypte avec Joseph pour se protéger de la colère du tyran Hérode qui voulait la mort de son bébé.

Angélina eut une grimace d'amertume. D'un geste très tendre, elle caressa son ventre.

— Toi, mon petit, tu naîtras sur un drap de lin qui fleure bon la lavande et je t'envelopperai dans un lange de laine fine. Mais aucun roi mage ne viendra t'honorer. Et le bon Joseph ne sera pas là pour veiller sur toi.

La jeune fille se reprocha d'oser comparer sa situation au poignant exode qui avait suivi la naissance de l'Enfant Jésus. Elle était bonne catholique, ses parents y avaient veillé. Cependant, il coulait dans son sang une pointe d'hérésie, du moins le clergé en aurait-il décidé ainsi. Cela tenait aux discours véhéments du grand-père d'Angélina, Antoine Bonzom, très fier d'être un descendant de ces fameux cathares qui, des siècles auparavant, prêchaient une religion nouvelle.

Une douleur plus forte et plus longue que les précédentes tira la future mère de ses méditations théologiques. Attentive aux mouvements intimes de son corps, les dents serrées pour contenir une plainte, elle se plia en deux.

« Mère me disait que cela ne servait à rien de crier et même de hurler. Elle conseillait à ses patientes de respirer profondément, de ne pas s'affoler. Je respecterai la moindre de tes paroles, mère chérie ! »

Angélina patienta un peu. La douleur s'intensifia. Vite, la jeune fille versa de l'eau dans la bassine qu'elle cala sur trois galets, tout près des flammes. Il lui faudrait laver le bébé avant de l'habiller.

— Tu seras vêtu de ma propre layette, mon pitchoun ! murmura-t-elle. Ta grand-mère Adrienne l'avait soigneusement rangée dans une malle, au grenier. J'ai pris le nécessaire.

Encore une douleur : ample, puissante, annonciatrice de contractions plus rapides et plus pénibles.

— Tu arrives, mon petit ! articula-t-elle, le souffle coupé.

Sans perdre son calme, elle s'assura que rien ne lui-manquait. Elle remit du bois dans le feu. Mina l'observait d'un œil noir en s'agitant.

— Ah oui, j'ai oublié de te donner ton picotin ! soupira sa maîtresse. Tu l'as pourtant bien mérité.

La vieille bête s'apaisa dès qu'elle eut à manger. Mina avait déjà vingt ans, soit une année de plus qu'Angélina. Augustin Loubet avait fait son acquisition au marché de Saint-Girons, un gros bourg établi en amont du Salat, à trois kilomètres à peine de la cité de Saint-Lizier. L'animal avait parcouru toute la région sa vie durant, Adrienne juchée sur son dos. Une costosida devait beaucoup se déplacer, de hameau en hameau, de jour comme de nuit.

Angélina hésitait à s'allonger. Elle se posta encore une fois au bord de l'esplanade. L'air nocturne lui parut plus froid, chargé du parfum tenace des buis qui parsemaient la pente. Tout était silencieux, hormis les craquements du feu, mais ce silence fut soudain rompu par des hurlements lugubres, quelque part dans la montagne : les loups partaient en chasse.

« Ils sont loin d'ici ! pensa-t-elle. Sûrement dans le vallon d'Encenou ! »

Ses prunelles violettes se dilatèrent sous le coup d'une sourde angoisse. Elle connaissait le hameau d'Encenou, récemment édifié, où son oncle Jean Bonzom possédait des parcelles de terre et une maison bâtie sur un replat. Il élevait des moutons qu'il fallait enfermer chaque soir

dans la bergerie, car alentour, passé les pâtures, s'étendait la forêt plantée de hêtres démesurés, de sapins à la
ramure noire, le domaine des cerfs, des chevreuils et des
loups.

— N'aie pas peur, Mina ! dit-elle à la mule qui écoutait aussi. Ils ne viendront pas de ce côté-ci de la vallée.

Elle voulait s'en persuader. Derrière le Ker se dressaient des contreforts montagneux pratiquement inhabi-
tés, et ensuite c'était une succession de crêtes de plus en
plus hautes, désertes, où rôdaient les ours. La jeune fille
frissonna.

« Mère tenait à maintenir une bonne chaleur dans la
pièce où elle mettait l'enfant au monde. Il fait bien trop
froid », déplora-t-elle.

Soudain inquiète, Angélina déballa la lourde couverture en laine qu'elle avait apportée et s'en enveloppa,
en reprenant ses déambulations dans la grotte. Elle avait
hâte d'être délivrée, de voir son petit, de s'assurer qu'il
était sain et vigoureux. Les douleurs se succédaient et
elle les endurait en silence. Enfin, du liquide chaud coula
entre ses cuisses.

— La poche des eaux s'est rompue ! dit-elle tout
haut. Le travail va s'accélérer.

Elle étudiait chaque manifestation comme s'il s'agissait d'une patiente de sa mère. C'était une façon de garder
le contrôle de son corps. En aucun cas, elle ne céderait
à la souffrance, à la panique instinctive qui s'emparait
de certaines femmes et les faisait se tordre et se débattre, terrifiées. Pourtant, elle aurait eu de solides raisons
d'être effrayée, étant bien renseignée sur certaines des
complications tragiques de l'enfantement. Après une
naissance difficile, Adrienne Loubet se confiait souvent

à son mari. Toute jeune, Angélina avait parfois entendu des récits affreux, dont elle n'avait rien oublié.

— Je n'ai pas pu sauver le petit, le cordon l'avait étranglé, disait la costosida en larmes. Quel malheur ! Un beau garçon de six livres ! Il était bleu quand je l'ai pris dans mes mains.

Ce genre de chose ne devait pas se produire ; Angélina se le répétait. Elle misait sur sa jeunesse, sa volonté et sa foi en un avenir merveilleux. Mais la violence des assauts qui dévastaient à présent son corps la fit douter. Pareille à une bête blessée, elle s'allongea sur le drap immaculé, le plus près possible du feu.

— Oh ! mon Dieu ! gémissait-elle. Dieu tout-puissant, aidez-moi, ayez pitié ! Maman, je t'en prie, maman…

Les douleurs déferlaient, ne lui accordant plus que de brefs instants de paix. Ce fut à la faveur d'une accalmie qu'Angélina procéda à un examen minutieux de son sexe humide. Le passage était ouvert. Elle sentit même le crâne rond de son enfant. Ce premier contact l'émut profondément. Elle eut envie de crier de joie et de peur mêlées, mais elle serra à nouveau les dents.

— Allez, viens, viens ! implora-t-elle. Je suis prête, mon petit.

Des images lui traversèrent l'esprit, si douces et si belles qu'elle se détendit, sans cesser de respirer à petits coups. C'était à la Saint-Jean d'été, dans le pré communal de Saint-Lizier. Des lampions multicolores étaient suspendus aux branches des tilleuls et un orchestre jouait. Les filles et les garçons de la cité dansaient sous un ciel rempli d'étoiles argentées. L'air chaud du mois de juin embaumait le chèvrefeuille et la menthe. Angélina étrennait une robe en calicot vert pâle soulignant sa poitrine et ses hanches. Une petite coiffe blanche couvrait une partie de sa chevelure, dont les boucles ornaient ses épaules. Elle crut ressentir les vibrations de la terre battue, sous l'herbe drue. La musique était si gaie que les jeunes gens rassemblés là en riaient tout en exécutant les figures d'un quadrille.

« Et je l'ai vu approcher du pré communal, se remémora-t-elle. Il était grand, mince, vêtu d'un costume gris, et tellement beau ! Je ne l'ai pas reconnu tout de suite, Guilhem, le fils cadet de la riche famille Lesage. Pourtant, nous avions couru tous les deux dans les ruelles, avec les autres enfants de la cité. À cette époque, il avait souvent ses bas de pantalon boueux, ou une manche de chemise déchirée. "Un casse-cou, le petit Lesage", disait maman. »

Angélina dut renoncer à ses souvenirs. Elle avait l'impression que les os de son bassin se disloquaient, tandis qu'une force invincible la contraignait à pousser de toutes ses forces, lui coupant le souffle. Elle savait que c'étaient les derniers instants de l'accouchement. Elle avait vu des femmes pousser comme elle le faisait à présent, les traits crispés, le corps tendu par l'effort, afin d'expulser de son ventre l'enfant qui s'y était lové durant neuf mois. Mais elle devait résister, se contenir encore.

« Mon cœur s'est affolé en voyant le beau Guilhem ! songea-t-elle, haletante. J'ai su que ce serait lui et seulement lui, pour toujours, jusqu'à ma mort. Il ne me quittait pas des yeux et je soutenais son regard avec fierté, toute joyeuse. Ce soir de la Saint-Jean, après la danse, il m'a parlé et je l'ai écouté. Une heure plus tard, sous le mur du palais, il m'a embrassée. Mon amant, mon bel amant ! »

La jeune fille, paupières mi-closes, se mit à chanton-
ner d'une voix faible.

Voici la Saint-Jean
La grande journée
Où tous les amants
Vont à l'assemblée
Mignonne, allons voir
Si la lune est levée[1].

Elle se tut, en pleurs, couchée sur le côté, une main
crispée sur la couverture, le temps de pousser de nouveau avec une grimace de douleur. Dès qu'elle le put,
elle chanta encore tout bas :

Le mien est à Paris
Chercher ma livrée
Que t'apportera-t-il,
Mignonne tant aimée ?

Il doit m'apporter
Une ceinture dorée
Une alliance en or
Et sa foi jurée
Mignonne, allons voir
Si la lune est levée.

— Oui, il m'apportera une alliance en or et sa foi
jurée ! s'écria-t-elle. Oh oui, Guilhem, tu le feras, tu
reviendras !

1. Très ancienne ronde provençale composée pour fêter la Saint-
Jean.

25

Cet appel pathétique fut suivi d'une ultime poussée. Les cuisses écartées, sa chemise retroussée, Angélina parvint à se redresser. Quelque chose forçait le barrage intime de son sexe avec un mouvement en spirale qui lui prouvait la vitalité de son enfant. Le visage ruisselant de larmes et de sueur, indifférente à la souffrance, elle poussa enfin un cri de victoire à l'instant où elle attrapait délicatement entre ses paumes un petit être chaud et poisseux. Presque aussitôt, le bébé eut une sorte de miaulement étonné, qui prit tout de suite de la vigueur.

— Sainte Vierge Marie, merci ! Mon Dieu, merci ! dit-elle en admirant le nouveau-né. C'est un garçon, un magnifique petit gars ! Guilhem, je t'ai donné un fils ! Oh ! Si tu pouvais le voir ! Il est costaud, dix doigts, dix orteils, pas un défaut !

Angélina sanglotait sans s'en apercevoir, infiniment soulagée et surtout bouleversée devant l'éternel miracle de la naissance. Elle scruta encore une fois son fils sous tous les angles avant de le tenir contre sa poitrine et de le couvrir d'un linge qu'elle avait fait tiédir sur les pierres du foyer.

Quelques minutes s'écoulèrent avant que ne survienne la délivrance ; une masse sanguinolente glissa hors de son sexe sans lui causer aucune douleur.

— Maintenant, mon pitchoun, nous devons nous séparer ! déclara-t-elle en nouant le cordon à deux endroits qui laissaient un espace où le couper.

Elle s'empara des ciseaux bien affûtés qu'elle avait apportés et qu'elle avait emballés dans un tissu très propre. Adrienne Loubet ayant coutume de passer ses ustensiles à la flamme, Angélina l'avait imitée. Ses gestes étaient tranquilles, sûrs et habiles. Auréolée de sa chevelure flamboyante, elle lava son fils et l'enveloppa dans le lange en laine blanche.

— Si ton père était là, il aurait quitté sa chemise et il t'en aurait enveloppé pour te communiquer sa chaleur d'homme en bonne santé, et ainsi te prouver qu'il t'acceptait, qu'il te protégerait, lui si fort, toi si petit[1]. Mais ton père n'est pas là ; j'ignore même où il se trouve.

Angélina avait besoin de parler, de se bercer de mots apaisants. Elle exultait, pleine d'amour pour ce bébé qu'ils avaient conçu, Guilhem et elle, à la mi-février, pendant le carême.

— Ton père devait s'en aller étudier, mon fils ! J'étais si malheureuse de le quitter ! Il m'a promis de revenir et de m'épouser. Ce soir-là, le vent soufflait fort et nous nous sommes abrités sous le porche du clocher. La porte de la tour n'était pas fermée, Guilhem m'a entraînée. Il chuchotait à mon oreille : « Encore une fois, Angélina, une dernière fois, donne-moi du bonheur. » Je ne pouvais pas refuser, c'était si bon… C'est ce soir-là que tu as dû germer en moi, pitchoun, et te voilà, tout petit et tout rose.

La jeune fille rêvait de se reposer, mais elle devait procéder à sa propre toilette. Elle prit d'une main tremblante une bouteille en grès, soigneusement bouchée, qui faisait partie de son chargement hétéroclite. Avant son départ, elle l'avait remplie d'eau très chaude qui avait longuement bouilli. Angélina se lava à l'aide d'un carré de tissu tout en vérifiant qu'elle n'avait pas de déchirures. Ce genre de blessure intime pouvait être indolore

---

1. Très ancienne coutume du sud de la France, surnommée *la chemise du père*.

pendant la naissance, alors que les chairs étaient comme anesthésiées par le travail.

— Non, je n'ai rien ! conclut-elle. Maman dirait que j'ai bien œuvré. Entends-tu, mère chérie ? J'ai mené ma grande œuvre à terme, et sans me plaindre.

Angélina haussa les épaules, se moquant d'elle-même. Vite, elle enfila une sorte de caleçon en coton et veilla à se protéger d'une bande de linge. Elle saignerait quelques jours, mais c'était naturel, elle était prévenue. Enfin, elle put s'allonger, épuisée, son enfant blotti entre ses bras. L'épaisse couverture les isolait tel un cocon douillet.

— C'est notre nid, rien que pour nous ! s'extasia-t-elle.

Un délicieux sentiment de félicité proche de la béatitude l'envahissait.

— Un prénom… Je dois te baptiser ! Mais quel prénom te donner ?

Somnolente, elle renonça à chercher. Le bébé faisait de petits bruits ; elle en avait vaguement conscience et cela la berçait.

— Une accouchée a fourni de tels efforts qu'il faut lui accorder du repos, avant même de lui offrir un bouillon de poule bien corsé ! recommandait Adrienne Loubet dans les familles où elle officiait.

Ce repos, Angélina le prenait avec avidité, pareille à cet instant à toutes les mères, humaines ou animales, qui jouissent en silence d'être délivrées du poids de leur grossesse en s'apprêtant à choyer leur petit.

Un cri rauque, guttural, résonna tout à coup. La mule venait de lancer un appel affolé, entre le hennissement et le braiment de l'âne.

— Mina ! s'exclama Angélina, tirée de sa torpeur. Oh non, Mina !

La mule se cabrait à demi. Elle tirait de toutes ses forces sur sa corde, ce qui secouait l'arbuste auquel elle était attachée. Deux silhouettes grises la harcelaient.

— Mon Dieu, ce sont sûrement des loups ! Bêtes du diable ! pesta la jeune fille en se redressant.

Un craquement sinistre retentit. Prise de panique, Mina avait brisé la branche qui la retenait prisonnière et, tout en décochant de violentes ruades à ses agresseurs, elle s'élançait sur la pente abrupte. « Pauvre Mina, elle risque de se rompre les os, se dit Angélina, terrifiée. Le feu, je dois remettre du bois dans le feu. »

Elle quitta à regret l'asile douillet de la couverture, non sans jeter un regard inquiet à son fils. Le froid de la grotte la saisit. Très vite, elle posa des branchages sur les braises. Des flammes dorées s'élevèrent, d'une clarté réconfortante.

« Que va devenir Mina ? songea-t-elle. Et d'où viennent ces loups ? Pourquoi se sont-ils attaqués à une mule adulte ? »

Troublée, elle recula vers sa couche de fortune, mais l'écho d'une respiration toute proche l'intrigua. Cela ressemblait à des halètements.

— Est-ce qu'il y a quelqu'un ? demanda-t-elle.

« Peut-être que les petchets voulaient enterrer un mort cette nuit ! pensa-t-elle. Ils auront vu la lueur du foyer… »

Angélina n'avait envie d'affronter ni les loups ni ces prêtres rebelles dont personne n'osait parler à voix haute. Elle attendit, certaine de percevoir à présent des pas sur les cailloux du sentier. Quand une masse blanche apparut, elle ne put retenir un cri de terreur. Mais ce n'était qu'un énorme chien, la gueule ouverte sur une langue rose, ses yeux bruns pleins d'amitié.

— Tu m'as fait une belle peur, toi ! s'exclama-t-elle.

Le pastour[1] remua la queue, comme pour prouver sa bonne volonté. Il huma le vent et s'aventura près des flammes où il se coucha.

— C'est toi qui chassais les loups ? hasarda Angélina, rassurée. Où est ton maître ? Allez, file, tu ne peux pas rester ici.

Le chien la fixa sans bouger. La jeune fille hésita sur la conduite à tenir. L'animal pouvait être attiré par l'odeur du placenta ou s'en prendre à elle et au bébé. Cependant, il lui inspirait confiance, et avoir un pastour de belle taille à ses côtés n'était pas négligeable.

— Je te préviens, si tu m'approches, je te flanque un coup de bâton. Je ne te connais pas, moi.

Elle était soulagée de parler au chien après des heures de silence et d'isolement. En le surveillant du coin de l'œil, elle retourna sous la couverture et, comme l'enfant pleurait, son minuscule poing dans la bouche, elle le mit au sein.

— Maman est là, mon câlin ! chantonna Angélina. Je n'ai pas encore de lait, mais tu peux téter. Mon lait, tu n'y auras pas droit, mon petit…, mon petit Henri. C'est joli, Henri. Beaucoup de rois ont porté ce nom et bien des saints aussi. Henri Lesage ! Ton père sera fier de toi.

Totalement épuisée, la jeune mère s'endormit à nouveau. Elle ne vit pas les rideaux de pluie s'abattre sur le

---

1. Pastour ou pastou en occitan : ancien nom du patou, chien de montagne des Pyrénées de grande taille et au poil blanc fourni. Jadis, il protégeait les troupeaux des loups et des ours.

roc de Ker, sur la vallée et les monts voisins. Le grand chien blanc, la tête posée sur ses pattes avant, semblait contempler le ciel d'un noir d'encre. Fidèle à son rôle de berger, il demeura sur le qui-vive jusqu'à l'aube.

Angélina le découvrit à la même place en se réveillant. Cela l'étonna un peu, mais elle en éprouva un profond sentiment de sécurité. Une lumière rose baignait le paysage qui se dessinait sous la voûte de la grotte. De la neige fraîche parait les sommets d'un blanc pur.

— Je dois rallumer le feu ! affirma-t-elle à haute voix. Tu sais, le chien, autant te prévenir, je passe la journée ici. C'est l'unique moment que je consacrerai à mon petit Henri.

Cette inévitable séparation paraissait néanmoins fort lointaine à Angélina. Elle disposait encore de plusieurs heures et d'une seconde nuit. Elle comptait en profiter pleinement. Elle couvrit chaudement son fils qui dormait, son pouce dans la bouche, et entreprit de ranimer les braises du foyer.

— Il me faudrait du bois sec, mais il a plu ! ronchonna-t-elle. Je ne pouvais pourtant pas apporter des bûches ! J'étais bien assez chargée !

Elle fit une rapide toilette avec l'eau qui restait dans le bidon et s'habilla sans remettre le corset. Sa robe flottait sur sa taille amincie et cela lui arracha un sourire mélancolique.

« J'ai réussi à cacher ma grossesse, mais mon père me trouvera moins ronde, songea-t-elle. Je porterai encore mon tablier à la maison. Il est ample ; cela ne changera pas trop ma silhouette. »

Il lui fallait penser au moindre détail. Porter un enfant illégitime ternissait à jamais la réputation d'une fille, et si les mauvaises langues de Saint-Lizier avaient su qu'elle s'était donnée à un homme avant le mariage, Angélina n'aurait pas pu prétendre à exercer le métier de sa mère. Depuis deux ans, sa décision était prise. Elle serait elle aussi une costosida, une releveuse[1], la respectée *commater*[2] que l'on faisait appeler au chevet des femmes dès les premières douleurs de l'enfantement.

Le pastour suivait de ses yeux sombres le moindre de ses gestes. Quand elle sortit de la grotte pour chercher des branches mortes, il lui emboîta le pas.

— Tu es un drôle de chien, toi ! soupira-t-elle. Je ne sais pas d'où tu viens, mais tu as sûrement un maître, et un troupeau à garder.

Elle ajusta le capuchon de sa pèlerine, car l'air était vif. Tout en ramassant du bois détrempé, elle scrutait la pente avec la crainte d'apercevoir le corps disloqué de la mule. Elle aurait du mal à expliquer à son père la perte de leur vieille bête de somme.

— J'espère que Mina est dans la vallée. Quelqu'un de Biert a pu l'attraper et la mettre à l'abri. Je le saurai demain matin.

La jeune fille songea au sort de son enfant. Son cœur se serra et elle eut envie de pleurer. L'épreuve qui l'attendait serait cruelle, cela ne faisait pas de doute. « Je dois me raisonner ! se dit-elle. Dans les grandes villes, les dames de la haute société confient leurs enfants à des nourrices. Elles n'en font pas un drame. Plus tard, je reprendrai Henri, peut-être même bientôt, si Guilhem revient. Quand il saura que nous avons eu un petit, il m'épousera. »

1. Ancien nom donné aux sages-femmes.
2. Autre désignation de la sage-femme en occitan.

Angélina était de retour dans la grotte. Le bébé poussait de légers vagissements. Elle entassa les branches mouillées près des flammes et alla s'asseoir sur la couverture pour admirer son enfant. Il ouvrait ses yeux d'un bleu gris encore laiteux. Potelé, le crâne bien rond orné d'un duvet brun, il présentait une ressemblance frappante avec Guilhem.

— Tu as le grand front de ton papa, sa bouche arrogante, son nez droit, s'écria-t-elle en souriant. Mon beau petit Henri, j'aurais tellement voulu que tu naisses dans une maison, sous le baldaquin d'un grand lit aux draps de lin ! Si tel avait été le cas, ce matin, j'aurais joué les princesses, adossée à mes oreillers.

Quand Angélina avait compris qu'elle était enceinte, elle s'était hasardée aux alentours du manoir des Lesage, une des familles les plus riches et les plus influentes de Saint-Lizier depuis des générations. L'élégant édifice, flanqué d'une tour au toit pointu, avait été construit deux siècles auparavant à l'écart de la cité, à flanc de colline, là où le plateau rocheux s'abaissait vers la rivière. De vastes prairies entouraient le parc planté de sapins. C'était un endroit magnifique, qui respirait le luxe et l'opulence. La jeune fille n'avait pas osé franchir la grille, ouverte la plupart du temps, encore moins s'imaginer remontant l'allée bordée de marronniers.

« Je n'allais pas solliciter un entretien pour annoncer à ces gens que je portais l'enfant de leur fils. Ils auraient été capables de me congédier sur-le-champ », déplorat-elle en évoquant ce mois d'avril pluvieux où elle avait erré sur la route, son regard violet rivé à la façade du manoir.

Angélina secoua sa magnifique chevelure rousse, comme pour se débarrasser de toute triste pensée. Elle prit son bébé dans ses bras et continua à le contempler.

— Tu es le fruit de l'amour, Henri, mon petit ! Guilhem m'a tant de fois affirmé que j'étais la plus jolie fille du pays, qu'il m'adorait, qu'il me comblerait de tendresse sa vie durant ! Ton père m'a dit la vérité, je le sais. Il reviendra et nous serons réunis, tous les trois.

Malgré ces belles paroles, Angélina s'interrogeait encore sur le départ entouré de mystère de son amant. Elle supposait que les Lesage, peut-être informés de leur liaison, avaient envoyé leur fils cadet le plus loin possible de Saint-Lizier.

— Il est à Paris, comme dans la chanson ! dit-elle d'un ton rêveur. « Le mien est à Paris »… chercher sa livrée, ma ceinture dorée et l'alliance en or ! Je le saurai à son retour ! Maintenant, tu es là, mon fils, et je n'ai qu'à me réjouir ! Tu es né au cœur de la nuit, et ta mère n'a eu besoin de personne pour te mettre au monde.

Le bébé frotta son nez contre son sein. Toute joyeuse, Angélina entrouvrit sa chemise et le laissa téter, ce qu'elle savait peu approprié à ses projets, car cela stimulerait la montée du lait, alors qu'elle ne pourrait pas le nourrir. Mais elle n'avait pas le cœur de le priver. L'enfant n'était encore qu'instinct et, de toutes ses forces, il s'acharnait sur le mamelon de sa mère, se rassasiant d'un liquide presque translucide qui le désaltérait. Il ne tarda pas à somnoler, repu, après avoir gratifié la jeune fille de pittoresques mimiques.

« J'ai vu de nombreux nouveau-nés, mais le mien me paraît le plus extraordinaire, le plus calme, le plus beau ! » pensait-elle fièrement. Attendrie, elle se décida à l'emmailloter et à le coucher, bien enveloppé du lange en laine et protégé par la couverture. Elle était affamée et sortit de sa besace du pain et du fromage, ainsi qu'un morceau de saucisson, à défaut du traditionnel bouillon de poule qu'on servait aux accouchées, souvent accompagné d'un verre de vin. Le pastour choisit ce moment-là pour avancer dans sa direction, les narines frémissantes.

— Arrière ! ordonna-t-elle. Va-t'en ! Si tu as faim, rentre chez toi. Je ne peux pas partager mon repas, je te préviens.

Adrienne Loubet avait enseigné à sa fille des principes d'économie et l'art de se contenter de peu. Il était hors de question de gaspiller la nourriture et, pour cette raison aussi, Augustin s'était interdit de posséder un chien. Angélina gesticula donc afin de décourager la grosse bête blanche.

— Si tu as le ventre creux, tant pis pour toi ! ajouta-t-elle, bien qu'apitoyée par les filets de salive qui pendaient des babines de l'animal.

Cela ne l'empêcha pas de manger de bon appétit. Angélina Loubet était connue à Saint-Lizier pour sa force de caractère et une bonne humeur à toute épreuve. Fillette, elle ne se plaignait jamais et se montrait travailleuse et dévouée. On la disait aussi généreuse, gaie, habile à coudre et surtout très instruite. Elle avait fréquenté l'école assidûment, puis elle avait continué à apprendre dans les livres que lui prêtait une certaine mademoiselle Gersande, une protestante fière de son célibat. La vieille dame habitait un curieux logement situé au-dessus des Halles, elles-mêmes de dimension modeste avec leurs étals en pierre taillée. Angélina lui vouait une affection sans borne et une infinie gratitude.

Mais, ce jour-là, la cité de Saint-Lizier, ses hautes maisons nobles, la fontaine de la place et la cathédrale aux murailles de briques ocre appartenaient à un autre univers. Pour Angélina, la grotte du Ker était devenue le plus sûr des asiles. Elle se compara à un oiseau égaré qui aurait niché là pour fuir le danger.

— Hélas ! Je ne crains pas le bec d'un épervier ou les serres du hibou, mais plutôt l'intolérance de mes semblables ! confia-t-elle au chien. Figure-toi, pastour, qu'Angélina Loubet n'a pas le droit de mal se conduire. Elle ne voudrait pas causer de tort à son père. Papa est un homme d'une grande droiture. Quant à maman, la cité entière vénère son souvenir. Oui, Adrienne Loubet n'a pas pu engendrer une fille volage, qui a offert sa virginité au premier venu... Enfin, non, Guilhem n'est pas du tout le premier venu. Si tu le voyais, pastour ! Grand, brun de cheveux et de peau, les yeux en amande, d'un vert pailleté d'or. Un soir, je lui ai dit qu'il avait volé des paillettes d'or au sable de l'Ariège. Eh oui, depuis des siècles, on trouve de l'or dans nos rivières et nos ruisseaux. Il paraît même que les bergers suspendaient dans l'eau des toisons de moutons pour que des particules du précieux métal s'y déposent. J'en sais plus que toi, mon beau pastour !

L'animal remua la queue, sensible à la voix chantante d'Angélina. Il avait l'air si amical que la jeune femme finit par lui lancer une croûte de fromage et un petit bout de pain.

— J'ai l'impression que tu veilles sur moi et mon pitchoun, lui confia-t-elle. Viens un peu là, allez, viens...

Le chien se leva et marcha lentement vers elle. Angélina le caressa entre les deux oreilles. Enfin, elle s'enhardit à lui flatter le dos. Sa fourrure était très épaisse, soyeuse.

— Nous sommes amis, à présent, dit-elle en riant.

Elle ne soupçonnait pas à quel point ces mots se révé-leraient exacts dans un avenir proche et pour de longues années.

La journée s'écoula tranquillement. La jeune mère gar-nissait le feu et cajolait son bébé. Les ombres du soir la trouvèrent allongée près de l'enfant qui venait de téter.

— Notre dernière nuit ensemble, Henri, soupira-t-elle. J'ai gravé ton image dans mon cœur, je te reconnaîtrais entre mille. Mon tout-petit, mon chéri… J'aurais préféré te voir grandir, te chérir chaque jour que Dieu fait. Mais au moins, je ne suis pas de celles qui déposent leur nourrisson au tourniquet des couvents. Ta grand-mère Adrienne a dû emporter plus de dix petits innocents à l'hôtel-Dieu de Foix. Elle les abandonnait dans une sorte de caisse et tirait la cloche. Les religieuses récupéraient le pauvre malheureux qui demeurait orphe-lin, sans famille. Attention, Henri, ta grand-mère n'a pas fait ça à ses propres enfants, non… Mais certaines femmes qu'elle avait accouchées lui demandaient ce service et, toute triste, maman faisait diligence pour accomplir sa pénible mission. Tu ne seras jamais un orphelin, Henri Lesage ! Je vais te confier à une bonne nourrice et je te rendrai visite tous les mois. Dors, mon bébé, dors.

De grosses larmes coulaient sur les joues d'Angélina. Elle n'avait plus qu'une nuit à passer avec son fils. Presque contre son gré, elle se mit à le bercer en fre-donnant la complainte la plus populaire de sa belle terre occitane, dans le patois de son pays.

Se canto, que canto.
Canto pas per you, Canto per ma mio
Qu'es allen de you.
Aquellos montagnos
que tan hautos soun m'empachon de veyre
Mas amours oun soun[1].

Toujours en larmes, elle répéta d'une voix tremblante les couplets, en français cette fois, abattue par une détresse infinie.

S'il chante, qu'il chante.
Ce n'est pas pour moi,
Mais c'est pour ma mie
Qui est loin de moi.
Baissez-vous, montagnes,
Plaines, haussez-vous,
Que mes yeux s'en aillent
Où sont mes amours.

— Où est mon amour ? s'exclama-t-elle. Oh ! Guilhem ! Je t'en prie, reviens vite ! Si seulement je pouvais t'écrire, te dire que tu as un fils, un beau petit garçon !

Inquiet et sensible à son chagrin, le chien quitta son poste près du foyer et vint se coucher contre Angélina. Elle puisa dans sa présence un peu de réconfort.

— Je ne suis pas seule, tu es là, brave bête ! dit-elle. En plus, tu me tiens au chaud. Je t'en supplie, reste près de moi.

1. *Se Canto* : un des chants les plus célèbres du sud de la France, toujours interprétés lors des veillées ou des fêtes de village.

*

Angélina était prête. Elle avait soigneusement rangé la grotte où il ne restait aucune trace de son passage. La jeune mère avait même veillé à enterrer le placenta en creusant une petite fosse, qu'elle avait ensuite recouverte de pierres. La couverture lui servait de ballot, car, privée de sa mule, elle était très encombrée. Cela lui posait problème.

« J'aurais dû arriver à Biert sur le dos de Mina, sans tout ce chargement que je comptais cacher dans un buisson. Là, si je me présente à pied, cela éveillera la curiosité… » songeait-elle en empruntant le sentier qui contournait le roc de Ker.

Le chien la suivait, apparemment déterminé à ne pas la quitter.

« Je vais bien trouver une histoire à inventer ! se dit-elle encore. Je n'ai jamais autant menti de ma vie, mais ce sont de pieux mensonges, pour reprendre les mots de papa. »

Augustin Loubet pratiquait lui aussi le mensonge quand il y était contraint. Si un client venant chercher ses chaussures semblait surpris par le prix à payer, le cordonnier s'empressait de répondre qu'il s'était trompé. Cela ne le rendait pas riche, mais on l'appréciait.

Tout en marchant le plus lentement possible afin de retarder l'échéance de la séparation, Angélina cherchait encore une autre solution pour ne pas abandonner son bébé.

« Si je le ramenais à la maison, je raconterais à papa que je l'ai trouvé au bord du chemin… pensa-t-elle, les larmes aux yeux. Non, je ne pourrais pas m'empêcher de lui donner le sein et je me trahirais. Ou bien je vais chez les parents de Guilhem et je leur avoue la vérité. Ils n'oseront pas rejeter leur petit-fils ! Je les supplierais à genoux de m'engager comme bonne, pour que je puisse voir mon pitchoun tous les jours. »

Cette idée la fit grimacer. Les Loubet avaient quand même de l'orgueil.

« Non, je n'ai pas le choix. Je dois confier mon enfant aux femmes Sutra. Elles sont dignes de confiance, maman me l'a souvent répété. »

Après la pluie et le vent glacé de la veille, un franc soleil se levait. Le ciel s'était dégagé et était maintenant d'un bleu pur. Du côté du vallon d'Encenou, le moutonnement des hêtraies se parait de teintes pourpres et dorées. Angélina évoquait une allégorie vivante de l'automne dans sa pèlerine de drap brun, avec son teint rose, son regard de colchique et l'or sombre de ses cheveux. Elle avançait, droite, son fin visage sublimé par une volonté désespérée.

Ce fut après plusieurs virages en pente douce qu'elle aperçut sa mule, immobile entre deux troncs de chêne. La pauvre bête avait le poil trempé et maculé de boue. La selle flanquée de paniers, une confection d'Augustin Loubet, pendait sur son flanc gauche. Mais, de toute évidence, elle ne portait aucune blessure.

— Mina ! Comme je suis contente ! Je parie que tu as fait fuir les loups. Dans quel état es-tu, mon Dieu !

Angélina était bien embarrassée. Elle ne pouvait pas entrer dans le village de Biert sans rendre sa mule présentable. Avec un soupir, elle entreprit de poser son ballot et d'y nicher son fils, le temps de réajuster le harnachement de Mina. Le chien renifla Henri du bout du nez, puis il se coucha à côté de lui.

— Tu es vraiment un bon pastour, toi ! s'écria Angélina. Je me dépêche, fais attention au petit.

En tenant la mule par la corde, elle put bientôt se remettre en chemin. Soulagée de son chargement, elle préférait marcher.

Dès qu'elle distingua le clocher de Biert, elle fit une promesse à son fils :

— Mon enfant, mon fils, mon petit amour, pardonne-moi ! Je te jure que je reviendrai et que je ne t'abandonnerai jamais plus.

Enfin, le village lui apparut, un peu avant le pont sur l'Arac. La rivière grondait, grossie par les pluies fréquentes en cette saison. Ses flots impétueux d'une limpidité de cristal roulaient sur des blocs de rocher, et une multitude de galets aux couleurs panachées, du gris, de l'ocre, du jaune, du blanc, en tapissaient le fond.

— Nous sommes arrivés, mon tout-petit, dit Angélina tout bas.

Elle lança un coup d'œil attristé aux maisons regroupées autour de la place de l'église. Un tilleul entouré d'un banc en bois déployait ses grandes branches dénudées. C'était un arbre de la Liberté, planté en 1848 pour célébrer l'abdication du roi Louis-Philippe et l'avènement de la Seconde République. Un chat sauta d'un muret et se glissa dans la grange de l'épicerie dépôt de tabac ayant pignon sur le bord de la route.

« Je ne suis pas venue ici depuis un an ! » se dit Angélina.

Sur sa droite se dressait le moulin à farine du père Piquemal, en face de l'auberge.

« Allons, du courage ! pensa-t-elle, le cœur serré. Tiens, voilà le vieux René de Jacquet. »

Un homme quasi courbé en deux, un béret crasseux enfoncé jusqu'au milieu du front, se dirigeait vers elle. Il leva un peu son bâton et désigna le chien.

— D'où tu sors ce pastour, toi ? interrogea-t-il. Et qui es-tu ?

— Vous ne me reconnaissez pas ? Je suis la fille d'Adrienne Loubet. Mes grands-parents étaient vos voisins, les Bonzom. Vous habitez toujours à Jacquet, là-haut ?

Elle revit le hameau, quatre maisons en tout, bâti à mille mètres d'altitude, sur un plateau abrité du vent. La vie y était rude, l'hiver.

— Eh oui, je m'en souviens, fit le vieillard.

— Quand j'étais petite fille, nous allions parfois veiller chez vous, monsieur René, précisa Angélina, pleine de nostalgie. Il fallait apporter nos chaises et ça m'amusait. On égrenait le maïs pour les poules et tout le monde chantait...

— Eh oui ! répéta-t-il. Est-y à toi, ce chien ?

Elle hésita un instant. L'animal n'avait pas de collier. Sans réfléchir davantage, elle hocha la tête pour appuyer un oui énergique.

— M'en faudrait un, de pastour ! Je viens causer au maire ; les loups m'ont pris une brebis hier soir ! J'en avais un, de chien, mais il a crevé.

— Je suis navrée ! répliqua Angélina en le saluant. Bon courage !

L'accent rocailleux du vieil homme et son langage familier l'amusaient. Grâce à la bienveillante mademoiselle Gersande, Angélina avait appris les bonnes manières et savait s'exprimer correctement. « Peut-être que cette chère demoiselle a des soupçons, au sujet de

Guilhem. Cet été, elle a insisté sur la nécessité d'être bien éduqué, avec plus d'insistance que jadis. Je n'aurais pas honte si je devais discuter avec les Lesage. »

Le bébé se mit à pleurer. On aurait dit le miaulement d'un chaton. Angélina écarta un pan de sa pèlerine pour embrasser le front de son fils.

— Je t'en prie, sois sage ! Tu vas avoir du bon lait, Henri, lui dit-elle tendrement en empruntant une rue étroite, bordée de façades grises.

Chaque pas lui coûtait. Mais elle eut beau ralentir, ses jambes la conduisirent malgré tout jusqu'à la rue du Lavoir. Tremblant de nervosité, elle attacha la mule à un anneau scellé dans le mur.

— Toi, le chien, tu vas m'attendre, dit-elle dans un souffle. Ne bouge pas. Je ne sais pas ce que je ferai de toi, mais par pitié attends-moi.

L'enfant poussa un vagissement plus vigoureux. La bouche sèche et les larmes aux yeux, Angélina fixa d'un air hagard une porte en bois sombre. Elle devait frapper, mais ses mains se crispaient sur le corps menu de son fils.

« Sainte Vierge, aidez-moi ! se dit-elle afin de retrouver son courage. Si les femmes Sutra me voient sangloter, si je ne peux pas débiter la fable que j'ai préparée, elles comprendront que je viens de mettre ce petit au monde. Guilhem, pourquoi ne reviens-tu pas ? Pourquoi ce silence ? Dieu sait que tu pourrais m'écrire, toi qui manies si bien la plume ! » Angélina contempla une dernière fois son enfant. Avec un soupir étouffé, elle se décida enfin à frapper à la porte : trois coups nets.

2

Angélina

De plus en plus nerveuse, Angélina frappa encore. Enfin, une voix aiguë s'éleva derrière la porte qui s'ouvrit aussitôt. La face rubiconde de Jeanne Sutra apparut dans l'entrebâillement. C'était une femme d'une quarantaine d'années, petite et grasse.

— Oh ! mais c'est mademoiselle Loubet !

La jeune fille entra après avoir tapé ses chaussures sur le rebord de la pierre du seuil pour débarrasser ses semelles de la terre noire du chemin.

— Vous avez bien reçu ma lettre, madame Sutra ? demanda-t-elle. Vous n'êtes pas surprise de me voir ?

— Non, pensez-vous ! Bien sûr que j'ai eu votre lettre. Même que j'ai tout de suite couru chez le curé pour qu'il me la lise ! J'étais contente ; six francs par mois, c'est une somme ! Mais je ne vous attendais pas si tôt. Alors, ce petit, montrez-le-nous ! Eulalie, viens…Mademoiselle Loubet a conduit ton nourrisson chez nous.

Un lit en bois occupait tout un angle de la pièce, à droite d'une cheminée au manteau monumental en plâtre jauni par la fumée. Une seconde femme, beaucoup plus jeune, écarta les rideaux qui fermaient entièrement le meuble. C'était une façon efficace de lutter contre les courants d'air et de préserver l'intimité des couples.

— Je donnais la tétée à mon Paul, ronchonna Eulalie en reboutonnant son corsage.

Jeanne jeta un regard courroucé à sa fille, qu'elle ne trouvait guère aimable. Eulalie Sutra épouse Fabre, âgée de vingt-cinq ans, était une nourrice réputée. Elle avait deux enfants, Maria et Paul. Son lait ne tarissait pas depuis la naissance de son aînée. Angélina la jaugea d'un œil froid.

« C'est elle qui va donner le sein à Henri, le tenir contre sa poitrine. Elle aura droit à son premier sourire, à ses gazouillis... Mon Dieu, donnez-moi la force de ne pas me trahir ! » Afin d'être fidèle au rôle qu'elle s'était attribué, Angélina devait paraître impassible, seulement soucieuse de mener à bien la tâche qu'on lui avait soi-disant confiée. Sans cesse de détailler la jeune nourrice, elle débita son discours, longuement ressassé.

— Je me suis adressée à vous, parce que ma mère m'a toujours dit que vous étiez une excellente nourrice, madame Sutra, et que votre fille Eulalie avait fait ses preuves elle aussi. Le cas de ce petit est particulier. Sa famille tient à ce qu'il soit bien traité. Pour six francs par mois, il doit dormir dans une bercelonnette et non suspendu à une poutre.

— Dites, mademoiselle, y a pas de meilleur moyen de tenir les enfants loin des bêtes, surtout quand ils commencent à gigoter et à vouloir marcher, la coupa Eulalie.

— Ma mère prétendait que cette pratique causait plus tard des malformations et, par conséquent, elle la déconseillait, rétorqua Angélina d'un ton sec. Je vous le répète, les grands-parents de ce bébé tiennent à ce qu'il soit tenu propre et qu'il reste en bonne santé. Je lui rendrai visite une fois par mois.

Jeanne et Eulalie examinèrent avec curiosité le petit Henri.

— Qu'a-t-il de si particulier, ce gosse ? s'écria la jeune nourrice.

Par ruse, Angélina feignit de s'amadouer. Elle prit un air malin pour répondre.

— Vous savez ce que c'est, chez les bourgeois, un enfant né hors mariage n'amène qu'une grosse honte ! Il faut sauver l'honneur de celle qui a fauté. La famille ne veut pas garder un bâtard sous son toit, mais bon, il est de leur sang et peut-être que si un mariage se décide ce pauvre gamin sera légitimé. Moi aussi, j'y gagne, dans cette affaire. Personne ne voulait faire le trajet jusqu'ici et personne ne se déplacera pour prendre des nouvelles du petit. Je dois agir dans la plus grande discrétion. On me paie pour ça.

Sur ces mots qui avaient fait impression, elle se redressa et se mit à inspecter l'habitation d'un regard perspicace. Le parquet, composé de larges planches de châtaignier, était déjà un bon point, beaucoup de maisons du village ayant encore un sol en terre battue. Le feu, garni de bûches entrecroisées, chauffait suffisamment. La table paraissait astiquée chaque jour.

— Avez-vous un chat ? s'enquit Angélina.

— Non, trancha Jeanne. Pourquoi ?

— Les chats se couchent souvent dans les berceaux ; ils peuvent étouffer un nouveau-né ! expliqua-t-elle.

Henri choisit ce moment pour pleurer de toutes ses forces, ce qu'il n'avait fait ni la veille ni le matin. Ces cris frénétiques brisèrent le cœur de sa mère. Elle le berça doucement en répétant des « Là, là, sois sage ! »

— Il a faim, ce pitchoun, déclara Eulalie. Paul a bu au sein gauche, donnez-le, je vais le mettre à téter. Et puis, vous n'allez pas le garder sur vous comme ça !

— Bien sûr, renchérit Jeanne Sutra. Passez le bébé à Eulalie et asseyez-vous. J'ai du café chaud, vous en voulez une tasse ?

Angélina accepta d'un léger signe de tête. Elle voulait admirer encore une fois son fils, mais la nourrice écarta d'un geste autoritaire les pans de sa pèlerine et s'empara d'Henri.

— Je les laisse pas piailler si fort, moi ! protesta-t-elle. Viens, mon drôle, mon mignon, j'ai du lait, va…

La jeune femme s'installa sur une chaise près de l'âtre et dégrafa son corsage. Jeanne entraîna Angélina par le bras.

— Regardez ça, vous serez tranquille, après ! Montre-lui tes seins, Eulalie. Le mamelon est bien ferme. Une femme de Soueix a repris sa petite à la fin août ; je peux vous dire qu'elle était contente. La gosse avait dix-huit mois, elle était grasse comme une poularde, les cuisses potelées que ça faisait rire le père. J'étais pareille, dans ma jeunesse. La Jeanne de la rue du Lavoir, on lui amenait des nourrissons deux fois l'an. Après la naissance d'Eulalie, j'en ai eu quatre en même temps.

Mais Angélina écoutait à peine, fascinée par la vision de son fils qui tétait goulûment le sein blanc et rond d'une autre femme. Ce spectacle la révoltait ; pourtant, elle devait sourire poliment et, de plus, sembler satisfaite.

— J'en prendrai soin, de ce pitchoun ! affirma la nourrice. Vous pourrez le dire à sa mère. Je la plains, cette pauvre fille ! Sûrement, son petit doit lui manquer.

— Sans doute, répéta Angélina d'une voix faible. Alors, ce café, madame Sutra ?

D'un pas hésitant, elle s'attabla, incapable cependant de détacher ses yeux de son fils. « Je vais repartir, l'abandonner là à ces deux femmes, pensait-elle. Maman vantait leurs mérites. Je peux avoir confiance, mais que c'est dur, mon Dieu que c'est dur… Quand je reviendrai, Henri aura déjà changé. »

Pendant ce temps, Jeanne Sutra s'affairait. Elle se campa ostensiblement devant le vaisselier fabriqué par son mari. C'était en fait un bahut en planches de merisier, surmonté d'une étagère sur laquelle s'alignaient quatre tasses et six assiettes creuses.

« La maison est propre, Eulalie aussi. Ses ongles n'étaient pas noirs. Je n'aurais pas supporté qu'elle pose des doigts sales sur mon petit. »

— Est-y à vous, mademoiselle Loubet, le beau chien qui attend dehors ? interrogea Jeanne. Dites, ça coûte, les chiots de cette race, à la foire !

— Oui, il est à moi ! répliqua Angélina d'un ton assuré.

Elle but une gorgée de café, puis leva le nez pour observer le plafond noirci, dont les poutres s'ornaient de lambeaux d'écorce. Le long du mur, sur une rangée de clous, on avait accroché des saucissons et du lard, ainsi que des bouquets de thym. Elle avisa un second lit, plus étroit que l'autre, mais également fermé de rideaux. « Ils sont quatre à vivre ici, se dit-elle. Jeanne, Eulalie et leurs époux respectifs. Où couchent les enfants ? »

Comme si elle avait lu dans ses pensées, la maîtresse des lieux annonça fièrement :

— Lucien et moi, nous avons une chambre à l'étage, depuis le mariage de notre fille. Les murs sont plâtrés, et le beau-père m'a installé un poêle. Maria dort avec son frère. Paul a onze mois. Dès que mon mari sera de retour, il descendra le berceau du grenier.

— Très bien, approuva Angélina. Je vous ai apporté des draps, une couverture en laine et de la layette. Certaines pièces sont brodées à mes initiales ; je les ai vendues à ces gens. Maintenant, je ferais mieux de me remettre en route. Je ne serai pas arrivée à Saint-Lizier avant trois heures. Notre mule se fait vieille…

— Mais vous avez dû quitter la cité à l'aube ? fit remarquer Eulalie. Reposez-vous un peu.

— Je ne suis pas fatiguée ! mentit la jeune fille. J'ai passé la nuit à l'auberge de Castet-d'Aleu.

Elle se leva du banc, tremblante d'émotion, les jambes molles.

— J'ai un peu froid, dit-elle pour justifier les frissons qui la secouaient. L'enfant se prénomme Henri. Je n'ai pas le droit de vous confier son nom de famille.

— Ils l'ont quand même baptisé ? s'inquiéta Jeanne Sutra.

— Mais oui, enfin ! s'indigna Angélina.

Sa vue se brouillait, et des points sombres dansaient devant ses yeux. Elle craignit de s'évanouir et s'appuya à la table.

— Ah ! L'argent ! s'exclama-t-elle. Si je pars sans vous verser votre dû…

— Eh oui ! s'écria Eulalie. *Gouardo t'én, pocho, qué loung dio fè !*

Angélina trouva la force de sourire à l'écoute de ce vieux dicton vantant la prévoyance : « Garde de l'argent dans ta poche, car le jour est long ! » Mais le sang cognait à ses tempes. Au prix d'un effort surhumain, elle déposa une bourse en cuir dans la paume tendue de Jeanne.

— Eh bien, au revoir, au mois prochain, avant Noël ! dit-elle.

— Venez voir le petit, le lait lui coule sur le menton ! s'esclaffa Eulalie. Il est repu, il va dormir tout son saoul.

D'une démarche plus ferme, Angélina avança d'un pas et jeta un ultime regard à son fils. Enfin, elle tapota le ballot contenant la layette et sortit en toute hâte. L'air froid l'aida à se ressaisir. Pareille à une aveugle, elle s'accrocha au harnais de sa mule.

« Je ne dois pas m'évanouir, pas maintenant ! se disait-elle. Ces femmes auraient des soupçons. »

Obsédée par le petit visage de son enfant, appuyé au sein blanc d'Eulalie, la jeune fille se mit péniblement en selle. Elle réprima un sanglot, la gorge nouée par la douleur.

— Allez, Mina, en avant ! ordonna-t-elle.

Saint-Lizier, rue Maubec, même jour

Quand sa fille entra dans l'atelier, Augustin Loubet était penché sur son établi. Il continua à percer minutieusement une pièce de cuir à l'aide d'une alène. Un peu de clarté filtrait encore par la fenêtre qui dispensait une lumière suffisante durant presque toute la journée. Les soirs d'hiver, le cordonnier devait allumer une grosse lampe à pétrole, mais, comme sa vue baissait, il s'arrangeait pour achever son ouvrage avant le coucher du soleil. Depuis six mois, il portait des lunettes cerclées de fer, mais il n'en était guère satisfait.

— Bonsoir, papa ! dit Angélina d'une voix lasse. Je suis de retour.

La jeune fille n'attendait pas vraiment de réponse, mais elle guettait avec impatience l'instant où son père se retournerait pour lui sourire. Peut-être même qu'il se lèverait de son tabouret et viendrait l'embrasser. Profondément malheureuse, Angélina avait un besoin désespéré de tendresse, de réconfort.

— Bonsoir, ma fille ! répliqua Augustin sans bouger ni même la regarder.

Un peu surprise par le ton peu aimable, elle n'osa pas s'avancer vers lui et se dirigea vers le gros poêle en fonte qui chauffait la pièce.

— Papa, je suis transie. Le vent du nord se lève, ajouta-t-elle en s'inquiétant du mutisme de son père.

Il ne répondit pas. Afin de se donner une contenance, Angélina contempla d'un regard triste ce décor familier qui l'avait toujours fascinée. Il y avait là une quantité impressionnante de morceaux de cuir de toutes tailles et de toutes couleurs, et beaucoup d'outils rangés dans des casiers en bois. Une odeur tenace, celle des peaux tannées et de la graisse à cirer, s'était imprégnée dans les murs et le plafond. La jeune fille la respirait avec émotion.

« J'aurais tant voulu que mon enfant chéri grandisse ici, qu'il joue par terre comme je le faisais ! J'étais toute contente quand papa me prêtait une forme à habiller d'un chiffon », se souvint-elle.

Ces modèles de pied en bois fin, Angélina s'amusait avec, quand elle était enfant. Elle n'y voyait pas une représentation d'une partie du corps, mais une poupée mystérieuse, sans yeux ni bouche.

— Papa ? appela-t-elle. Qu'est-ce que tu as ? Des soucis ? Dis-moi, nous pourrons en discuter ensemble.

Augustin posa son alène d'un geste nerveux. Il se décida enfin à scruter les traits de sa fille.

— Oui, Angélina, j'ai un gros souci ! rétorqua-t-il sèchement. Et il se tient là devant moi. Ma fille, où étais-tu ?

— Mais chez la cousine Léa comme je te l'ai dit ! répondit-elle, envahie par une terrible crainte.

— Ah ! Quel dommage alors que ta cousine soit venue hier jusqu'à Saint-Lizier ! Son fiancé a acheté un phaéton et un cheval noir d'encre. Les futurs mariés étaient très fiers de nous rendre visite avec leur attelage. Tout de suite, Léa m'a demandé pourquoi tu n'étais pas là. Crois-tu que j'étais à l'aise en découvrant que tu m'avais menti ? J'ai débité une fadaise pour ne pas qu'elle sache que j'étais un imbécile de te faire confiance. Mais tu peux me croire, à l'intérieur, je bouillais. Où étais-tu ? Une jolie fille de ton âge qui découche deux nuits de suite, il y a de quoi affoler un père ! Si jamais tu as perdu ton honneur, je ne sais pas ce qui me retiendra de te briser l'échine !

Prise de court et mortifiée, Angélina ne put articuler un seul mot pour sa défense. Furieux, Augustin se leva et bondit vers elle. Il la dépassait d'une tête, massif, presque effrayant tant la colère le défigurait.

— *Diou mé damné*[1] *!* Où étais-tu ? hurla-t-il. Tu as l'âge de penser à l'amour, mais en tout bien tout honneur, et la bague au doigt !

— Ce n'est pas ça, papa ! s'écria-t-elle, affolée. Oui, je t'ai menti, mais c'était pour une bonne cause. Calme-toi, je vais te dire la vérité. Tu me fais peur ! Depuis la mort de maman, tu te mets souvent en colère.

1. Juron très usité en Ariège à l'époque : Dieu me damne !

Elle tremblait de fatigue, le ventre douloureux. Augustin, qui la toisait d'un œil soupçonneux, s'aperçut de sa pâleur et de ses traits tirés. Cela le rendit méfiant.

— Il s'est passé quelque chose ? demanda-t-il en la prenant par le menton pour l'obliger à relever la tête. Petite, quelqu'un t'a-t-il fait du mal ?

La jeune fille résista à l'envie de se jeter dans les bras de son père pour pleurer tout son saoul, mais cela aurait été avouer sa faiblesse et son désespoir, et elle ne pouvait pas se le permettre.

— Père, écoute-moi, j'ai dû rendre service, commença-t-elle en renonçant au « papa » trop tendre. Une femme de Saint-Girons m'a demandé de conduire son enfant chez Eulalie Sutra, qui est nourrice à Biert. Je lui avais promis mon aide bien avant son accouchement. Mais c'est une affaire compliquée. Le mari de cette femme fait son service militaire et... le bébé n'est pas de lui.

Augustin se frotta la barbe d'un air outré. Il leva ensuite les bras au ciel.

— *Foc del cel*[1] ! Encore une femme sans moralité ! Autant te le dire, ma fille, je n'approuve pas que tu fréquentes des catins ni que tu les aides à cacher leurs bâtards.

Angélina se sentit sauvée. Elle chauffa ses mains au-dessus du poêle, un vrai trésor que la famille Loubet n'aurait jamais pu s'offrir. Le cordonnier l'avait accepté comme paiement d'une commande coûteuse de bottes cavalières.

— Maman a déjà secouru des femmes dans la même situation, père, et tu le sais très bien, rappela-t-elle.

1. Autre juron ariégeois exprimant une vive colère : Feu du ciel.

— Je n'étais pas d'accord ; je la sermonnais aussi.

— Et elle te répondait qu'il valait mieux confier un nouveau-né illégitime à une nourrice que de le tuer dans l'œuf ! trancha la jeune fille. Papa, j'ai eu pitié de la détresse de cette femme, dont je préfère taire le nom. Elle ne pouvait pas se déplacer elle-même. Ses couches ont été difficiles, parce que la sage-femme de la rue Saint-Valier est une brute et qu'elle se moque bien de ses patientes. Et puis, c'est une de mes clientes pour ma couture ; je ne tenais pas à perdre une pratique.

— Et la mère est dans le coup, soupira le cordonnier, un peu calmé. Si je comprends bien, tu as voyagé seule avec un bébé, par ce froid ? Ce n'était pas prudent, Angélina !

— Oui, et c'est pour cette raison que je t'ai menti, répliqua Angélina. Sinon, tu m'aurais interdit d'aller à Biert. Tu me répètes assez souvent que les gorges de Peyremale sont dangereuses, que des brigands y rôdent, des loups, des sangliers… Mais il ne m'est rien arrivé, sois tranquille. J'ai couché les deux nuits à l'auberge du Castet-d'Aleu.

Tout en fronçant les sourcils, Augustin approcha un tabouret du poêle et fit signe à Angélina de s'asseoir. Il installa une chaise en face d'elle et y prit place.

— Tu as très mal agi, petite, en me racontant des sornettes, gronda-t-il. Tu m'aurais parlé franchement, je me serais fait un devoir de t'accompagner. *Foc del cel !* As-tu oublié ce qui est arrivé à la fille du quincaillier de Castillon, il y a deux ans de ça ? Et la petite Amélie, j'ai dû t'en parler dès que tu as eu l'âge de comprendre ces choses. Toutes les deux étranglées… et violées ! Certains hommes sont bien plus dangereux que les loups ou les sangliers ! J'ai perdu ta mère. Si je te perdais, je deviendrais fou. Alors, ton affaire, comme tu l'appelles, me déplaît beaucoup. Je sais que tu t'éreintes à jouer les couturières pour les dames de la cité et même de Saint-Girons parce que tu veux mettre de l'argent de côté pour ton année d'études à Toulouse. Oui, je sais tout ça, mais je te prierai à l'avenir de me respecter davantage et de ne pas prendre de tels risques. Que diable, je ne t'ai jamais battue ni punie ! Pourquoi me mentir ?

— Mais, papa, je te l'ai dit. Je devais tenir ma promesse et toi tu m'en aurais empêchée, à cause de cette peur qui te ronge. J'étais aux obsèques de la fille du quincaillier et j'ai vu ses parents sangloter sur sa tombe. Quant à l'histoire de la petite Amélie, cela remonte à plus de treize ans au moins. Ces horribles crimes sont peut-être dus à des rôdeurs et rien ne prouve que cela arrivera encore dans le pays. Quant à m'accompagner, je doute que cela aurait été possible. Il aurait fallu que tu marches ; la mule ne pouvait pas nous porter tous les deux.

Angélina adressa un regard désarmant à son père. Il succomba à l'éclat d'améthyste de ses yeux.

— J'ai fait ce que je trouvais juste, ajouta-t-elle. N'oublie pas que, ces deux dernières années, j'ai assisté maman. Elle m'a appris à ne pas juger les femmes, catins ou bigotes, et surtout à éprouver de la compassion. Certes, ma cliente a commis un grave péché, mais si tu savais à quel point elle le regrette ! J'ai pitié d'elle, papa. Elle ne verra pas grandir cet enfant-là, elle sera privée de ses premiers sourires. Après qu'elle eut souffert en lui donnant la vie, ce fut une terrible épreuve pour elle de se séparer de son tout-petit afin d'éviter le scandale et ne pas salir le nom de sa famille.

La jeune fille s'enflammait et devenait véhémente, sans avoir conscience qu'elle livrait à son père ses propres sentiments et son grand chagrin.

— Au moins, son fils sera bien traité ! ajouta-t-elle. J'ai pensé à Eulalie Sutra parce que maman vantait son lait et sa propreté.

— Je me souviens d'une certaine Jeanne Sutra, de Biert, sûrement sa mère, hasarda Augustin.

— Oui, elle était nourrice aussi, dans sa jeunesse, dit Angélina tout bas. Papa, pardonne-moi !

Elle lui tendit les mains en signe de réconciliation. Il hésita un peu, puis s'en empara et les étreignit.

— Bah ! fit-il. J'ai eu si peur d'autre chose que je suis soulagé, au fond. Mais tu n'es guère finaude ! Tant qu'à me berner, il fallait prévenir ta cousine. Léa aurait sans doute été ravie d'être ta complice.

Angélina eut un faible sourire. Elle se sentait de plus en plus lasse. Le danger était passé, son père lui pardonnerait très vite et elle le déplorait presque, tant elle luttait pour ne pas crier sa peine.

« Mon cher papa, si je pouvais t'annoncer que tu es grand-père, que tu as un beau petit-fils ! pensa-t-elle. Mais je viens encore d'avoir la preuve que tu me chasserais de chez nous si tu apprenais que j'ai eu un amant, que je me suis conduite comme ces filles sans honneur que tu condamnes. »

— Faute avouée est à demi pardonnée, disait notre Adrienne, déclara le cordonnier. As-tu faim ? J'ai mis de la soupe sur le feu, celle que tu aimes, avec du chou, des navets, des fèves et un bout de lard.

— Oh oui, j'ai faim ! admit-elle. Dès mon arrivée, je suis venue tout de suite te rendre visite. Mina est débâtée et je lui ai donné du foin. Je monte me changer et je viens à table.

Augustin Loubet observa attentivement le ravissant visage de sa fille. Il semblait vouloir y déchiffrer un secret. Enfin, il lui caressa la joue.

— Je sais, petite, ce n'est pas facile pour toi, depuis la mort de maman. J'ai pris un sale caractère, et toi, tu n'as plus sa compagnie du matin au soir. Elle nous manque tellement !

Des larmes jaillirent des yeux d'Angélina. Elle répondit oui dans un souffle.

— Elle nous manque, papa, oui. Elle me manquera durant des années, toutes ces années qui lui restaient à vivre. Mon Dieu, c'est tellement injuste !

Sur ces mots, elle se leva et quitta l'atelier, laissant son père désemparé.

« On dirait Adrienne, songea-t-il. Surtout sa façon de marcher, de me défier avec cette fougue justicière dans la voix ! Et il faut qu'elle veuille faire le même métier ! *Diou mé damné…* »

Augustin Loubet avait rencontré celle qui serait son épouse dans de tragiques circonstances. Jeune sage-femme, Adrienne venait d'accoucher la sœur du cordonnier, Suzanne Loubet. Celle-ci agonisait, victime d'une hémorragie, après avoir mis au monde un bébé mort-né. Toute la famille était rassemblée.

« Moi, je pleurais sans honte, assis au coin du feu, se souvint-il. Une voisine me répétait que la costosida était experte malgré sa jeunesse, qu'elle n'avait rien pu faire pour sauver Suzanne. Elle me disait aussi d'attendre, qu'on m'appellerait pour dire adieu à ma pauvre sœur. Puis j'ai entendu un pas léger dans l'escalier, et une beauté m'est apparue, une figure d'ange sous sa coiffe, mais avec une mine torturée, et du sang sur son tablier blanc. C'était toi, Adrienne, tes yeux noirs pleins de compassion pour nous tous. Tu m'as demandé de monter vite, car Suzanne, qui s'éteignait, me réclamait. »

Augustin poussa un soupir mélancolique et se leva. Il avait aimé son épouse avec ferveur, avec passion. Les premiers temps de leur mariage, il avait espéré qu'elle cesserait d'exercer. Bien en vain.

« Adrienne, je n'ai jamais pu te posséder tout à fait. Je passais après toutes ces femmes que tu courais délivrer de leur fruit mûr, à n'importe quelle heure du jour ou de la nuit. Combien de fois t'ai-je aidée à préparer la mule… Même s'il gelait à pierre fendre, tu partais et souvent tu demeurais au chevet de tes patientes aussi longtemps que tu le jugeais nécessaire ! »

Le cordonnier continua à dialoguer en pensée avec sa chère disparue. Angélina, elle, s'était réfugiée dans sa chambre, dont elle avait fermé la porte à clef. C'était son domaine, son asile. Les Loubet vivaient très modestement, mais avec des notions pointilleuses d'hygiène, d'ordre et de confort ménager. La jeune fille disposait d'une cheminée d'angle où son père avait installé un brasero qu'il entretenait en son absence. L'ameublement comportait un lit à courtines, un coffre massif aux ferrures ouvragées, une table, une chaise paillée et un petit buffet en merisier.

« Je me coucherais volontiers, maintenant ! se dit Angélina en ôtant sa jupe, dont le bas était humide et souillé de boue. Mais je dois parler du chien. »

Le pastour l'avait suivie. Elle l'avait d'abord découragé en lui ordonnant de rentrer chez lui ; seulement, l'animal n'avait pas obéi, ou bien il avait perçu dans sa voix qu'elle désirait le contraire.

« Je suis sotte, aussi ! déplora-t-elle. À Biert, j'ai prétendu que cette bête m'appartenait. Je ne voulais donc pas m'en séparer. Il l'a senti, il comprend tout. Je ne croyais pas que les chiens étaient si malins. »

Angélina fit une toilette soignée à la lueur d'une petite lampe à pétrole. Pendant le voyage du retour, elle avait perdu du sang. Sa lingerie en était maculée.

« Je dois me reposer, j'ai fait trop d'efforts. Maman affirmait que, jadis, les femmes gardaient le lit quarante jours. C'était sans doute vrai pour les dames riches, les nobles, mais celles du peuple ne pouvaient pas se le permettre. Et si je faisais une hémorragie cette nuit ! Je m'endors et je ne me réveille pas, mon père me trouve dans un bain de sang… Sainte Vierge, protégez-moi ! »

Avec des gestes nerveux, elle palpa son ventre afin de vérifier la tonicité de sa matrice.

« Tout semble bien », se dit-elle, rassurée.

Les jambes tremblantes d'émotion, elle ajusta une nouvelle bande de tissu qui lui servait de protection. Puis elle enfila une robe usagée en cotonnade grise.

« Je me sens mieux, à présent ! » constata-t-elle.

Pourtant, elle ne se décidait pas à descendre dans la cuisine où son père brassait de la vaisselle.

« Henri, mon fils chéri, tu es si loin de moi ! se désola-t-elle en silence. Peut-être que tu pleures, que tu as froid ! Eulalie ne te tiendra pas dans ses bras comme je l'ai fait, tu ne pourras pas profiter de la douce chaleur de ta mère. »

Hantée par l'image du bébé au sein de la nourrice, Angélina réprima un cri de révolte. Elle voulait son enfant, là, contre elle. Il était si beau, si doux, si fragile.

— Non, non ! Je ne peux pas l'abandonner à ces femmes ! J'irai le chercher demain et je m'enfuirai en Espagne. Là-bas, avec mon petit, je trouverai une place de domestique dans une ferme. S'il le faut, je l'attacherai sur mon dos à la manière des bohémiennes, pour travailler dur, gagner mon pain.

Elle se plia en deux, effarée. Ce n'était qu'un rêve, une idée folle de fille folle.

— Angélina ! appela le cordonnier. La soupe est servie ! Je t'entends parler toute seule ! Qu'est-ce que tu as ?

Vite, elle couvrit ses épaules avec son châle en laine et dévala l'escalier. Il fallait faire encore quelques pas dans un couloir sombre et glacial pour atteindre la porte donnant sur la cuisine.

Son père la vit entrer et, cette fois, il lui adressa un sourire. Angélina s'empressa de s'asseoir devant son assiette fumante.

— Merci, papa, pour ce repas, dit-elle simplement.

— Et le bénédicité ? s'étonna Augustin. Depuis quand me remercies-tu avant de remercier Notre-Seigneur ?

— Ce n'est pas Dieu qui a fait cuire cette soupe ! rétorqua-t-elle. Il n'a pas non plus labouré notre carré de jardin pour y planter des légumes. Je te dois mon repas, père.

— Graine d'hérétique ! ronchonna-t-il. Si tu as perdu la foi, n'invoque plus la Sainte Vierge ni Jésus dans tes moments de détresse. Je ne te reconnais plus, Angélina !

Il s'attabla à son tour et pria à voix basse, les yeux fermés, les mains jointes. Sa fille l'observait avec un air frondeur. À cinquante-deux ans, Augustin Loubet avait les cheveux grisonnants, le crâne dégarni, le front bas, le nez busqué. Il n'avait jamais passé pour un bel homme, mais, plus jeune, il était fort séduisant avec sa bouche charnue d'un rouge sombre et son regard bleu.

— Père, as-tu fini et puis-je commencer à manger ? ironisa Angélina qui déversait ainsi sa rage intime.

— Tu devrais te montrer humble et docile après le mauvais coup que tu m'as fait ! protesta-t-il. Quelle mouche te pique ?

— Ce n'est pas une mouche, mais un pastour, se décida-t-elle. Il est dans l'écurie avec la mule. Il m'a suivie de Biert jusqu'ici et je n'ai pas pu m'en débarrasser. C'était rassurant d'avoir un pareil animal à mes côtés. Je suis sûre qu'il m'aurait protégée en cas de mauvaise rencontre. Père, je voudrais le garder.

Le cordonnier la fixa d'un air hébété. L'instant d'après, il tapait du poing sur la table.

— Un chien, un pastour ! tonna-t-il. Tu as perdu l'esprit, ma fille ! Comment le nourriras-tu ?

— Je m'arrangerai. Il aura des croûtes de pain, des bouts de fromage ! Je demanderai à mademoiselle Gersande de nous garder des restes. Elle ne me refusera pas ce service.

Angélina toisa son père avec insistance. Il supporta l'examen en hochant la tête, secrètement subjugué par la délicate beauté de la jeune fille. Ce soir-là, elle semblait différente, affinée, livide, auréolée de sa superbe chevelure rousse. Ses prunelles violettes paraissaient plus claires, ses paupières, meurtries.

— Non, tu le mettras dehors au matin ! trancha-t-il. Je tolère le chat noir que tu as recueilli parce qu'il nous débarrasse des souris, mais un chien… Nous n'en avons pas besoin.

— De toute façon, il ne s'en ira pas, répliqua-t-elle. Je peux le chasser de la cour, il se couchera dans la rue. Il m'a choisie.

— Mon Dieu, j'en aurai entendu, des bêtises, ce soir ! soupira le cordonnier. Tu me montreras cette bête le repas terminé.

Angélina eut un fin sourire de triomphe. En règle générale, son père cédait à ses exigences. D'une nature emportée, et soucieux des convenances, Augustin Loubet n'avait qu'une faiblesse : sa fille unique. Il n'avait plus qu'elle à chérir, ayant perdu ses fils en bas âge et son épouse adorée l'automne précédent.

Il se leva pour prendre du fromage dans le garde-manger, puis coupa deux tranches de pain à la mie dense et grise, à la croûte brune.

— Quelque chose me tracasse à propos de ta cliente, la femme adultère, lâcha-t-il. Si tu as emporté son petit à peine sorti de son ventre, a-t-il été baptisé, au moins ?

— Je suppose que la grand-mère s'en est occupée, papa. Il avait trois jours, quand même !

— Dans ce cas, crois-tu vraiment que le curé n'aura pas compris d'où venait cet enfant ? Ma fille, tu aurais dû poser la question. Il vaut mieux deux baptêmes que pas du tout. Je te rappelle aussi qu'une costosida a le droit d'administrer ce sacrement aux nouveau-nés.

— Uniquement s'ils sont en danger de mort, père, dit Angélina.

Elle avala sans appétit une lamelle de fromage de brebis, sec et très salé. Augustin lui servit un verre de vin.

— Bois donc, cela te redonnera des couleurs, petite ! s'écria-t-il. Je n'aime pas te voir si pâle. On dirait que tu as été saignée.

Angélina haussa les épaules, assez mal à l'aise. Malgré le feu dans la cheminée, elle avait froid. Le cordonnier économisait le bois et, même au cœur de l'hiver, il ne mettait jamais plus de deux bûches entrecroisées sur les chenets. Une marmite en fonte noire, pendue à la crémaillère, procurait la provision d'eau chaude nécessaire au ménage et à la cuisine.

— Je n'ai plus faim, papa, et je voudrais vite monter me coucher. Allons voir mon pastour !

— Le pastour ! rectifia-t-il en se levant.

Discrètement, il mit dans sa poche de veste un morceau de pain et une croûte de fromage. Angélina s'en aperçut, mais ne fit aucun commentaire. Ils sortirent en silence. Le cordonnier avait pris une lanterne dont la vitre étincelait, garante d'une clarté suffisante pour traverser la cour couverte d'herbe, excepté le long des bâtiments où le sol était pavé.

La jeune fille jeta un regard sur le vieux prunier qui se dressait près du muret, au nord-ouest. Ce mur était en fait un morceau du rempart qui ceinturait la cité du côté où elle surplombait la vallée du Salat. Une grange s'ouvrait à gauche de l'arbre, suivie d'un renfoncement qui précédait l'écurie. Un porche donnait sur la rue Maubec, abritant une double porte en larges planches de châtaignier délavées par la pluie et le soleil. Une fois dans la cour, les Loubet n'avaient plus à craindre les intrus ou les rôdeurs.

— Nous habitons un petit logis, disait souvent Angélina à ses parents.

Ils en riaient en répliquant que leur logis était bien modeste et ne pouvait pas se comparer aux imposantes demeures bourgeoises de la place de la fontaine ni au manoir des Lesage. Cependant, cette configuration de leur propriété dont Augustin avait hérité était peu fréquente à Saint-Lizier, la plupart des maisons ayant pignon sur rue et ne disposant ni de jardin ni de cour.

— Je t'assure, papa, que c'est vraiment un bon chien, affirma la jeune fille en faisant jouer le loquet de l'écurie.

Augustin suspendit la lanterne à un clou. Tout de suite, il vit une forme blanche couchée sur la paille. Le pastour paraissait dormir, mais il se redressa immédiatement et darda ses yeux bruns sur Angélina en remuant la queue avec frénésie. Après avoir tourné la tête, la mule daigna elle aussi considérer les visiteurs.

— Il est énorme ! déclara le cordonnier. Ce chien appartient forcément à quelqu'un de Biert ou des alentours. J'ai déjà vu des pastours sur les estives. Ils sont grands, costauds, mais efflanqués. Celui-ci est bien nourri ou il se nourrit seul en tuant des moutons. Je n'en veux pas, ma fille ! Il ne nous attirera que des ennuis dans la cité.

— Moi qui lui cherchais un nom, soupira-t-elle. Papa, je t'en prie, accorde-lui une petite chance. Je le garde une semaine et, si cela se passe mal, je le ramènerai à Biert. J'ai promis aux dames Sutra de revenir. Elles ont de l'ouvrage pour moi… des draps à broder.

— Certainement pas ! répliqua son père. Je ramènerai moi-même cette bête, quitte à l'attacher avec une corde si elle ne veut pas obéir.

Augustin prit sa fille par le bras pour l'obliger à sortir. Il ferma la porte et, sans lâcher Angélina, retraversa la cour. Elle entra ainsi dans la cuisine, déçue, au bord des larmes. Avant de regagner sa chambre, elle dit d'une voix amère :

— Père, je ne te demande jamais rien, je couds mes robes avec des tissus que je récupère à la foire, des chutes bon marché. Maman, elle, aurait consenti à garder ce beau chien, puisque cela me faisait plaisir. Je me sens tellement seule pendant que tu travailles !

Désarmé, le cordonnier poussa un juron inaudible. Il s'attabla de nouveau pour boire une dernière gorgée de vin.

— Une semaine, pas une heure de plus ! décréta-t-il.

Angélina se pencha et l'embrassa sur la joue, à la limite de sa barbe drue et frisée.

— Merci, papa ! chuchota-t-elle à son oreille. Bonne nuit.

Elle se réjouit à l'idée de profiter du pastour durant plusieurs jours, en se promettant qu'il resterait bien davantage.

« Je m'accroche à cet animal, mais il ne remplacera pas mon bébé, songeait-elle en se mettant au lit. Disons qu'il a été le témoin de mes deux nuits avec Henri ; c'est son parrain, peut-être ! »

Si Augustin Loubet avait lu dans ses pensées à cet instant précis, il l'aurait encore traitée de graine d'hérétique. Bon catholique, il avait toujours ressenti chez son épouse, et très vite chez sa fille, une tendance à vénérer en cachette une autre religion éradiquée depuis des siècles. Le patronyme même de la famille d'Adrienne, les fameux Bonzom, trahissait une lointaine appartenance à la secte des albigeois dont l'opposition à la très sainte Église de Rome avait mis le Languedoc à feu et à sang, jadis. Ces gens-là, que le pape considérait comme des hérétiques, avaient traduit le Nouveau Testament et suivaient les enseignements du Christ à la lettre. Les plus nobles seigneurs distribuaient leurs richesses et leurs terres aux pauvres pour prêcher sur les routes du sud de la France. Les hauts religieux albigeois étaient appelés « les bons hommes ». Ils s'alimentaient de pain noir et de lait d'amande, jugeant toutes les autres nourritures terrestres impures. Adrienne, très savante sur le sujet, évoquait souvent le sort tragique subi par tous ces vrais chrétiens qui, s'ils n'abjuraient pas leur foi, finissaient sur le bûcher ou emmurés vivants.

Fillette, Angélina aimait écouter les récits de sa mère qui, sans en avoir conscience, avait semé en elle le ferment d'une sourde révolte envers l'Église catholique. Cela ne l'avait pas empêchée de baptiser son fils sous la voûte sombre de la grotte du roc de Ker. Grave, d'un ton solennel, elle avait prononcé les paroles rituelles qu'elle connaissait par cœur, Adrienne Loubet ayant dû ondoyer quatre nouveau-nés ces deux dernières années. Et le seul participant au baptême du petit Henri était le pastour.

« Mon pitchoun a reçu de l'eau de source, plus pure encore que l'eau des bénitiers, se remémorait-elle, enfouie sous ses draps. Je n'ai rien à me reprocher, il a un toit, du lait et des femmes pour le bercer. »

Reprise par une forte envie de pleurer, elle massa son ventre encore douloureux. Ses seins durcis, brûlants, lui faisaient également très mal.

« C'est la montée du lait, se dit-elle. Demain, j'irai au couvent acheter de la menthe au frère apothicaire et, pour le persil, il y en a un peu dans le jardin[1]. »

Elle ne put s'empêcher de penser à Guilhem. Nul n'avait de nouvelles du plus jeune fils des Lesage, ces

---

1. La menthe et le persil sont deux plantes communes qui ont la propriété de couper la lactation.

gens ne fréquentant guère les ruelles de la cité. Ils sortaient peu de leur manoir et, quand ils s'y décidaient, ils allaient en train jusqu'à Saint-Gaudens[1]. Angélina aurait pu douter de la loyauté de celui qu'elle aimait de tout son être, mais cela ne l'effleurait pas. La veille de son départ, il l'avait serrée fort contre lui en promettant de revenir le plus vite possible.

— Tu m'as offert le plus beau des cadeaux, ton innocence, avait-il déclaré. Je n'ai jamais été aussi heureux qu'avec toi, Angélina. Tu es un don du ciel, tu resplendis, pareille à une fleur rare au céleste parfum, et cette fleur je l'ai cueillie pour la garder toute ma vie.

« Guilhem Lesage, tu es très éloquent, très caressant, ardent, sensuel ! » se dit la jeune fille qui devint toute rose d'émotion dans la pénombre de sa chambre.

Elle avait développé toutes les ruses féminines pour courir rejoindre le jeune homme. Les prétextes ne manquaient pas. Soit elle partait prier au cimetière sur la tombe de sa mère, ce qu'elle faisait en vérité, mais en revenant de son rendez-vous, soit elle prévoyait une longue promenade dans les bois qui s'étendaient derrière la cité, là où le plateau rocheux devenait une suite de douces collines.

« Je n'ai pas honte, je ne regrette pas de m'être donnée à lui, pensa-t-elle encore. J'ai bien souvent demandé pardon à maman de me servir d'elle pour m'échapper d'ici. Je posais le bouquet que j'avais composé dans les prés en son honneur et j'en ornais sa croix. »

Elle était certaine qu'Adrienne Loubet aurait compris la fièvre d'amour qui l'avait saisie, l'été de ses dix-huit ans.

1. Ville voisine d'une cinquantaine de kilomètres, mais située en Haute-Garonne.

« Je n'étais que bonheur, se dit-elle, malade de nostalgie. Ma chair, mon cœur, ma bouche n'étaient qu'impatience. Des ondes de désir dévoraient mon ventre quand je l'apercevais, lui, debout sous le couvert des chênes. Il me souriait ! Dieu qu'il avait les dents blanches… Tout de suite, il prenait mes lèvres, puis il couvrait mon cou, ma nuque de baisers avides. Personne ne nous a jamais surpris. J'avais l'impression que nous étions invisibles, comme si nous étions sur une autre planète. Guilhem me guidait par la main vers notre cachette, cette combe tapissée de mousses, parsemée de gros rochers, où le soleil se glissait. Une fois, il a voulu me voir toute nue et j'ai accepté. Je me suis allongée par terre sans le quitter des yeux et après…, après… Guilhem m'a donné tant de joie, une joie qui rend à moitié folle ! J'ai failli hurler, m'évanouir… »

Fébrile, Angélina dut repousser drap, couverture et édredon. De ses mamelons suintait un liquide tiède et opaque. « Le lait, le lait pour mon bébé ! se désola-t-elle. Je paie cher tout cet amour que j'ai reçu. »

Elle se releva pour bander sa poitrine avec un foulard en serrant au maximum. C'était l'ultime sacrifice.

— Pardon, mon enfant, mon tout-petit ! murmura-t-elle. Pardon !

Saint-Lizier, place de la fontaine, le lendemain

Angélina descendait la rue des Nobles, un panier au bras droit. Elle s'était levée à l'aube pour prendre de l'eau à la fontaine qui coulait jour et nuit sur la place principale de Saint-Lizier. Le bassin circulaire en marbre rose faisait face au parvis de la cathédrale, tapissé d'une mosaïque de galets aux couleurs d'automne, bruns, rouges, ocre, jaunes. Maintenant, la jeune fille se rendait chez le frère Eudes, un savant apothicaire qui l'avait en affection.

Un couvent jouxtait l'enceinte du cloître où les religieux avaient coutume de déambuler en priant. La pharmacie était une des ailes de ce prieuré en briques roses, bâti au Moyen Âge. Les gens de la ville avaient pris l'habitude de nommer ainsi le lieu paisible où s'alignaient de superbes vases en porcelaine sur des étagères. Ces précieux récipients étaient ornés de motifs floraux, dans des teintes bleues et jaune paille. Depuis son enfance, Angélina adorait ce sanctuaire où régnaient l'ordre et le calme.

« Si je n'achète que de la menthe, frère Eudes risque de froncer les sourcils, pensait-elle en évitant une flaque d'eau, près de la fontaine. Je vais lui demander aussi du thym citronnelle, celui qu'il récolte en montagne, et de la sauge. »

Elle salua au passage la mère Gertrude, une très vieille veuve qui marchait pratiquement courbée en deux en s'appuyant sur une canne en buis.

— Bonjour, ma petite Angélina. Tu es bien pâlotte ! nota-t-elle.

— Je n'ai jamais eu le teint hâlé des bohémiens, ma bonne mère ! répliqua la jeune fille en souriant.

— Eh oui, ça, c'est vrai, ricana la veuve. Tu diras à ton père que j'ai une paire de chaussures à recoudre. Oh ! pas pour moi, mais j'entretiens mon gredin de neveu.

— Entendu, je lui ferai la commission et je viendrai les chercher, vos chaussures. Cela vous évitera de monter dans la cité.

La vieille femme accepta avec un air rusé. Soudain, elle agita sa canne en désignant quelque chose derrière la jeune fille.

— Méfie-toi, petite, vois donc ce chien qui arrive ! Il va te sauter à la gorge ou me renverser ! Boudiou[1] !

Le pastour avait rattrapé celle qu'il considérait comme sa maîtresse. Il s'arrêta près d'Angélina et renifla sa jupe.

— Oh non ! se désola-t-elle. Comment es-tu sorti de la cour ?

— Est-y à toi, ce pastour ? s'enquit Gertrude.

— Je l'ai recueilli du côté de Biert. J'aimerais le garder, si père s'accoutume à lui.

— Fi de loup[2], tu ferais bien de l'attacher ! Sinon, il va semer la pagaille !

Angélina retint un soupir agacé. C'était difficile de couper court à une conversation avec la vieille veuve. Elle lui tapota le bras en s'éloignant.

— Ne vous en faites pas, je l'attacherai ! À plus tard, mère Gertrude ! Je passerai chez vous tout à l'heure.

Sur ces mots, elle se dirigea d'un pas rapide vers le portillon qui livrait accès au jardinet du frère Eudes.

— Toi, le chien, tu m'attends dehors ! ordonna-t-elle à l'animal. Avec tes pattes sales, tu n'as pas le droit d'entrer. Eh oui, c'est comme ça.

Le pastour lui adressa un regard intelligent plein d'affection. La jeune fille fut si surprise qu'elle le caressa entre les deux oreilles.

— Je suis contente de t'avoir, lui confia-t-elle.

1. Exclamation typiquement provençale et occitane : bon Dieu.
2. Expression typique et très usitée du sud de la France.

Le frère Eudes la reçut avec un aimable sourire. Il approchait des quatre-vingts ans et rayonnait de bonté. Chauve, les traits émaciés, il posait sur le monde et ses semblables des yeux d'enfant ébloui.

— Ma chère Angélina ! s'exclama-t-il. Tu te fais rare, ces temps-ci ! Comment se porte ce brave Augustin, avec ce deuil cruel qui vous a frappés ? Je prie pour ta mère matin et soir, ma chère enfant.

— Je vous remercie, mon frère, répondit Angélina. Il me faudrait de la menthe, de la sauge et du thym.

— Tes plantes seraient-elles déjà gelées ? s'étonna le religieux.

— La menthe est noircie, la sauge aussi. Le vent du nord et la pluie ont fait des dégâts au début du mois.

— Je t'avais pourtant conseillé de ne plus semer d'herbes médicinales sur ces parcelles en terrasse, sous le rempart, lui reprocha le frère Eudes. Elles sont mal ensoleillées.

Il se tourna avec un soupir vers les étagères en bois verni qui se dressaient derrière un long comptoir en chêne sombre, patiné par des siècles d'existence. Comme elle le faisait petite fille, Angélina s'amusa à déchiffrer les inscriptions des vases aux formes élancées.

« Digitale, sarriette, sauge, hysope, potentille, camomille, millepertuis, récita-t-elle en son for intérieur. Chacune possède ses vertus, ses dangers également. Dieu a doté les humains d'un large éventail de simples afin de les aider à soigner leurs maux. »

Le vieux frère pesait à présent les sachets qu'il avait remplis sur une balance en fonte aux plateaux de cuivre. Il plissa les yeux pour mieux discerner les poids dont il avait besoin.

— Souhaites-tu toujours faire ton année d'études, Angélina ? interrogea-t-il gentiment.

— Oui, mais je dois d'abord économiser, frère Eudes. J'ai acquis certaines connaissances en assistant ma mère et, si je le pouvais, je commencerais à exercer. Hélas ! cette année d'études est obligatoire. Je dois obtenir cette formation en faculté de médecine ou dans un hôpital[1]. J'aurais voulu étudier ici, à l'hôpital de la cité, mais il n'y a pas de sage-femme en titre. Le directeur m'a fortement conseillé d'aller à la maternité de l'hôtel-Dieu Saint-Jacques, à Toulouse. Mais j'appréhende de passer une année entière loin de chez moi.

— C'est un mal nécessaire, mon enfant, affirma le religieux d'un ton sentencieux. On t'enseignera sûrement de nouveaux savoirs dans ce domaine. Je te posais la question, car j'ai trouvé quelque chose d'intéressant pour toi dans la bibliothèque de notre chanoine[2]. Je l'ai recopié à ton intention.

Le vieillard sortit une feuille de son registre et la lui tendit. Le papier, épais et mat, était couvert d'une écriture soignée.

— Je vous remercie, frère Eudes. Qu'est-ce que c'est ?

— Un modèle de serment proposé par notre sainte Église aux sages-femmes de l'Hôtel-Dieu de Paris, au siècle dernier[3], expliqua-t-il. Je pense qu'il peut encore s'appliquer de nos jours.

Angélina commença à lire à voix basse :

1. Dès 1894, cette activité de formation obligatoire durera deux ans.
2. Titre religieux donné au XIXe siècle à un prêtre à la retraite, dont la carrière a été exemplaire.
3. Authentique. Ce serment a été rédigé en 1786 par l'Église.

« *Je promets et jure à Dieu, le créateur tout-puissant, et à vous, monsieur qui êtes son ministre, de vivre et de mourir dans la foi de l'Église catholique, apostolique et romaine, et de m'acquitter, avec le plus d'exactitude et de fidélité qu'il me sera possible, de la fonction qui m'est confiée. J'assisterai de nuit comme de jour dans leurs couches les femmes pauvres comme les riches ; j'apporterai tous mes soins pour qu'il n'arrive aucun accident ni à la mère ni à l'enfant. Et si je vois un danger qui m'inspire une juste défiance de mes forces et de mes lumières, j'appellerai les médecins ou les chirurgiens ou des femmes expérimentées dans cet art pour ne rien faire que de leur avis et avec leur secours.*

« *Je promets de ne point révéler les secrets des familles que j'assisterai ; de ne point souffrir qu'on use des superstitions ou des moyens illicites, soit par paroles, soit par signes, ou de quelque autre manière qui puisse être, pour procurer la délivrance aux femmes dont les couches seront difficiles et paraîtront devoir être dangereuses ; mais de les avertir de mettre leur confiance en Dieu, et d'avoir recours aux sacrements et aux prières de l'Église. Je promets aussi de ne rien faire par vengeance, ni par aucun motif criminel ; de ne jamais consentir sous quelque prétexte que ce soit à ce qui pourrait faire périr le fruit ou avancer l'accouchement par des voies extraordinaires et contre nature ; mais de procurer de tout mon pouvoir, comme femme de bien et craignant Dieu, le salut corporel et spirituel tant de la mère que de l'enfant. Enfin, je promets d'avertir sans délai mon pasteur de la naissance des enfants ; de n'en baptiser*

ni de souffrir qu'on en baptise aucun à la maison,
hors le cas d'une vraie nécessité, et de n'en porter
aucun à baptiser aux ministres hérétiques. »

La jeune fille relut la dernière phrase en haussant le ton. Elle était nerveuse, troublée par le sens profond du serment, agacée aussi par l'allusion aux ministres hérétiques.

— Frère Eudes, considérez-vous mademoiselle Gersande comme une ennemie de l'Église catholique ? s'inquiéta-t-elle. L'estimez-vous hérétique ?

— Non, non, Angélina ! Ne t'indigne pas ainsi, répliqua le religieux. Ce texte date de 1786. Beaucoup d'eau a coulé sous les ponts depuis, à Paris et ailleurs. Conserve ce serment et relis-le seule en réfléchissant bien à l'engagement que tu prendras.

— Je vous remercie d'avoir pris cette peine pour moi ; c'est très gentil. Excusez-moi si je vous ai déçu de citer encore une fois mademoiselle Gersande. C'est mon amie, mon guide spirituel, même si elle revendique sa foi protestante.

— C'est peut-être ce qui te séduit, mon enfant, rétorqua frère Eudes. L'attrait de la différence, de l'inconnu ! Mais je reconnais volontiers que la cité serait bien triste sans ce personnage excentrique.

Ils échangèrent un sourire complice. Toutes leurs discussions se terminaient ainsi, car ils s'appréciaient mutuellement. Angélina paya son dû et sortit. La vie reprenait son cours normal.

« Pendant quelques minutes, j'ai oublié Henri ! constata-t-elle. Je dois absolument me raisonner, me répéter que mon bébé est en sécurité. Et j'irai le voir bientôt, quitte à mentir encore. »

Une phrase du serment trottait dans son esprit : « Je promets de ne point révéler les secrets des familles que j'assisterai. » Elle se moqua d'elle-même.

« Si ma cliente existait, la femme adultère dont j'ai inventé la terrible situation, je l'aurais trahie en racontant son histoire à papa. Mais ce n'est pas le cas et, ce petit que j'ai confié aux dames Sutra, il est à moi et il ne sera pas un bâtard. »

Perdue dans ses pensées, elle ne s'aperçut pas tout de suite que le pastour avait disparu. Elle longea le mur de la cathédrale en direction de l'épicerie.

« Papa m'a demandé d'acheter du poisson frais, se dit-elle. Avant, il allait à la pêche dans le Salat, mais il n'en a plus l'occasion, il travaille même le dimanche. »

Angélina s'apprêtait à descendre la rue Neuve quand une poigne énergique la saisit par l'épaule. Une voix rauque résonna, toute proche.

— Alors, ma belle, on se promène de bon matin ? Et pourquoi caches-tu tes cheveux sous cette coiffe de nonne ?

Elle n'avait pas besoin de se retourner pour deviner de qui il s'agissait. Furieuse, elle virevolta.

— Tiens donc, Blaise Seguin ! ironisa-t-elle. Lâche-moi !

Un homme d'une trentaine d'années était campé devant elle, hilare. Il resserra sa prise en faisant glisser ses doigts jusqu'à son cou.

— N'aie pas peur, ma caille, je veux juste rigoler un peu, dit-il plus bas. Tu sais que tu me plais, que je finirai par te marier !

— Moi, épouser un porc de ton espèce ? s'écria Angélina. Tu t'es vu ? J'en ai assez de te trouver sur mon chemin chaque jour que Dieu fait !

Blaise Seguin supportait mal les insultes. De taille moyenne, il était tout en muscles, épais, pesant. Bourrelier de son état, depuis des mois il harcelait la jeune fille avec des plaisanteries grivoises, des allusions audacieuses sur leur future nuit de noces. Elle toisa avec un profond mépris sa trogne de sanglier au front étroit, au nez proéminent, à la bouche aux lèvres plates qui dévoilaient pour l'instant des dents gâtées. Le pire, c'était son regard gris, où se lisaient le vice et la sournoiserie.

— Quand tu seras ma femme, tu ne me traiteras plus de porc, Angélina, décréta-t-il d'un ton menaçant.

Elle tentait de repousser sa main, de détacher ses doigts de la chair tendre de sa gorge. Il céda brusquement, mais c'était une feinte. Immédiatement, il arracha la coiffe de coton blanc qui dissimulait sa chevelure roulée en chignon.

— Toujours aussi rouquine ! lança-t-il en ricanant.

Un bruit étrange retentit alors, pareil au souffle puissant de l'orage, assorti immédiatement d'un grognement proche du tonnerre. Le pastour se jeta sur Blaise Seguin en grondant comme une bête sortie de l'enfer.

— Bordel ! brailla l'homme. D'où il sort, lui ?

Il ne put en dire plus. Des crocs se plantaient dans son avant-bras, sans mordre, mais avec précision et énergie. Le chien secoua la tête sans lâcher sa prise.

— Chacun son tour, Blaise ! ironisa Angélina, ivre d'une joie mauvaise.

De sa main libre, l'homme décocha un coup de poing sur la gueule du pastour. L'animal recula d'un bond, prêt à attaquer de nouveau.

— Viens, mon sauveur ! appela la jeune fille. Laisse-le ! Viens, il n'en vaut pas la peine.

Le poil hérissé, le pastour continuait à grogner. Angélina le caressa sous l'œil furibond du bourrelier qui se tenait aux aguets, pas très rassuré.

— C'est mon chien, annonça-t-elle. Il ne me quitte pas. Alors, méfie-toi.

Le soleil irradiait les lourdes boucles d'Angélina et conférait à ses prunelles des reflets de pierre précieuse. Jamais elle n'avait paru aussi désirable à Blaise Seguin. Cette fille au visage d'une finesse de statuette, au corps délié, représentait à ses yeux un objet de luxe qu'il ne pouvait pas s'offrir. Vexé, il montra le pastour d'un doigt vengeur.

— Ta bête, je la tuerai ! clama-t-il. Ton père m'a ri au nez quand je lui ai fait ma demande. Il le paiera cher lui aussi, ce vieux binoclard ! Tu n'es qu'une garce, Angélina Loubet, qu'une gueuse ! Tu te crois meilleure que les autres, mais tu ne vaux pas mieux que les catins de la route de Foix. J'en sais quelque chose, va ! Si je racontais ce que j'ai vu, tu ferais moins la fière.

— Je me demande bien ce que tu as pu voir ! s'indigna-t-elle. Et puis, personne n'écoute un idiot de ton genre, tu le sais très bien !

La querelle attirait des curieux. Le facteur, sa besace en cuir sur l'épaule, les observait. L'épicière, Yvonne Piquemal, les épiait derrière sa vitrine. Deux femmes chargées de gros paniers de linge, prudentes, restèrent à bonne distance de la scène. Tout le monde aimait Angélina, à Saint-Lizier. C'était une enfant de la cité ; elle avait grandi là. La famille Seguin venait de la vallée du Biros, à plusieurs kilomètres au sud-ouest, et s'était établie à Saint-Girons. Blaise, le fils aîné, gros buveur et de mœurs douteuses, était souvent considéré comme une sorte d'étranger, d'intrus. Il le savait et il s'éloigna, rouge d'humiliation et de rage.

Angélina demeura un instant pensive, obnubilée par l'idée que Blaise Seguin ait pu voir quoi que ce soit qui la compromettrait. Elle finit par rejeter ses craintes en se disant que Guilhem et elle avaient été prudents, que Blaise ne cherchait qu'à la faire réagir. Elle se tourna ensuite vers l'animal qui se tenait à ses côtés.

— Sauveur, c'est un joli nom ! Qu'en penses-tu, pastour ?

*

Quand Augustin Loubet apprit ce qui s'était passé, il regarda longuement le grand chien blanc. Très pieux, il vit dans l'intervention du pastour un signe divin.

« Et si c'était mon Adrienne qui avait envoyé cette bête pour veiller sur Angélina ? s'interrogea-t-il. Cela lui ressemblerait assez de protéger notre famille, maintenant qu'elle est au paradis parmi les anges ! »

— Garde-le, ton sauveur ! soupira-t-il enfin. Mais il doit coucher dans l'écurie. Le jour, tu l'attacheras à une corde, dans la cour. S'il attaquait un de mes clients, je serais vite sur la paille !

— Oui, papa… Si tu l'avais vu, on aurait dit un ours ! Je n'aurai plus peur, maintenant ! Dis, tu crois que Blaise lui fera du mal ?

Au fil des ans, le cordonnier avait appris à jauger un homme. Le bourrelier ne lui inspirait guère confiance. Il frotta sa barbe de la paume de la main, tout songeur.

— C'est un rustre, un paillard, Angélina ! Si tu le peux, évite-le. Mais ces chiens-là tiennent tête aux loups et aux ours. Il saura se défendre, le cas échéant.

La jeune fille se détendit, rassurée par les paroles de son père. Elle avait acheté deux truites et il fallait à présent les vider et les mettre à frire. Elle entra dans la cuisine d'un pas rapide.

« Dans un mois ou bien avant, je retournerai à Biert voir mon petit Henri, se disait-elle. Sauveur m'accompagnera. Merci, mon Dieu, pour ce gardien surgi de la nuit ! »

Le lendemain, son lait était tari. Angélina pleura un peu. C'était ainsi, elle devait se résigner. Son chagrin avait la couleur grise du ciel. Il pleuvait sur Saint-Lizier.

3

Le poids du silence

Le lendemain de sa malencontreuse rencontre avec Blaise Seguin et malgré une pluie battante, Angélina décida de rendre visite à mademoiselle Gersande, qu'elle considérait comme sa seule amie en dépit de leur différence d'âge.

— Ne rentre pas trop tard, recommanda son père. Et prends le parapluie ! Déjà que tu n'as pas bonne mine, ces temps-ci, il ne faudrait pas que tu tombes malade.

La jeune fille promit d'être prudente. Elle enferma à regret son pastour dans l'écurie.

— Tu ne peux pas venir chez Gersande, Sauveur, tu n'as rien d'un petit chien de salon ! lui dit-elle. Tiens compagnie à Mina.

Quelques instants plus tard, Angélina franchissait le clocher-porche qui était jadis l'ancienne porte de la cité fortifiée. Les pavés glissaient, mais elle descendit d'un pas énergique la rue en pente menant à la place de la fontaine. L'incident de la veille la rendait prudente.

« Blaise Seguin est arrivé derrière moi par surprise, se souvint-elle. Il pèse son quintal, mais il marche sans aucun bruit. Je me demande pourquoi il rôde ici, alors qu'il habite Saint-Girons. Il n'espère quand même pas que je lui accorde le moindre intérêt un jour ! Si Guilhem apprenait que ce rustre a posé les mains sur moi, qu'il m'a arraché ma coiffe, il serait furieux. »

Le bourrelier avait jeté son dévolu sur Angélina Loubet au cours de l'été. Il était venu au bal du 14-Juillet donné sur le foirail, en contrebas du couvent. Des lampions en papier coloré étaient accrochés aux branches des platanes séculaires qui offraient leur ombre aux marchands les jours de foire.

« Je dansais, dans cette jolie robe en satin à fleurs, une robe de maman, se remémora-t-elle. Nous avions la même taille, mère et moi. Je suis contente d'avoir gardé ses toilettes… Oui, je dansais la valse au bras du maire et Blaise me regardait sans arrêt. Il me tournait autour avec une expression avide. J'en avais des frissons de répulsion. »

Toute à ses pensées, Angélina ne voyait rien de sa ville natale noyée de pluie. Elle traversa l'espace des halles couvertes et obliqua aussitôt vers une porte cloutée en chêne sombre. Dans le couloir pavé de petits galets gris, elle replia le parapluie et le secoua un peu avant d'emprunter le large escalier en pierre calcaire. Le logement de mademoiselle Gersande occupait deux étages dont le premier abritait une vaste pièce lumineuse située audessus de la halle et pourvue de trois fenêtres.

Octavie, la domestique, accueillit la visiteuse en souriant.

— Nous t'avons vue arriver en regardant par la fenêtre, Angélina, dit-elle. Tu étais bien cachée sous ton parapluie, mais mademoiselle a reconnu ta démarche.

Donne-moi ta pèlerine, tu seras plus à l'aise, et entre vite au salon ! Quel triste temps !

— C'est l'automne ; nous n'y pouvons rien, répliqua Angélina. Mademoiselle ne souffre pas trop de ses rhumatismes ?

— Hélas ! si, comme chaque mois de novembre, déplora Octavie, une femme de cinquante-quatre ans grande et mince.

Elle était native de Mende, la préfecture de la Lozère, d'où était également originaire sa patronne. Quand Gersande de Besnac avait émigré en Ariège, selon ses propres termes, Octavie, veuve et sans enfants, faisait partie du déménagement. Une solide amitié les unissait depuis de longues années, d'autant plus qu'elles étaient toutes les deux de confession protestante.

— Ma petite Angélina ! s'écria la vieille demoiselle. Je désespérais de te voir cette semaine. Viens te réchauffer ! Regarde ce bon feu que j'ai pour soigner mes vieux os.

La jeune fille admira les hautes flammes dorées qui léchaient la plaque en fonte de l'âtre, dont le décor représentait une scène bucolique : un berger et ses moutons devant un paysage de collines. La cheminée la fascinait, monumentale, au manteau de marbre noir. Tout ce qui se trouvait chez mademoiselle Gersande séduisait Angélina. Selon son habitude, elle embrassa d'un regard rêveur la bibliothèque, un meuble vitré peint en gris, garni d'un nombre impressionnant de livres reliés. Rien ne changeait et cela la rassurait. Le tapis d'Orient, aux motifs rouges et bleus, chamarré d'arabesques jaunes, s'étendait sur le parquet ciré. Un guéridon en laque rouge, orné de dessins de style japonais, trônait près du feu.

— Dis-moi, Angélina, tu as minci ! déclara la vieille dame après avoir examiné la silhouette de la jeune fille. Tu ne portais plus ce genre de robe près du corps ces dernières semaines !

— J'ai remis un corset, mademoiselle, comme chaque hiver. L'été, je ne le supporte pas, répliqua-t-elle en riant.

— Voyez-vous ça ! dit tout bas Gersande.

« Un corset… Depuis quand un corset peut-il resserrer autant une taille ? se demanda-t-elle, renonçant à étudier les formes sveltes d'Angélina. Ma pauvre petite, mes pires craintes se confirmeraient-elles ? Que m'as-tu caché et pourquoi ? Moi qui pensais être une véritable grand-mère pour toi… »

Elle ne laissa rien transparaître de ses cogitations sur son visage aristocratique. Une chevelure d'un blanc de neige, savamment coiffée en chignon haut, s'accordait à un teint diaphane. Le nez fin et droit, la bouche menue et d'un rose pâle, Gersande de Besnac avait été une beauté dans sa jeunesse et elle rayonnait encore d'un charme subtil à l'aube de ses soixante-sept ans. Angélina la complimentait souvent sur ses yeux très bleus et sur ses mains d'une blancheur de lait. Vêtue d'une robe en moire verte, ses frêles épaules couvertes d'un magnifique châle en cachemire, la vieille demoiselle aurait pu poser pour un peintre.

— Alors, ma petite amie, parle-moi de ce chien qui défraie la chronique dans la cité, dit-elle d'une voix douce. Je sais tout grâce à Octavie qui ne craint pas la pluie et sort chaque matin. Il paraît que tu as ramené un pastour d'une expédition en montagne. Que de bouleversements dans ta vie, Angélina ! Un corset et un chien !

La jeune fille prit un air amusé en s'asseyant dans le fauteuil qui lui était réservé au coin de l'âtre.

— Ce pastour m'a adoptée et non l'inverse, expliqua-t-elle. Et je ne suis pas allée sur les pâtures d'altitude. Il errait sur la route de Massat. Je n'ai pas pu m'en débarrasser. Père voulait le mettre dehors, mais il a fini par accepter sa présence. Nous le gardons et je l'ai appelé Sauveur.

Octavie passait le plumeau sur une commode où trônaient des statuettes en porcelaine. Elle s'empressa de dire d'un ton réjoui :

— Je pense que cette bête a gagné son nom hier quand elle t'a défendue et protégée des sales pattes de Blaise Seguin !

— Je l'avoue, admit Angélina. C'était extraordinaire d'avoir un protecteur aussi effrayant. Le pastour montrait les dents, tout hérissé, et il grognait comme un ours !

Mademoiselle Gersande eut un sourire malicieux. Elle pointa un doigt sur la poitrine de la jeune fille en ajoutant :

— Il faut se demander qui est la véritable bête. Le chien ou cet ignoble Seguin…

— J'ai la réponse, renchérit Angélina, égayée. Sauveur s'est conduit en gentleman et lui au moins il a de beaux yeux bruns. Puisque nous parlons de mon chien, je venais vous solliciter. Pourriez-vous mettre de côté quelques restes de vos repas pour lui, Gersande ?

— Vois ça avec Octavie, ma petite. Je suppose qu'un pastour, comme tu dis si bien, mange plus qu'un caniche. Te souviens-tu de notre Marquis, Octavie ?

— Oh oui, mademoiselle ! s'exclama la bonne.

— Je ne t'en ai jamais parlé, Angélina, mais Marquis était un adorable caniche gris, tout frisé. Il est mort dans mes bras, là-bas, en Lozère. J'ai juré de ne plus m'attacher à un chien. Ce sont des bêtes à chagrin. Enfin, ne t'inquiète pas, Octavie veillera à te garder de quoi nourrir ton pastour. Il faudra me l'amener, que je le félicite de préserver ta vertu ! Cet animal aurait dû surgir de nulle part bien plus tôt !

Sur ces mots, la vieille dame planta ses prunelles de saphir dans celles d'Angélina, d'un violet sombre ce matin-là. La jeune fille soutint ce regard inquisiteur en s'efforçant d'afficher un air paisible.

« Mon Dieu, on dirait qu'elle a des doutes ! s'effarat-elle. Déjà, elle a noté que j'avais minci. Je suis bien punie de ma coquetterie. J'aurais dû continuer à porter un tablier et ma capeline encore un mois ou deux. Je dois la détromper. Il ne faut pas qu'elle sache, pas elle ! Je la décevrais trop ! »

Angélina tenait infiniment à l'estime de Gersande de Besnac à qui elle vouait un immense respect. Cependant, jamais elle n'aurait envisagé de bénéficier d'une quelconque indulgence de sa part si par malheur son grand secret était découvert.

— Ce pastour arrive en temps voulu, déclara enfin la jeune fille. Blaise a commencé à m'importuner au mois de juillet, mais je réussissais encore à le tenir à distance. Depuis que père a refusé de prendre en considération sa demande en mariage, il est devenu beaucoup plus désagréable. Il devrait comprendre que je ne songe ni au mariage ni à l'amour. Je suis bien trop jeune. En outre, je n'ai qu'un souhait : être une costosida, une sage-femme exemplaire comme l'a été ma mère.

— Tu pourrais aussi choisir d'être modiste et d'ouvrir une boutique à Saint-Girons, fit remarquer Gersande. Je n'ai jamais vu une jeune personne coudre avec autant de soin que toi. Et tu as du goût en ce qui concerne les toilettes. Je vais te montrer la nouvelle mode parisienne. Octavie, où sont mes gravures, celles que j'ai découpées dans *L'Illustration*[1] ? Ma chère petite Angélina, la crinoline n'est plus au goût du jour. Les jupes sont moins larges, mais une tournure donne de l'ampleur en bas des reins.

La vieille demoiselle oubliait tout dès qu'elle pouvait discuter de la mode, des dentelles, des chapeaux, des beaux tissus. C'était une véritable passion. Tout en aidant Angélina à parfaire son instruction, elle n'avait cessé de l'encourager à s'établir comme couturière.

— Toi qui parviens à être élégante sans dépenser un sou, poursuivit-elle, tu ferais fortune en habillant les femmes du pays. Elles sont souvent mal fagotées, les malheureuses. À ce propos, je voudrais te commander un corsage en brocart gris pour Noël. Je compte inviter à dîner le pasteur et son épouse. En vue de ce repas, Octavie engraisse des pintades dans un enclos, au fond du jardin. Je vous convierais bien à ma table, ton père et toi, mais monsieur Loubet ne consentira jamais à réveillonner en compagnie de huguenots[2]. C'est dommage, je serais si contente ! Dommage aussi, Angélina, que tu persistes à vouloir passer ta vie entière le nez sous les jupons de tes semblables, les femmes de tous bords. Auparavant, je n'ai pas osé te dire le fond de ma pensée ; néanmoins, plus j'y songe, plus cela me paraît

1. *L'Illustration* est un magazine français publié de 1843 à 1944. Il y eut en tout 5 293 numéros, comprenant des feuilletons, des gravures de mode, des recettes, des actualités.
2. Terme péjoratif qu'on utilisait pour désigner les protestants.

un métier trop pénible. Je sais que tu assistais ta mère et que tu connais les inconvénients notoires de ton futur exercice, mais tu n'as pas mis la main à la pâte. Pardonne-moi cette expression populaire, je n'en vois pas d'autre. Toujours du sang, des sanies, et ces enfants que tu verras mourir à peine sortis du ventre maternel !

Stupéfaite, Angélina ne sut d'abord que répondre. Mademoiselle Gersande n'avait pas coutume d'être aussi virulente.

— Maman ne s'est jamais plainte, finit-elle par dire. Je veux lui succéder et mettre en pratique son enseignement. Quant à ces enfants condamnés dont vous parlez, ils sont rares. Bien des bébés naissent vigoureux, dans de bonnes conditions.

— En t'écoutant, on croirait qu'une femme peut accoucher au coin d'un bois, sans l'aide de personne, ironisa la vieille dame. Ou bien dans une étable, comme Marie à Bethléem.

« Encore une allusion, une pique destinée à me troubler, se dit Angélina, de plus en plus gênée. Non, Gersande n'a pas pu deviner ce qui m'est arrivé. J'ai été si prudente, si discrète ! Je me fais des idées parce que je me sens coupable. »

La domestique quitta la pièce en refermant soigneusement la porte derrière elle. Il y eut alors un moment de silence dans lequel les pétillements du feu et le bruit de la pluie sur les pavés prirent une résonance étrange.

— Vous avez l'air fâchée ! reprocha Angélina à son amie. Je ne suis pas encore partie étudier à Toulouse ! Si vous me décriviez votre corsage ? Je dois le commencer sans tarder. Et ces gravures ?

Gersande de Besnac comprit qu'elle ne tirerait rien de la jeune fille. Elle en vint même à se juger ridicule.

Peut-être que le beau Guilhem Lesage n'avait pas séduit sa chère Angélina ; peut-être qu'il n'y avait jamais eu de grossesse dissimulée au prix d'efforts quotidiens. Il valait mieux causer chiffons et broderies, chasser de son esprit d'infimes détails qui lui avaient mis la puce à l'oreille. Elle tenta cependant une ultime ruse.

— Je ne suis pas fâchée, mon enfant. Mais tu me connais : j'aime les potins. L'épicière bavarde toujours à tort et à travers. Je ne sais plus quand, elle a prétendu que le fils cadet des Lesage, Guilhem, aurait été envoyé à l'autre bout de la France parce qu'il voulait épouser une fille du peuple. Dieu m'est témoin que les Lesage sont des roturiers, des bourgeois imbus de leur richesse acquise par le commerce. Cette histoire m'a tourneboulé la tête. Que veux-tu, à mon âge, je suis toujours d'un romantisme puéril et je plains cette pauvre petite abandonnée au nom du rang social. Qu'en penses-tu ?

Angélina avait tressailli en entendant prononcer le nom de Guilhem, mais sans laisser paraître la moindre émotion. Elle dut faire appel à toute sa volonté pour arborer un calme proche de l'indifférence.

— J'ai rarement croisé Guilhem, mademoiselle Gersande. Il a dû tomber amoureux d'une fille d'un village voisin. Mais cela m'étonne de lui. Il est assez fier.

— Sans doute ! répliqua la vieille demoiselle, déconcertée par le visage impassible de la jeune fille. Tu as raison, parlons plutôt de mon corsage. J'ai acheté une pièce de brocart à Saint-Girons, rue Villefranche. Et ce modèle me plairait.

Elle montra à Angélina une gravure aux couleurs pastel. Puis elle lui désigna un des placards lambrissés qui se confondaient avec les cloisons boisées.

— Le tissu est rangé là. Va le chercher, petite ! Ensuite, tu me diras ton prix.

« Et cet argent me servira à payer la nourrice, pensa Angélina avec amertume. Au moins, je travaille pour mon fils ! »

— Quelle triste mine tu fais ! nota Gersande. Si tu as des ennuis, tu peux compter sur mon soutien. Je me préoccupe de ton sort depuis des années. Te souviens-tu de la montre que je t'ai offerte pour ton certificat d'études ? J'étais fière de ta réussite et tout de suite je t'ai proposé de venir étudier chez moi en mettant ma bibliothèque à ta disposition. Le destin ne m'a pas accordé les joies du mariage et de la maternité, mais, dès que je t'ai vue sur la place ce beau matin de juillet, dans ta blouse d'écolière, avec tes nattes rousses et ton ravissant minois, j'ai eu envie de jouer les grands-mères. Quelqu'un m'a dit : « C'est la fille du cordonnier et d'Adrienne Loubet, la costosida ! »

— Et vous êtes venue droit vers moi en souriant. Vous aviez un sac en lézard et vous en avez sorti votre montre. Mes parents m'ont interdit d'accepter un cadeau d'une inconnue.

— Bien sûr ! Je m'étais installée à Saint-Lizier depuis un mois seulement. Je représentais l'étrangère, le mystère, et en plus je n'allais pas à l'église, conclut la vieille demoiselle dans un éclat de rire. Cela date de sept ans, oui, sept longues années à guetter ton pas dans l'escalier, à commander des livres qui te plairaient. Alors, petite, si tu as des soucis, n'aie pas peur de m'ouvrir ton cœur. Ce ne serait pas toi, la fille abandonnée par Guilhem Lesage ?

— Moi ! Mais non ! s'esclaffa Angélina. Je ne suis pas sotte ! Celui que j'aimerai n'habitera pas un manoir ;

ce sera un homme modeste et un honnête travailleur, comme mon père.

Elle avait répondu avec empressement et véhémence. Gersande fut convaincue.

— Je préfère ça, mon enfant. Ce jeune homme ne rendra pas son épouse heureuse. S'il se marie…

— Pourquoi ne se marierait-il pas ? s'étonna Angélina. Ses parents vont lui dénicher une riche héritière afin de ne pas ternir l'honneur des Lesage.

— Sans doute ! dit Gersande de Besnac d'un air rêveur. Bon, assez discuté de ces gens ! Tu devrais prendre mes mesures pour le corsage.

— Je les ai déjà notées au printemps dans mon calepin. Je vais faire un patron en papier et je viendrai vous le montrer demain.

— Entendu ! Et amène ton pastour. Il ne fera pas de dégâts ; ces bêtes sont d'un tempérament calme.

— Sauf si un rustre m'approche ! rectifia la jeune fille en se levant. Je rentre vite, père a besoin de sa graine d'hérétique. Il me surnomme ainsi quand il est de mauvais poil.

— Quel culot ! Tu es de la bonne graine, chère petite, ne l'oublie jamais.

Munie de ce viatique, Angélina prit congé de sa vieille amie avec la nette impression qu'elle était sortie victorieuse d'un piège tissé de velours et de tendresse.

Vallée de Massat, 15 décembre 1878

Angélina dut s'arrêter près du moulin qui se dressait à l'entrée de la vallée de Massat, sur la rive gauche de l'Arac. Un kilomètre auparavant, elle était descendue du dos de Mina pour marcher un peu, ce qui lui permettait de se détendre. Son cœur battait à tout rompre à la seule idée de revoir son fils. Le pastour lui servait d'escorte. Assis au milieu de la route boueuse, il la regardait.

— Je ne suis pas très courageuse, Sauveur, déplora-t-elle. Mais je suis si émue !

La jeune fille avait dû batailler pour obtenir de son père la permission de partir pour Biert. Le cordonnier ne comprenait pas quel besoin elle avait de rendre visite aux dames Sutra.

— Tu dois prendre des nouvelles du petit bâtard ? avait-il ironisé. Boudiou, ma pauvre Angélina, tu as tort de te plier aux caprices d'une femme adultère, peu de temps avant Noël. Tu auras intérêt à te confesser si tu veux communier devant moi.

Elle avait répliqué que la faute ne lui incombait pas et qu'elle ne saurait quoi dire au curé. Mais Augustin Loubet était rusé.

— Si tu tiens absolument à ce voyage, promets-moi que tu iras à la cathédrale, la veille du jour saint. Je suis certain que tu as quelques menus péchés sur la conscience. Encore une chance que cette mère indigne te paie une chambre à l'auberge de Castet-d'Aleu. Nous n'avons pas les sous pour ça. Et sois prudente, je ne vais pas fermer l'œil, moi, tant que tu ne seras pas de retour. Tu te mets dans l'embarras, petite. Je ne peux pas t'accompagner, j'ai de l'ouvrage.

— Ne crains rien, papa, tout se passera bien !

Après bien des discussions, Angélina avait sellé la mule et elle s'était mise en chemin, à la fois impatiente et anxieuse. Durant le trajet, elle n'avait cessé de s'interroger. « Et si Henri était mort ! La nourrice n'aurait pas pris la peine de se déplacer pour me l'annoncer, puisqu'elle ignore que je suis la mère du bébé. Il faudrait que je lui dise de me prévenir, si jamais il y avait un problème grave ou s'il tombait malade. Je raconterai une fable à papa. »

Malgré l'allure tranquille de Mina, Angélina touchait au but. Le clocher de Biert sonnait dix heures.

— Je dois y aller, dit-elle tout bas en caressant la grosse tête de son chien. Et toi, Sauveur, vas-tu me fausser compagnie ? Tu es de retour dans ta vallée. Tu serais capable de m'abandonner si tu flairais la piste de ton maître.

Alentour, en surplomb de la voie empierrée qu'empruntaient les diligences, des cascades ruisselaient sur des pans de roche noire. Le ciel était sombre, couvert de nuages d'un gris laiteux, et il faisait froid. Le vent sentait la neige. La jeune fille leva la tête, mais aucun flocon ne voletait dans l'air. Elle se remit à avancer en évitant les flaques d'eau.

Cela lui paraissait incroyable de retrouver son fils, de le savoir tout proche, minuscule brin de vie niché sous un des toits du village. Bientôt, elle passa près de la boulangerie, qui vendait aussi de l'épicerie, des denrées nécessaires aux ménagères comme le sucre, la chicorée torréfiée, le café, le sel et le poivre. Un homme en sortit au même instant, coiffé d'un large béret noir luisant de crasse. Il portait un énorme pain sous le bras. En le voyant, le chien fit un écart d'un saut rapide.

— *Cada grapaou a soun traouc*[1] ! cria le paysan en patois, avant de cracher par terre, puis d'ajouter en français : Bête du diable !

1. Chaque crapaud dans son trou : dicton qui signifie « chacun chez soi, à sa place ».

Angélina sursauta, un peu choquée par son attitude. Elle observa l'homme sans faire de commentaire. Il s'éloignait déjà en se signant.

« Il semblait connaître mon pastour, pensa-t-elle. Mais pourquoi le traiter ainsi ? »

Mal à l'aise, elle longea le mur de l'église et remonta la rue du Prat Bésial qui débouchait sur la rue du Lavoir. Ses jambes tremblaient quand elle se figea à trois mètres de la maison des dames Sutra. Vite, elle vérifia qu'aucune mèche ne dépassait de son bonnet en coton blanc, lissa sa longue jupe en drap de laine et ajusta le col de sa pèlerine. Pour rien au monde, elle n'aurait voulu paraître négligée ou misérable. Enfin, elle frappa et ce simple geste la ramena un mois plus tôt. « Je saignais, j'avais le ventre douloureux et le cœur brisé, se remémora-t-elle. Mon corps s'est rétabli ; pas mon cœur ni mon âme. Je me sens tellement coupable ! Pas d'avoir tant aimé Guilhem, mais de ne pas élever notre enfant. »

Jeanne Sutra ouvrit la porte immédiatement. Elle eut l'air embarrassée en reconnaissant Angélina.

— Mademoiselle Loubet ! Entrez, je vous en prie.

La visiteuse vit d'abord une fillette d'environ sept ans, assise à la table et occupée à écosser des haricots. C'était le sosie d'Eulalie en modèle réduit. Deux gros poupons étaient installés dans un petit fauteuil en bois. Il s'agissait de Marie et de Paul, les enfants de la jeune nourrice.

— Où est le bébé, madame Sutra ? demanda-t-elle très vite. Et votre fille ?

— Vous tombez mal ! Tous les jeudis, Eulalie déjeune chez ses beaux-parents à Massat et, l'après-midi, elle fait leur ménage. Bien sûr, elle a emmené son nourrisson. Un pitchoun de son âge ! Il réclame la tétée plusieurs fois par jour. Ce n'est pas comme Paul qui prend déjà de la bouillie.

Angélina eut l'impression d'être trahie, volée. Terriblement déçue, elle dut se contenir pour ne pas invectiver Jeanne Sutra.

— Ce n'est guère prudent de sortir un bébé par ce froid ! dit-elle cependant d'un ton dur. Je vous rappelle que je me suis portée garante de vos compétences, à vous et à votre fille. La famille du petit tient à ce qu'il soit traité avec grand soin, je vous avais prévenues. S'il lui arrive quoi que ce soit, c'est à moi qu'on fera des reproches ; je serai jugée fautive.

Elles échangèrent un regard peu aimable. L'une et l'autre songeaient à leurs intérêts. Jeanne craignait de perdre l'argent promis, Angélina ne pensait qu'au bien-être de son fils.

— Eulalie veille sur le petit Henri avec zèle, mademoiselle Loubet, déclara la femme en lui tournant le dos. Il ne fait pas encore froid. Nous n'avons pas eu de neige dans la vallée, seulement sur les sommets.

— N'empêche, qu'est-ce que je dirai à la famille, moi ? enragea la jeune fille. J'ai promis de donner des nouvelles après l'avoir vu de mes yeux. Dites-moi où habitent les beaux-parents d'Eulalie, je vais y aller tout de suite.

Sa voix tremblait malgré elle. Pendant tout le trajet, elle avait redouté et espéré l'instant de revoir son fils et elle était arrivée à Biert dans un état d'exaltation extrême. Il lui fallait patienter encore, et cela lui semblait insupportable.

— Dites-moi ! insista-t-elle tandis que Jeanne Sutra la fixait d'un air incrédule.

— Rue de la Montagne, au 11, ronchonna-t-elle. Mais ce n'est point poli de déranger les gens comme ça !

— Je suis payée pour ce travail et je m'en acquitte, trancha Angélina. Tenez, voici votre dû.

Elle déposa sur la table les pièces en argent que lui avait données mademoiselle Gersande deux jours plus tôt. La vieille dame, enchantée de son nouveau corsage, s'était montrée plus que généreuse.

— Merci bien ! répondit sèchement Jeanne Sutra.

La jeune fille sortit sans rien ajouter. Elle détacha sa mule et se remit en selle. Le chien avait disparu. « J'en étais sûre ! pensa-t-elle. Sauveur m'a abandonnée. Il m'avait peut-être suivie par caprice et, en se retrouvant en pays connu, il a filé chez ses vrais maîtres. Je ne le reverrai jamais. »

Elle comprit alors combien elle s'était attachée au pastour. Depuis la naissance clandestine de son petit Henri, l'animal ne l'avait pas quittée.

« Je croyais qu'il m'aimait bien, songea-t-elle amèrement. Je n'ai pas de chance… Guilhem aussi, j'ai eu foi en lui et en ses belles paroles, mais il ne revient pas. Je n'aurais jamais dû lui interdire de m'écrire. Mon Dieu, si j'avais reçu une seule lettre de lui, je la garderais sur moi, sur ma peau. »

Toute à ses tristes pensées, Angélina suivait la route menant à la ville de Massat. Ce n'était qu'une large piste de terre sombre mal empierrée. Un attelage de bœufs la précédait, une lourde charrette chargée de bois de chauffe, dont les roues grinçaient. Elle jeta un coup d'œil rancunier à la masse imposante du roc de Ker, sur sa droite. La grotte faisait une tache noire parmi les pans de végétation roussâtre et les éboulis de galets.

Grossie par les pluies d'automne, la rivière menait sa course folle sur les rochers. Des corbeaux tournoyaient autour de la cime d'un gigantesque frêne qui avait poussé près d'un pont de pierre aux arches solides. Angélina n'avait jamais dépassé le village de Biert. Elle entrait en pays inconnu et, malgré les sentiments confus qui l'agitaient, elle n'était pas mécontente de découvrir Massat. « Maman m'en parlait souvent, se souvint-elle, émue. Dans sa toute jeunesse, elle avait appris à broyer le lin dans un vaste pré au bord de l'Arac, avec sa mère et sa grand-mère. Elle me disait qu'à la floraison du lin toute la soulane était bleue, un bleu délicat qui la ravissait. »

Au même instant, deux cavaliers la dépassèrent. Ils galopaient à bride abattue, leur cape noire volant au vent de la course. Les chevaux, de superbes bêtes à la robe baie, étaient en sueur.

— Eh bien, il y a du monde aujourd'hui ! Tu as vu ça, Mina ? Si je possédais ce genre de monture, je serais déjà arrivée et repartie.

Angélina se sentit soudain misérable sur sa mule, privée de la présence rassurante du pastour. Les paroles de son père lui revenaient, ses éternelles recommandations dont elle ne tenait pas vraiment compte, car le plus souvent, elle se croyait à l'abri du danger, protégée par la Providence. Mais, ce matin-là, sa belle confiance n'était guère de mise. Elle traversa ainsi le hameau de Lirbat, doté d'un lavoir couvert. Trois femmes y lavaient du linge. Les manches retroussées, leurs avant-bras rougis par l'eau glacée, elles chantaient à tue-tête.

I anarem totes, i anarem totes
I menarem nòstres enfants
E la jornada serà pagada
Coma se trabalhaviam

La jeune fille reconnut le refrain d'une ancienne comptine, au rythme entraînant. Elle eut un pauvre sourire mélancolique. Cela lui rappelait son enfance, cette époque heureuse où elle vivait sans soucis ni peines entre son père et sa mère.

Nous irons tous, nous irons tous,
Nous y amènerons nos enfants
Et la journée nous sera payée
Comme si l'on travaillait.

Quand nous aurons tout fini,
Nous ferons la fête, nous ferons la fête,
Quand nous aurons tout fini,
Nous ferons la fête à tout casser !

— Bonjour ! lui cria une des femmes. Irais-tu au marché, ma belle ? Presse ta mule, sinon il n'y aura plus rien à vendre quand tu arriveras sur la place !

Des éclats de rire firent écho à sa plaisanterie. Angélina ne se vexa pas. Elle aurait volontiers frotté des draps au lavoir et chanté en si joyeuse compagnie.

— Est-ce jour de marché, à Massat ? demanda-t-elle en se retournant.

— Eh oui ! Dépêche-toi ! *La rodo qué rodo*[1] !

1. Vieux dicton ariégeois signifiant « la roue tourne », pour dire que le temps passe.

Comme si elle avait compris, Mina se mit au trot. La jeune fille aperçut bientôt un calvaire à la croisée de trois sentiers. Elle se signa sans réfléchir, son magnifique regard violet rivé pendant de longues minutes sur la statue du Christ. « Jésus, pardonne à une pécheresse et protège mon tout-petit ! » implora-t-elle en silence.

De nouveau accablée par le poids de son chagrin, Angélina dut retenir des larmes de dépit. Soucieuse de sa réputation vertueuse, elle ne s'autorisait aucune faiblesse en dehors de sa chambre. Mademoiselle Gersande le répétait assez : « Une fille qui pleure dissimule une erreur de conduite ! »

Ce fut donc avec un air calme et un port de reine qu'elle passa après deux interminables kilomètres devant une petite chapelle bâtie à l'entrée de Massat. Des flocons voltigeaient, légers, en apparence inoffensifs, mais le ciel d'un gris cotonneux annonçait des chutes de neige plus importantes.

« Je vais devoir faire vite, se dit-elle. J'ai promis à père d'être à la maison avant la nuit ou de coucher ce soir au Castet-d'Aleu. »

De hautes maisons aux toitures d'ardoises bordaient la rue des Prêtres, qu'elle suivait maintenant. Une rumeur lui parvenait : concert de cris d'animaux, d'appels, de conversations animées en patois. Elle admira, non sans surprise, l'élégante façade d'un bel immeuble en pierre de taille, dont la porte double était ornée d'une sculpture représentant un coquillage. « L'emblème des marchands drapiers ! » songea-t-elle.

Angélina vit aussitôt une enfilade de boutiques : une boucherie, une boulangerie, une mercerie. Les devantures en bois étaient peintes de couleurs tendres, du vert, du jaune. Quelque part, on jouait du violon. « C'est bien gai, ici ! » s'étonna-t-elle. Elle eut rapidement l'explication de ce joyeux tintamarre. La place de l'église était envahie par une foule bigarrée, qui déambulait autour des étalages. Des odeurs de graisse chaude et de bétail flottaient dans l'air froid. Des moutons bêlaient et des cochons lançaient des cris aigus auxquels répondaient les caquètements des volailles. Les coiffes blanches des ménagères semblaient danser de-ci de-là parmi les vêtements sombres des hommes, qui portaient le béret ou des chapeaux noirs à large bord.

Elle n'osait pas descendre de la mule, craignant de ne plus y voir du tout si elle mettait pied à terre. De surcroît, Mina montrait des signes d'inquiétude.

— Que de monde ! Là, là, n'aie pas peur ! dit-elle tout bas à l'animal.

Un vieillard la salua d'un clin d'œil égrillard, sa pipe au coin des lèvres. Il poussa la familiarité jusqu'à s'accrocher d'une main aux rênes.

— Monsieur, je vous en prie, pouvez-vous m'indiquer la rue de la Montagne ? interrogea-t-elle.

Il la renseigna d'un marmonnement presque inaudible, mais au moins il indiqua d'un doigt une direction. Angélina se laissa glisser au sol et guida la mule vers l'amorce d'une ruelle longeant le cimetière. Elle attacha Mina à une grille.

— Ma pauvre bête, tu seras tranquille dans ce recoin.

Bouillante d'impatience, elle s'élança sur la place. Au bout de quelques pas, on l'attrapa par le poignet. C'était Eulalie, en cape de drap bleu, ses cheveux bruns relevés en chignon et un panier sur la hanche.

— Mademoiselle Loubet ! dit-elle en ouvrant de grands yeux ébahis.

— Où est l'enfant ? hurla Angélina pour couvrir le vacarme environnant.

— Chez ma belle-mère. Au chaud, pardi ! Il a pris sa tétée et je l'ai couché.

— Mais c'est à vous que je l'ai confié ! s'indigna la jeune fille. Vous n'avez pas l'air de prendre votre charge très au sérieux. Venez avec moi, je suis pressée.

Outrée, Eulalie recula pour se rapprocher d'un escogriffe au nez crochu, le teint blafard.

— Non, mais dites donc, vous n'avez pas à me faire la morale ! Je m'en occupe bien du petit, même que je suis en train de sevrer mon Paul, histoire d'avoir plus de lait pour Henri. Tu l'as entendue, Prosper ? Y a pas meilleure nourrice que moi dans la vallée !

Angélina supposa que Prosper était son mari, d'autant plus qu'il la toisait avec mépris.

— Je suis désolée, reprit-elle sans perdre contenance, je dois voir le bébé et m'assurer qu'il est en bonne santé. Sinon, vous perdrez de l'argent et moi aussi.

Elle savait que c'était l'argument capable de les toucher. Eulalie l'entraîna à travers les badauds.

— Remontez la rue, là, et frappez au 11. Dites à ma belle-mère que je vous envoie. Si vous voulez mon avis, ces gens qui se sont débarrassés d'un bâtard, ils vous font marcher pour rien. Si vous veniez trois fois par an, ce serait suffisant.

— Sûrement pas ! protesta Angélina en s'éloignant.

Peu à peu, le son lancinant du violon prit de l'ampleur. Il dominait les bêlements, les couinements, les rires et l'incessant bourdonnement des discussions. Il s'y mêlait la sonnaille de plusieurs grelots, assortie d'un autre bruit, mélodieux celui-là. Des enfants applaudissaient.

Intriguée, la jeune fille se glissa entre deux femmes pour tenter de voir le spectacle. Son cœur fit un bond dans sa poitrine lorsqu'elle aperçut un ours debout sur ses pattes arrière. La grosse bête au poil brun-roux se dandinait au rythme de la musique en tendant son museau pointu vers le public hilare. Un homme en veste de fourrure, une baguette à la main, le tenait par une chaîne, reliée à l'anneau qui perçait les narines de l'animal.

Un adolescent, son béret enfoncé jusqu'aux sourcils, décocha à Angélina un coup de coude.

— Vous avez vu ça ? Le montreur d'ours est là depuis très tôt ce matin. Il est passé par le col du Sarraillé. Il vient de la vallée d'Ustou.

Subjuguée, la jeune fille approuva d'un signe de tête. Elle n'avait jamais vu un ours vivant, mais elle se souvenait vaguement d'une dépouille jetée à l'arrière d'une charrette, des années auparavant, à la foire de Saint-Girons. Son attention se porta ensuite sur le violoniste. C'était un étrange personnage au teint basané et aux longs cheveux noirs. Il portait des vêtements en cuir rouge, ornés de sequins dorés. Paupières mi-closes, une joue appuyée contre son instrument, il semblait envoûté par sa propre musique. Mais l'instant suivant, il ouvrit grand des yeux sombres et brillants pour tout de suite fixer Angélina avec insistance. Gênée, elle prit la fuite. Le regard de l'étranger l'avait troublée plus que de raison.

Il lui fallut peu de temps pour se retrouver au 11, rue de la Montagne, confrontée à une porte grise entrebâillée. Elle pénétra dans un couloir obscur. Tout de suite, la rumeur du marché s'atténua. Elle avisa une seconde porte sur la gauche et toqua timidement.

— Qui c'est-y ? cria une voix nasillarde.

— Je viens de la part d'Eulalie voir son nourrisson, répondit Angélina.

— Entrez donc ! répliqua-t-on.

Il n'y avait plus de place pour l'angoisse ou l'impatience. Encore étourdie par le vacarme et l'agitation qui régnaient sur la place de l'église, la jeune mère approcha de la *desco*, une simple corbeille à linge garnie d'une petite paillasse. Henri y était niché. Le bébé ne dormait pas. Il suçait son pouce, les joues roses, ses prunelles d'un bleu laiteux rivées sur un point invisible de la pièce.

— Bonjour, madame ! Désolée de vous déranger ! dit Angélina sans même regarder la maîtresse des lieux.

Elle ne pouvait détacher son regard de l'enfant. Il avait déjà changé. Il était plus rond et avait les traits plus définis.

— Vous seriez pas mademoiselle Loubet ? hasarda Berthe, robuste quinquagénaire en robe noire, sans se lever de la chaise où elle tricotait.

— Si ! Je suis venue dans la vallée pour prendre des nouvelles de ce petit. Et je viendrai tous les mois.

— Ma bru m'en a causé, répliqua la femme. C'est pas courant, cette manière de faire !

— Je m'en moque, je ne peux pas cracher sur l'argent que cela me rapporte, mentit Angélina sur un ton volontairement dur.

Dans sa crainte d'être démasquée, elle se méfiait de tout le monde.

Elle souleva le bébé avec délicatesse et le prit contre sa poitrine. Il était propre ; son crâne bien rond était couvert d'un béguin en coton blanc. Soigneusement emmailloté d'un lange en laine, il paraissait vigoureux et très éveillé.

« Mon pitchoun, mon trésor, que tu es beau ! pensa Angélina, bouleversée par ces retrouvailles. Tu me dévisages, mais est-ce que tu me reconnais ? Non, bien sûr, tu es si petit ! »

— Il est bien tenu, déclara-t-elle à voix haute. Vous féliciterez votre bru.

— Eulalie le bichonne comme si c'était le sien. Vous pouvez avoir confiance. Et il est sage, ce petiot, on l'entend pas souvent pleurer.

— S'il ne pleure pas, c'est qu'il se sent à l'aise, qu'il n'a ni faim ni froid, ajouta la jeune fille.

Henri paraissait l'écouter. Il se mit alors à sourire, un de ces sourires rêveurs, simple signe de bien-être, que les bébés pouvaient accorder aux visages penchés sur eux. Angélina en fut touchée en plein cœur. Vite, elle tourna le dos à la femme pour cacher ses larmes.

— Quel beau petit ! dit-elle. Comment une mère peut-elle se séparer de son nouveau-né ? Vous l'auriez fait, madame ?

Elle déambulait dans la pièce afin de se donner une contenance et ne pas montrer son émotion.

— Si j'avais eu les moyens, oui, avoua la belle-mère d'Eulalie. Mon homme était colporteur dans sa jeunesse, toujours par monts et par vaux. J'étais clouée à la maison avec mes quatre enfants, mais j'aurais préféré courir le pays avec lui. Enfin, il rapportait des sous, je n'allais pas me plaindre et, à présent, il tient le débit de boissons rue de la Salle. En plus, mon fils a fait un bon mariage ; ma bru avait une belle dot. Pensez un peu, un coffre rempli de draps de lin, de torchons ourlés, de six couverts en plaqué argent…

Angélina écoutait à peine, plongée dans la contemplation de son petit Henri. Elle cherchait une ressemblance

avec Guilhem et croyait reconnaître la ligne des sourcils, le dessin des lèvres…

— Et vous, mademoiselle Loubet, jolie comme vous
êtes, avez-vous un promis ? s'enquit Berthe.

— Non, et je ne suis pas près d'en avoir un. Je veux
devenir sage-femme. Dans un an ou deux, j'irai étudier
à Toulouse.

L'annonce parut impressionner son hôtesse qui émit
un léger sifflement d'appréciation. Elle posa enfin son
tricot et, se levant pesamment, elle marcha jusqu'à une
cuisinière en fonte émaillée. Là, elle ôta le couvercle
d'une marmite d'où s'échappa aussitôt un délicieux
fumet.

— Dites, mademoiselle, ça vous dirait de casser la
croûte avec moi ? Mon fils et ma bru vont manger à
l'auberge de la place, mon mari itou. On causera toutes
les deux ; vous me tiendrez compagnie.

Angélina sauta sur l'occasion. Cela lui permettrait de
passer plus de temps avec Henri. D'un pas nonchalant,
elle s'approcha du fourneau.

— Ce n'est pas de refus, je vous remercie, madame,
dit-elle d'une voix radoucie. Mais je tiens à payer mon
repas.

— Vous allez me vexer, mademoiselle ! Sentez-moi
ça ! Du civet de lièvre, avec des girolles que mon homme
m'a rapportées en octobre par pleins paniers. Je les fais
sécher sur un fil, au-dessus du feu. Le lièvre, c'est pareil,
il ne nous a pas coûté cher, si vous me comprenez. Les
bêtes des bois, elles ne sont à personne, au fond, malgré
les arrêtés de la Mairie.

La jeune fille admira avec un sourire complice le
contenu du récipient, où des morceaux de viande

mijotaient dans une sauce brune qui embaumait le thym et le vin cuit.

— Posez le petit et mettez-vous à table, c'est bientôt midi, conseilla Berthe.

Elle essuya ses mains sur son tablier de toile grise qui protégeait sa robe d'hiver en gros drap de laine noire. Un foulard de même teinte cachait en partie son chignon brun semé de fils argentés.

— Eulalie m'avait parlé de vous. Je suis bien aise de vous rencontrer !

Le bébé s'était endormi dans les bras d'Angélina. Elle le coucha à regret dans la corbeille après l'avoir embrassé sur le front, un geste peu en accord avec ses prétendues fonctions. « Je voudrais te garder sur moi, contre moi durant des heures, des semaines, Henri, songeait-elle. Tu es si doux, si mignon ! »

Berthe lui jeta un coup d'œil intrigué, mais elle ne fit aucune remarque.

— J'ai fait sauter des pommes de terre en accompagnement du civet. Vous m'en direz des nouvelles, de mes pommes de terre ! Mon homme en plante deux fois l'an. Elles se conservent bien.

Tout en discutant, la femme mit deux couverts et sortit du bahut une carafe de vin ainsi que du pain enveloppé dans un torchon. Enfin, elle déposa la marmite à même le bois de la table, puis une lourde poêle fumante.

— Vous êtes très aimable, madame, dit Angélina, affamée. Je ne mange presque jamais de viande. Mon père est cordonnier et il n'aime pas les dépenses. Mais nous avons un petit potager.

— Pas de poules ? s'étonna Berthe.

— Du vivant de ma mère, nous avions quelques poules. Plus maintenant.

— Revenez au printemps, je vous donnerai des poussins à engraisser, ma petite. De quoi est-elle morte, votre mère ?

Le regard violet d'Angélina se ternit. Elle baissa la tête, prise au piège d'une violente émotion.

— Un terrible accident ! Je n'aime pas en parler. Pardonnez-moi, chaque fois que j'y pense, je n'ai plus d'appétit.

— Dans ce cas, ne dites rien ! Je suis désolée, mademoiselle.

Angélina approuva d'un petit signe. Berthe lui servit le râble du lièvre, un des meilleurs morceaux, en l'arrosant copieusement de jus. Elle agrémenta le tout d'une grosse cuillerée de pommes de terre dorées à point, qui fleuraient bon l'ail et le persil.

— Mangez tant que c'est chaud, recommanda-t-elle. C'est vrai que vous n'êtes pas bien grosse. Mais jolie, alors, hein !

— Merci du compliment, répondit la jeune fille dans un souffle.

Elle aurait voulu chasser de son esprit la scène affreuse qui l'obsédait à nouveau. Le mal était fait, elle revoyait sa mère bien-aimée, l'infatigable Adrienne Loubet, étendue sur un rocher d'un blanc d'ossements, au milieu du Salat. La rivière grondait alentour, roulant ses flots limpides et glacés. « Oui, un terrible accident ! Maman avait passé deux jours au chevet d'une patiente, l'épouse d'un notaire de Saint-Girons. Pour une fois, je n'étais pas allée avec elle, parce que je toussais trop. Les jeunes parents étaient si contents d'avoir une petite fille bien portante, malgré les trois tours de cordon qui lui serraient le cou ! Mais maman l'avait sauvée et, pour la récompenser, ces gens lui ont offert une superbe théière en argent. Et le notaire a insisté pour la ramener en calèche. Quatre chevaux attelés, des bêtes trop fringantes, trop peureuses. »

Elle faillit recracher la bouchée de lièvre qu'elle mastiquait du bout des dents. Il y avait eu plusieurs témoins de l'accident. Les chevaux s'étaient emballés, effrayés par un troupeau de vaches parquées au bord du Salat. D'un seul élan, ils s'étaient jetés contre le parapet du pont donnant accès à la cité de Saint-Lizier et étaient tombés dans le vide.

« On m'a raconté que les chevaux hennissaient très fort, qu'en se brisant la calèche avait fait un bruit atroce. Et ma chère maman aussi était brisée, le dos rompu. Quelqu'un est venu nous prévenir. Père et moi avons couru comme des fous. Le notaire était introuvable, emporté par la rivière, mais maman gisait sur ce rocher, du sang au coin de la bouche. Elle tenait encore la belle théière dans ses mains. Dieu merci, j'ai pu lui dire adieu. Elle s'est éteinte dans les bras de papa, sa tête sur mes genoux. Les chevaux sont morts eux aussi, tous. »

Des larmes coulèrent le long de son nez, sur ses joues pâles. Berthe, inquiète, lui tapota le bras.

— Et alors ? Vous avez du chagrin, petite ?

— Je ne peux pas m'empêcher de penser à ma mère ! avoua la jeune fille en retenant un sanglot. C'est arrivé il y a un an, à la même époque. Avant Noël.

— Ah ! fit simplement la femme.

— Excusez-moi, je ne fais pas honneur à votre civet ! Elle piqua des pommes de terre de la pointe de sa fourchette. C'était si savoureux qu'elle eut un faible sourire.

— Il n'y a pas meilleures patates que celles de la vallée de Massat ! s'exclama Berthe. Tenez, je vais vous raconter une histoire que mon grand-père me serinait quand j'étais petite. Figurez-vous que l'Empereur, au retour de sa campagne en Égypte, est passé dans notre vallée. Bien sûr, tout le peuple s'est groupé le long de la route pour le saluer. Napoléon a regardé les filles, les femmes, les hommes, les jeunes gars, et savez-vous ce qu'il a dit ?

— Non, dit Angélina, amusée.

— Du haut de son cheval, il a déclaré qu'il avait rarement vu une population en aussi bonne santé, avec des corps bien bâtis et de beaux visages. Il a demandé quel était le secret des Massatois, et de quoi ils se nourrissaient. « De pommes de terre, a répondu le curé. Ici, nous mangeons surtout des pommes de terre. » L'Empereur en était tout ébaubi[1].

— Napoléon Ier, n'est-ce pas ? interrogea la jeune fille.

— Eh oui ! Pour mes parents et mon mari, il n'y a eu qu'un empereur : Bonaparte. L'autre, celui qui a envoyé nos hommes combattre les Prussiens, il ne méritait pas d'être couronné.

Angélina savait que la brave femme faisait allusion à l'empereur Napoléon III qui, durant son règne, n'avait pas été très aimé du peuple. La dernière guerre demeurait dans toutes les mémoires, trop récente pour être oubliée. Bien des veuves pleuraient encore leur époux mort sur le front, dans le nord-est de la France. Elle récita pour elle-même quelques vers de Victor Hugo.

1. Anecdote authentique.

... Chastes buveuses de rosée,
Qui, pareilles à l'épousée,
Visitez le lys du coteau,
Ô sœurs des corolles vermeilles,
Filles de la lumière, abeilles,
Envolez-vous de ce manteau !

Ruez-vous sur l'homme, guerrières !
Ô généreuses ouvrières,
Vous le devoir, vous la vertu,
Ailes d'or et flèches de flamme,
Tourbillonnez sur cet infâme !
Dites-lui : « Pour qui nous prends-tu[1] ? »

C'était mademoiselle Gersande qui lui avait lu de sa voix mélodieuse certaines poésies de ce grand écrivain, farouche adversaire de Napoléon III et à qui sa haine avait valu vingt ans d'exil sur l'île de Jersey. Depuis, il était de retour en France, et les Parisiens lui avaient réservé un accueil triomphal après la défaite des troupes françaises à Sedan[2] en septembre 1870. Angélina avait ainsi appris que le manteau de couronnement de Napoléon Bonaparte était en velours rouge, orné de broderies représentant des abeilles. Cet insecte aurait été retrouvé sur des bijoux de la dynastie mérovingienne et l'Empereur avait tenu à en faire, avec l'aigle, un de ses emblèmes.

1. Extrait du poème « Le manteau impérial », publié dans le recueil intitulé *Les Châtiments*, en juin 1853.
2. Ville des Ardennes françaises où Napoléon III fut encerclé et vaincu par les troupes prussiennes et celles des États allemands coalisés.

— Mon père sera content d'apprendre que Napoléon est passé ici, à Massat, dit enfin la jeune fille. Son arrière-grand-oncle a fait la campagne de Russie.

— Et mon mari était à Sedan, dans l'infanterie. J'ai tellement prié qu'il en est revenu vivant. Vous ne finissez pas votre civet ?

— Si, si, il est fameux !

Angélina se força à manger. Elle regardait souvent du côté de la *desco* en espérant que son fils se réveillerait avant son départ. « C'était une sensation merveilleuse, de le tenir contre moi. Et il m'a souri. Je voudrais tant pouvoir l'emmener, le garder ! Mais je n'ai plus de lait. Il est mieux avec sa nourrice. Les mois passeront et rien ne changera. Je ne peux pas l'élever. Je ferais mieux de m'habituer à son éloignement et ne pas m'attacher à lui. »

Elle se leva brusquement, consciente du cercle infernal qui s'annonçait.

— Je vous remercie encore, madame, dit-elle d'un ton sincère. Mais je dois rentrer à Saint-Lizier. J'ai trois heures de route et, en plus, j'ai laissé ma mule attachée près du cimetière.

— Vous auriez dû le dire plus tôt, on l'aurait abritée dans notre bâtiment, derrière la maison. Il neige fort, maintenant. *Néou rédouno d'aouto moun douno !* disait mon grand-père ! Flocons de neige ronds, d'autres suivront !

Absorbée par son chagrin et la présence du bébé, Angélina n'avait pas jeté un seul coup d'œil par la fenêtre. De gros flocons tombaient dru.

— Mon Dieu, cette fois je m'en vais vite ! s'écria-t-elle.

Tout en se couvrant de sa pèlerine, elle alla se pencher sur son enfant endormi. « Au revoir, mon petit ange, je reviendrai, lui dit-elle en son for intérieur. Un jour, ta mère ne te quittera plus ! »

Elle se retrouva dans la rue. Le sol était déjà d'un blanc pur, à peine marqué de vagues empreintes. Elle redescendit d'un pas prudent vers la place de l'église, entourée de maisons bourgeoises. Massat comptait parmi ses habitants de riches notables, notaires, avocats et drapiers.

Il y avait beaucoup moins de monde autour des étalages. Les commerçants ambulants rangeaient leur marchandise dans des paniers. Le bétail en vente se raréfiait, mais il restait ici et là des tas de crottins, des bouses, de la paille sale. Un homme emmenait ses cochons en les dirigeant à l'aide d'un bâton. Quant au montreur d'ours, elle l'aperçut qui prenait la direction du col de Port, tirant sa bête par sa chaîne. Cela la fit se souvenir du violoniste au teint basané et aux longs cheveux noirs, sans doute un bohémien. « Je croyais qu'il était avec eux ! » se dit-elle.

Sans plus se soucier de ce détail, elle observa avec curiosité le fronton de l'église à la forme singulière, qui rappelait un as de pique et qui jouxtait le clocher octogonal en grès blond. Une belle statue de la Vierge trônait au-dessus de la grande porte.

Sans prêter attention aux derniers badauds qui s'attardaient devant le restaurant voisin, elle s'engouffra dans la ruelle du cimetière. Là, elle eut un choc. Sa mule avait disparu.

— Oh non, non ! se désola-t-elle. Mina a dû se détacher !

Mais un bout de corde pendait à la grille, tranché net. C'était un vol manifeste. Incrédule, effarée, Angélina fit demi-tour en s'écriant :

— Ce n'est pas possible ! Qui a fait ça ? Pourquoi ?

Hors d'elle, la jeune fille scruta la place. Puis elle eut l'idée d'examiner le sol. Il n'y avait pas d'empreintes de sabots dans la neige.

— On me l'a volée dès que je me suis éloignée, constata-t-elle à mi-voix. Mon Dieu, que va dire papa ?

C'était une catastrophe. Désemparée et affolée, Angélina se mit à courir au milieu de la rue des Prêtres, dans la direction de Saint-Girons. Elle remonta ensuite vers l'esplanade du Pouech, le lieu de promenade dominical des Massatois, où s'alignaient des platanes de belle taille. Il y avait des chevaux attachés à des piquets, ainsi que des vaches, mais pas de Mina.

— Sauveur m'a abandonnée et, là, j'ai perdu ma mule, se désolait-elle tout bas en pleurant de rage.

Sans bien savoir comment, elle se retrouva devant le 11 de la rue de la Montagne. Des pleurs aigus de bébé résonnaient derrière la fenêtre aux vitres jaunies par la fumée. L'instant suivant, Eulalie sortait.

— Et alors ! Qu'est-ce qui se passe, mademoiselle ? demanda la nourrice. Vous en faites, une mine !

— On m'a volé ma mule. Je l'ai cherchée partout dans les rues alentour et sur l'esplanade.

— Entrez, ne restez pas sous la neige, dit Eulalie, apitoyée. Faut pas vous étonner, avec ce bohémien qui rôdait. Votre bête, à mon avis, elle trotte déjà sur un sentier d'altitude, vers l'Espagne. La frontière n'est pas loin.

Angélina fut à nouveau confrontée à son fils qui hurlait de faim. Berthe Fabre le berçait dans ses bras, mais il ne se calmait pas pour autant.

— Donnez-le-moi, belle-maman, dit la nourrice. Cette pauvre demoiselle Loubet, elle n'a plus sa mule.

Vous n'avez qu'à prendre la diligence de quatre heures, cet après-midi. Le cocher change ses chevaux au relais de Lacourt, mais ensuite il va jusqu'à Gajan, après le pont de Saint-Lizier. Peut-être que vous êtes à sec, aussi...

— Comment ça, à sec ? s'étonna Angélina. Vous parlez d'argent ? J'ai de quoi payer le trajet, même si c'est déraisonnable. Je montais la mule pour ne pas dépenser plus que le nécessaire.

Prosper Fabre fit irruption par une porte basse, une bouteille de vin à la main.

— J'ai entendu. On a volé votre bête ? s'exclamat-il. J'avais prévenu Eulalie quand j'ai vu le violoniste. Il endormait tout le monde avec sa musique du diable. Pendant ce temps, il devait avoir un complice qui dépouillait les honnêtes gens. Faut aller chez les gendarmes, mademoiselle. La caserne est à Lirbat.

Du coup, il n'y avait plus de mépris ni de colère à l'égard d'Angélina, mais un élan unanime de solidarité. Elle était devenue une victime, et chacun désirait l'aider.

— Vous pouvez dormir chez moi, assura Berthe.

— Ou à Biert, chez ma mère, renchérit la nourrice.

Angélina secoua la tête pour refuser. Elle se tenait debout près de la porte, son capuchon constellé de flocons cachant sa coiffe. On ne voyait d'elle que son visage d'une finesse exquise, d'une beauté peu courante. Ses yeux violets étincelaient, embués de larmes contenues, rivés au minois du bébé qui tétait avidement.

— Tenez, voyez qui remonte la rue à cheval, brailla Prosper Fabre. La maréchaussée ! Je vais arranger votre affaire, mademoiselle.

Il avait envie de jouer les héros. Sur la place, deux heures plus tôt, il s'était montré froid avec cette inconnue dont son épouse se plaignait, mais il venait de constater qu'Angélina était fort jolie. Il revint très vite après avoir discuté avec les deux gendarmes.

— Je vous promets qu'ils vont la retrouver, votre mule, déclara-t-il. Buvez donc un petit verre de gnôle, ça vous fera du bien, gelée comme vous êtes !

— Non, merci, murmura-t-elle.

— Du café ? proposa Berthe.

— Je veux bien.

Angélina s'assit sur le banc où avait pris place Eulalie. L'infime bruit de déglutition que faisait Henri en avalant le lait lui était perceptible et elle se lamenta intérieurement de ne pas avoir pu nourrir son enfant.

— Il a profité, hé ! se rengorgea la nourrice. Je mange pour deux et, malgré ça, le pitchoun, il me tire du sommeil trois fois par nuit. C'est un goulu. Hé ! *Lé four qu'ès caoufo pé la bouco*[1] *!*

— J'peux en témoigner ! se vanta son mari. Il se rendort souvent entre nous, ce gosse.

Ces mots exaspérèrent la jeune fille, mais elle réussit à sourire d'un air amusé. C'était pénible pour elle d'imaginer son fils collé au corps plantureux d'Eulalie, ou à celui de Prosper, qui dégageait une forte odeur d'étable. Elle demeura silencieuse durant toute la tétée. Berthe Fabre tricotait, tout en causant de façon ininterrompue.

— Chaque fois qu'y vient des bohémiens en ville, les braves gens se font voler. Tu te souviens, Prosper, l'an dernier ? Monsieur Gallin, le notaire, avait cru perdre sa montre à la foire. Pensez-vous ! Il s'est rappelé trop tard

---

1. Proverbe régional : « Le four se chauffe par la bouche », équivalant à « il faut manger pour vivre ».

qu'il avait croisé une fille aux cheveux noirs et brune de peau. Elle avait voulu lui lire les lignes de la main. Il s'était dégagé, mais la montre, hop ! envolée comme votre mule, mademoiselle Loubet. Pareil, j'étais toute jeune quand, ma sœur et moi, nous avions conduit des agneaux sur la place pour le grand marché de Pâques. Il y en avait sept à l'arrivée et plus que trois le soir, mais nous n'en avions vendu que deux. Là encore, des bohémiens traînaient du côté du cimetière. Ils sont rusés, rapides…

— Des voleurs de poules, des voleurs d'enfants aussi, qu'on dit ! ajouta son fils en lorgnant Angélina avec insistance. Tiens, y a du remue-ménage, dehors…

Ils avaient tous entendu des bruits de sabots ferrés sur le sol. Des éclats de voix retentissaient. Craignant de rater quelque chose, Eulalie confia le bébé à sa belle-mère et reboutonna prestement son corsage. Prosper avait déjà poussé Angélina sur le seuil de la maison.

— Mina ! s'écria-t-elle en voyant sa mule tenue par un des gendarmes.

— Qu'est-ce que je vous avais dit ! clama Prosper d'un ton victorieux. Ils n'ont pas mis longtemps.

La jeune fille avisa alors le violoniste, qu'un autre gendarme cramponnait par le col de sa veste. Il avait les poignets liés et un sourire ironique sur ses lèvres au dessin arrogant.

— Cet individu emmenait votre bête sur la route du Sarraillé, mademoiselle, déclara le brigadier, coiffé d'un shako en cuir. Et, bien sûr, il prétend qu'il recherchait son propriétaire. Monsieur Fabre nous ayant expliqué que vous aviez trouvé la corde tranchée, le vol ne fait pas de doute.

Le prisonnier protesta d'un timbre clair, assorti d'un léger accent.

— Ne les écoutez pas, mademoiselle, dit-il en fixant Angélina de son regard de braise. J'ai coupé la corde parce que la mule s'était entortillé une patte et se débattait. Elle pouvait se rompre l'échine. J'ai agi au plus vite pour la libérer et, après ça, j'ai demandé sur le marché à qui appartenait cette bête. Je suis musicien, pas voleur !

Eulalie et Prosper ricanèrent. Berthe, le nez collé au carreau, ne manquait rien de la scène.

— Vous pouvez reprendre votre mule, mademoiselle, coupa le brigadier. Nous emmenons ce vaurien en prison.

Angélina savait qu'elle aurait dû remercier les gendarmes d'avoir si promptement récupéré Mina, mais elle dévisageait le prétendu bohémien en se persuadant qu'il disait la vérité. Cet homme la fascinait contre son gré. Elle imaginait son existence errante et, d'instinct, pressentait en lui une soif infinie de liberté.

— Il n'y a aucune preuve contre lui, articula-t-elle avec soin. Mina – c'est le nom de ma mule – s'est déjà blessée en se prenant dans sa corde. J'avais fait un nœud solide. Je pense qu'on ne peut pas enfermer un innocent qui a voulu rendre service. Je l'ai entendu jouer du violon ce matin. Il m'a paru très doué. Je vous en prie, monsieur le brigadier, je me ferai des reproches durant des jours si par ma faute ce musicien finit derrière les barreaux.

Ce discours cloua tout le monde de stupeur.

— Mais c'est sans conteste possible un bohémien ! ronchonna le gendarme. Et Prosper Fabre m'a certifié qu'il avait volé cet animal.

— J'ai eu tort d'attacher ma mule à une grille et de la laisser seule plus d'une heure, insista Angélina. Je me suis affolée en découvrant la corde coupée, mais j'aurais dû réfléchir davantage et me renseigner. Je vous en supplie, libérez cet homme. C'est bientôt Noël !

Eulalie leva les yeux au ciel et rentra dans le couloir. Prosper la suivit en jurant qu'Angélina était fada. La jeune fille, elle, ignorait pourquoi elle défendait le violoniste avec une telle véhémence. Le brigadier haussa les épaules et donna des ordres. Un de ses subalternes détacha le bohémien avant de lui rendre son instrument, qu'il avait attaché à la selle de son cheval.

— Tu as de la chance, graine de potence ! File et que je ne te revoie pas à Massat ! hurla le militaire[1].

— Merci bien ! rétorqua l'homme, soulagé. Mais, comme l'a affirmé cette belle demoiselle, je suis innocent. L'habit ne fait pas le moine ! Et la tignasse noire ne fait pas le gitan !

Sur ces mots jetés d'un ton rieur, le violoniste s'éloigna d'une démarche rapide. Angélina remercia le brigadier en le saluant. Il la considéra d'un œil flatté. Jamais il n'avait vu de semblables prunelles, de véritables pierres précieuses, d'un violet délicat.

— Je n'ai plus qu'à filer à mon tour, dit-elle encore, égayée par l'incident.

— Et où allez-vous ? s'enquit le gendarme.

— Jusqu'à la cité de Saint-Lizier, monsieur, avoua-t-elle. Je suis en retard, mais si la nuit me surprend avant Castet-d'Aleu, je coucherai à l'auberge.

Elle lui accorda un sourire avant d'aller prendre congé de la nourrice. Ce fut très rapide. Eulalie et Prosper

---

1. À cette époque, les gendarmes étaient considérés comme des soldats.

arboraient une expression renfrognée. Ils s'estimaient trahis par sa conduite extravagante.

— Cet homme disait sans aucun doute la vérité, dit-elle en guise d'excuse. Je suis navrée de vous avoir causé autant de soucis. Je reviendrai à la mi-janvier.

Elle accorda un ultime regard à son fils endormi et s'empressa de sortir. Elle monta sur sa mule et la poussa au trot. Il neigeait toujours.

« Sauveur, reviens ! » implora-t-elle en quittant la ville.

La vallée s'étendait autour d'elle, nappée d'un voile ouaté d'un blanc pur. La silhouette sombre du roc de Ker se découpait sur une toile de nuages gris menaçants. Impressionnée par ce décor austère et glacé, Angélina se promit de venir en diligence à l'avenir.

Ce fut à la sortie du village de Biert, après trois kilomètres parcourus à une bonne cadence, que le bohémien lui barra le passage. Les poings sur les hanches, il riait de toutes ses dents.

4

Le violoniste

Biert, même jour

Perchée sur sa mule, Angélina dévisageait le violoniste avec inquiétude. Elle se demandait aussi comment il avait réussi le tour de force d'être déjà à l'entrée des gorges de Peyremale, lui qu'elle avait vu partir d'un pas tranquille dans une ruelle de Massat.

— Belle demoiselle ! s'écria-t-il. N'ayez pas cet air effrayé, je ne vous veux aucun mal. Je vous offre ma protection tout le long de votre chemin, si toutefois vous me dites où vous allez.

— Et si je ne vous dis rien ? hasarda-t-elle, mi-fâchée, mi-curieuse.

Le bohémien lui adressa un regard intense.

— Je vous servirai quand même d'escorte, affirmat-il.

— C'est inutile. Laissez-moi passer, je vous en prie ! Vous ne me devez rien et j'ai coutume de voyager seule.

Le singulier musicien n'égalerait jamais en beauté celui qu'elle aimait, le superbe Guilhem Lesage, mais il se dégageait de sa personne une aura de gaîté, d'originalité. Sa veste en cuir rouge y contribuait, ainsi que la courte cape en peau de loup qui couvrait ses épaules. Une toque en fourrure grise lui donnait une allure particulière, ainsi que sa longue chevelure noire et bouclée. Elle le trouvait séduisant, et cela la troubla de nouveau. Honteuse d'éprouver de l'intérêt pour cet inconnu, elle tenta d'arborer un air hautain.

— Je ne m'en irai pas sans me confesser, demoiselle, ajouta-t-il. Accordez-moi quelques minutes, par pitié, pour mon pauvre cœur en miettes. Et qui a mis ce cœur intrépide en lambeaux ? Vos prunelles couleur de printemps ! Ah ! vos yeux ! Ils ont volé leurs teintes subtiles aux colchiques de l'automne, aux violettes d'avril, peut-être même aux lilas du joli mai !

Amusée par ce discours, Angélina ne put retenir un sourire. Elle savait qu'il ne fallait pas écouter ce genre de beau parleur, mais elle descendit quand même de sa mule, consciente de jouer avec le feu.

— Je vous écoute ! dit-elle d'un ton grave. Faites vite, il est deux heures et la nuit tombe à quatre heures.

Le violoniste s'inclina dans un simulacre de révérence. Il semblait ravi de la voir de près. D'une taille moyenne, il dépassait néanmoins Angélina d'une bonne tête.

— Demoiselle, j'avais bel et bien volé votre mule, reconnut-il. Sans votre bonté, ces affreux gendarmes m'auraient jeté en prison. Vous imaginez mon triste sort ? La paille sale d'un cachot massatois, le froid, le pain dur ou moisi ?

— Comment ? se récria la jeune fille. Moi, j'étais sincère, je vous croyais innocent. Vous m'avez bernée !

Furieuse, elle voulut se remettre en selle. Le musicien la retint par le bras. Ce simple contact la fit tressaillir intérieurement, comme si sa jeune chair répondait à un mystérieux appel.

— Si j'avais su qu'elle vous appartenait, je n'aurais pas dérobé votre mule, je vous en fais le serment ! Mais une mule, pour un errant comme moi, c'était une bénédiction, un don du ciel. Regardez mes bottes usées et trouées. Je parcours tant de montagnes, de vallées, de sentiers ! Alors, posséder enfin une monture, quelle aubaine !

— Dans ce cas, vous auriez dû voler un cheval, rétorqua Angélina en reculant d'un pas. À son âge, Mina ne peut plus galoper.

— Mina ? répéta-t-il. La mule Mina ! Quel drôle de nom pour un animal ! Je parie qu'elle vous le doit.

— Pas du tout, je n'étais qu'un bébé quand mes parents l'ont achetée. Mais je perds mon temps à discuter avec un menteur doublé d'un voleur. Je suis très déçue ! J'aurais mieux fait de ne pas m'en mêler.

Le bohémien rattrapa Angélina et la saisit au poignet. Ses doigts étaient si chauds qu'elle ne chercha pas à se libérer. Bizarrement, elle se sentait rassurée, alors qu'elle aurait pu prendre peur. Il eut un air désolé pour la supplier.

— Je me disais que cette bête supportait du matin au soir un maître bedonnant, brutal, cruel, un gros marchand qui méritait de marcher, lui. Je vous en donne ma parole, si j'avais su que vous étiez la propriétaire de Mina, je ne l'aurais pas touchée, cette mule. Je me présente : Luigi, prince du vent et de la misère, bien incapable de causer le moindre tourment à une jeune fille aussi belle que vous. Demoiselle, j'ignore où vous partez, mais je tiens à vous accompagner. Ces gorges sont un repaire de bandits ; je vous protégerai.

— Avec votre violon ? ironisa-t-elle.

Le dénommé Luigi sortit alors une dague effilée de sa botte droite. Angélina eut un mouvement de peur instinctif. Elle se jugea stupide, d'une naïveté inouïe. Cet étranger avait rusé, il avait su l'amadouer et maintenant elle était à sa merci.

— Ne me faites pas de mal ! gémit-elle. Mon Dieu, je n'ai que des ennuis, aujourd'hui ! Monsieur, je vous ai évité la prison et je ne vous trahirai pas, mais laissez-moi m'en aller.

Ses parents l'avaient souvent mise en garde contre les ruses et la malhonnêteté des bohémiens. Petite fille, il lui arrivait d'en voir s'installer sur le foirail de Saint-Lizier. Elle admirait sans arrière-pensée leurs roulottes en bois peintes en rouge et fréquemment ornées de sculptures. C'était un autre monde qui investissait la paisible cité régie en grande partie par l'Église et de riches notables. Angélina enviait presque les enfants qui déambulaient en haillons, le teint brûlé, libres de jouer dans les flaques d'eau ou d'escalader les murets du palais des Évêques. Mais ces nomades au regard avide inspiraient à tous méfiance et crainte. Là encore, Angélina s'effrayait, se souvenant des méfaits que l'on prêtait à ce peuple errant.

— Quels ennuis avez-vous eus ? interrogea simplement Luigi en rangeant sa dague. Vous me peinez beaucoup, à trembler devant moi. Je ne suis ni un gredin ni un barbare. Remontez sur votre mule. Nous bavarderons en cours de route.

Bouleversée, elle se remit en selle et ajusta ses rênes. Mina se mit à avancer sans hâte, reniflant la neige de ses larges naseaux. Angélina reprit la parole.

— J'avais un chien, un grand pastour blanc, mais il m'a abandonnée ce matin, à Biert. Avec lui, je me sentais en sécurité.

Elle raconta brièvement au violoniste comment, un mois auparavant, le pastour l'avait suivie sur plusieurs kilomètres et comment elle avait fini par l'adopter malgré les réticences de son père. Bien sûr, elle tut les véritables raisons de sa présence dans la vallée. Pourtant, c'était en toute connaissance de cause qu'elle s'était réfugiée dans la grotte du Ker, où elle s'était déjà rendue adolescente, guidée par sa mère Adrienne. Celle-ci, intéressée par l'histoire de son pays, lui avait confié les légendes liées à cet énorme bloc de rocher.

« Maman m'avait expliqué que jadis, il y a de cela plus de quatre cents ans, un ermite vivait tout là-haut, se rappela-t-elle. Il surveillait l'entrée de la vallée et allumait un feu de brandes pour prévenir la population si des bandits approchaient des hameaux. Elle me disait aussi que l'on trouvait dans le sable de la caverne des dents et des ossements d'animaux datant d'une époque bien plus lointaine. Mais elle m'avait parlé des petchets à mots couverts. Ceux qui soutenaient ces prêtres rebelles n'avaient plus le droit d'être inhumés au cimetière et beaucoup reposent au sommet du Ker. »

Après un bref silence consacré à ces souvenirs, Angélina ajouta d'une voix triste :

— Et ce matin, dans une des rues de Biert, un homme a craché sur le sol en fixant mon chien comme si c'était une bête du diable.

— Pour cet imbécile, le pastour était sans doute une bête du diable, répliqua Luigi. Ce chien, il n'avait pas une légère ligne de brun sur l'oreille droite ?

— Si ! s'étonna Angélina. Vous l'avez déjà vu ?

— Un habitant du hameau de Bernedo[1], sur la route du col du Sarraillé, m'a offert l'hospitalité à la fin de l'été. Il était l'ami d'un certain Sabin, colporteur de son métier. Sabin Paoule vend du fil, des aiguilles et des almanachs dans tout le pays.

— Et le chien lui appartient ?

— Non, demoiselle, votre pastour appartenait à un vieillard fidèle aux petchets qui s'est éteint à la date où vous êtes venue à Biert, en novembre. Il a été enterré sur le Ker au crépuscule. Je suppose que cette bête, une fois son maître mort, s'est mise en quête de quelqu'un d'autre à aimer. Il a pu vous quitter ce matin pour aller sur la tombe de ce brave homme.

— Ne blasphémez pas ! s'indigna la jeune fille. Un chien ne va pas prier sur une tombe !

— Ai-je dit qu'il priait ? ricana le violoniste. Non ! Mais les animaux sont capables de sentiments, tout comme les humains.

— Dans ce cas, Sauveur n'en a guère à mon égard ! J'ai espéré qu'il réapparaîtrait quand je suis entrée dans Biert, et vous pouvez constater comme moi qu'il a vraiment disparu.

Luigi ne répondit pas tout de suite. Il marchait à côté de la mule d'un pas énergique. Angélina, qui se rassurait peu à peu, ne pouvait s'empêcher d'apprécier la compagnie de cet étrange personnage.

— Où habitez-vous ? lui demanda-t-il tout à coup.

— Assez loin pour être obligée de passer la nuit à l'auberge de Castet-d'Aleu ! se contenta-t-elle de dire, déterminée à ne pas révéler l'endroit où elle vivait.

1. Actuellement Bernède, hameau de la vallée de Massat.

— Encore des cachotteries ! se moqua-t-il. Mais vous n'avez rien à craindre, demoiselle. Je sens que vous tenez à garder secrète votre vraie destination, de peur que je vienne ensuite dépouiller votre famille. Bizarrement, vous ne semblez pas trembler de terreur pour votre vertu, si précieuse aux yeux des honnêtes filles !

— Peut-être que je dissimule encore ! dit-elle d'un ton dur.

— Dans ce cas, soyez tranquille, je déteste forcer une femme ; je préfère qu'elle se donne à moi, consentante, impatiente, ou qu'elle m'implore de lui accorder une faveur.

Angélina devint toute rouge, peu accoutumée à entendre de tels propos.

— Quel prétentieux vous êtes ! s'écria-t-elle. N'espérez rien de ma part ! J'ai un promis et je serai bientôt mariée.

— Oh ! Et où est-il, ce promis qui vous laisse seule dans ces lieux sinistres, sous une averse de neige ? Je ne le félicite pas ! Quand on possède un trésor tel que vous, on le garde précieusement, on ne le quitte pas des yeux.

Ces paroles trouvèrent un écho douloureux dans le cœur de la jeune fille. Son orgueil l'obligea à défendre Guilhem.

— Il étudie à Paris, mentit-elle. Il reviendra vite. Et plus tard je serai tenue de me déplacer souvent, la nuit ou le jour. Je me destine à être une sage-femme, une costosida comme l'était ma mère.

Le violoniste émit un long sifflement d'admiration en lui jetant un regard surpris.

— J'étais sûr que vous étiez instruite, que vous saviez lire et écrire ! dit-il. Moi aussi, j'ai étudié, malgré mes allures de bohémien. Je n'ai pas toujours parcouru les routes avec un violon pour unique richesse.

Son histoire intriguait Angélina, mais elle fit exprès de ne poser aucune question. Cet homme-là était suffisamment imbu de lui-même ; elle n'allait pas l'encourager à se faire valoir. Pourtant, elle aurait volontiers bavardé avec lui, et ce fut à regret qu'elle se contraignit à rester muette un long moment, tout en s'absorbant dans la contemplation de l'austère paysage qui les entourait. Sur leur gauche, d'immenses pans de roche noire parsemés de plaques de mousse. À droite, la rivière aux flots rapides, dont le grondement composait un bruit de fond obsédant. La route était tapissée de neige fraîche, ainsi que les arbres dénudés, dont les branches évoquaient des dizaines de bras décharnés tendus. Du ciel d'un gris sombre ruisselaient des milliers de légers flocons.

— Vous ne me croyez pas ? s'écria Luigi d'un ton outré. Pourtant, il paraît qu'on m'a déposé à la porte d'un couvent alors que je marchais à peine. Les moines m'ont élevé et j'ai appris l'alphabet, l'arithmétique, le latin… Je pardonne à ces curetons leur soif de prières et leur appétit de discipline, puisqu'ils m'ont fait découvrir la musique. Quand j'ai eu quinze ans, fort savant, mais toujours orphelin, je me suis enfui. Les frères me destinaient à porter la bure et à prier encore, le crâne tondu. L'un d'eux, frère Lazare, a eu la bonté de me donner quelques renseignements sur mes origines. « De ta mère, nous ignorons tout, mais ton père doit être un bohémien », m'a-t-il dit.

— Pourquoi pensait-il ça ? s'étonna Angélina.

— Sans doute à cause de mon teint peu catholique, de mes cheveux noirs et de mes désirs de liberté. Mais cela m'a grandement impressionné et, après ma fuite du couvent, j'ai pu me faire accepter par des bohémiens. J'étais si habile musicien que je rapportais de l'argent. Je vis sur les routes depuis bientôt dix ans dans l'espoir de retrouver ma véritable famille.

Angélina éprouva un élan de compassion pour le jeune homme. Il se retourna et lui adressa un sourire lumineux.

— Je n'ai pas connu la tendresse d'une mère, mais bien des femmes ont su me consoler, affirma-t-il.

— Est-ce que vous en voulez beaucoup à votre mère de vous avoir abandonné ? s'enquit-elle.

— Pas vraiment, demoiselle. Je pense qu'elle n'a pas eu le choix. Mais parlons de vous, à présent !

Elle n'en avait aucune envie et se plongea dans un mutisme boudeur, que Luigi, curieusement, respecta.

Bientôt, elle aperçut au détour d'un large virage les toits enneigés de Castet-d'Aleu. La petite bourgade était devenue prospère grâce à l'exploitation d'une carrière de pierres à affûter. Jadis, un humble château flanqué d'une très modeste tour abritait le seigneur du lieu, ce qui avait donné son nom au village. Ici, on gagnait son pain en vendant dans l'Ariège la fameuse pierre grise d'Aleu, un hameau bâti sur le plateau voisin. Quant à l'auberge, c'était une maison ordinaire. La patronne louait trois chambres aux voyageurs. La nuitée assortie d'une assiette de soupe et d'une tranche de pain coûtait moins d'un franc.

— Me voici en sécurité ! déclara Angélina. Je vous remercie de m'avoir servi d'escorte, monsieur.

Le jour déclinait en cette période de décembre où le soleil se couchait très tôt.

— Suis-je pardonné, demoiselle ? s'inquiéta Luigi. Je voudrais tant être un ami pour vous ! Je ne peux prétendre à plus, car vous avez un promis.

Il insista d'un ton méprisant sur ce dernier mot. Amusée, la jeune fille arrêta la mule et se laissa glisser au sol. Là, elle tendit la main au violoniste.

— Séparons-nous avant d'entrer dans le village, proposa-t-elle.

Le bohémien s'empara de ses doigts fins gantés de cuir. Il se pencha pour les embrasser du bout des lèvres.

— Je comprends, déplora-t-il. Vous préférez ne pas être vue en compagnie d'un pauvre baladin. Bah, je trouverai bien une grange où dormir en rêvant de vous ! Dites-moi au moins votre prénom, que je le chérisse.

— Non, désolée, je n'y tiens pas ! coupa-t-elle d'un air buté.

Elle s'éloigna de quelques pas en tirant Mina par les rênes. Le violoniste haussa les épaules avant de lui crier :

— Alors, pour moi vous serez Violetta et nous nous reverrons un jour ou l'autre. Au revoir, Violetta !

Elle poursuivit son chemin sans même lui accorder un dernier regard. Le temps passé avec l'exubérant Luigi avait réveillé en elle une blessure restée à vif et qui n'était autre que l'absence inexplicable de Guilhem Lesage. « Où est-il ? Il m'a quittée en février, pendant le carême, et il m'a promis de revenir. Ce soir-là, j'en suis sûre, nous avons conçu notre fils. Nous avions tant de fougue en nous, un tel désespoir aussi ! Je ne voulais pas me détacher de lui, je le suppliais de m'embrasser encore et encore. »

Angélina entra à l'auberge dans un état second, hantée par la peine immense qui pesait sur ses gestes, sur sa jeunesse rayonnante. Auparavant, elle avait installé Mina dans l'écurie en lui ôtant sa selle et son harnachement. Il y avait du foin à la disposition des clients, une barrique d'eau et des seaux.

— Bonsoir, madame ! dit-elle d'une voix lasse à la vieille femme assise près de la cheminée. Je prends une chambre.

— Je vous reconnais ! s'exclama celle-ci. Vous êtes venue le mois dernier.

— Et je reviendrai sûrement en janvier, et tant que je ne me déciderai pas à faire le trajet en diligence.

— Eh oui ! Je comprends !

Ce « eh oui ! » appartenait au langage familier des montagnards, souvent peu bavards, mais soucieux de se montrer polis en répondant à leurs interlocuteurs.

Angélina se réfugia dans l'étroite pièce où elle dormirait, meublée simplement d'un lit, d'une chaise et d'une petite table où trônaient une cruche et une cuvette en zinc.

— Guilhem ! soupira-t-elle. Le violoniste n'a pas tout à fait tort. Si tu m'aimais autant que tu le disais, tu serais de retour.

Elle enleva sa pèlerine humide. La neige avait fondu sur le drap de laine qui aurait eu besoin de sécher devant un bon feu. Mais les chambres n'étaient pas chauffées et Angélina n'avait pas envie de redescendre tout de suite dans la salle.

« C'est bientôt Noël, se dit-elle. Mais… Les Lesage vont à la messe ce soir-là. Ils suivent l'office à la cathédrale, dans la cité. Mon Dieu, quelle sotte je suis ! Guilhem va forcément rentrer au pays pour Noël ! Je vais le revoir ! Et je lui avouerai que j'ai eu un enfant, notre bébé. »

Elle lissa les plis de sa jupe en épais coton brun. Elle passa ensuite la paume de ses mains sur le corsage du même tissu qui moulait sa poitrine encore menue.

— Je ne dois plus me lamenter, dit-elle tout bas. Henri est en parfaite santé, et Eulalie est une bonne nourrice. Le plus dur sera d'annoncer à papa que j'épouse Guilhem et que j'ai eu un fils de lui, un magnifique petit garçon qui sera légitimé par notre union.

Envahie par une joie insensée, elle défit son bonnet et libéra la masse flamboyante de sa chevelure, que son amant adorait caresser et humer. Une onde de désir vrilla le jeune corps d'Angélina, ce qui la fit sourire de confusion. « Quand nous serons mariés, nous pourrons coucher ensemble chaque nuit. Il n'y aura plus besoin de se rencontrer au coin d'un bois ou dans les ruines du bois de chênes. Plus besoin de se cacher ! »

Ces rêveries lui redonnèrent un peu de courage. Elle se décida à regagner la salle commune et prit place à la grande table. Là, elle avala sans vraiment en apprécier le goût la soupe de légumes que lui servit la patronne de l'auberge, une soupe pourtant épaisse et savoureuse, à base de pommes de terre, de navets et de poireaux. Une fois son assiette terminée, elle s'attarda au coin de la cheminée pour faire provision de chaleur. Elle était la seule cliente ce soir-là.

— Faudrait me payer maintenant, lui dit la femme. Avec le foin pour votre bête, le lit et le repas, vous me devez cinquante sous. Si vous prenez un café demain matin, ajoutez trois sous.

— Non, je partirai à l'aube, sans boire de café. Et, le mois prochain, je crois que je voyagerai en diligence ; vous ne me verrez pas.

La patronne ne répondit pas, mais elle arbora une mine vexée. Cela n'empêcha pas Angélina de dormir profondément. En se réveillant, elle eut une brève pensée pour le violoniste. « Et lui, où a-t-il passé la nuit, avec ce froid ? Oh ! j'aurais tort de m'inquiéter ! Il a sûrement plus d'un tour dans son sac. »

Elle sortit de l'auberge au lever du soleil. Le paysage était féerique. Il avait gelé pendant la nuit, et la neige pétrifiée captait le moindre éclat d'une lumière rose et or. Le ciel bleu pâle avait la pureté du cristal.

— Ce sera une belle journée, se dit-elle à mi-voix.

Une autre surprise lui était réservée. Le pastour l'attendait, couché devant la porte de l'écurie.

— Sauveur ! Tu m'as retrouvée ! s'écria Angélina, ravie. Viens là, mon chien !

L'animal se leva d'un bond pour l'accueillir, la gueule ouverte sur une sorte de sourire amical, la queue en panache. D'un seul élan, il se dressa et posa ses pattes sur ses épaules.

— Tu vas me faire tomber ! s'exclama-t-elle. Sauveur, mon brave Sauveur !

Le retour du chien lui fit l'effet d'un signe favorable du destin. Elle entra le cœur léger dans le bâtiment où, la veille, elle avait enfermé Mina, en compagnie d'un cheval blanc. Quelqu'un se dressa aussitôt devant elle. C'était Luigi, les cheveux parsemés de brins de foin, un large sourire sur ses belles lèvres rouges.

— Bonjour, Violetta. Quelle agréable surprise ! déclara-t-il d'un ton moqueur.

— Oh ! vous ! Je vous croyais bien loin d'ici.

— Je profite souvent de la chaleur des écuries ou des étables. Votre mule a une conversation passionnante.

Angélina eut un petit rire enfantin. Elle était contente de revoir ce drôle de personnage, en dépit des recommandations de son père qui lui avait tant et tant répété d'être prudente.

— Vous êtes encore plus jolie quand vous riez ! Vous paraissiez si triste, hier ! Ciel ! J'ai rencontré une fée et elle va s'enfuir !

— Arrêtez de me flatter. Je dois seller ma bête.

Elle évitait de trop le regarder.

— Laissez-moi vous aider, enfin ! Ces harnachements sont lourds.

Elle se garda de protester, la tâche étant assez pénible. Le pastour était demeuré couché devant la porte et les observait d'un œil placide. Une pensée un peu particulière traversa alors l'esprit d'Angélina. « Si Luigi était une menace pour moi, est-ce que le chien serait aussi tranquille ? »

Cela acheva de la mettre en confiance et, sans plus réfléchir, elle s'approcha de Mina pour la caresser. C'était plus fort que sa raison ; elle éprouvait le besoin d'être près du bohémien. Il la dévisagea avant de chuchoter :

— Quémandez-vous un baiser, demoiselle ?

— Mais non, pas du tout !

Angélina devint grave, attentive aux battements de son cœur, à la chaleur insidieuse qui montait à ses joues. Luigi se tenait à ses côtés et elle avait l'impression qu'un fluide magique circulait entre eux. Une langueur qu'elle connaissait bien se répandait dans son jeune corps accoutumé au plaisir charnel.

— M'avez-vous jeté un sort ? dit-elle très bas en se reprochant tout de suite cet aveu explicite.

— Je n'ai pas de tels pouvoirs, s'esclaffa-t-il.

Mais, l'instant suivant, il devint grave à son tour. Il tendit les mains et la saisit par les épaules.

— Violetta !

— Je dois partir, répondit-elle, privée de volonté.

Il se pencha un peu et posa ses lèvres sur les siennes, doucement, avec respect. Angélina ferma les yeux, frémissante. Il continua à l'embrasser, sans forcer sa bouche, et c'était plus grisant qu'un baiser viril, trahissant la soif de possession. Enfin, il recula, l'air mélancolique.

— Je vous retrouverai, affirma-t-il. Partez vite, exquise Violetta, et, je vous en prie, ne voyagez plus seule. Les routes ne sont pas sûres.

Totalement désemparée, elle approuva du chef sans pouvoir dire un mot. Ce fut une fois sortie de l'écurie qu'elle put articuler un au revoir. Luigi l'aida à monter sur Mina. Elle le remercia, déjà accablée de s'être montrée si faible.

— Ce n'était qu'un baiser d'amitié ! s'écria-t-il en s'éloignant dans la direction opposée. Votre promis n'en saura rien.

Elle talonna les flancs de sa mule. Pendant plusieurs minutes, elle avait oublié Guilhem Lesage.

Saint-Lizier, rue Maubec, 24 décembre 1878

Virevoltant devant son père assis à son établi, Angélina trépignait d'impatience, mais le cordonnier ne levait pas le nez de son ouvrage.

— Papa, est-ce que je suis jolie ? Dis-moi ! Regarde, j'ai mis le corsage en velours vert de maman. Et puis, tu devrais poser tes outils et monter t'habiller, toi aussi. Si tu continues à coudre cette semelle, nous serons en retard à la messe !

Sans lui accorder un coup d'œil, Augustin tira une dernière fois la longue aiguille courbe qu'il utilisait.

— Là, j'ai fini, ronchonna-t-il. Quelle mouche te pique, ce soir ?

— Je suis contente. Ce n'est pas un crime ! Alors, que penses-tu de mon corsage ?

Il l'observa avec attention pour grimacer aussitôt. Angélina tapa du pied.

— Qu'est-ce que j'ai ? demanda-t-elle.

— Le vert ne te met pas du tout en valeur, petite ! La couleur sied aux rousses, à condition qu'elles aient les prunelles assorties. Je suis désolé, mais tu ferais mieux de porter autre chose. De plus, nous sommes encore en deuil. Sans compter qu'il fait froid dans la cathédrale et que tu n'auras pas le loisir d'ouvrir ton manteau.

Très déçue, la jeune fille lissa à pleines mains le velours vert qui moulait son buste. Elle conservait précieusement la garde-robe de sa mère et c'était avec émotion et fierté qu'elle revêtait ces quelques toilettes souvent démodées.

— Mais je voudrais te faire honneur ! s'écria-t-elle. Il y a tant de monde dans la cité, le soir de Noël.

Le cordonnier rangeait ses outils. Il quitta enfin son siège et vint pincer le menton de sa fille.

— Tant que tu resteras honnête et sage, tu me feras honneur, même habillée d'un sac en toile de jute. N'oublie pas que la modestie et la pudeur sont des valeurs sûres.

— Oui, papa ! soupira-t-elle en sortant la première de l'atelier.

Exaspérée, elle s'enferma dans sa chambre. Elle avait vécu les dix jours précédant cette veille de fête dans un état étrange, partagée entre l'exaltation et le doute. Dès son retour de la vallée de Massat, elle s'était lancée dans un nettoyage fébrile de leur modeste logement. Le sol pavé de la cuisine avait été balayé et lavé à grande eau, les ustensiles, marmites, louches et plats en terre cuite, avaient été récurés. Escortée par son pastour, elle était allée se promener dans les bois voisins. Elle en avait rapporté des branches de houx dont elle avait décoré le manteau de la cheminée.

« Si Guilhem vient rendre visite à mon père, la maison doit être accueillante et bien propre. Nous ne sommes pas les plus pauvres de la cité ! » se disait-elle en lavant également les rideaux en lin des fenêtres.

Elle voulait croire à un immense bonheur tout proche, à la fin de ce mauvais rêve dans lequel elle se débattait depuis des mois.

« J'ai tant pleuré quand je me suis aperçue que j'étais enceinte ! se souvenait-elle. J'aurais aimé me réjouir, mais je ne pouvais pas. Il a fallu que je dissimule mes nausées et mes malaises, que je subisse cet affreux corset qui me faisait souffrir. Et j'ai accouché dans une grotte, comme une réprouvée. Mais Guilhem me consolera lorsqu'il saura ce que j'ai enduré. Il réparera tout, je le sais. »

Les cloches de la cathédrale se mirent à sonner. Angélina se précipita à sa fenêtre et l'ouvrit, intriguée par des voix fluettes dont l'écho lui parvenait. Des enfants chantaient dans la rue. Ils marchaient en procession, en tenant bien haut des lanternes.

Mettons-nous donc tous en chemin
Adorer Jésus à Bethléem.
Mettons-nous donc tous en chemin
Adorer Jésus à Bethléem.

Le Sauveur nous est né
À Noël, à Noël, à Noël,
Le Sauveur nous est né,
Presque personne n'en a parlé.

Mon Dieu, que Lui donnerons-nous ?
Nous n'avons pas d'argent du tout
Mon Dieu, que Lui donnerons-nous ?
Nous n'avons pas d'argent du tout
Donnez-Lui votre cœur,
À Noël, à Noël, à Noël,
Donnez-Lui votre cœur,
C'est ce qui fera Son bonheur.

Angélina eut envie de pleurer. Sa mère fredonnait si souvent ce vieux chant de Noël occitan en préparant le repas qu'elle servait au retour de la messe ! Elle se pencha et appela l'un des garçons.

— Attendez ! Je vous envoie une pièce ! cria-t-elle.

La petite troupe s'immobilisa sans cesser de chanter à tue-tête. Pendant ce temps, la jeune fille soulevait son matelas pour attraper une bourse en cuir que Guilhem lui avait remise la veille de son départ. Émue aux larmes, elle la palpa.

— Si jamais tu étais dans l'embarras, il y a là de quoi subvenir à tes besoins pendant plusieurs mois, avait-il précisé d'un air grave.

D'abord, elle avait refusé, mais son amant s'était montré persuasif. Elle se félicitait à présent de posséder cet argent qui l'aiderait notamment à payer la nourrice. Vite, elle prit un franc en argent. « Cela me portera chance ! » pensa-t-elle en le jetant dans la rue.

— Merci bien, mademoiselle Angélina, claironna celui qui le ramassa. Nous vous souhaitons un bon Noël.

— Bon Noël à vous, les petits, répliqua-t-elle en riant.

Réconfortée par son geste un peu fou, elle acheva de se préparer, renonçant au corsage en velours vert. Résignée, elle enfila une blouse grise dont le plastron était brodé de dentelles noires. Mais, par défi, elle laissa libre sa superbe chevelure aux reflets d'or rouge. Ce serait sa plus belle parure, elle le savait.

« Maman, si tu m'entends, ma chère maman, demande aux anges du paradis de m'envoyer Guilhem ce soir. Je t'en prie, petite mère chérie ! »

Comme elle formulait cette prière dans sa tête, Augustin toqua à sa porte. Angélina découvrit son père dans son costume du dimanche, uniformément noir. Il avait mis une chemise blanche et son chapeau de feutre.

— Tu es très beau, papa, affirma-t-elle.

— Balivernes ! coupa-t-il. Dis-moi, tu n'as pas l'intention d'assister à l'office sans ta coiffe ?

Elle eut un sourire malicieux en brandissant un foulard en soie violette bordé d'un liseré doré, un trésor que lui avait offert mademoiselle Gersande pour ses étrennes l'année dernière.

— Je t'en supplie, papa, minauda-t-elle, ne me gronde pas ! Je me couvrirai la tête avec cette merveille, qui est assortie à mes yeux.

Le cordonnier retint un juron de contrariété, mais il avait bon cœur. Angélina travaillait dur et ne se plaignait jamais.

— Accordé ! grogna-t-il. Je reconnais le cadeau de ta vieille amie la huguenote. Avoue qu'elle songe peu à ta réputation en t'affublant de pareils colifichets. Dépêchons-nous.

Ils quittèrent la maison après avoir enfermé le chien dans l'écurie. Tous deux s'étaient enveloppés dans leur pèlerine, car un vent terrible soufflait du nord. Sous une fine couche de neige fraîche, les pavés de la rue étaient verglacés.

— Tiens-moi le bras, ma fille. Il ne ferait pas bon se casser une jambe au début de l'hiver !

— Ni pour toi ni pour moi ! renchérit-elle.

Ils franchirent avec d'infinies précautions la distance les séparant du clocher-porche de l'ancienne enceinte médiévale, mais il leur fallait encore descendre la forte pente de la rue des Nobles.

— Oh ! à la bonne heure ! constata Angélina. Le maire a fait jeter de la paille et de la sciure. Nous ne risquons pas de glisser.

— Hum ! fit-il. Méfiance !

Ils se retrouvèrent cependant sans encombre sur la place de la fontaine, où se tenait déjà une grande partie de la population de Saint-Lizier. Dans la clarté blafarde de l'éclairage public qui consistait en deux becs de gaz, il était difficile d'identifier un visage en particulier. Angélina s'épuisa à scruter la physionomie de tous les hommes d'une taille avoisinant celle de Guilhem.

— Et ça jacasse, ça jacasse, dit son père. On ne dirait pas une assemblée de chrétiens venus honorer la naissance de Notre-Seigneur Jésus-Christ, mais des marchands sur un champ de foire nocturne.

— Les gens sont contents, père, il ne faut pas les juger. Regarde donc : l'aubergiste a allumé des chandelles sur le muret de sa terrasse. C'est joli !

— Eh bien, il ne craint pas la dépense, celui-là !
riposta le cordonnier, décidément d'humeur morose.

Tirée par un cheval blanc, une calèche traversa la place.
Une figure poudrée au rictus moqueur était plaquée à
la vitre de la portière. Angélina reconnut mademoiselle
Gersande et lui adressa un signe de la main. « Ma chère
amie se rend au temple, à Saint-Girons, songea-t-elle.
Les protestants fêtent Noël, eux aussi ! »

Les cloches sonnèrent de nouveau. Leur timbre grave
dont les vibrations se répercutaient dans l'air froid avec
une netteté particulière fit se précipiter la foule vers le
parvis de la cathédrale. Angélina suivit le mouvement
sans lâcher le bras paternel. Son cœur battait comme un
fou, car l'heure de vérité approchait. Chaque année, la
famille Lesage s'installait à gauche de la nef, sur les
bancs ouvragés réservés aux notables de la paroisse.

« Mon Dieu ! Si Guilhem est là, je vais le voir ! » se
répétait-elle en se hissant sur la pointe des pieds.

— Qu'est-ce que tu as à gigoter ainsi ? s'étonna
son père tout bas. Viens donc t'asseoir et ne te fais pas
remarquer davantage. Ton foulard de bohémienne attire
suffisamment l'attention.

Vexée, Angélina répondit aussitôt à mi-voix :

— Et alors ! Tous les bohémiens ne sont pas des
bandits ! Père, tu t'apprêtes à communier. Tu devrais
faire preuve d'un peu plus de charité.

— Tais-toi ! la coupa Augustin.

Elle n'insista pas. Elle prit place sur une chaise et, la
mine boudeuse, se mit à contempler la voûte de l'église,
ce qu'elle faisait depuis son plus jeune âge. L'intérieur de
la cathédrale était entièrement peint, et les couleurs chantaient dans la clarté des innombrables cierges allumés

pour la messe de Noël. Les colonnes, les plafonds cintrés, les sculptures des chapiteaux, rien n'avait été oublié par les artistes des siècles passés. Sur un fond ocre rose, on pouvait admirer des fleurs chamarrées, des croix, des rubans, des frises de feuillages…

« Seigneur Jésus, Très Sainte Vierge Marie, écoutez ma prière ! implora Angélina du bout des lèvres en fermant les yeux quelques secondes. Que tout se passe comme dans un rêve, ce soir ! »

Comme une réponse solennelle et assourdissante, l'orgue lança une volée de notes. Les premiers accords de l'*Ave Maria* retentirent. Tout était en place : les enfants de chœur, le prêtre, la foule apaisée qui remplissait les bancs et les chaises. Vite, Angélina entrouvrit les paupières et jeta un regard déterminé sur la famille Lesage. Elle put les compter : monsieur, madame, le fils aîné et son épouse, le cadet et sa fiancée, la petite bonne aux joues rouges, mais pas de Guilhem.

« Il n'est pas là ! pensa-t-elle, profondément déçue. Mais pourquoi ? Qu'est-ce qui a pu l'empêcher de revenir ici pour les fêtes de fin d'année ? » Elle éprouva une telle contrariété qu'il lui fut dès lors difficile de suivre l'office, de chanter en chœur avec les autres fidèles. Son père lui décocha un regard menaçant quand il s'en aperçut. Elle fit un louable effort pour donner le change, mais des larmes de dépit coulaient sur ses joues. Elle était au supplice et cela dura jusqu'au moment d'aller communier.

« Et s'il était mort ? s'interrogea-t-elle. Si je l'avais perdu à jamais ? Non, je déraisonne ! Cela se serait su dans le pays, et les Lesage porteraient le deuil… »

L'hostie sur la langue, elle s'empressa de tourner les talons et se dirigea vers la crèche dressée dans un renfoncement du mur sud de l'église, au pied d'une statue de la Sainte Vierge. Les statuettes en plâtre aux couleurs délavées dataient d'une centaine d'années. Depuis sa petite enfance, Angélina les avait vues resurgir chaque Noël : Joseph en longue robe brune, la barbe d'un châtain pâle, Marie à l'air si sage sous son voile blanc, les moutons au pelage jaune, le bœuf, dont une corne manquait, et l'âne.

« Né dans une humble étable ! songea-t-elle. Comme mon petit Henri, la chair de ma chair, le plus beau cadeau du ciel ! »

Oppressée par un chagrin immense, Angélina se rua à l'extérieur. Elle voulait se retrouver dehors, loin du brouhaha que faisaient tous les paroissiens en échangeant des bons vœux ou en discutant dans l'allée principale de l'église. Son père s'était arrêté lui aussi pour saluer un de ses voisins.

« Guilhem, où es-tu ? » se demandait la jeune fille, saisie par le froid vif qui régnait sur la place.

Elle resserra le beau foulard violet sur ses cheveux tout en observant une élégante calèche garée devant une très ancienne maison à colombages. Le cheval, une robuste bête de couleur noire, semblait somnoler.

— Mais où est passé notre cocher ? fit une voix toute proche. S'il est à l'auberge, il va m'entendre !

Angélina jeta un coup d'œil derrière elle et reconnut Eugénie Lesage, la mère de Guilhem. C'était une petite femme obèse, au teint coloré. Elle trépignait de colère, sa silhouette replète encore épaissie par une cape en velours bordée de fourrure. Ses mouvements de tête exaspérés agitaient son chapeau un peu ridicule, garni d'une surabondance de fleurs en tissu comme le voulait la mode bourgeoise.

— Quel vent ! s'exclama-t-elle.

La jeune fille vit là un signe du destin. Elle n'en pouvait plus de douter, de se poser des questions. Sans réfléchir davantage, elle se décida à affronter Eugénie Lesage.

— Bonsoir, madame, dit-elle. En effet, quel vent glacial ! Sans vouloir vous importuner, j'aimerais avoir des nouvelles de votre fils Guilhem. Je l'ai rencontré plusieurs fois l'été dernier et je croyais le revoir en ce soir de Noël.

La petite femme ouvrit la bouche comme si elle suffoquait et lança des œillades affolées autour d'elle. L'instant d'après, elle pointait sa canne sur Angélina qui recula, sidérée.

— Comment oses-tu m'adresser la parole ? demanda tout bas Eugénie Lesage d'un ton méprisant. Sale petite intrigante ! Tu n'es qu'une catin, une gourgandine ! Tu as essayé de détourner mon fils du droit chemin, mais Guilhem a repris ses esprits. Fiche-moi le camp ! Ouste ! File, je te dis !

Angélina en resta muette de stupeur. Madame Lesage en profita pour ouvrir la porte de la calèche et se percher avec peine sur un des sièges en velours grenat.

— Je ne suis pas ce que vous dites, insista alors la jeune fille en retenant la portière. Madame, je n'ai rien fait de mal.

— À d'autres ! Tu espérais lui mettre le grappin dessus, entrer dans notre famille ! Je ne suis pas dupe : l'argent t'attire, autant que la merde attire les mouches.

Mais c'est fini. Guilhem t'a échappé, nous avons su le tirer de tes griffes, son père et moi.

La mère outragée respirait très fort, les prunelles dilatées par la fureur. Dans sa colère, elle frappa les doigts d'Angélina d'un coup du pommeau en cuivre qui ornait sa canne.

— Fiche le camp, la rouquine ! gronda-t-elle encore. Où est mon mari ? Lui, il te fera passer l'envie de me tourmenter.

Angélina frictionna sa main meurtrie. Elle ne s'attendait pas à une telle flambée de haine de la part de cette grosse bourgeoise aux traits flasques. Bien qu'humiliée, elle ne capitula pas.

— Madame, vous m'insultez sans même me connaître, articula-t-elle. Je ne mérite pas d'être traitée ainsi. Je vous en prie, dites-moi au moins où est votre fils !

— Je te connais bien assez ! jeta Eugénie Lesage. La fille d'un cordonnier, voilà ce que tu es ! Pauvre comme Job et prête à tout pour se faire épouser ! Mais Guilhem se moque bien de toi. Il a choisi quelqu'un que tu ne pourras jamais égaler, et tu as sacrifié ta vertu pour rien.

— Guilhem est fiancé ? demanda Angélina d'une voix tremblante. Il s'est marié, peut-être… Avec une autre ?

— Oui, oui, oui ! ricana son interlocutrice avec une affreuse expression de triomphe. Il a épousé une personne très convenable, très belle et de notre rang. Nous étions à la noce au mois d'août, figure-toi ! Maintenant, fiche-moi la paix !

Les rêves de la jeune fille s'effondraient en même temps que la foi immense qu'elle avait en son bien-aimé. Elle aurait voulu s'enfuir, disparaître, être engloutie par la nuit glacée. Cependant, son orgueil fut le plus fort.

— Très bien, rétorqua-t-elle. Faites savoir à Guilhem qu'il a eu un fils, un beau petit garçon baptisé Henri.

Angélina s'éloignait déjà quand elle perçut un bruit étrange, entre le couinement d'une bête blessée et le râle d'un mourant. Intriguée, elle regarda dans la calèche. Eugénie s'était écroulée sur le plancher et gesticulait en poussant de brefs cris étouffés.

— Madame ? appela-t-elle.

Un homme la bouscula. Il empestait le vin et l'écurie.

— Oh ! Patronne ! Ohé ! Bon sang !

C'était le cocher des Lesage. Il cria de plus belle, si bien qu'il eut vite fait d'ameuter la plus grande partie des paroissiens qui se tenaient sur le parvis. Angélina recula dans l'ombre du véhicule, totalement effarée. Elle vit accourir Honoré Lesage, un quinquagénaire de haute taille, en jaquette et coiffé d'un haut-de-forme. Il se précipita sur son épouse.

— Eugénie ! Seigneur Dieu, Eugénie ! Un docteur, appelez un docteur !

L'agitation était extrême. Les deux fils Lesage levaient les bras au ciel, affolés, tandis que leurs compagnes respectives sanglotaient bruyamment. Le médecin de Saint-Lizier, Paul Buffardaud, fit son apparition. Il avait assisté à l'office lui aussi et se trouvait encore dans l'église quand on l'avait prévenu. Il aida Honoré Lesage à sortir Eugénie de la calèche.

— Qu'on m'apporte une lanterne, ordonna-t-il. On n'y voit goutte, ici.

Terrifiée, Angélina écoutait les appels, les exclamations et les cris de panique des femmes regroupées autour des Lesage.

« Mon Dieu ! qu'est-ce que j'ai fait ? songeait-elle, malade d'angoisse et de confusion. Je n'aurais jamais dû lui parler. Jamais ! »

Cela dura un long moment. Puis quelqu'un poussa une atroce clameur de chagrin. C'était Honoré, le père de Guilhem.

— Non, Eugénie, non !

Des rumeurs s'élevaient, ainsi que des lamentations. Angélina aurait voulu se boucher les oreilles pour ne pas comprendre ce qui était arrivé, mais elle entendait distinctement les conversations.

— Mon Dieu ! Pauvre femme ! Le soir de Noël !

— Vierge Marie, quel grand malheur ! Mais il paraît qu'elle souffrait du cœur depuis deux ans.

— Mère, mère ! répétait une voix masculine avec des accents de pur désespoir.

Du coup, Angélina se sentit une criminelle. Les mains plaquées sur son visage, la gorge serrée dans un étau, elle ne parvenait même pas à pleurer à son tour.

« Le cocher a dû me voir discuter avec madame Lesage, s'effraya-t-elle en son for intérieur. Il va me dénoncer et tout le monde saura que j'ai tué cette malheureuse. J'ai tué la mère de Guilhem, la grand-mère de mon petit Henri ! »

Au même instant, une poigne énergique la saisit par l'épaule. Elle faillit hurler.

— Qu'est-ce que tu fais, cachée ici ? interrogea Augustin sur un ton inquiet. Ma fille, pourquoi trembles-tu ainsi ?

— Oh ! Papa ! gémit-elle. C'est affreux.

— Mais de quoi parles-tu ? s'impatienta-t-il en l'attirant contre lui.

Elle se réfugia avec soulagement dans les bras de son père et frotta sa joue glacée à l'étoffe de son manteau.

— Madame Lesage… Elle vient de mourir. La veille de Noël, juste après la messe. Mon Dieu, quelle horreur !

— Dieu donne, Dieu reprend ! trancha le cordonnier. As-tu oublié les paroles de l'Évangile ? Nous ne savons ni le jour ni l'heure de notre mort. Adrienne ignorait que la faucheuse allait l'emporter, cet après-midi où elle rentrait chez nous toute joyeuse, son devoir accompli. Souviens-toi de son expression d'intense surprise lorsqu'elle a rendu l'âme.

Angélina approuva d'un signe de tête. La seule évocation de sa mère suffit à libérer un flot de larmes.

— Viens, ce n'est pas la peine de rester là, comme tous ces curieux agglutinés autour du corps, ajouta Augustin. Nous avions prévu de dîner à l'auberge. Tu n'as pas oublié ?

— Papa, je n'ai pas faim. Comment fais-tu pour être aussi insensible au malheur d'autrui ?

— Tu le sauras bientôt, affirma-t-il sèchement. Je remonte rue Maubec réchauffer notre soupe de ce matin.

Le cordonnier s'éloigna à grands pas. Stupéfaite, la jeune fille demeura immobile, avec le sentiment étrange de vivre un atroce cauchemar. Eugénie Lesage gisait sur le sol pavé. À genoux près de son corps, ses fils se lamentaient. Le docteur parlait au prêtre tout en ponctuant son discours de gestes explicatifs. Quant au cocher, confronté à Honoré Lesage qui le fixait d'un air furieux, il tenait son chapeau rond entre ses doigts et affichait une mine déconfite. Angélina observait la scène, presque fascinée. Elle guettait la seconde où tous ces gens la verraient et l'accuseraient. Mais on ne lui prêtait aucune attention.

— Où étais-tu, misérable crapule ? brailla alors le père de Guilhem au nez de son cocher. Tu n'étais pas à ton poste, de ça je suis certain. À la fin de l'office, madame ne se sentait pas bien et voulait que tu la ramènes au manoir. Avoue donc que tu es allé boire à l'auberge en bafouant mes ordres ! Tu ne devais pas bouger de ton siège, gredin, racaille ! Jamais mon brave Simonnet n'aurait osé laisser notre voiture sans surveillance. Alors, dis-moi, madame a dû se hisser seule sur la banquette, et l'effort a eu raison de son cœur. Je te chasse et tu n'auras pas un sou de tes gages !

Angélina recula d'un pas, persuadée que le domestique allait la montrer du doigt. Il n'en fit rien, pour la simple raison qu'il ne soupçonnait absolument pas le rôle qu'elle avait joué dans ce drame. Enclin à la boisson, plein de hargne à l'égard de ses nouveaux patrons, il n'avait vu qu'une chose : « madame » en proie à des convulsions entre les deux banquettes. Certes, une fille se trouvait à proximité, mais, pour lui, cela ne signifiait rien de particulier.

— J'étais parti pisser, monsieur, déclara-t-il. J'ai pas bu un verre de la soirée, parole d'honneur ! À mon retour, madame était mal en point…

Honoré Lesage ôta son gant et gifla l'homme à la volée. Les traits tendus par la douleur, ses yeux bruns brillants de rage, il présentait une nette ressemblance avec Guilhem, son plus jeune fils. Cela frappa Angélina, qui avait déjà vu son bel amant dans le même état de fureur.

« Après quelques baisers, je m'étais refusée à lui et il s'est mis en colère, se souvint-elle. Il en avait les larmes aux yeux et il gesticulait ainsi. J'en étais si bouleversée que je lui ai cédé. Mon Dieu, j'ai bien eu tort ! Depuis, il m'a reniée, trahie ! »

Elle avait cru vivre la plus cruelle des épreuves en mettant son fils au monde dans la grotte du Ker pour le confier ensuite à une nourrice. Maintenant, elle souffrait davantage encore, et cette froide nuit de Noël à l'amer parfum de tragédie la marquerait à jamais. Elle en eut conscience de façon aiguë et se réfugia dans la cathédrale déserte. Là, éperdue, livide, elle se prosterna au pied de la statue du Christ.

« Jésus, doux Jésus de bonté, vous qui avez pardonné à la femme adultère, vous qui êtes lumière et amour, protégez-moi, ayez pitié ! pria-t-elle en silence. J'ai péché, beaucoup péché, Seigneur Jésus ! J'ai connu un homme hors des sacrements du mariage et j'ai baptisé notre enfant avec l'eau que j'avais puisée à une source. Je suis bien punie, à présent. Mon fils ne sera qu'un bâtard sans nom sa vie durant, et moi, Angélina Loubet, je ne pourrai prétendre à une existence honnête, car je suis souillée, salie ! »

Les insultes d'Eugénie Lesage la hantaient. Elle les entendait sans cesse, et ces mots orduriers détruisaient toute la magie des étreintes qu'ils avaient partagées, Guilhem et elle. « Peut-être qu'il pensait comme sa mère ! se dit-elle. Il me prenait pour une catin et il a usé et abusé de mon corps. Cette bourse d'argent qu'il m'a laissée, c'était mon salaire... » L'affreux constat lui arracha une sourde plainte. Elle se redressa, prise de l'envie subite de mourir. Une première fois, elle cogna de son front les marches en marbre de l'autel.

— Enfin, Angélina, que faites-vous ? s'écria le prêtre qui venait de la découvrir agenouillée. Mon enfant, que se passe-t-il ?

Elle tendit vers lui son ravissant visage, ruisselant de larmes. Le vieil homme fut troublé devant tant de désespoir.

— Angélina, parlez sans crainte, implora-t-il, une main diaphane serrée sur son chapelet.

— Non, mon père, je ne peux rien vous confier, balbutia-t-elle. Je m'en vais.

Au prix d'un effort surhumain, Angélina se releva. Son foulard avait glissé et sa chevelure d'or rouge étincelait dans la clarté des cierges.

— Je suis tellement triste, mon père ! Madame Lesage est morte sous mes yeux, et ça m'a rappelé ma propre mère. Alors, je priais, oui, je priais pour elles deux, mentit-elle.

Le religieux ne fut pas dupe. Durant sa longue carrière, il avait vu bien des jolies filles éplorées ne sachant comment éviter le déshonneur après avoir été victimes d'un séducteur sans scrupule.

— Est-ce vraiment cela ? hasarda-t-il. Je t'ai baptisée, Angélina, tu as fait ta première communion ici même et tu n'as jamais craint de te confesser. Si quelqu'un t'a blessée, dis-le-moi.

— Je vous assure que non, mon père, coupa-t-elle, tête basse. Mais maman me manque beaucoup, surtout en cette période de fêtes. Papa a tellement changé. Il est dur, renfermé, aigri. Et je n'étais pas préparée à voir mourir une femme si vite. Madame Lesage n'a pas pu dire adieu à ses fils ni à son époux.

Le prêtre posa une main apaisante sur l'épaule de la jeune fille.

— Je viens de discuter avec le docteur. Ces derniers mois, Eugénie Lesage a eu deux alertes assez graves.

Toujours le cœur. Son mari m'a appris qu'elle se sentait oppressée pendant l'office. Son heure était arrivée, Angélina, Dieu l'a rappelée à lui. Je conçois néanmoins que tu aies pu être meurtrie par ce décès foudroyant. Allons, mon enfant, rentre chez toi et fais-moi une promesse…

— Laquelle, mon père ?

— Suis ton chemin sans regarder en arrière, ne cède pas au diable qui pousse certaines malheureuses à se supprimer ! Le suicide est un grave péché, et les âmes errantes ne trouvent jamais le repos. Angélina, tu n'as pas renoncé à ton grand projet d'étudier à Toulouse pour être sage-femme ?

Angélina garda le silence. Elle se sentait perdue au sein d'un univers impitoyable dont les mystérieux rouages l'avaient broyée. Le monde était noir, hostile. Il n'y brûlait qu'une faible lueur et c'était la présence innocente d'un nourrisson, son petit Henri.

— Je doute de choisir cette voie, répondit-elle en osant enfin fixer le vieux religieux. Je suis habile à coudre, je ferais mieux de chercher une place dans une boutique de Saint-Girons. Que deviendra papa si je pars durant une année entière ? Sa vue baisse, j'ai peur qu'il ne puisse plus travailler.

— Courage, Angélina ! intima le prêtre en traçant le signe de la croix sur son front. Courage, Dieu est bon, Dieu t'aime ! Sois forte. Et souviens-toi qu'il n'y a pas de plus beau métier que de présider à l'enfantement. Ta mère a sauvé bien des nouveau-nés et, ainsi, elle a gagné son paradis.

Ces paroles réconfortèrent un peu Angélina. Elle remercia tout bas et prit la fuite. Quand elle se retrouva à nouveau place de la fontaine, la belle calèche des Lesage avait disparu, mais, malgré le vent glacé, des badauds s'attardaient et commentaient l'incident.

« La mère de Guilhem était condamnée, pensa la jeune fille. Son cœur était malade. Je l'ignorais. Mais pourquoi s'est-elle montrée si méchante avec moi ? Pourquoi ? Guilhem… Je dois l'oublier, le rayer de ma vie. J'ai si mal, mon Dieu, si mal ! »

Angélina remonta péniblement la rue des Nobles. Chaque pas lui coûtait. Elle franchit le clocher-porche en s'appuyant d'une main au mur.

« Je n'ai plus qu'une envie : aller à Biert et prendre mon fils, le garder près de moi. Lui, il me consolerait de tout. Si je pouvais m'endormir en le tenant dans mes bras, le couvrir de baisers, le bercer, oui, je serais sauvée. »

Elle fut soulagée en entrant dans la cour de sa maison. Une forme blanche se rua vers elle, haletante.

— Sauveur ! Mon brave chien, mon bon chien ! s'écria-t-elle en caressant l'animal. Tu m'attendais, tu as du respect pour moi, de l'affection. Toi au moins…

Angélina cajola encore le pastour dont l'exubérance lui redonna un brin de courage. Le grand chien blanc resterait lié à jamais aux heures les plus insolites de sa jeune existence, celles qu'elle avait vécues dans la grotte du Ker et qui avaient fait d'elle une mère.

Augustin l'accueillit avec un sourire inquiet. Un bon feu flambait dans l'âtre. Elle jeta un coup d'œil amer aux branches de houx qui décoraient le manteau de la cheminée. Elle était euphorique en les accrochant, certaine que Guilhem viendrait parler mariage à son père.

— Tu en as mis, du temps ! fit remarquer le cordonnier. La soupe est chaude. J'ai coupé du lard et sorti des œufs. Je peux te préparer une omelette. As-tu retrouvé ton appétit ?

— Oui, je crois que j'ai faim, papa ! répliqua-t-elle.

C'était en partie vrai. Après toutes ces émotions, Angélina se sentait faible et affamée. Surtout, elle ne voulait pas causer de souci à son père ou le décevoir.

— Alors, assieds-toi, petite ! J'ai une triste histoire à te raconter. Il s'agit d'Eugénie Lesage. Je déplore la mort brutale de cette femme, surtout une veille de Noël, mais c'était une personne dénuée de sens moral, incapable de charité. Adrienne a trop souffert par sa faute.

— Comment ça, papa ? s'étonna Angélina. Maman ne m'en a rien dit.

— Tu étais une fillette, à l'époque. Nous n'avions pas à te faire partager nos ennuis, et Dieu sait que nous avons frôlé le pire.

Le cordonnier cassa des œufs dans une jatte et entreprit de les battre à l'aide d'une fourchette. Il avait les yeux dans le vague en poursuivant son récit.

— Eugénie Lesage était enceinte et, après ses trois fils, elle espérait vivement avoir une fille. Une dame riche dédaigne souvent les services d'une costosida ; elle préfère consulter un docteur. Mais la grossesse s'avérait difficile. Je l'ai su plus tard par les confidences d'Adrienne. Je n'aime pas entrer dans les détails ; sache seulement que madame Lesage redoutait l'accouchement. L'enfant était très gros et elle n'était plus toute jeune. Une de ses domestiques lui a conseillé de faire appel à ta mère, le moment venu. La réputation d'Adrienne Loubet n'était plus à faire. On la réclamait dans tout le pays. Bref, ta mère est demandée au manoir des Lesage. Elle s'installe dans la chambre de la parturiente avec ses instruments, sa science, sa gentillesse… Très vite, elle comprend que la naissance sera ardue, périlleuse, et que la mère est en danger, de même que l'enfant. Elle recommande de faire venir aussi le médecin tout en envisageant un transport à l'hôpital des Bénédictines. Mais Eugénie refuse et sombre dans l'hystérie. Il paraît que c'était un spectacle odieux. Elle hurlait et se frappait le ventre, car elle endurait un martyre. Ma pauvre Adrienne, qui avait réussi à l'examiner, a dû annoncer au père et à Eugénie que le bébé était déjà mort avant même d'être né. Elle luttait contre sa patiente à moitié folle, soucieuse de la délivrer, de la sauver in extremis. Et elle y est parvenue, en épargnant le corps inerte d'une belle petite fille de quatre kilos. Le docteur est arrivé ; il a confirmé que le bébé était mort depuis plusieurs heures, mais les Lesage, fous de douleur, se sont retournés contre ta mère. Ils l'ont traitée de diablesse, de sorcière, de meurtrière. Ils l'ont menacée de la traîner en justice.

— Mon Dieu, ce n'est pas possible ! s'indigna Angélina.

— Si, petite, si ! soupira Augustin.

Impassible en apparence, il mit la poêle à chauffer après l'avoir frottée de saindoux. Il y jeta les tranches de lard.

— Les policiers ont ramené Adrienne ici en lui demandant de se tenir à leur disposition. Honoré Lesage l'avait giflée ; elle avait une joue marbrée de mauve. Moi, j'étais furieux et, si j'avais pu, je serais allé secouer ce bonhomme et lui faire passer l'envie de cogner mon épouse. Mais ta mère leur avait déjà pardonné. Elle me répétait que le chagrin les égarait, qu'ils reviendraient à la raison. Pendant une semaine, elle n'a presque rien avalé. Elle dormait peu et pleurait toute la journée. Les Lesage n'ont pas porté plainte, heureusement, mais Adrienne était humiliée, prise de doutes terribles. Petit à petit, elle a repris confiance. Je ne peux pas tout t'expliquer, Angélina, tu en sais assez. Depuis ce drame, les Lesage nous méprisent et je les méprise bien plus encore. D'après une rumeur, Eugénie Lesage aurait eu l'esprit dérangé par les humeurs qui stagnaient dans son ventre. Toujours est-il que je ne vais pas la pleurer. Qu'elle trouve la paix au ciel, si elle n'a pas pu l'obtenir sur cette terre !

— Maman aurait dû m'en parler !

— Non, elle s'en est bien gardée afin de ne pas rouvrir une plaie mal cicatrisée. Les insultes qu'on reçoit sans les mériter font de gros dégâts.

— Je le sais, papa.

Songeuse, Angélina mesurait l'importance de ce qu'elle venait d'apprendre.

« Eugénie Lesage a reporté sur moi la haine qu'elle vouait à maman, pensait-elle. Guilhem désirait m'épouser, de cela je suis sûre, mais, s'il a dit mon nom à sa mère, je n'avais aucune chance. Elle m'a rejetée parce que j'étais la fille d'Adrienne Loubet, pauvre de surcroît. »

— Mange ta soupe, petite ! Ne te rends pas malade. Le passé est le passé. Les Lesage ne viennent dans la cité que pour les offices de Noël et de Pâques. Nous ne les croiserons plus.

« Mon pauvre papa ! se dit encore la jeune fille. Tu as un petit-fils, et dans ses veines coule le sang des Lesage, du beau Guilhem que je ne reverrai jamais. Jamais ! »

Une saine colère redonna de l'énergie à Angélina. Elle suivrait son chemin et personne ne l'arrêterait. Elle était plus riche que tous, car Dieu lui avait offert un trésor inestimable, son enfant bien vivant.

« Je serai une costosida, la meilleure de la région, se promit-elle. Et si je croise Guilhem Lesage un jour, je lui cracherai au visage. Je ne veux plus souffrir. »

Forte de cette résolution, Angélina Loubet, très digne, fit honneur au modeste repas préparé par son père. Ses prunelles violettes étincelaient d'un feu étrange.

— Quel drôle de réveillon ! déclara le cordonnier. Mais je le passe avec la plus belle fille de l'Ariège. Hein, mon Angélina ?

— Peut-être, papa… Peut-être ! dit-elle en souriant.

5

Mademoiselle Gersande

Saint-Lizier, 25 décembre 1878

En ce jour de Noël, mademoiselle Gersande avait invité Angélina à déjeuner. Il neigeait depuis l'aube, et la cité de Saint-Lizier se parait de blanc, toitures et pans de murs, jardins et cours. Torturée par un tumulte de pensées, la jeune fille n'avait presque pas dormi de la nuit. Elle avait un grand chagrin, celui d'avoir perdu Guilhem, mais aussi une blessure d'amour-propre. Les révélations de son père l'avaient accablée. En se tournant et en se retournant sans cesse entre ses draps, elle avait imaginé sa mère dans le manoir des Lesage, giflée, bafouée, insultée.

« Ces gens ne valent pas grand-chose, s'était-elle répété. Ils croient que leur argent les rend respectables, mais ils ont tort. »

Après ces heures sans sommeil, Angélina avait les traits tirés et les yeux cernés quand elle se retrouva en face de la vieille demoiselle.

— Chère petite, viens vite près du feu ! lui dit la dame en l'embrassant tendrement sur les deux joues. Octavie nous a cuisiné des merveilles. Mais tu as bien triste mine ! On dirait que tu as hérité de tous les malheurs du monde en guise de cadeau de Noël.

Gersande de Besnac portait le corsage en brocart gris qu'elle avait commandé à Angélina. Ses cheveux étaient savamment rangés sous un bonnet en soie assorti, bordé de dentelles. Malgré la flambée qui illuminait la pièce, elle serrait un châle en laine sur ses épaules menues.

— Peut-être pas tous les malheurs, mais je suis triste, oui, concéda la jeune fille.

— Raconte-moi tout ! Qu'est-ce qui peut te rendre aussi chagrine, toi qui as la beauté, le charme et l'intelligence ?

— Maman me manque beaucoup. Et, hier soir, à la sortie de la messe, j'ai assisté à la mort de madame Lesage. C'était terrifiant. Ses fils pleuraient à chaudes larmes, ils l'appelaient. Cela m'a rappelé le décès de ma propre mère.

— Oh ! Ma pauvre chérie ! Donne-moi tes mains. Elles sont glacées. Je te comprends. Ce matin, Octavie est sortie acheter du pain et elle m'a dit que la cité était en émoi. Je t'accorde que c'est regrettable de partir ainsi, sans pouvoir faire ses adieux aux siens. Je ne connaissais pas Eugénie Lesage. Cependant, tout à l'heure, j'ai prié pour son âme. J'espère pouvoir te distraire un peu, ma chère Angélina. Nos disparus se rappellent à nous de façon plus cruelle le jour de Noël, je le sais bien.

Angélina approuva d'un signe de tête. Ses prunelles violettes fixaient le feu avec insistance, comme si elle évitait le regard perspicace de son amie. La domestique fit son entrée, chargée d'un plateau en argent sur lequel se dressaient une bouteille de vin et deux verres à pied en cristal ouvragé.

— Voici le muscat, mesdames, annonça-t-elle. Et, pour grignoter, des tartines de foie gras.

— Octavie, veux-tu aller chercher un troisième verre ! gronda la maîtresse des lieux. Tu trinqueras avec nous. Figure-toi, Angélina, qu'hier au soir mon dîner a été annulé. Je t'avais parlé de mon projet d'inviter le pasteur et son épouse, mais il devait se rendre au chevet d'un mourant. Du coup, tu vas déguster les pintades que je leur avais réservées et le délicieux gâteau que j'avais commandé chez le pâtissier. Si tu persistes à devenir sage-femme, tu constateras que, le soir de Noël, il y a des naissances et des morts comme les autres soirs de l'année… Est-ce que tu m'écoutes, au moins ?

— Mais oui ! protesta Angélina.

— Quel dommage que ton père refuse de s'asseoir à ma table ! Heureusement, il consent à me fabriquer des bottines !

— Vous n'êtes pas obligée de nous commander de l'ouvrage, mademoiselle ! J'ai l'impression que vous nous faites la charité. Bientôt, je n'oserai plus venir ici : je me ferai l'effet d'une quémandeuse.

Gersande ouvrit de grands yeux surpris.

— En voilà, de vilaines paroles, Angélina ! Qu'est-ce que tu as aujourd'hui ? C'est Noël, la naissance de notre sauveur Jésus-Christ. Dois-tu m'asséner de telles sottises ? J'apprécie ton goût en matière de vêtements et tu couds à la perfection. Quant à ton père, nul ne me contredira, c'est un excellent cordonnier, et fort soucieux de satisfaire ses clients. Deviendrais-tu trop orgueilleuse ? Afin de ne pas hérisser ta susceptibilité, est-ce qu'il me faudra avoir recours à un autre cordonnier, celui de Saint-Girons qui travaille du cuir raide et n'a pas l'amour de l'ouvrage bien fait ? Oh ! et puis zut, tu m'agaces ! J'étais si joyeuse à l'idée de partager ce repas avec toi !

Angélina scruta le visage poudré de sa vieille amie et crut deviner des larmes au bord de ses cils. Honteuse, elle se leva de son fauteuil et arpenta le salon d'un pas nerveux.

— Pardonnez-moi, mademoiselle, dit-elle en se postant enfin à une des fenêtres. Décidément, je ne vaux rien. Je vous fais pleurer et, hier soir, j'ai laissé mon père veiller seul. Mon Dieu, je voudrais me cacher au fond d'un terrier et dormir cent ans.

Debout dans un angle de la pièce, Octavie patientait, un verre à la main. Elle se réjouissait également de déguster du muscat en si bonne compagnie, mais le repas de fête semblait tourner au pugilat. La domestique contempla d'un œil rêveur la jolie table qu'elle avait préparée. Une nappe blanche damassée accueillait une belle vaisselle verte, ornée d'un liseré doré. Les serviettes, d'un rose délicat, étaient pliées en cône. Un bouquet de roses de serre trônait entre le vinaigrier et la salière.

— Ce serait un crime d'enfouir un si ravissant minois sous terre, petite, s'esclaffa Gersande. Calme-toi et trinquons. Je te pardonne de bon cœur. Tu ne pensais pas à mal, n'est-ce pas ? Et je ne suis pas maligne moi non plus de t'asticoter au sujet de ton père. Mais Augustin Loubet me déconcerte. Il est d'une grande politesse quand je le croise sur la place. Néanmoins, j'envoie Octavie à l'atelier, de peur d'entendre des reproches. Ton père se méfie de ma générosité à ton égard. Dieu tout-puissant, s'il savait…

Angélina reprit place au coin de l'âtre. Octavie lui servit du muscat, ainsi qu'à sa patronne. Enfin, elle s'octroya une rasade du vin sucré dont la robe jaune trahissait l'onctuosité.

— S'il savait quoi ? demanda la jeune fille, intriguée.

— Buvons à ton avenir, la coupa Gersande. Suis la voie qui te plaira le plus. J'ai foi en toi, ma petite.

— S'il savait quoi ? insista Angélina. Mademoiselle, pourquoi avez-vous dit ça ?

— J'ai fait mon testament le mois dernier… Après mon décès, ce logement sera à toi, sous réserve de garder Octavie à ton service. Je te lègue aussi une certaine somme d'argent.

— Mais c'est une folie ! s'insurgea Angélina. Vous avez sûrement de la famille en Lozère. Et je n'ai aucune envie de vous voir mourir. Vous êtes mon amie, et même plus. Je vous aime autant que si vous étiez ma grand-mère.

Octavie sortit discrètement. Gersande de Besnac s'empara à nouveau des mains d'Angélina et les étreignit.

— Dès que j'ai fait ta connaissance, j'ai senti que tu souffrais beaucoup d'avoir perdu tes grands-parents du côté maternel et paternel. Je suis flattée et touchée de pouvoir veiller sur toi. L'épidémie de choléra[1] a endeuillé tout votre pays.

— Oui, et elle a emporté les parents de mon père, ainsi que la mère de maman. Par chance, Antoine Bonzom a survécu et j'ai eu le bonheur de le connaître. Hélas ! il s'est éteint l'année de mes dix ans. Peu importe, ce qui me tracasse, maintenant, c'est ce testament. Mademoiselle Gersande, je ne mérite pas une telle faveur. Je

1. En 1854, soit vingt-quatre ans plus tôt, une terrible épidémie de choléra a ravagé tout le sud de la France, notamment la vallée de Massat, Saint-Girons et ses environs.

vous souhaite d'atteindre un siècle d'âge. Pour ma part, j'aurai alors la cinquantaine et je vous soignerai si bien que la faucheuse vous oubliera.

La vieille demoiselle caressa la joue lisse d'Angélina avec un air attendri.

— Encore du muscat ? proposa-t-elle d'un ton malicieux. Tu as repris des couleurs.

— Volontiers !

Le vin avait réussi à détendre l'étau qui broyait la poitrine de la jeune fille. Elle se sentait si seule, depuis la veille, sans personne à qui confier ses peines et ses fautes.

« Et si je disais la vérité à Gersande ? songea-t-elle. Ce serait un soulagement de pouvoir m'expliquer et me libérer des affreuses pensées qui m'obsèdent. »

Son hôtesse lui tendit l'assiette garnie de petites tartines de foie gras. Angélina en croqua une, puis deux. La tête lui tournait.

— Tu mérites de t'élever dans la société, petite, de te parer de toilettes exquises, d'être entourée d'objets précieux ! reprit la vieille demoiselle. J'ai rarement vu une jeune personne de ton genre, crois-moi. Tu as un vrai désir de liberté, tu apprends vite, tu es habile et courageuse. Et, ce qui ne gâche rien, tu es belle à ravir.

— La beauté n'est qu'une enveloppe extérieure, riposta Angélina. Les cathares estimaient que le monde terrestre, avec ses trésors naturels, les fleurs, les animaux, et nous les humains, était la création du diable. Ils prêchaient la foi en un autre univers uniquement spirituel. Est-ce un don de Dieu ou du démon d'être belle ? Je me pose la question. Laide, j'aurais peut-être un destin différent, mais plus honnête.

Ces propos troublèrent beaucoup Gersande. Elle grignota sans y prendre garde sa tartine de foie gras, concentrée sur la meilleure réponse à donner.

— Mon Dieu, Angélina, quel grave péché as-tu commis pour parler ainsi ? finit-elle par hasarder.

— Déjà, je me sens responsable du décès de madame Lesage.

« Je peux avouer une petite partie de ce qui me hante, se disait-elle. Cela me fera du bien, je n'en peux plus. »

Gersande vit réapparaître sa domestique et en trépigna de contrariété. Elle supposait à juste titre qu'Angélina ne lui ferait pas d'aveu devant Octavie.

— Et si nous faisions d'abord honneur au festin qui nous attend ! s'écria-t-elle assez gaiement. Mon docteur me conseille de manger dans une atmosphère sereine. Vois-tu, petite, j'ai souvent des aigreurs d'estomac. Je t'écouterai mieux une fois rassasiée.

— C'est préférable, dans ce cas, admit Angélina.

— Les écrevisses à la nage ! claironna Octavie. La nage, c'est le bouillon de cuisson que j'ai fait réduire et qui sert de sauce. Mesdames, passez vite à table. Vous n'allez pas rester dans ces fauteuils !

— Où avons-nous la tête ? plaisanta Gersande en se levant prestement. J'adore les écrevisses. La sauce est succulente : des échalotes fondues au beurre, de l'armagnac, et le tour est joué.

Angélina céda à la chaleureuse ambiance qui régnait chez sa vieille amie. Elle appréciait ce cadre élégant sans ostentation, où la sobriété rimait avec l'harmonie. Cela tenait aux teintes pastel des lambris de chêne peints en gris et vert amande, aux rideaux en velours rouge, aux meubles de facture ancienne.

— Je n'ai encore jamais goûté d'écrevisses, reconnut-elle en souriant.

— Eh bien, profite, dit Octavie. Tu ne seras pas déçue.

— Surtout, ne t'embarrasse pas de couverts et mange avec les doigts, Angélina, conseilla Gersande. J'ai appris à décortiquer ces bestioles avec la fourchette et le couteau à poisson chers aux gens du monde, mais c'est d'un pénible…

— J'apporterai de quoi vous nettoyer les mains, ajouta la sympathique domestique.

Le silence se fit, le temps de déguster les crustacés d'eau douce qui se vendaient chaque samedi sur le marché de Saint-Girons. Légèrement ivre, Angélina se régala, l'esprit vide. Octavie lui avait servi du vin blanc et, assoiffée par la sauce, elle avait bu son verre d'un trait. La vieille demoiselle riait sous cape, fière de son œuvre. Sa protégée avait les joues roses et paraissait détendue.

« Dieu merci, elle ne rentrera pas chez son père avant ce soir ! Sinon, il pourrait m'accuser de l'avoir enivrée. Mais elle était si triste, ma petite amie… » se disait-elle comme pour s'excuser.

Après les écrevisses, toutes les deux se rincèrent les doigts dans une cuvette en porcelaine garnie d'eau tiède vinaigrée. Octavie présenta ensuite une pintade rôtie dont la peau grillée arborait des reflets bruns, luisants de graisse.

— Ma volaille de prédilection, et farcie aux cèpes, sur un lit de pommes de terre sautées, soupira d'aise Gersande de Besnac. Mon plat favori ! La chair de la pintade a un léger fumet de gibier. C'est moins fade que le poulet.

Angélina souriait toujours, mais les deux femmes la sentaient au bord des larmes.

— Je n'aurais pas dû boire autant de vin, leur dit-elle avec un sanglot dans la voix. Je voudrais être heureuse, là, en votre si douce compagnie, mais je ne le mérite pas.

— Tu ne vas pas recommencer, Angélina ! gronda Gersande. Fais donc honneur à la pintade. Octavie, tu serviras un café bien fort avant le dessert.

— Je m'en occupe, mademoiselle, affirma la domestique en se sauvant.

La vieille demoiselle savoura quelques bouchées de volaille, puis elle essuya ses lèvres d'un coin de serviette. Enfin, elle fixa son invitée d'un air autoritaire.

— Est-ce que ça te plaît, petite ?

— La pintade ? Oh oui ! La chair est tendre et la farce aux cèpes est un régal.

— Je ne parlais pas du repas, protesta Gersande. Est-ce que ça te plaît de garder pour toi tes tourments, tes peines de cœur ou d'autres choses ? Tu n'as pas d'amie de ton âge, je suis au courant. Tu n'as songé qu'à étudier depuis des années et, de plus, tu as secondé ta mère pendant de longs mois. Angélina, tu peux te confier à moi, je ne te jugerai pas. Qui a le droit de condamner son semblable, hormis Dieu ? D'abord, explique-moi cette histoire avec madame Lesage.

— Vous aviez dit après le dessert, murmura Angélina.

— Ce sera avant. Quelle importance ! Je n'ai plus d'appétit, à te voir dans cet état. Et c'est ma faute si tu es ivre. J'espérais ainsi te délier la langue.

Angélina dévisagea Gersande avec une expression de profonde stupeur.

— Vraiment ? Ce n'était pas nécessaire, je vous aurais quand même parlé. Hier soir, à la sortie de la messe, je me suis trouvée confrontée à Eugénie Lesage. Elle se plaignait du vent et de l'absence de son cocher. J'ai engagé la conversation très poliment, je vous l'assure. Cinq minutes plus tard, elle agonisait au fond de sa calèche. Mademoiselle Gersande, vous aviez raison, c'était bien moi, la fille abandonnée par Guilhem Lesage. Nous nous sommes fréquentés l'été dernier et cet automne, en tout bien tout honneur.

Il lui fallait mentir malgré tout sur ce point capital. Jamais Angélina n'oserait avouer qu'elle avait sacrifié sa vertu par amour.

— Oùi, c'était moi, reprit-elle. Les Lesage m'ont estimée trop pauvre, trop mal éduquée pour entrer dans leur famille. Lorsque vous m'avez interrogée à ce sujet, j'ai nié de toutes mes forces, car j'avais peur de vous décevoir et j'étais humiliée aussi. Hier soir, j'ai osé questionner cette dame sur son fils. Je voulais simplement avoir de ses nouvelles, lui qui était parti en me promettant de revenir, en me faisant de grands serments. Eugénie Lesage est entrée dans une colère insensée, elle m'a même frappé sur les doigts avec le pommeau de sa canne. Je ne comprenais pas pourquoi elle était si furieuse. Ensuite, elle m'a annoncé que Guilhem s'était marié. Et là, très vite, elle s'est effondrée. Mon Dieu, quelle horreur ! Je reste persuadée que j'ai causé sa mort, même si le prêtre m'a avoué un peu plus tard qu'elle souffrait du cœur.

En larmes, Angélina se tut. Les joues en feu, elle reprit sa respiration, bouleversée d'avoir eu le courage de raconter le drame de la veille.

— Continue, petite, dit la vieille demoiselle.

— Je suis remontée rue Maubec. Mon père m'attendait et, là, il m'a appris une chose terrible.

Elle fit le récit complet de la tragique mésaventure survenue à sa mère des années auparavant.

— Pauvre Adrienne ! Cela a dû être affreusement blessant pour elle d'être accusée à tort de la mort de ce bébé. J'éprouvais une vive admiration pour ta mère, Angélina. C'était une femme d'exception, digne, dévouée, loyale, un ange envoyé sur la terre ! Et tu lui ressembles.

— J'en doute. Je suis loin d'avoir ses qualités. Toujours est-il que je n'avais aucune chance d'épouser Guilhem un jour ou l'autre. Maintenant, il est marié ou fiancé, je ne sais pas bien. Madame Lesage a été formelle. Si vous saviez de quoi elle m'a traitée ! De gourgandine, de catin !

— Une folle ! s'exclama sa vieille amie. On dit en latin : *tota mulier in utero*, ce qui veut dire : toute la femme est dans l'utérus. C'est pour expliquer l'hystérie. Peut-être que la perte de cet enfant ardemment désiré a rongé le cerveau et le corps d'Eugénie Lesage ! Angélina, pourquoi m'avoir caché que tu aimais ce Guilhem ? Certes, il est bel homme, mais il ne t'arrive pas à la cheville, pour ramper devant ses parents et renoncer à une perle comme toi au nom du rang social ou autres fadaises. Les Lesage sont des parvenus. Grâce au commerce, ils se sont enrichis et ils ont pu acheter leur manoir à un nobliau ruiné. Ils se croient supérieurs parce qu'ils vivent dans le luxe. Dieu tout-puissant, je méprise ces gens ! Mes ancêtres ont survécu à la révolution de 1789, je te l'ai déjà raconté. Notre lignée remonte à d'illustres personnages de la cour du roi Henri IV. Cependant, je n'ai jamais perçu chez mes parents une once de suffisance ou d'arrogance. Mon père m'a enseigné la modestie et par lui j'ai su apprécier les êtres pour leurs qualités humaines, sans me soucier de leur fortune ou de leur titre. N'oublions pas que, jadis, un seigneur ou un prince s'arrogeait le droit d'anoblir ceux qui avaient prouvé leurs qualités de bravoure.

Angélina écoutait sagement, son regard violet rivé au bouquet de roses qui ornait la table. Ces fleurs de serre délicates, dont le parfum évoquait pour elle l'enchantement de l'été, semblaient la fasciner.

« Je me souviens du petit jardin en friche suspendu sur un replat de pierre, entre deux pans de rempart, songea-t-elle. La lune était ronde, j'étais allongée sur l'herbe qui embaumait la menthe et le thym. Guilhem avait ôté ma robe, mon jupon et ma chemisette. J'étais nue. Il faisait chaud, en septembre. Il y avait un rosier tout près de nous et ce parfum, oui, ce parfum de roses me grisait. J'avais l'impression que nous faisions l'amour sur un lit de pétales. Et là, Guilhem s'est redressé pour mieux me voir. De sa main droite, il a caressé mes seins, ma taille, mes hanches et il a ensuite chuchoté à mon oreille : "Les nuits de pleine lune habillent le corps des amantes d'un voile de nacre." Ces mots étaient si beaux qu'ils m'ont donné envie de pleurer. Mais il s'est allongé sur moi et il m'a prise. Cela me rendait tellement heureuse ! J'ignorais que le plaisir pouvait procurer la plus pure extase et donner l'illusion du paradis. »

Gersande tapota son verre à l'aide d'une petite cuillère. Le cristal laissa échapper des notes argentines suraiguës.

— Petite, à quoi rêves-tu ? Cesse donc de te tourmenter. Madame Lesage s'est mise en rage et son cœur a lâché. Je l'admets, si tu ne lui avais pas adressé la parole, elle serait peut-être encore en vie, mais nous ne le saurons jamais, puisqu'elle était très malade. De toute façon, elle n'avait pas à t'insulter ni à te frapper. Dieu pèsera le pour et le contre. Tu devrais te confesser, si tu as des problèmes de conscience. Je te parais dure ? Je le suis parfois et je pourrais très bien me mettre en colère, moi aussi, si je croisais Guilhem Lesage. Ne le pleure pas, Angélina. S'il s'est marié en dépit des sentiments que tu avais pour lui, et après t'avoir fait des promesses, ce n'est qu'un imbécile, un traître. Je présume que ton père ignore tout cela.

— Bien sûr, je prévoyais lui en parler quand il aurait été question de fiançailles, mais pas avant.

— Chut ! Voilà le café.

Octavie en avait profité pour apporter également deux parts de gâteau, une génoise fourrée de crème de châtaigne et nappée de chocolat.

— Je vous débarrasse, dit-elle en s'emparant de leurs assiettes sales. Angélina, ton pastour a élu domicile au pied de mon fourneau. Sois tranquille, il aura sa part du festin.

— Le chien d'un petchet nourri chez une noble dame protestante, ironisa la jeune fille. Quel paradoxe ! Est-ce le terme exact, mademoiselle ? Un paradoxe ?

— Sans doute, mais d'où tiens-tu que ton pastour est le chien d'un petchet ! Il s'agit bien de ces prêtres rebelles qui se terrent en montagne ?

— On nomme aussi leurs fidèles des petchets, répondit Angélina qui regrettait d'avoir parlé étourdiment. Samedi dernier, sur le marché de Saint-Girons, un berger a cru reconnaître en Sauveur le pastour d'un vieillard, un petchet qui aurait été inhumé au mois de novembre sur le roc de Ker, dans la vallée de Massat. Cela correspond à la date où j'ai recueilli le chien. Je me moque de son passé, c'est un bon compagnon.

Un silence pesant s'installa. Angélina pensait à son fils. Sa vieille amie, elle, la soupçonnait de nouveau.

« Dieu merci, Angélina a consenti à se décharger de ses soucis, mais elle n'a pas dit toute la vérité, je le sens ! se disait Gersande. Patience ! Chaque chose en son temps. Si elle a un secret, elle finira bien par me le confier. »

Dès qu'Octavie se retira dans la cuisine, elles reprirent leur discussion.

— Est-ce que Guilhem t'a paru sincère ? s'inquiéta la vieille demoiselle. Tu as avoué que tu l'aimais, mais lui ?

— Il prétendait m'adorer ; il me trouvait belle, intelligente, drôle. Mais mon projet d'exercer le métier de sage-femme l'irritait. Il déplorait ce choix, peu en accord, selon lui, avec une vie d'épouse et de mère.

— Quel tyran ! Imaginons qu'il soit resté ici et qu'il ait osé s'opposer à ses parents et te demander en mariage, toi, Angélina, qu'aurais-tu décidé ? Aurais-tu bravé la volonté de Guilhem pour battre la campagne au secours des femmes en couches, à l'image d'Adrienne, ta mère ?

— Je n'y avais pas réfléchi ! répliqua la jeune fille en toute franchise. Je tiens à ce métier, même s'il n'enrichit guère celles qui le pratiquent. Pourtant, cela déplaît à papa… et à vous aussi, mademoiselle. Je suis souvent partagée entre cette vocation et l'envie de demeurer à Saint-Lizier, de gagner mon pain en tirant l'aiguille. Couturière, modiste, que sais-je ! Chaque soir, je change d'avis. Devenir costosida, ce serait rendre hommage à la mémoire de ma mère. Hélas ! Si je pars à Toulouse pendant plusieurs mois, comment se débrouillera mon père ? Les lunettes l'aident à mieux y voir, mais, après des heures dans son atelier il souffre de migraines. Hier soir, à table, j'étais déterminée, je n'hésitais plus. Aujourd'hui, auprès de vous, mes doutes reviennent. Quoi qu'il en soit, je dois attendre une année entière avant de m'inscrire à l'hôtel-Dieu.

— Es-tu trop jeune pour postuler ? s'enquit son amie.

— Non, mais je dois travailler dur pour économiser.

— Si tu as besoin d'argent, je t'aiderai.

— Vous m'aidez déjà beaucoup, mademoiselle. La commande que vous avez passée à papa, des bottines hautes en cuir de Cordoue munies de crampons pour ne pas glisser sur le verglas renflouera notre bourse jusqu'au printemps.

— Et je compte offrir un manteau neuf à Octavie. C'est urgent. Demain, tu iras choisir du drap de laine gris à Saint-Girons et tu dessineras un modèle. Je te fais confiance. Autre chose, si tu renonçais enfin à me donner du mademoiselle et à m'appeler Gersande, ce serait un beau cadeau !

— Je m'y efforcerai, promit Angélina.

Deux heures plus tard, elle prit congé de mademoiselle Gersande. Il neigeait encore. La cité avait pris son allure hivernale. Toutes les cheminées fumaient, d'un étage à l'autre des toitures qui se superposaient, les maisons étant bâties à flanc de rocher. La tour crénelée de la cathédrale servait d'aire d'envol à une bande bruyante de corneilles. Opaque, duveteux, le ciel semblait écraser l'arrogante petite ville qui le défiait depuis des siècles du haut de son promontoire.

Le destin d'Angélina la guettait au coin de la rue Maubec. Le chien grogna sourdement. Elle le fit taire d'un ordre à mi-voix en le retenant par son collier. Une frêle silhouette vêtue de haillons surgit d'une ruelle.

— Vous êtes bien mademoiselle Loubet ? interrogea l'inconnue avec un accent chantant.

— Oui, que me veux-tu ?

— Pitié, mademoiselle, venez sauver ma sœur ! C'est son premier petit. Elle a mal depuis ce matin. Nous n'avons pas de sous pour le docteur, et la costosida de Taurignan est partie au chevet d'une patiente. Je vous en prie, venez ! Quelqu'un nous a dit de vous demander.

— Mais je ne suis pas sage-femme ! C'était ma mère qui pratiquait. Va chercher le médecin, je le connais : il patientera pour ses honoraires.

Elle qui se débattait au sein d'un chaos de pensées contradictoires depuis le repas chez Gersande de Besnac, elle observa l'adolescente d'un œil compatissant. La misère s'inscrivait en marques indélébiles sur le fin visage émacié qu'encadraient des cheveux d'un brun terne. Sous les vêtements usés et troués, la peau présentait une teinte grisâtre, faite de crasse mêlée à une chair sous-alimentée.

— Où habitez-vous, ta sœur et toi ? demanda-t-elle.

— Là-bas, en face, de l'autre côté de la rivière, derrière la voie de chemin de fer, précisa l'inconnue. Mademoiselle, ayez pitié, ma sœur va mourir. Son homme est employé au moulin, il nous héberge tous, mes quatre frères et moi. Pensez, son salaire ne suffit pas. Nous sommes de Perpignan.

— Perpignan ! s'écria Angélina. Pourquoi en être partis ? Il fait chaud toute l'année, là-bas. Ici, les hivers sont trop rudes, quand on n'a pas assez d'argent. Je suis désolée, mais je n'ai pas le droit d'exercer, même si j'ai assisté ma mère qui était costosida. Je ne peux pas vous aider.

— Oh si, mademoiselle ! Une voisine est là, chez nous, et une autre femme. Elle vous connaît, elle dit que vous saurez mettre un enfant au monde. Pitié, pour ma sœur, pitié !

L'adolescente s'empara des mains d'Angélina et les couvrit de baisers malhabiles. Elle tremblait de tout son corps, autant de froid que d'émotion.

— Bon, je viens, se décida-t-elle. Attends-moi, j'ai besoin de quelques affaires. Je verrai si je peux secourir ta sœur.

— Merci, merci ! Que vous êtes bonne, mademoiselle !

Angélina fit le plus vite possible. Par chance, son père était sorti et elle n'eut pas à fournir d'explications. Dans sa chambre, elle prit en toute hâte la mallette en cuir de sa mère, qui contenait ses instruments, et elle emporta une veste en laine tissée, un cadeau de Gersande.

« Pauvres gens ! se répétait-elle. Je ne peux pas refuser de les aider. Si le cas me dépasse, il sera toujours temps de trouver un médecin. Pour un premier enfant, l'accouchement dure souvent des heures, voire deux jours. Il peut n'y avoir rien d'alarmant, même si les cris d'une parturiente peuvent affoler ceux qui l'entourent. »

Elle retrouva l'inconnue dans la rue.

— Tiens, enfile ça, tu auras chaud, au moins, dit-elle. Pressons-nous, maintenant.

— Merci, mademoiselle ! soupira l'adolescente.

Bientôt, elles dévalaient la rue de la Tour qui débouchait sur le pont enjambant le Salat. La rivière courait en vagues grises sur les blocs de rochers semés là au fil des siècles. Angélina ne put s'empêcher de jeter un regard d'effroi à l'endroit où sa mère était morte.

« Maman, j'espère être à la hauteur, pria-t-elle. Guide mes gestes, je t'en prie ! »

Elles parcoururent plus d'un kilomètre sans échanger un mot. Le vent du nord balayait des nuées de flocons qui se collaient à leurs cheveux et à leurs habits.

— Quel est le prénom de ta sœur ? s'informa Angélina en apercevant un bâtiment vétuste, entouré d'un roncier. Je dois la rassurer tout de suite en me penchant sur elle.

— Valentine, mademoiselle, et moi, c'est Rosette.

— Entendu. Vous logez là, Rosette ? Dans cette masure ? Il y a du feu ?

— Ben oui, pardi ! Je l'ai allumé ce matin. La cheminée tire d'enfer, j'vous jure, mademoiselle !

— Laisse l'enfer où il est, recommanda Angélina, envahie par une crainte légitime devant la porte rafistolée avec des planches à moitié pourries.

Rosette poussa le battant et la précéda à l'intérieur. Le spectacle était lamentable. La cheminée refoulait et créait dans l'unique pièce des nuages bleuâtres. Des morceaux de bois humides se consumaient à grand-peine dans l'âtre, sous une marmite rouillée.

— Mais c'est irrespirable ! protesta-t-elle. Et l'eau ? Il me faudra de l'eau très chaude.

— J'y veillerai, ma petite dame, fit une voix masculine.

Angélina avisa alors un homme assis près du feu, une pipe au coin de la bouche. Il devait avoir plus de quarante ans, vu sa tignasse grise et les rides qui marquaient sa face au teint cuivré. De l'autre côté du foyer, elle découvrit des petits garçons entre trois et sept ans. Ils étaient sales et maigres, et ils avaient l'air effarés par sa visite.

— Bonjour, dit-elle d'un ton ferme.

« Mon Dieu ! pensa-t-elle, honteuse, c'est Noël et ces enfants n'ont rien eu. J'ai mangé comme une princesse chez Gersande et je n'ai pas songé un instant que des familles vivaient dans une telle pauvreté, pas très loin de la cité. Sauveur a dû croquer les restes de notre festin. Sainte Vierge, pardonnez-moi. Si j'avais su ! »

Une plainte rauque la ramena au moment présent. Rosette écarta une tenture élimée qui protégeait une large paillasse. La future mère reposait là. Elle se tordait d'un côté et de l'autre en geignant.

— La Janine s'en est retournée chez elle, débita une vieillarde, campée sur un tabouret bas. Elle endurait plus ses gueulantes, à ta sœur.

Sidérée, Angélina ne broncha pas. Une exaltation étrange la pénétrait, pareille à une montée de fièvre. Elle en oublia la mort d'Eugénie Lesage, la trahison de Guilhem, ses doutes et ses peines. Une seule chose avait de l'importance et c'était de faire en sorte de mener à bien cette naissance.

— Bonjour, Valentine ! dit-elle gentiment. Je suis venue voir ce qui se passe. Je ne suis pas sage-femme, mais, durant deux ans, j'ai assisté ma mère qui l'était. Je vais vous examiner.

Valentine secoua la tête de façon désordonnée, sans vraiment communiquer. Livide, elle transpirait abondamment, les pupilles dilatées. Son ventre énorme tendait le drap.

« Mais elle est très jeune ! s'effraya Angélina. On dirait qu'elle est à peine plus âgée que Rosette. Et cet homme, près de la cheminée, serait son mari ? Je ne dois pas me soucier de ça, je dois procéder à l'examen. Maman m'a tout appris et, même si je n'ai pas pratiqué, je suis certaine de réussir au moins ça : calculer la dilatation du col de l'utérus. »

Rosette se détourna quand Angélina souleva le drap et repoussa la chemise de nuit de Valentine. L'hygiène de la jeune femme laissait à désirer, et ce détail gêna l'apprentie costosida. Dès ses débuts, Adrienne Loubet avait bataillé à cet égard. Elle enseignait à ses patientes comment se laver les parties intimes, ce qui lui avait valu bien des railleries, des refus outrés.

— Faut pas se laver là, madame Loubet, enfin ! lui répliquait-on.

— Fiche de l'eau et du savon où vous dites, c'est bon pour les putains, pas pour les honnêtes femmes, s'indignaient certaines.

Angélina s'était engagée auprès de sa mère à transmettre les mêmes conseils. Adrienne s'était éteinte avec la conviction que sa fille suivrait son exemple et ferait une excellente costosida.

— Rosette, pourrais-tu m'apporter une cuvette ou un récipient avec de l'eau tiède ? demanda la jeune fille.

L'adolescente s'empressa d'obéir. Angélina ouvrit la mallette de sa mère. Des carrés de linge propre y étaient pliés, et un pain de savon très aminci par l'usage dormait au fond d'une boîte en fer-blanc. Il s'y trouvait également une paire de gants en peau de chevreau.

« Je les enfile pour l'examen, c'est plus prudent », se dit-elle.

Valentine poussa un hurlement déchirant au même instant. Son corps se souleva en arc de cercle.

— J'ai mal ! Oh ! que j'ai mal ! Pitié, faites sortir le bébé !

— Vous n'êtes pas prête, annonça Angélina. Du cran, madame ! Respirez à fond, cela aidera le petit.

— Me semble qu'il se présente par le siège, vu la forme de son ventre, déclara la vieille en levant un doigt menaçant. Et puis, elle est trop étroite ; le gosse va la déchirer. J'en connais qu'ont plus jamais pu cicatriser après des couches difficiles.

— Je vous prierai de quitter son chevet, si vous lui contez des sottises, s'insurgea Angélina. Ce n'est pas bon de la terroriser, elle l'est déjà suffisamment.

— Eh ben, si je dérange, je m'en vais, rétorqua la voisine. J'étais venue rendre service, rien d'autre. Vous êtes ben fière, mademoiselle Loubet ! Pas le genre de votre mère, ça non !

— Je ne suis pas fière, je mets en pratique les leçons que j'ai reçues de ma mère !

Rosette lui rapportait le nécessaire. Angélina entreprit de laver le sexe de sa patiente, dont les cris et les pleurs ne cessaient pas. À la faveur d'une nouvelle contraction, elle s'aperçut avec angoisse que le bébé était très mal placé, comme l'avait deviné la vieille femme. Les fesses se situaient à gauche, près de l'aine.

« Mon Dieu, que puis-je faire ? implora-t-elle en silence. Masser le ventre… Je crois que maman aurait utilisé cette méthode. Parfois, l'enfant se tourne juste avant l'expulsion, si on le stimule. »

Elle se débarrassa de sa pèlerine et de sa veste en velours. En corsage, elle retroussa ses manches et se mit à genoux.

— Valentine, écoutez-moi bien ! Vous devez respirer mieux que ça et vous calmer. Ne craignez rien, je suis là avec vous. Votre pitchoun naîtra avant la nuit.

— J'peux rester ? chuchota Rosette.

— Si tu parviens à rassurer ta sœur, oui, cela m'aidera, dit Angélina qui commençait à masser l'abdomen distendu de la future mère.

Ses doigts cherchaient à distinguer la tête du bébé, ainsi que son dos. La forme du minuscule corps était facile à étudier sous la peau ; Valentine n'avait pas une once de graisse ; ses os pointaient aux épaules et aux hanches. Ses jambes étaient squelettiques, sa poitrine, presque inexistante.

— Là, là, c'est bien, respirez à votre aise, conseilla Angélina.

— Je souffre un calvaire depuis ce matin, se lamenta la jeune femme, haletante. Faites quelque chose.

Elle se remit à gémir de plus belle. Elle mordillait souvent un grand mouchoir roulé et torsadé.

— Il est toujours là ? s'enquit soudain Valentine en s'adressant tout bas à sa sœur.

L'adolescente adressa un coup d'œil à l'homme qui fumait sa pipe, impassible sur sa chaise.

— Oui, souffla-t-elle. Il ne sortira pas, tu sais bien !

Bien qu'échangé de manière quasi inaudible, le dialogue n'échappa pas à Angélina.

— La présence de votre époux vous importune ? s'inquiéta-t-elle. Il entretient le feu. L'eau doit bouillir longtemps. Bien des femmes n'osent pas se donner tout entières au dur labeur de l'enfantement si un homme se tient à proximité. Je peux lui demander d'aller faire un tour. Ce ne sera plus très long.

Rosette se pencha davantage sur sa sœur et lui parla à l'oreille. Valentine approuva, mais de grosses larmes roulèrent sur ses joues. Angélina renonça à intervenir. Elle était persuadée que le bébé s'était tourné et le vérifia immédiatement.

— Bravo ! s'écria-t-elle. Le petit ouvre le passage avec son crâne et non plus ses fesses. Encore un peu de courage, madame ! Dès que je vous le dirai, vous pousserez, mais pas trop fort.

En guise de réponse, Valentine éclata en sanglots. Elle enfonça son poing droit dans sa bouche pour ne pas faire de bruit.

— Tout va bien se dérouler, affirma Angélina. Rosette, tire un peu mieux la tenture. Tes frères ne font que regarder par ici. Ils n'ont pas à voir ça.

Un des garçons, le plus âgé, interrogea alors l'homme. Il le fit très bas, d'une voix fluette.

— Dis, papa, va pas mourir, Titine ?

Un hurlement de Valentine couvrit la réponse, qui avait tout d'un grognement furieux. Mais Angélina avait entendu. Épouvantée, la bouche sèche, elle avait cru comprendre l'indicible.

« C'est le père des garçons et sûrement celui de Rosette. Et pourquoi pas celui de cette pauvre fille ! Mais non, mon Dieu, que vais-je imaginer ? »

Bouleversée, elle sentit alors le regard insistant de Rosette. L'adolescente paraissait l'implorer de se taire, de ne pas poser de questions.

« J'ai raison, sinon Rosette n'aurait pas aussi peur ! » songea-t-elle encore.

Adrienne Loubet n'avait pas élevé sa fille unique en la tenant à l'écart des misères du monde. À douze ans, Angélina en savait plus sur le mariage, la naissance et le corps féminin que bien des femmes adultes. Si ses parents lui épargnaient quand même certaines discussions, elle en surprenait des bribes, cachée derrière la porte de la cuisine.

« Des rapports incestueux ! pensait-elle en effleurant le ventre de Valentine de sa main. Maman m'avait confié que ça existait. Elle était horrifiée par ces pères capables de forcer leurs propres enfants et de les mettre enceintes. Si c'est vrai, comment cette malheureuse peut-elle se réjouir d'avoir un bébé ? Il sera son fils et son frère ! »

Rosette se leva brusquement et se glissa de l'autre côté de la tenture. Angélina perçut une conversation marmonnée, dont les termes demeurèrent indistincts. Sa patiente la saisit alors par le poignet.

— Le bébé, peut-être qu'il est mort ? interrogeat-elle dans un souffle. Après tout ce temps…

— Mais non, il n'y a aucune raison, protesta Angélina. Ne craignez rien.

Valentine continua à pleurer en silence, les yeux fermés. Elle tenait toujours l'avant-bras d'Angélina, et ses ongles sales meurtrissaient sa chair.

— Poussez, à présent. Il faut pousser, Valentine.

La jeune femme secoua la tête pour répondre non. Puis elle essaya de s'asseoir avant de se coucher sur le ventre en criant.

— Non, non, la vieille a dit que je serais déchirée de partout, j'veux pas mourir !

Angélina prit enfin conscience du comportement anormal de Valentine. Elle luttait contre les spasmes de son bas-ventre et de ses reins, qui auraient permis l'expulsion de l'enfant.

« Elle veut le tuer, elle veut s'en débarrasser, se dit-elle, totalement dépassée par la tournure que prenait l'accouchement. Mon Dieu, je dois la raisonner ! »

Elle se pencha sur Valentine et lui parla à l'oreille, comme l'avait fait Rosette.

— Vous pourrez le confier aux sœurs de Saint-Gaudens. Ne sacrifiez pas cet innocent ! En le condamnant, vous risquez votre vie. Je vous en conjure, poussez fort, il arrive.

Un long cri d'agonie s'éleva de la gorge de Valentine, tandis qu'elle se mettait à quatre pattes sur la paillasse. Une forme visqueuse sortait doucement de son sexe écartelé. Angélina se signa en attrapant le bébé dont la couleur bleue l'avait renseignée immédiatement. Elle vit le cordon ombilical enroulé en trois tours autour du cou minuscule. Rosette accourut et se jeta sur sa sœur.

— C'était une petite fille, soupira Angélina, les larmes aux yeux. Une pauvre petite qui n'aura pas vécu une heure ! Il faudrait quand même aller chercher un prêtre.

— Je m'en charge, brailla l'homme en quittant le coin du feu. Je plaisante pas avec les sacrements, moi ! Au fait, je vous préviens, mademoiselle, j'ai pas de quoi vous payer.

— Je n'ai rien demandé ! rétorqua-t-elle.

Ses mains tremblaient lorsqu'elle enveloppa d'un linge le nouveau-né inerte. La porte claqua. Valentine, couchée sur le flanc comme une bête blessée, ne put retenir un soupir de soulagement.

— Rosette, va rassurer les garçons, ordonna Angélina. Il reste le placenta à expulser. Ensuite, je ferai la toilette de ta sœur. Prépare de l'eau à bonne température.

— Oui, mademoiselle.

Un grand calme régnait à présent dans la maison. Les enfants interrogeaient l'adolescente. Ils semblaient moins timides depuis le départ de l'homme.

— Ce rustre n'est pas votre mari, hasarda la jeune fille d'une voix étouffée.

— Mais si, je suis son épouse ! dit Valentine, apeurée. Il est bien gentil, il nourrit mes frères et ma sœur. Je vous le jure ! Notre mère est morte de la phtisie, y a trois ans de ça. J'étais contente de trouver un gars honnête.

Angélina hocha la tête. Elle hésitait à éclaircir la situation, sûre au fond d'elle-même que cela ne changerait pas le sort de sa patiente. Il y avait fort à parier que, l'an prochain, elle serait de nouveau enceinte des œuvres de l'homme.

— Dis-lui donc la vérité, Titine ! chuchota Rosette qui était revenue au chevet de sa sœur. C'est notre père, qui t'a fait ça, et je tarderai pas à y passer moi aussi. Je voulais en causer à la police, mademoiselle Loubet, pour qu'on l'envoie en prison. Je suis en âge de travailler, et nos frères seraient mieux traités s'ils allaient à l'Assistance publique. Ils n'auraient plus faim ni froid.

Valentine leva la main pour gifler l'adolescente, mais une contraction arrêta son geste. Elle ouvrit des yeux affolés.

— Oh non, ça recommence !

— C'est la délivrance, le placenta ! expliqua Angélina. Après, vous pourrez dormir un peu.

Elle récupéra dans la cuvette une masse sombre et sanglante qu'elle examina soigneusement.

— Tout paraît normal, dit-elle. Rosette, va vider ça derrière la maison, dans le roncier. J'ai encore des soins à donner à ta sœur.

Elle s'occupa de Valentine sans desserrer les lèvres. Celle-ci lui indiqua où trouver un drap propre et se laissa laver, puis panser en silence.

— Voilà, je peux m'en aller. Envoyez Rosette chez le docteur si vous avez de la fièvre ce soir. Je n'ai pas de médicaments à ma disposition pour la faire baisser.

— Merci, mademoiselle, d'être venue ! Je n'avais pas l'intention de vous appeler, mais Rosette n'en fait qu'à son idée.

— Elle vous aime et craignait de vous voir mourir. Bien des femmes succombent à leurs couches. Cela dit, je crois que votre jeune sœur est plus sensée que vous, Valentine.

Sur ces mots, Angélina se rhabilla. Au moment de boucler sa pèlerine sur ses épaules, elle se ravisa.

— Tenez, vous grelottez, dit-elle en couvrant la fille de son vêtement le plus chaud, tissé en bonne laine de mouton. Au revoir ! Je vous en prie, faites attention à vous.

La gorge nouée, elle écarta la tenture. Les petits garçons lui jetèrent des regards curieux, où elle déchiffra cependant une immense détresse.

« Seigneur, quel triste Noël pour ces malheureux ! songea-t-elle. Et je n'ai rien sur moi à leur offrir. »

Confuse, elle sortit. Il faisait nuit et il neigeait dru. Rosette lui barra le chemin.

— Merci, mademoiselle Loubet ! s'écria l'adolescente. Je vous rends votre veste.

— Non, garde-la, c'est un cadeau. Aurais-tu le courage de m'accompagner jusque chez moi ? Je te donnerai de la nourriture pour tes frères et ta sœur. Valentine a besoin d'une soupe ce soir et d'un peu de viande.

Rosette s'illumina d'un sourire émerveillé. Elle était jolie, malgré la crasse et ses mâchoires saillantes.

— Pour sûr, que j'ai le courage ! Et ça m'évitera de voir le père faire l'honnête homme devant le curé. Je prie tous les jours pour qu'il ne revienne pas du moulin.

— Il ne faut pas souhaiter la mort des gens, la sermonna la jeune fille. Pourtant, je te comprends un peu. Est-ce qu'il t'a touchée, toi ?

— Pas encore. Il se contente de Valentine, avoua Rosette d'un ton haineux.

Angélina se mit en marche, suivie par l'adolescente. Elle fut rassurée en franchissant de nouveau le pont que des réverbères à gaz éclairaient. La cité se dressait devant elle, sa cité dont rien ne lui était étranger, aucune ruelle pavée, aucune impasse fleurie de roses dès le mois de juin, aucun muret.

« Maman, ai-je commis une faute ? se disait-elle. Et si le cordon s'était enroulé autour du cou du bébé à cause de moi ? J'ai fait en sorte de faire basculer le petit, car tu m'as répété qu'une présentation en siège est très dangereuse. Oh ! maman, j'étais tellement exaltée, au début, en découvrant ma première vraie patiente ! J'avais l'impression que tu me surveillais, que tu me guidais… Mais qui a tué l'enfant ? Moi ou Valentine qui se retenait de pousser ? Peut-être aussi qu'il était déjà mort, vu sa couleur qui indiquait une cyanose. »

En dépit de ces interrogations, Angélina avait du mal à se sentir coupable. Tout son instinct lui soufflait que le père incestueux ne méritait pas mieux que d'enterrer le fruit de son odieux péché.

« Suis-je folle, ou impie ? se reprocha-t-elle. Le bébé était innocent, lui. Une petite fille ! Quelle aurait été sa vie ? La misère, la faim, les coups, sans doute, et le viol dès la puberté. »

Angélina s'arrêta net à quelques mètres du portail des Loubet. Elle prit la main de Rosette.

— Promets-moi d'échapper à ton père ! Dans deux ans, je serai sage-femme et je n'ai pas envie d'être appelée à ton chevet, de revoir la même scène de désolation.

— Je ferai ce que j'peux, mademoiselle, répliqua l'adolescente. Mais j'aurai pas le cœur d'abandonner mes frères.

— Mon Dieu, comme je te plains !

Elles entrèrent dans la cour. Angélina avait enfermé Sauveur avant de partir. Le chien était libéré et leur fit la fête.

— Mon père lui a ouvert. Va m'attendre dans l'écurie, Rosette ; notre mule te tiendra chaud.

Il fallait à présent affronter Augustin Loubet, qui se rua sur elle, furibond.

— Où étais-tu, Angélina ? J'ai dû frapper chez ta huguenote, tellement j'étais inquiet ! Sa domestique m'a dit que tu étais partie depuis longtemps. Ma fille, ne me débite pas encore des mensonges ! Pas de cousine Léa, cette fois, je te prie !

— Je n'ai pas à te mentir, papa. On m'a demandé d'assister une jeune mère qui n'avait pas les moyens d'appeler le docteur, et la sage-femme de Taurignan était occupée ailleurs. Je n'ai pas eu le cœur de refuser mon aide. Ce sont de très pauvres gens. Ils habitent une misérable bicoque derrière la voie ferrée.

La mine consternée, le cordonnier leva les bras au ciel. Il adressa un regard affolé à sa fille.

— As-tu perdu l'esprit ? s'exclama-t-il. Tu n'es pas diplômée, que je sache ! Tu auras des ennuis, si cela s'ébruite.

Angélina fouillait le placard où elle rangeait les provisions. Sans perdre son calme, elle rétorqua doucement :

— Les voisines, les grands-mères, les tantes qui se regroupent souvent au chevet d'une femme prise de douleurs, elles n'ont jamais eu d'ennuis avec la justice, papa. Je suis allée secourir cette personne dans le même état d'esprit. Disons en lointaine voisine, ou bien en tant qu'héritière du savoir d'Adrienne Loubet, la meilleure costosida de la région. Ne te fais aucun souci, personne ne parlera de moi. En plus, l'enfant, une fille, était morte avant même de naître.

— Tu m'en vois navré, grogna Augustin. Et là, que fais-tu ?

— Je prends deux paquets de vermicelle et un sac de lentilles. Père, j'ai vu là-bas quatre petits garçons affamés. C'est Noël et ils n'ont rien. La jeune mère doit manger elle aussi. Nous ne sommes pas si pauvres ! Je gagne de l'argent, il me semble.

Augustin Loubet passa une main lasse dans ses cheveux gris.

— Bien entendu, fais à ton idée, ronchonna-t-il. Aujourd'hui, la veuve Marty m'a invité à boire le café et elle m'a offert une boîte de chocolats. Porte-la à ces gosses.

— Oh ! merci, papa !

Ravie, Angélina grimpa en toute hâte jusqu'à l'étage. Une grosse malle contenait ses vêtements de fillette. Elle se mit à remplir un sac en toile de chaussettes, de bas, de chemises et de jupes.

— Cela leur rendra service, se dit-elle tout bas.

Quelques instants plus tard, elle traversait la cuisine, son ballot sur le dos. Augustin avait préparé une besace qui contenait la nourriture.

— Tu me fais penser à ta mère, Angélina, commenta-t-il d'un ton rêveur. Combien de fois est-elle rentrée ici, pressée de partager ce qu'elle possédait avec une famille nécessiteuse ! Au début, je la grondais, je lui cherchais querelle, mais j'ai vite capitulé. Petite, si tu deviens une costosida, tu seras introduite dans de belles demeures ou des taudis. On ne te donnera pas un sou, souvent, et, comme Adrienne, tu auras envie d'aider les pauvres qui sont si nombreux. Il t'arrivera aussi de rapporter un bibelot, une bourse bien garnie, du vin fin, un bijou et, dans le pire des cas, des insultes et des menaces. Quel drôle de métier !

— Mon métier, papa, affirma la jeune fille.

Elle le considéra avec une tendresse infinie. Puis elle courut vers lui et l'embrassa sur la joue.

— Tu es le meilleur père que je connaisse ! affirma-t-elle en souriant.

Très ému, le cordonnier ne sut que répondre. Une lanterne à la main, Angélina sortit, bouleversée à son tour.

« Je ne me rendais pas compte de ma chance, pensa-t-elle une fois dans la cour. Mes parents ont tenu à ce que j'aie de l'instruction et je n'ai jamais manqué de rien. Mademoiselle Gersande a veillé à parfaire mon éducation. Comment ai-je pu me plaindre de la trahison de Guilhem ? Je dois le rayer de ma vie. Je chérirai mon fils, il sera instruit, beau et fort. Et moi, sa mère, je serai fière de lui. Je ne suis pas à plaindre, ça non ! »

Angélina revoyait le corps déformé de Valentine, ses membres grêles, son ventre distendu. Enfin, elle imagina l'homme vautré sur sa propre fille, lui imposant son désir de brute.

« C'est une abomination, le crime le plus odieux qui soit, songea-t-elle encore. Que puis-je faire, mon Dieu ? » Elle pénétra dans l'écurie sans avoir trouvé de solution. Allongée sur la paille dans la stalle vide qui jouxtait celle de la mule, Rosette dormait. Quant au chien, il s'était couché près d'elle.

— Rosette, réveille-toi ! dit-elle en la secouant délicatement par l'épaule. Pauvre petite, tu es épuisée.

— J'me croyais au paradis, ici ! déclara l'adolescente en se redressant.

Le cœur serré, Angélina lui montra ce qu'elle avait rassemblé.

— Dans les jupes, tu pourras tailler des culottes pour tes frères. Et tu es si menue qu'il y en aura bien une qui t'ira. Tu sais coudre ?

— Ben non, mademoiselle ! Je sais pas lire non plus. J'suis pas allée à l'école. Mais, Valentine, elle peut écrire son nom.

— Ah ! fit Angélina. Peut-être que ta sœur réussira à tirer quelque chose de ces habits. Surtout, Rosette, si tu as un souci, reviens me voir.

— Ouais ! marmonna-t-elle. Ce que vous êtes gentille, vous, et tellement belle qu'on croirait un ange !

— Les anges n'ont jamais les cheveux roux, plaisanta Angélina, les larmes aux yeux. Rentre vite, maintenant. J'espère que tu ne feras pas de mauvaise rencontre.

— J'sais me défendre, mademoiselle. C'est quoi, votre prénom à vous ?

— Angélina !

— C'est joli ! Je vous remercie, Angélina. Pour Valentine et pour mes frères. Dites, vous allez pas le dénoncer, notre père ? Il rapporte son salaire tous les samedis, il boit pas trop… Moi, je veux pas qu'on soit séparés, les petits et ma sœur.

— N'aie pas peur, je garderai le secret. C'est à Valentine de se plaindre aux gendarmes, si elle en a le courage.

Elle caressa sa joue. Ce jour de Noël avait décidé de son avenir ; elle le devinait et s'en réjouissait.

— Moi aussi, je te remercie, Rosette, continua Angélina. Grâce à toi, je suis en paix. Sois prudente.

Elle la raccompagna jusqu'au portail et la regarda s'éloigner sous la faible lueur de l'unique bec de gaz de la rue Maubec, dont les pavés étaient tapissés d'une épaisse couche de neige.

« Que Dieu te protège, Rosette ! » se dit-elle.

Biert, le 8 janvier 1879

Angélina avait pris la diligence pour se rendre à Biert, ce qui lui faisait gagner une heure et demie de son temps, à l'aller et au retour. Elle venait de descendre de voiture et contemplait le tilleul de la liberté sur la place de l'église. Il faisait terriblement froid.

Durant le trajet, elle avait pu admirer les fantaisies de glace que la nature prodiguait tout le long des gorges de Peyremale. Au fil des jours de gel, les moindres filets d'eau suintant de la roche se transformaient en des colonnes translucides, de toutes tailles, quand ce n'étaient pas des bouquets d'aiguilles cristallines qui se créaient sur les buissons et les touffes d'herbe.

Malgré la signification de ce merveilleux spectacle, elle en conservait un souvenir ébloui. Il gelait dur, comme l'avait répété un autre voyageur d'un âge respectable.

« Je n'aurais pas pu monter Mina, songea-t-elle. Notre mule n'a pas de fers à crampons, et la route n'était qu'une nappe de neige verglacée. »

Les chevaux qui tiraient la diligence, eux, en étaient équipés. Angélina crut entendre encore le bruit régulier de leurs sabots frappant le sol plus dur que de la pierre et plus glissant que du verre. Elle avait avancé la date de sa visite, tellement elle se languissait de son petit Henri. Tout en marchant le long de la rue du Lavoir, elle bénissait le ciel de lui avoir accordé un enfant en bonne santé, bien vivant. Elle riait en silence, ivre de joie à chaque pas.

La première semaine de janvier n'avait pourtant pas été de tout repos. Les obsèques d'Eugénie Lesage, célébrées dans la cathédrale, avaient semé l'émoi dans la cité. Angélina s'était bien gardée d'y assister, mais, depuis le bois de chênes surplombant le cimetière, emmitouflée dans la pèlerine de son père, elle avait scruté la foule venue escorter la défunte jusqu'au tombeau de la famille. Guilhem n'était pas là. Elle s'était interrogée pendant des heures sur cette absence avant d'obtenir une réponse par le facteur, un incorrigible bavard.

— Paraît que, le plus jeune fils Lesage, il est parti avec son épouse sur l'île de la Réunion[1], une de nos colonies dans l'océan Indien. Il n'a pas pu venir enterrer sa mère.

Augustin Loubet avait eu une moue indifférente, mais Angélina s'était sentie soulagée. Des milliers de kilomètres la séparaient de son ancien amant, et cela la confortait dans sa décision de l'oublier.

1. L'île de la Réunion était une colonie française dès le XVIIe siècle.

« Je vais revoir mon bébé, Guilhem, se dit-elle devant la porte des Sutra. Tu ignores qu'il existe et c'est très bien ainsi. Il m'appartient, à moi seule. Je l'aimerai pour deux… »

Il y avait une autre raison à l'impatience qu'elle avait de tenir enfin Henri dans ses bras. L'avant-veille, elle était retournée sur l'autre rive du Salat afin de prendre des nouvelles de Valentine. N'ayant pas eu la visite de Rosette, elle supposait que sa patiente s'était remise de ses couches. Néanmoins, par acquit de conscience, elle jugeait indispensable de s'en assurer. Mais la masure était vide, le feu, réduit à un tas de cendres humides et froides. La puanteur du lieu l'avait saisie, autant que la disparition de ses occupants.

— Ils ont emporté la paillasse et la tenture, ainsi que la chaise, avait-elle constaté, figée sur place au milieu de la pièce sombre.

Sauveur, qu'elle avait amené, avait longuement reniflé le sol de terre battue avant de sortir et de contourner le bâtiment. Angélina avait suivi l'animal et tous deux s'étaient arrêtés devant un minuscule tertre de terre couvert de neige, flanqué d'une croix faite à l'aide de deux planches.

— Ma petite Angélina, ces gens ont profité de ta bonté ! s'était écrié Augustin lorsqu'elle lui avait confié sa déconvenue. Le mari ne s'est pas mis en quête d'un prêtre, il a guetté ton départ pour enterrer l'enfant lui-même. Ils ont sans doute revendu tout ce que tu leur as donné pour tenter leur chance ailleurs.

Par pudeur, Angélina n'avait pas dit à son père qu'il s'agissait d'un couple incestueux. Le cordonnier refusait d'aborder les sujets à scandale qui heurtaient sa moralité.

La discussion avait donc été close, mais Angélina s'était fait sa propre opinion. De peur d'être dénoncé, l'homme avait filé en entraînant vers une autre ville Valentine, Rosette et les garçons.

Profondément peinée, elle avait décidé de partir pour Biert le plus tôt possible.

— Mademoiselle Loubet ! s'exclama Jeanne Sutra dès qu'elle eut ouvert la porte. Quel froid de loup ! Entrez vite ! Vous êtes en avance, ce mois-ci.

— Un peu, je vous l'accorde, je craignais que l'état de la route empire s'il neige encore.

Déjà, elle cherchait son enfant des yeux. Il dormait au creux d'un berceau en osier garni de chauds lainages.

— Qu'il est beau ! s'extasia-t-elle aussitôt. Un vrai chérubin. Il a profité.

Assise au bord de son lit, Eulalie éclata d'un rire satisfait. Elle reboutonnait son corsage en satin noir.

— J'ai un autre nourrisson, puisque mon Paul est sevré, dit-elle avec un air orgueilleux. Mais vous tracassez pas, Henri tète à sa faim. Et c'est un vorace ! Réveillez-le, vous verrez comme il a de la voix, aussi !

— Non, non, il dort trop bien. Je vous ai apporté des étrennes, mesdames.

Les deux femmes échangèrent un regard ravi. Jeanne s'empressa de nettoyer la table d'un coup de chiffon.

— Asseyez-vous, mademoiselle Loubet, je vous offre le café, pardi ! Et vous pourrez déjeuner chez nous. Sentez un peu ! J'ai préparé des pommes de terre en ragoût, avec des navets et du lard.

— Je paierai ma part, promit Angélina. Je préfère vous laisser des sous plutôt qu'en dépenser à l'auberge.

Angélina exultait. Le simple fait de se retrouver dans la même pièce que son fils suffisait à la rendre euphorique. Elle avait l'impression d'être à bon port, délivrée du manque de son enfant, assurée de le toucher, de l'embrasser. Elle posa devant Eulalie la somme convenue et ouvrit un gros sac en cuir.

— Une bouteille de muscat pour vos maris, annonça-t-elle. Un bocal de foie gras. Et des chocolats fins, fourrés à la ganache.

Elle répétait les paroles exactes de mademoiselle Gersande, quand la vieille demoiselle avait fait l'inventaire des étrennes destinées à Augustin et à la jeune fille.

— Vous nous gâtez, minauda Jeanne Sutra. Avez-vous fait fortune ? Je n'ai pas vu votre mule dehors ; vous êtes venue en diligence ?

— Je travaille dur, coupa Angélina. Mais, ces bonnes choses, je les ai reçues en remerciement de mes services. La grand-mère du petit s'est montrée généreuse. Je lui dis beaucoup de bien de vous, Eulalie, et de vous, Jeanne.

Le feu craquait dans la cheminée, et le fourneau en tôle ronflait. La maison Sutra avait des allures de nid douillet, où flottait l'alléchant fumet du ragoût.

« Mon pitchoun est en sécurité sous ce toit, avec ces femmes, pensa Angélina. Je n'ai pas pu m'approcher de lui encore, mais il va se réveiller et je me pencherai sur son berceau. Mon Dieu, merci ! »

Elle resplendissait. Le reflet des flammes irradiait sa chevelure d'or rouge, soigneusement nattée autour de son front d'une pâleur d'ivoire. Ses prunelles violettes à l'éclat limpide semblaient étinceler. Du bout de ses lèvres au rose subtil, elle forma sans réfléchir un baiser invisible. Fascinées par sa beauté, Jeanne et Eulalie l'observaient, bouche bée.

Un faible cri mit fin au silence. Henri pleurait.

— Prenez-le donc, mademoiselle, dit la nourrice. Il n'a pas faim ; seulement, il réclame de l'attention, ce petit monsieur.

Un instant plus tard, Angélina soulevait son fils, emmailloté des pieds à la tête. Le bébé pesait contre sa poitrine. Elle le fixait d'un air ébloui, toute tremblante de bonheur, en détaillant ses traits ronds, le duvet brun de son crâne, le dessin des sourcils, la forme du nez. L'enfant la regardait également.

— Il est magnifique, murmura-t-elle. Un beau poupon ! Oh ! il me sourit !

Sur ses joues, des larmes coulaient dont elle ignorait la lente progression. Elle embrassa son fils à plusieurs reprises tout en le berçant. Eulalie avait failli répliquer que le petit Henri lui souriait souvent, mais elle avait préféré se taire. La scène à laquelle sa mère et elle assistaient confirmait le vague soupçon qui lui était venu à l'esprit auparavant.

« On dirait qu'elle l'aime comme si c'était le sien ! pensa la nourrice. Maman avait raison : mademoiselle Loubet a dû fauter, toute fière qu'elle est. »

6

Jours d'été

Village de Biert, 17 août 1879

Au fil des visites d'Angélina Loubet, Jeanne et
Eulalie avaient acquis la certitude que le petit Henri était
bel et bien son enfant. Cependant, durant plus de six
mois, elles ne firent aucune allusion, aucune remarque
dans ce sens. La jeune fille payait à dates fixes la somme
convenue et se montrait généreuse autant que serviable.
Elle avait confectionné une blouse en cotonnade fleurie
pour la nourrice et, souvent, elle apportait à la famille
Sutra de menus cadeaux, les friandises ou les babioles
que mademoiselle Gersande persistait à lui offrir.

— Ce ne sont pas nos affaires, disait Jeanne Sutra.
Un sou est un sou. Angélina Loubet est plus à plaindre
qu'à blâmer. Un gars a dû lui faire tourner la tête un soir
de bal et disparaître ensuite.

— Je ne dis pas le contraire, mère, mais je donne
mon lait à un bâtard. Va savoir s'il est vraiment baptisé,
ce petit !

— D'abord, ton lait, tu le donnes pas, tu le vends,
la coupait Jeanne. J'étais nourrice, moi aussi, et, crois-
moi, ça nous a aidés, ton père et moi. Sans l'argent que

je gagnais, nous n'aurions pas acheté cette maison ni le fourneau à bois qui est si pratique pour cuisiner.

Angélina ignorait qu'elle s'était trahie elle-même, ce matin de janvier où elle avait laissé libre cours à l'amour maternel dont elle débordait. Dès qu'elle franchissait le seuil de la maison Sutra, un sourire fleurissait sur ses lèvres, son regard brillait d'une joie immense, ses gestes devenaient tendres et doux, sa voix trouvait des accents suaves pour parler du nourrisson.

— Il est superbe ! Et tellement éveillé ! s'étonnait-elle sans oublier de le couvrir de baisers.

C'était là une conduite de mère privée de son enfant, Eulalie et Jeanne ne pouvaient pas s'y tromper, vu leur expérience en la matière. Cependant, elles étaient assez charitables pour ne pas ébruiter la chose, malgré la soif de ragots qu'avaient les femmes du village, au lavoir. Les grandes lessives de printemps étaient l'occasion d'aiguiser sa langue, et les histoires au parfum de scandale soutenaient l'énergie des ménagères. Les battoirs accéléraient la cadence si par chance quelqu'un de la vallée fournissait une anecdote bien croustillante. Les draps se rinçaient mieux en apprenant qu'une fille avait vu le loup, ou qu'un garçon s'était compromis en maniant le couteau dans une bagarre.

Angélina avait échappé aux bavardages grâce au pouvoir d'une bourse bien remplie. De plus, soucieuse de sa réputation, Eulalie n'avait pas envie de révéler qu'elle allaitait un enfant bâtard. Mais, par cette belle matinée du mois d'août, sa décision était prise : elle ne voulait plus du petit Henri.

— En es-tu sûre ? demanda Jeanne en jetant un coup d'œil inquiet vers la rue. Mademoiselle Loubet ne va pas tarder, mais tu as encore le temps de changer d'avis.

— Ce qui est dit est dit ! Et tu sais bien pourquoi !

Les fenêtres étaient ouvertes, mais Angélina qui approchait n'entendit rien. Elle contemplait avec un vif intérêt un groupe de filles dans un grand pré en contrebas du lavoir. Toutes portaient la coiffe du pays massatois, un triangle de lin plié autour des cheveux et dont la pointe dissimulait la nuque. En corsage blanc sous une veste, elles se livraient toutes à une opération particulière : le broyage du lin. Après avoir drapé d'une nuée bleu ciel les versants sud de la vallée, la plante prodigue avait été fauchée et séchée en gerbes au chaud soleil de juillet. Puis ces gerbes avaient séjourné plusieurs jours dans le ruisseau voisin, jusqu'à présenter un début de décomposition. Maintenant, c'était l'époque de la *bargassado*. Il fallait broyer les fibres des tiges à l'aide d'une longue lame en bois très mince que l'on frottait sur une sorte de table rudimentaire, plantée dans la terre meuble du pré.

Plus tard, pendant l'hiver, sur des rouets sommaires, les femmes se mettraient à filer le lin broyé et séché dans le grenier. Puis les pelotes d'un blanc écru deviendraient des torchons, des draps, des pièces de vêtement. Cette région de montagne où la vie était si rude tirait profit de la culture du lin depuis plus de cent ans.

Angélina assistait à la *bargassado* pour la première fois, bien qu'elle soit déjà venue à Biert avec sa mère, dans son enfance. « Nous venions de temps en temps rendre visite à l'oncle Jean, mais c'était souvent en automne, pour ramener à Saint-Lizier des kilos de châtaignes et quelques champignons. Ou bien c'était la fin de l'hiver », se remémora-t-elle.

Ses prunelles d'améthyste se posèrent sur le roc de Ker, dont les pentes abruptes s'étaient nappées d'une végétation rase vert sombre. Grâce aux feuillages des arbres et aux prairies encore parsemées d'herbe drue, le paysage alentour avait perdu son aspect austère. D'énormes vaches grises, aux cornes effilées, ruminaient au bord de la rivière. Au même instant, les jeunes filles se mirent à chanter :

À ta quenouill' tu as un ruban blanc
Blanc comm' la neige au soleil levant
Belle fileuse, belle fileuse
Qui file du matin au soir
Dis-moi pourquoi
Tourne fuseau, tourne, tourne,
Du matin au soir, tourne, tourne
Il faut un ling' pour habiller
La petite qu'on va baptiser.

« Il doit faire bon vivre ici, se dit encore Angélina. Je me sens en pays connu, à présent. Mais je n'ai jamais revu Luigi. Il a dû quitter la région. »

Elle avait souvent pensé au violoniste qu'elle avait rencontré à la foire de Massat, ce personnage exubérant, voleur et beau parleur. Le souvenir du baiser si délicat qu'ils avaient échangé demeurait en elle, tenace, auréolé de douceur et d'un brin de magie.

« Sans doute qu'il débite des compliments à d'autres filles afin de leur dérober un sou ou un baiser, songeait-elle. Il a su me divertir et me rassurer. Au fond, ce n'était pas un mauvais bougre… »

Mais, dès qu'elle entra chez la nourrice, le musicien fut loin de ses pensées. Tout de suite, elle aperçut Henri, assis dans son berceau, le dos calé par un oreiller. Le bébé, âgé de neuf mois, avait beaucoup changé. Il avait de belles joues rondes et roses, son crâne était couvert d'une fine toison brune et il gazouillait et riait dès qu'on s'occupait de lui. Le mois précédent, Eulalie s'était plainte à Angélina.

— Il est trop dégourdi, ce pitchoun ! L'autre soir, il a failli tomber de son berceau. Il essayait de se mettre debout. En voilà un qui est en avance !

La jeune mère en avait fait des cauchemars, tellement elle redoutait que son fils tombe et se blesse. Elle fut donc soulagée de voir son enfant sagement assis, le dos bien droit.

— Bonjour, mademoiselle Loubet ! s'écria Jeanne qui épluchait rageusement des pommes de terre. Vous prenez toujours la diligence ?

— Oui, c'est pratique et notre mule s'est mise à boiter à la fin de l'hiver. Pauvre bête ! Mon père veut s'en débarrasser, car elle ne nous est plus très utile.

Elle sentait une atmosphère insolite, une tension étrange chez les deux femmes. Inquiète, elle fit l'effort d'engager la discussion, alors qu'elle rêvait de prendre le petit Henri dans ses bras.

— Je me suis arrêtée près du lavoir pour observer le travail de ces jeunes filles dans le pré, commença-t-elle. Ma mère m'avait parlé du broyage du lin dans la vallée.

— Eh oui, c'est pareil chaque année après la récolte, répliqua Jeanne. Dites, mademoiselle, si vous voulez faire manger le petit, sa bouillie est prête. On met de la farine dans du lait de chèvre. Après, il s'en lèche les babines.

— Quoi ? s'écria Angélina. D'abord, un enfant n'a pas de babines, et puis il doit encore être nourri au sein, pas à la bouillie. Je ne suis pas contente du tout !

— J'allaite une petite fille plus fragile que lui, déclara Eulalie sur un ton dur. La mère habite Tarascon et elle paie mieux que vous. De plus, j'attends mon troisième. Je ne peux plus garder le vôtre. Enfin, quand je dis le vôtre, celui de cette dame de Saint-Girons.

Angélina était stupéfaite. Elle comprit immédiatement que la nourrice n'en démordrait pas, mais elle tenta sa chance.

— Nous avions un accord, Eulalie ! Je dois prévenir la grand-mère d'Henri et trouver une autre solution. Il pourrait rester chez vous jusqu'à sa première année, quand même.

— Non, faudra l'emmener la semaine prochaine, ronchonna la nourrice. Si ces gens n'en veulent pas, de ce petit, il ira dans un hospice.

Jeanne scrutait le visage d'Angélina Loubet. Apitoyée par sa détresse, elle s'interposa :

— Moi aussi, je pensais qu'Henri passerait toute l'année ici, mais Eulalie est fatiguée. Son homme a piqué une colère parce qu'elle a fait un malaise, hier. Et la santé d'une nourrice, on la ménage. De plus, elle aura son bébé à nourrir.

— Vous n'avez quand même pas osé sevrer Henri sans m'en parler ? s'indigna Angélina en examinant son enfant.

— Ah ça, non, coupa Eulalie, je le fais téter le matin, rien que le matin. Je suis désolée de vous contrarier, mademoiselle, mais, là, j'peux plus. Après, si vous acceptez que maman s'en occupe, elle lui donnera quatre bouillies par jour à la cuillère. C'est un goulu ; y fait pas de différence avec le sein.

La nouvelle avait tellement pris Angélina de court qu'elle ne réussissait pas à réfléchir. Dans son esprit, c'était le chaos, la panique. « Moi qui comptais le laisser dans cette maison plusieurs mois encore, jusqu'à ses deux ans révolus ! Qui le gardera quand j'irai étudier à Toulouse ? Jamais je ne le confierai à un hospice ni à un orphelinat, non, ça, jamais ! »

D'un geste déterminé, elle souleva Henri et le serra contre elle. Il se mit à rire en essayant d'attraper la cordelette qui nouait son bonnet en calicot blanc. Puis il empoigna une mèche de ses cheveux.

— Petit coquin ! s'exclama-t-elle. Tu en as, de la force !

Elle résista à l'envie de sentir sous ses lèvres la peau satinée de son enfant.

— Jeanne, si vous pouvez le prendre en charge, je pense que sa grand-mère n'y verra pas d'inconvénient. J'espère pour vous que les bouillies ne vont pas lui détraquer le ventre. S'il allait avoir des coliques, le pauvre pitchoun !

— Il ne sera ni le premier ni le dernier, trancha Eulalie en toisant Angélina d'un regard envieux.

La nourrice aurait été bien en peine de dire quand elle avait cédé à une jalousie irraisonnée à l'égard de mademoiselle Loubet. Peut-être était-ce dû à un commentaire flatteur de son mari qui avait croisé la jeune fille pendant sa visite de juillet, ou bien estimait-elle cette citadine trop élégante, trop fière. Renfermée sur son ressentiment, elle avait refusé de s'en expliquer. Ce jour-là encore, elle détaillait la jupe en serge brune d'Angélina d'une coupe impeccable, ainsi que la ceinture en cuir qui marquait la taille fine et souple. Le corsage en soie rose brodé de fleurs lui paraissait également magnifique.

« Ma parole, pour être aussi bien habillée, elle est entretenue par un monsieur, se disait-elle. Pardi, bientôt, elle aura un autre gosse à placer. »

Angélina était aussi trop jolie, avec sa petite coiffe immaculée, ses yeux violets et ses traits délicats.

— Reposez Henri, vous allez l'agacer à le tripoter, ajouta Eulalie. Il faut qu'il dorme.

La jeune fille eut l'impression de recevoir une claque en pleine figure. Désemparée, elle secoua la tête.

— Je le coucherai s'il pleure, protesta-t-elle. Un enfant doit s'amuser. Qu'est-ce que je vous ai fait, à la fin ? Je suis payée pour veiller sur ce petit, et je n'ai pas d'ordres à recevoir de vous, Eulalie.

Une querelle couvait, mais des coups frappés à la porte firent diversion. Un homme entra aussitôt. Sa stature imposante se dessina à contre-jour. Il ôta son large béret noir et un rayon de soleil irradia ses cheveux roux.

— Et alors, Angélina ! Tu viens à Biert sans saluer ton oncle ? Tu n'as pas d'assez bonnes jambes pour monter à Encenou ?

— Oncle Jean !

— Eh oui, l'oncle Jean ! J'étais assis à la terrasse de l'auberge quand tu es descendue de la diligence. Et mademoiselle ma nièce avait le nez en l'air, comme à son habitude. Une bonne âme m'a dit que tu devais être chez les Sutra.

Les joues rouges de confusion, Angélina reposa Henri dans le berceau pour embrasser son parrain. Il lui tapota le dos.

— Jeanne, bien le bonjour. À toi aussi, Eulalie. Je ne dérange pas ?

Jean Bonzom mesurait plus d'un mètre quatre-vingts et c'était un vrai colosse. Sa sœur, Adrienne Loubet, affirmait qu'Angélina avait hérité de sa chevelure rousse, mais avec des nuances plus sombres. En dépit de son anticléricalisme acharné, c'était un personnage respecté dans la paroisse.

— Que fais-tu là, ma nièce ? interrogea-t-il.

— Une famille de Saint-Girons me paie pour venir tous les mois prendre des nouvelles de cet enfant, répondit-elle en désignant Henri. La mère a eu des couches difficiles ; elle ne peut pas se déplacer. Une descente de matrice, ce qui est très handicapant.

Pour évoquer cette complication médicale, Angélina s'était exprimée d'une voix aux intonations discrètes, mais fermes cependant, telle une costosida. Son oncle hocha la tête d'un air navré. Il avait toujours respecté le savoir et l'intelligence de sa sœur Adrienne. Cependant, ces histoires d'accouchement le gênaient.

— Je t'invite à déjeuner, dit-il pour changer de sujet. Ce midi, la patronne de l'auberge sert des haricots, une bonne *mounjétado*[1] ! Ne discute pas, tu n'as que la peau sur les os.

Il lui pinça une joue en riant. C'était un gros rire rocailleux, pareil à un coup de tonnerre. Effrayé, le petit Henri se mit à pleurer.

— Oh ! pauvre pitchoun, tu lui as fait peur, mon oncle !

— Peur ! Et puis quoi encore ? Vous l'entendez, madame Sutra ? Faire peur, moi ? Je voudrais bien en être capable ! Surtout à ces saletés de loups ! Cet hiver, ils

1. Plat pyrénéen à base de haricots, de lard et de légumes.

m'ont emporté deux brebis et ils ont égorgé ma chienne. Il me reste son fils. Je lui ai mis un collier à pointes que le bourrelier de Massat m'a vendu la peau du cul.

— Oh ! Monsieur Bonzom, c'est grossier, ça ! s'esclaffa Jeanne. Heureusement que mes petits-enfants sont aux champs avec mon gendre !

Angélina ne savait pas comment échapper à la compagnie de son oncle. Si elle déjeunait avec lui, elle perdrait au moins deux heures. Il remettait déjà son béret.

— Je t'attends à l'auberge, ma nièce ! Tu viens ? Si tu viens pas, ça me coupera pas l'appétit. Mesdames, à la prochaine !

Jean Bonzom les salua et sortit. Eulalie déboutonna aussitôt son corsage et se pencha sur un lit en bois calé près du bahut. Elle prit dans ses bras un bébé emmailloté qui dormait encore. C'était une petite fille de sept mois, très menue. La nourrice la mit au sein après lui avoir tapoté le dos.

— Si je la réveille pas, elle mange pas, expliqua-t-elle.

— Oui, ça c'est vrai, renchérit Jeanne. On a dû aller chercher le docteur trois fois le mois dernier. Les parents nous ont remboursé les frais, ce sont des gens à l'aise.

Angélina ne les écoutait plus. Elle admirait son fils qui agitait avec frénésie le hochet qu'elle venait de lui donner. C'était un jouet bon marché en bois tendre.

— C'est un cadeau de sa grand-mère, ce hochet, dit-elle d'une voix neutre.

— Et pourquoi elle ne lui rend pas visite, à son petit-fils, cette dame ? demanda Eulalie, agacée. L'hiver, je dis pas, il ne fait pas bon voyager dans les gorges de Peyremale, mais nous avons un bel été, pas trop de mouches, un peu d'air…

— L'été, il est fini, coupa sa mère. *À la mièïch aoust, la tèrro qu'èï glaço !* comme disent les anciens. À la mi-août, la terre se refroidit !

— Raison de plus, insista Eulalie. Si on s'entend pour sevrer Henri, vous devriez exiger que cette dame vous accompagne le mois prochain.

— Je ne crois pas que ce sera possible, rétorqua Angélina, très mal à l'aise.

— Et voilà où le bât blesse ! s'enflamma la nourrice. C'est louche, votre affaire. Ma mère ne dit rien, mais elle est de mon avis. D'habitude, quand on prend un petit, on a la visite des parents au moins une fois, par politesse. Je ne vais pas tourner longtemps autour du pot, mademoiselle Loubet. Henri, on le gardera encore si sa grand-mère se présente chez nous avec l'acte de baptême. Nous sommes des honnêtes femmes, maman et moi. Et, pour être franche, même mon mari s'inquiète. Il a du flair, Prosper. Comme il dit : « On ne sait pas d'où il sort, ce gamin ! »

Angélina se sentit prise au piège. Elle aurait peut-être pu se tirer de ce mauvais pas en avouant la vérité et en implorant la compassion de l'irascible Eulalie, mais c'était au-dessus de ses forces.

— Vous ne respectez pas votre engagement, dit-elle d'un ton sec. J'ai choisi de vous confier cet enfant parce que ma mère vous estimait, toutes les deux. Je suis très déçue.

Ces mots touchèrent Jeanne Sutra qui revit aussitôt Adrienne Loubet, toujours digne et douce. La costo-sida la plus réputée de tout le Couserans[1], une personne loyale, pieuse, dévouée.

1. Région d'Ariège englobant la vallée de Massat et la plaine de Saint-Girons, la ville de Saint-Lizier et les vallées voisines.

— Nous aussi, on vous a fait confiance en souvenir de votre maman, déclara-t-elle. Mais faut comprendre Eulalie. Elle a le droit de vouloir être en règle, si jamais la gendarmerie vient fourrer son nez chez nous. C'est déjà arrivé une fois, mademoiselle Loubet, qu'un pitchoun de Massat avait disparu.

— Bien, je ferai le nécessaire, affirma Angélina.

Les larmes aux yeux, elle prit son sac et jeta un dernier regard à son fils. La journée était gâchée. Elle se sentait incapable de rester près d'Henri dans ces conditions, sous l'œil suspicieux de la nourrice.

— Au revoir, mesdames ! Je vais déjeuner à l'auberge avec mon oncle.

— Vous deviez donner sa bouillie au petit ! protesta Jeanne.

— Faites-le, vous êtes payée pour ça, rétorqua Angélina en sortant.

Son cœur battait à tout rompre. Elle marcha jusqu'au lavoir, désert à cette heure-ci, et plongea ses mains dans l'eau glacée.

« Mon Dieu, je suis perdue ! songea-t-elle, terrassée par ce nouveau coup du sort. Je n'ai plus qu'à trouver une autre nourrice. Mais qui ? Et où ? »

Elle s'apaisa peu à peu, certaine de dénicher une femme sérieuse en interrogeant un des docteurs de Saint-Girons, les mieux placés pour connaître ce corps de métier. « Au fond, cela me simplifiera les choses. Je n'aurai plus à faire ce trajet tous les mois et je dépenserai moins d'argent. Si j'avais pu prévoir le sale tour que me jouerait Eulalie ! » Elle enrageait intérieurement.

Le pré où avait lieu la *bargassado* peu auparavant était étrangement silencieux. Les broyeuses de lin devaient être rentrées pour le repas de midi. Leurs instruments, eux, semblaient les attendre, ainsi que les tas de tiges brunies par leur long séjour dans le ruisseau. Un grand calme régnait sur le village.

Jean Bonzom fut surpris de voir sa nièce approcher de la terrasse de l'auberge. Il s'était installé à l'ombre et sirotait un verre de vin.

— Angélina, ça me fait plaisir ! s'écria-t-il avec un bon sourire. Je pensais que tu préférerais manger avec ces dames Sutra. Petite, viens faire un brin de causette avec moi.

Il lui servit de l'eau fraîche qu'elle but paupières mi-closes, car elle était assoiffée et n'avait pas osé boire au lavoir.

— Et alors ? demanda-t-il d'une voix forte. Donne-moi des nouvelles de la ville. Comment va ton père ?

— Papa a dû s'acheter des lunettes ; sa vue a beaucoup baissé. Mais il a de l'ouvrage. Certains clients montent rue Maubec depuis Saint-Girons, prétextant que c'est le meilleur cordonnier du pays.

— Augustin m'a envoyé ses vœux au début de l'année, mais je n'ai pas répondu. Ton oncle et le gribouillage, c'est zéro. J'ai trop de travail là-haut !

Il désigna d'un mouvement de tête les hauts murs de l'église derrière lesquels se cachait la route empierrée qui grimpait jusqu'à Encenou, entre des hêtres centenaires et des pans de roche.

— Et tante Ursule, elle ne s'ennuie pas, dans vos solitudes ? interrogea Angélina.

— Dis, tu en as, des idées, toi ! s'esclaffa Jean Bonzom. J'en ai connu de pires, des solitudes ! Le hameau s'est agrandi en quelques années. Nous avons des voisins. Ursule s'y plaît. Et puis tous les jeudis, je l'emmène au marché à Massat.

Le couple n'avait pas eu d'enfants. Angélina ne savait pas très bien pour quelle raison.

— Et combien as-tu de brebis ?

— Une quinzaine, et quatre jeunes. Mais faut batailler contre les loups, l'hiver. Ces bêtes du diable grattent à la porte de la bergerie, et le troupeau prend peur. Dis-moi, Angélina, un sacré couillon du village, Alcide, m'a raconté qu'il t'avait vue sur la place, au mois de décembre, et que tu étais suivie d'un beau pastour… Est-ce vrai, petite ? Un gars qui a craché en direction du chien, ça te rappelle rien ?

— Oh si ! affirma-t-elle, vaguement inquiète. Ce pastour, il m'a adoptée et non le contraire, mon oncle. J'ai su ensuite que son maître était un fidèle petchet mort à l'automne.

— Tu m'évites des discours ; ça m'aurait usé la langue de t'expliquer d'où sortait cet animal. Dis, Angélina, tu l'as encore, ce chien ?

Elle souffla un oui inaudible. Jean Bonzom lui attrapa la main droite et l'étreignit.

— Faut me l'amener, petite, j'en ai besoin ! déclara-t-il. Y a pas meilleur chien de berger que lui. En face, à Bernedo, il s'est battu contre un ours et il l'a mis en fuite. Un pastour dans la cité, c'est du gâchis. Eh ! Angélina, tu vas me le donner ?

La jeune fille était au supplice. Elle aurait voulu accepter afin de satisfaire son oncle, mais elle s'était attachée à Sauveur.

— Papa l'aime bien, et moi, je l'aime encore plus. Il sert de gardien dans notre cour.

— Qu'est-ce que tu me chantes ? Depuis quand aime-t-on une bête, ma nièce ? Les chiens, ils doivent se rendre utiles, ainsi que les chevaux, les mules, les chats. Y a pas à faire du sentiment. Tiens, écoute donc ! En échange du pastour, tu auras un sac rempli avec mes légumes : des carottes, des navets, des choux.

La serveuse leur apporta deux assiettes fumantes de *mounjétado*. Angélina fit semblant de réfléchir, le temps de goûter au plat. C'était chaud, parfumé, onctueux.

— Adrienne, petite fille, elle aurait mangé que ça, de la *mounjétado* ! fit remarquer l'oncle Jean. Elle était gourmande.

Ses yeux sombres se voilèrent un instant. Il avait beaucoup pleuré sa sœur.

— Vois-tu, Angélina, depuis la mort de ta mère, j'y crois plus à leur bon Dieu. Adrienne, elle savait faire que le bien, elle était tellement gentille. Dommage aussi que tes frères n'aient pas vécu. Plus tard, ils auraient eu mes parcelles d'Encenou, et aussi la maison. Tout te reviendra, ma nièce, tout. La maison donc, les pâtures, dix ares de beaux chênes, et une source. Augustin et toi, vous devriez venir nous rendre visite avant l'hiver. Ursule serait bien contente.

« Tout me reviendra… se répéta Angélina. Je n'y avais pas songé. Bah, je serai vieille ; oncle Jean finira centenaire, il a une santé de fer. Si Henri n'était pas un enfant illégitime, il aurait droit à l'affection de sa famille. Ursule le ferait sauter sur ses genoux. Seigneur, j'ai condamné mon fils au déshonneur. »

Une fois encore, elle se surprit à maudire Guilhem Lesage. Désormais, c'était un ennemi, le symbole de l'homme égoïste et sans scrupule, de ceux qui séduisent une fille et l'abandonnent sur de belles paroles mensongères.

— Tu ne manges pas ? s'étonna Jean Bonzom. Ne te tracasse pas pour le chien, Angélina. Si tu ne veux pas, je comprends.

— Le pastour me protège, avoua-t-elle. Le bourrelier de la rue principale, à Saint-Girons, Blaise Seguin, me tourne autour. Un matin, j'ai cru qu'il allait m'embrasser. Le chien m'a défendue. Et, la dernière fois que j'ai croisé ce sale ivrogne, j'avais Sauveur sur les talons. Il a grogné aussitôt. Je suis bien tranquille.

— Sauveur ? Tu lui as donné ce nom-là ?

— Oui, puisqu'il m'a sauvée des avances de Blaise !

Son oncle partit d'un grand éclat de rire. Haletant, il tapa du poing sur la table en fer. Les assiettes tressautèrent et un verre se renversa.

— Pourquoi pas le Messie, alors ? renchérit-il en riant plus fort. Tu es drôle, toi. Va, garde ton pastour. S'il veille sur ta vertu, je le bénis. J'y tiens, moi, Jean Bonzom, à ta vertu. C'est que tu es devenue belle à damner un saint, ma nièce !

Angélina parvint à rire elle aussi, malgré l'angoisse qui la tenaillait. Sans cesse, le joli visage de son petit Henri traversait son esprit.

Le repas s'éternisa. Jean Bonzom commanda du fromage et un autre pichet de vin. Ensuite, il bourra sa pipe.

— Tu repars en diligence ? s'enquit-il en tirant une première bouffée.

— Oui, c'est plus commode ; et notre mule boite, la pauvre.

— Alors, j'attendrai avec toi.

— Ce n'est pas la peine, mon oncle. Tu as du chemin à faire pour remonter à Encenou. Et je voulais aller prier.

— Fichtre, serais-tu bigote ? Dans ce cas, je te laisse honorer saint Bourtoulou[1] ! Tu diras bien bonjour à ton père, Angélina.

Dix minutes plus tard, elle se retrouvait seule dans la pénombre fraîche de l'église dédiée à Saint-Barthélemy. Les habitants de Biert avaient la réputation d'être très pieux, et cela depuis des siècles. De nombreuses croix dressées dans le village en témoignaient. Assise sur l'un des bancs, Angélina contemplait d'un regard absent les statues des saints, peints en couleurs pastel. Petite, elle aimait surtout la représentation de sainte Germaine avec son tablier rempli de roses. « La patronne des bergers, des faibles, des malades... songea-t-elle. Maman me parlait souvent d'elle. »

Des bribes de phrases lui revinrent, empreintes d'une aura de merveilleux. « Germaine Cousin[2] – c'était son nom – a beaucoup souffert et elle est morte toute jeune, à vingt-deux ans, racontait Adrienne Loubet. Sais-tu pourquoi on la représente ainsi, ouvrant son tablier plein de fleurs, mon Angélina ? Peu après le décès de sa mère, son père s'est remarié. Mais sa marâtre ne l'aimait pas et elle cherchait sans cesse à la prendre en défaut. Un jour, elle l'accuse d'avoir volé du pain pour se donner prétexte à la frapper. Elle la rattrape et lui fait ouvrir son tablier, mais il ne contient qu'une brassée de roses. Même si elle était atteinte de scrofules, Germaine avait persuadé son père de lui faire garder les moutons, pour avoir la chance

1. Saint-Barthélemy, en patois occitan.
2. Germaine Cousin (1579-1601), dite sainte Germaine de Pibrac, du nom de son village natal, vierge et sainte catholique fêtée le 15 juin.

de prier tout son content en pleine nature. Vraiment, elle était d'une grande piété. Aussi, des années après sa mort, lorsqu'on ouvrit son cercueil, elle semblait dormir. Son corps ne s'était pas altéré, ni les fleurs qu'elle tenait sur son cœur. On lui attribue beaucoup de miracles, tant de son vivant qu'après sa mort. »

— Un miracle, il en faudrait un ! supplia Angélina en fixant la statue de la sainte.

Elle se mit à genoux et pria de toute son âme.

Saint-Lizier, le lendemain, 18 août 1879

Angélina avait très mal dormi. Une partie de la nuit, elle s'était posé des questions sur l'avenir de son enfant. Les exigences d'Eulalie lui faisaient l'effet d'un odieux chantage, même si elle admettait le bien-fondé des soupçons de la nourrice.

« Je ne peux pas fournir un acte de baptême ni demander à quiconque de jouer le rôle de la grand-mère ! » se disait-elle.

Dès le lever du jour, elle était sortie sans bruit pour marcher jusqu'au cimetière. Elle voulait se recueillir sur la tombe de sa mère, un modeste tertre de terre flanqué d'une croix en bois.

C'était un matin d'une suavité exquise. Le ciel se parait de bleu lavande, orné de nuages roses auréolés d'or. Les oiseaux chantaient à tue-tête dans les halliers voisins.

— Maman, il règne une telle paix, ici ! murmura Angélina en déposant au pied de la croix un bouquet de petites fleurs d'un rouge intense. Je t'apporte tes fleurs préférées, les dahlias que tu avais plantés il y a trois ans. Regarde comme ils sont beaux ! Ton rosier jaune est un enchantement ; je crois que papa a su le tailler cet hiver, pas aussi bien que toi, mais presque. Maman, si tu me vois, tu dois être déçue. Je voulais être parfaite, suivre ton exemple, et j'ai péché, j'ai menti, je me suis offerte à un homme qui m'a trahie.

La voix tremblante, elle ajouta plus bas :

— Maman, pardonne-moi ! Je croyais que Guilhem me demanderait en mariage. Je voudrais tant que tu sois là ! Je me sens si seule, je ne peux compter sur personne !

Profondément découragée, elle se signa avant de caresser le bois de la croix qu'Augustin Loubet avait tenu à peindre en blanc. Il y avait gravé le nom de sa femme avec un poinçon effilé : « Adrienne Loubet » et deux dates sous ce patronyme : « 1832-1877 ».

— Maman, hier, j'ai revu oncle Jean, à Biert. Et j'ai eu honte quand il a parlé de ma vertu. Toi aussi, tu as peut-être honte de ta fille !

Des pas énergiques firent crisser les gravillons de l'allée centrale. Angélina se tut immédiatement. Elle craignait toujours de se trouver confrontée à un membre de la famille Lesage. Mais c'était le fossoyeur, une pelle sur l'épaule. Il la salua en soulevant d'un doigt son chapeau de paille.

— Beau temps, mademoiselle Loubet ! lui cria-t-il.

— Oui, beau temps, répliqua-t-elle, soulagée.

Le pastour l'attendait devant la grille. Elle le gratta au sommet du crâne et rebroussa chemin.

— Sauveur, viens, la promenade est terminée.

Escortée du chien, elle marcha sans hâte vers la cité en longeant les vestiges des remparts. L'ancien palais des Évêques lui apparut bientôt, colossal, austère, jetant son ombre sur la maison à colombages des chanoines, à l'angle de la rue Maubec. Une brise tiède, chargée du parfum subtil des roses qui abondaient en cette fin d'été, soufflait sur le plateau.

« Si je pouvais revenir en arrière, remonter le temps ! pensa Angélina, prise d'une terrible envie de pleurer. J'ouvrirais le portail de notre cour et je verrais maman occupée à étendre son linge. Papa serait dans son atelier, sans lunettes sur le nez, et il chanterait en travaillant comme avant. Et moi, je serais neuve, aucun homme ne m'aurait touchée et fait un enfant, un pauvre petit garçon sans nom qui n'a que moi sur terre. »

Sa jeunesse avide de joie et d'insouciance s'accordait mal au sourd chagrin qui la rongeait.

— Angélina ! appela une voix familière.

Octavie débouchait d'une ruelle transversale, un panier à la main. Très souriante, la domestique lui fit signe.

— Ne te sauve pas. Je t'apportais des pommes, nous en avons trop. Mademoiselle a pensé que cela te ferait plaisir. Et elle voudrait te voir le plus vite possible. Il serait question d'une robe en velours pour cet automne. Tu la connais ! Toujours impatiente !

Angélina vit là une distraction inespérée.

— Dans ce cas, je vais prévenir mon père et j'arrive. Merci pour les pommes, elles sont superbes.

— Et délicieuses. Tu peux les cuire en compote, elles fondent toutes seules, conseilla Octavie. À tout de suite, alors !

Une demi-heure plus tard, Angélina entrait chez Gersande de Besnac, qu'elle n'avait pas vue depuis une bonne semaine. La vieille demoiselle la reçut avec un sourire pincé.

— Bonjour, petite, dit-elle un peu sèchement.

— Bonjour, et merci pour le panier de pommes. Mon père était très content, assura Angélina, alertée par la mine sérieuse de son amie.

Gersande avait encore sur les cheveux un large bonnet de nuit à volants et elle portait un peignoir en satinette bleue.

— Vous n'êtes pas souffrante ? s'inquiéta la jeune fille.

— Non. Je te ferai remarquer que tu viens rarement aussi tôt le matin. Je m'habille vers onze heures.

— Mais Octavie m'a dit de venir sans tarder !

— Je sais. Je voulais te parler, Angélina, et cela ne pouvait plus attendre. Je suis fâchée, voilà !

— Contre qui ?

— Devine un peu ! s'écria la vieille demoiselle. Contre toi ! Tu vas m'écouter et ensuite tu me diras la vérité. Ne fais pas cette mine, tu n'es pas au tribunal.

Jamais Gersande n'avait eu ce ton froid à son égard. Angélina scruta ses traits délicats en cherchant ce qui avait pu l'irriter ainsi.

— En quoi vous ai-je déplu ? demanda-t-elle tout bas, au bord des larmes. Si je perds votre amitié, je n'aurai plus rien à quoi me raccrocher. Chaque fois que j'entre ici, j'ai l'impression d'être à l'abri, dans un havre de paix et de beauté. Je vous dois tant !

— Tu ne me dois rien du tout, la coupa Gersande de Besnac. Je m'ennuierais à mourir dans ce pays si je ne t'avais pas prise sous mon aile. Pendant des années, tu as été mon rayon de soleil, mais, là, je suis contrariée. Angélina, sois franche ! Pourquoi vas-tu à Biert tous les mois ? En diligence, n'est-ce pas ?

Elle se mit d'abord à rougir, puis elle devint livide. Affolée, elle évita le regard perçant de la vieille demoiselle.

— Tu pourrais me répondre que cela ne me concerne pas et tu aurais raison, dit Gersande, radoucie. Je l'ai appris avant-hier par le plus grand des hasards, en discutant avec le frère du pasteur, à la sortie du temple. Ce monsieur, un peu plus âgé que moi et fort respectable, se rend à Massat fréquemment, où il a une parente. Bien sûr, il prend la diligence. Quand il m'a parlé d'une ravissante jeune fille aux yeux couleur de violette et aux cheveux d'un roux magnifique avec qui il a voyagé plusieurs fois, je t'ai reconnue sans peine. Enfin, Angélina, tu sais à quel point je suis curieuse ! Tes faits et gestes m'intéressent. Tu me confies tant de choses, d'habitude. Cet hiver, rappelle-toi, le jour de l'Épiphanie, tu m'as raconté ta rencontre avec Rosette et les couches tragiques de sa sœur aînée. Le lendemain de Pâques, tu m'as décrit par le menu ton expédition à Saint-Gaudens, avec ton père qui devait s'approvisionner en cuir. Ah ! J'oubliais… Au mois de mai, j'ai eu droit au récit complet du mariage de ta cousine Léa. Alors, découvrir que tu prends souvent la diligence et que tu descends à Biert, un village un peu avant Massat, cela m'a fâchée. Je veux tout savoir, petite !

Terrassée, Angélina gardait la tête basse. Elle s'en tenait aux paroles seulement, sans percevoir certaines nuances dans les intonations de Gersande. Il fallait mentir encore, inventer une histoire quelconque, mais elle n'en avait plus la force.

— Aurais-tu un amoureux là-bas ? avança la vieille demoiselle. Mais… qu'est-ce que tu as ?

Elle tremblait de tout son corps, les mains jointes sur ses genoux, dans l'attitude d'une pénitente. Après avoir respiré très vite, elle éclata en sanglots d'une violence étonnante.

— Je n'ai rien à vous dire ! hoqueta-t-elle en se levant. Pensez ce que vous voulez !

— Angélina, ne t'en va pas ! s'écria Gersande. Octavie, viens vite !

La domestique accourut juste à temps pour retenir la fugitive toujours en larmes et qui, en dépit de toute logique, se réfugia dans ses bras. Là, elle se mit à gémir, pareille à une enfant terrifiée.

— Dieu tout-puissant ! se lamenta la maîtresse des lieux. Je suis désolée, petite, si je t'ai effrayée. Allons, reviens t'asseoir. Octavie, prépare-lui un cordial.

Angélina se laissa conduire jusqu'à un fauteuil. Elle n'arrêtait pas de pleurer ni de trembler. Les deux femmes l'observaient sans comprendre ce qui la bouleversait autant.

— C'est si grave que ça ? interrogea enfin Gersande. Que me caches-tu ? Je croyais que tu avais confiance en moi, ma petite.

— J'ai placé mon fils en nourrice, à Biert, laissa tomber la jeune fille d'un trait. Le fils de Guilhem Lesage. Le fruit du péché, la preuve vivante de mon égarement, de ma naïveté. Un beau petit garçon, né bâtard, baptisé à l'eau de la source, mis au monde sur le sable d'une grotte ! Voilà ! Êtes-vous satisfaite ? Vous aviez tort de m'aimer, de m'offrir votre affection et de me combler de cadeaux. J'en suis indigne et je vous demande pardon. Je vous ai trompée, comme j'ai dupé mon malheureux père. Mais je ne ferai plus de mal à personne, je vais partir avec mon pitchoun, loin, très loin.

Angélina fixait obstinément le sol. Octavie n'osait plus bouger et à peine respirer. Quant à Gersande de Besnac, elle paraissait changée en statue, la bouche à demi ouverte.

« Ainsi j'avais raison, se disait la vieille demoiselle. Mon Dieu, j'aurais dû l'obliger à parler bien avant. »

— Regarde-moi, petite folle ! ordonna-t-elle à voix haute. Angélina, j'ai eu des doutes, à l'automne dernier. Ta silhouette qui change tout à coup, et cet air tragique sur ton visage quand j'ai évoqué la fille abandonnée par ce maudit Guilhem !

La domestique recula à pas lents.

— Je suis de trop, je crois, dit-elle d'une voix douce. Je vous laisse.

— Pas du tout, Octavie. Ce qui se dira ce matin ici, tu peux l'entendre. Mais apporte-nous du café, plutôt qu'un cordial. Le pire est passé. Et toi, Angélina, relève le nez, je n'ai pas à te juger, encore moins à te bannir de mon cœur.

Gersande semblait être en proie à une émotion intense. La jeune fille s'en aperçut en la dévisageant enfin.

— Vraiment, mademoiselle, vous ne me condamnez pas, malgré ce que j'ai fait ? s'étonna-t-elle.

— Le seul qui est à blâmer, s'emporta Gersande, c'est le père de ton enfant. Comment a-t-il osé te voler ton innocence, te promettre le mariage pour disparaître ensuite ? Je peux imaginer ce que tu as enduré, te sachant enceinte. Tu as eu peur, tu as eu honte, tu t'es accusée de légèreté sans toutefois perdre la foi en celui que tu aimais.

— Oui, c'est bien ce que j'ai vécu, soupira Angélina. Mais j'étais fière aussi de porter notre petit, son petit.

J'ai dissimulé mon état à l'aide d'un corset et de vêtements plus amples. Chaque jour, je craignais d'avoir un
malaise. Je me couchais très tôt afin d'ôter ce carcan qui
m'oppressait. Mon père n'a rien vu. Il m'aurait chassée
de la maison. Pour lui, une fille mère est une fille perdue.
À ses yeux, j'aurais sali le nom de sa famille. J'ai donc
eu l'idée de confier mon bébé à une nourrice dont maman
m'avait dit du bien : Eulalie. Sa mère, Jeanne Sutra,
avait été nourrice aussi. Ces femmes habitent à Biert. Je
connaissais l'existence d'une caverne, sur le flanc du roc
de Ker. Les gens de la vallée ne s'y aventurent guère,
à cause des petchets qui enterrent leurs morts là-haut.
Quand la date de la naissance m'a semblé proche, j'ai
préparé du linge, de la layette. Dès que j'ai senti la première contraction, je suis partie, à dos de mule.

Enfin délivrée de son grand secret, elle se montrait
intarissable. Sa vieille amie l'écoutait sans l'inter-
rompre. Ni l'une ni l'autre ne prêtèrent attention au
retour d'Octavie. La domestique servit le café et s'assit
un peu à l'écart.

— Je n'étais même pas inquiète ; je ne pensais plus
qu'à donner la vie à mon bébé, poursuivit Angélina d'un
ton rêveur. Mon premier accouchement, je l'ai pratiqué
sur moi-même.

— Quelle imprudence ! Tu aurais pu en mourir ! J'en
suis toute retournée. Enfin, ma petite, il fallait me dire
ce qui t'arrivait. J'ai de la fortune ; nous aurions trouvé
une solution.

— Je suis vivante et mon fils aussi. Il est magnifique ! Hélas ! le voir une fois par mois, c'est bien peu.
Je n'ai pas eu droit à son premier sourire. J'ai dû mentir

à la nourrice lorsque je lui ai amené Henri. Sotte comme je suis, j'ai dit que c'était un enfant illégitime et maintenant elle n'en veut plus. Hier, elle était furieuse et a été très désagréable avec moi. Si je ne lui fournis pas un acte de baptême, elle refuse de l'allaiter. Sa mère, Jeanne, a plaidé sa cause, sous prétexte qu'Eulalie attend son troisième enfant. Je n'en ai pas dormi de la nuit.

C'était un tel soulagement pour Angélina de pouvoir parler de son fils qu'à présent elle arborait un sourire ébloui. Gersande de Besnac et Octavie ne la trahiraient pas, elle le savait. Trop peinée encore pour réfléchir, elle s'écria :

— Vous êtes si gentilles, toutes les deux ! Ne vous inquiétez pas, je vais trouver une autre personne de confiance. Cet après-midi, je comptais aller à Saint-Girons pour obtenir des adresses de nourrices chez l'un ou l'autre des docteurs. Je verrai Henri plus souvent et cela me coûtera moins cher.

— Combien donnais-tu à ces femmes de Biert ? s'enquit la domestique. Il y a des voleurs dans tous les métiers.

— Six francs par mois, avoua la jeune fille. Au début, je n'ai pas eu de mal à payer ; Guilhem m'avait laissé une bourse avec de l'argent. J'aurais dû lui jeter son cadeau à la figure ! Avec le recul, j'ai l'impression qu'il a acheté ma discrétion, disons plutôt mes services. N'ayons pas peur des mots.

Gersande devint toute pâle. Elle méprisait la famille Lesage, mais, en apprenant ce détail, elle fut outrée.

— Angélina, je t'ai déjà dit et redit que je me considère comme ta grand-mère ou ta grand-tante, à toi de choisir. Tu as été abusée par un vil séducteur et jamais je ne te condamnerai pour cela. Qui résiste à l'amour ? Je suis peut-être restée vieille fille, mais j'ai aimé. Je me souviens de cette fougue qui nous envahit, de ce cœur palpitant dont on sent la présence, enfin, là.

Elle mit sa main droite sur sa poitrine d'un geste doux. Angélina était stupéfaite. Il ne lui était jamais venu à l'esprit que Gersande de Besnac avait pu être amoureuse dans sa jeunesse.

— Je te plains, ma petite, ajouta la vieille dame. Tu as dû souffrir le martyre, ces derniers mois. Souvent, je percevais ta peine, ta nervosité, mais je préférais ne pas te harceler. Maintenant, je connais la vérité et je t'admire encore plus.

— Oh non, je vous en prie, ne dites pas ça ! protesta Angélina. M'admirer, moi ? J'ai sali la mémoire de maman en cédant à un homme hors des sacrements du mariage et je continue à berner mon pauvre père pour le protéger. S'il savait que j'ai un enfant de Guilhem, il serait furieux, déshonoré. Je n'ai pas le droit de le décevoir. Il est si triste depuis l'accident ! Il faut me croire, Gersande, j'aime et je respecte mon père, et j'ai honte de lui mentir. Mais dès que j'ai tenu mon bébé dans mes bras, plus rien n'a eu d'importance, à part lui, mon pitchoun, mon fils. Henri n'a que moi au monde.

— Tu as bien agi, Angélina ! affirma sa vieille amie. Bien des filles dans ta situation auraient déposé le fruit de leur faute au tourniquet d'un hospice. Tu as fait preuve de beaucoup de courage en prenant la décision de garder ton enfant.

Octavie ne se mêlait pas à la discussion, mais elle adressait cependant des coups d'œil apitoyés à sa patronne, ce qui échappa à Angélina.

— Mademoiselle, buvez donc un peu de café ! proposa-t-elle d'une voix douce. Il est tiède, mais je l'ai sucré à votre goût.

— Ne t'en fais pas pour moi, Octavie, répondit Gersande d'un ton évasif. Je suis plus solide qu'il n'y paraît. Je ne pourrai rien avaler tant que la conversation ne sera pas terminée. Angélina, je tiens à t'aider. As-tu songé à tes études de sage-femme ? Tu seras absente pendant un an. Je suppose qu'en prenant le train tu pourras rentrer de temps en temps, mais ton enfant, qu'en feras-tu ?

— Je me suis rongé les sangs à cause de ça. Sans doute que je devrai payer la nourrice à l'avance, sinon elle serait capable de maltraiter le bébé ! J'aurais préféré qu'il puisse rester chez Jeanne Sutra.

— Il y aurait une bien meilleure solution. Octavie est ma cadette de dix ans. Je pense qu'à nous deux nous serons capables d'élever un bambin. Ici, il ne manquera de rien et tu le verras aussi souvent que tu en auras envie, tous les jours, le matin, le soir… Angélina, cela me réjouirait d'avoir un petit enfant sous mon toit.

— Et ça me plairait bien, renchérit Octavie. Comme je n'ai pas eu le bonheur de pouponner, je mettrai les bouchées doubles pour me rattraper. Nous allons choyer ce chérubin.

Une onde d'exaltation envahit le salon à l'instant précis où le soleil, dans sa course matinale, pénétrait par les fenêtres pour illuminer la pièce d'une vive clarté. Angélina ferma les yeux quelques secondes. Elle croyait rêver.

— Acceptes-tu, petite ? insista Gersande. Si c'est oui, accorde-nous une journée pour dénicher le nécessaire. Des draps, des jouets, une chaise haute…

— Il faut un lit qui se balance garni d'une mousti-quaire, coupa Octavie.

Les deux femmes exultaient, rajeunies. Devant leur enthousiasme, Angélina se remit à pleurer. Mais c'était de joie.

— Vous feriez vraiment ça pour moi ? demanda-t-elle en reniflant. Mademoiselle, vous êtes une fée, ma bonne fée, et toi également, Octavie. Je ne sais pas quoi dire. Enfin, si, je suis d'accord ! Je vous confierais Henri aujourd'hui, si c'était possible. Oh ! mon pitchoun, je vais pouvoir le serrer contre moi chaque jour, le voir grandir et faire ses premiers pas !

Elle se glissa hors du fauteuil et tomba à genoux devant Gersande de Besnac. Elle lui baisa les mains avec un respect infini et une immense tendresse.

— Hier, j'ai prié en espérant un miracle, confia-t-elle. Et voilà, j'ai été exaucée. Merci, ma chère mademoiselle, merci à toi, Octavie.

— Allons, allons ! gronda son amie, très émue. Relève-toi, petite. Nous avons des choses à régler. Hélas ! il faudra sevrer ton fils. Il boira du lait de chèvre ; le père Anselme en vend. Et puisque ton bébé est accoutumé à manger de la bouillie à la cuillère, nous lui en donnerons, cuite à point. Un autre détail qui a son importance : nous devons fournir une histoire qui tient debout aux voisins, aux commères de la cité et à ton père.

— Il suffira de dire à tout le monde que je suis obligée d'élever mon petit neveu pendant quelques années, suggéra la domestique. Certes, c'est encore un mensonge, mais un pieux mensonge. Tenez, je n'ai qu'à accompagner mademoiselle Angélina à Biert et, au retour, nous descendrons d'un fiacre sur la place de la fontaine, comme si nous revenions de la gare. Et là, je servirai ma fable aux curieux.

Tous ces discours étourdissaient Angélina qui riait à travers ses larmes. Elle éprouvait une gratitude immense, sans réussir à l'exprimer à haute voix. Cependant, ses gestes caressants envers ses bienfaitrices et son visage émerveillé étaient assez éloquents.

— Désormais, déclara-t-elle enfin, je travaillerai pour vous sans salaire en retour. Je suis prête à coudre des heures d'affilée et je refuserai la moindre pièce d'un sou. Au fait, vous désiriez une robe pour cet automne. Dites-moi vite ! Je voudrais tant vous rendre au centuple ce que vous m'offrez ! Toi aussi, Octavie, je te ferai un joli corsage.

La vieille demoiselle riposta avec malice :

— Quelle robe ? Petite, c'était une ruse pour t'attirer chez moi et te questionner sur tes mystérieux voyages dans la vallée de Massat. Excuse-moi. Mais tout s'arrange, n'est-ce pas ? Et ne te fais pas d'illusions : si je te donne de l'ouvrage, il te sera payé. Tu as besoin d'argent. Ne me prends pas pour une sainte, je ne suis qu'une égoïste. Ton fils me distraira et je te verrai tous les jours. Il y a autre chose, Angélina. Tu m'as dévoilé ton secret et je devrais t'imiter. Chaque destinée comporte des pages d'ombre. Disons qu'en accueillant Henri je tente de réparer le mal que j'ai fait jadis à un enfant. Un innocent qui n'a pas eu la chance d'avoir une mère à ton image. Mais assez bavardé ! Octavie, prépare-nous du thé, le café est froid.

La domestique se mordit la lèvre inférieure, l'air gêné. Cette fois, Angélina perçut le malaise qui pesait dans le salon. Elle se garda d'interroger Gersande pour en savoir davantage.

« Un jour, sans doute, elle m'en dira plus, songea la jeune fille. Demain, j'irai chercher Henri. Merci, mon Dieu, c'est trop de bonheur ! »

Biert, 19 août 1879

Octavie et Angélina venaient de descendre du fiacre qu'elles avaient loué à Saint-Girons, rue Villefranche. Le cocher les avait aidées à sortir de son véhicule. Il était ravi de l'aubaine, car la course, un aller jusqu'à Biert et le retour, lui rapporterait gros. Il connaissait son métier et s'appliquait avec tous ses clients à déplier le marche-pied et à tenir la portière grande ouverte, surtout quand il s'agissait de dames élégantes dont les robes auraient pu s'accrocher à un rivet ou à la poignée intérieure.

— Attendez-nous ici, près de l'église ! ordonna sèchement la domestique, soucieuse de bien jouer son rôle.

Angélina se détourna, prise d'un rire silencieux. Mademoiselle de Besnac et sa fidèle Octavie ne s'embarrassaient pas de moralité pour parvenir à leurs fins. Gersande avait décidé que sa domestique se ferait passer pour la grand-mère du petit Henri. Elle lui avait prêté un châle en soie et s'était amusée à la coiffer d'un chignon bas sur la nuque, tout ça sous le regard ébahi d'Angélina, qui riait et souriait pour un rien depuis deux jours. Elle évoluait dans un rêve enchanteur, ivre de joie, libérée de toutes ses angoisses, de tous ses tracas. Augustin Loubet s'était d'abord étonné de la bonne humeur de sa fille, puis il s'en était félicité.

« Elle a peut-être rencontré un garçon qui lui plaît. Seigneur, je serais content de la savoir fiancée ! » s'était-il dit.

Il ne lui posait encore aucune question, charmé d'entendre sa fille chanter dans sa chambre, et même dans la cour en balayant les pavés. Taciturne et triste pendant des mois, à présent elle rayonnait ; il n'allait pas s'en plaindre.

— Où loge ta nourrice ? s'enquit Octavie en jetant des coups d'œil perplexes aux alentours.

— Rue du Lavoir, derrière le village. La maison ouvre sur un grand pré, en face du massif des Trois Seigneurs, ce sommet qui domine Massat. Donne-moi ton bras. Je suis si nerveuse que mes jambes en tremblent. Je ne peux pas y croire. Je vais emmener Henri, mon beau pitchoun !

— Pressons le pas. On nous observe. Oui, ces femmes devant l'auberge.

— Une figure inconnue provoque la curiosité, Octavie. Elles causeront de nous jusqu'à ce soir.

— Il faut me dire madame, rappela la domestique. As-tu oublié ? Je suis la grand-mère d'Henri, voyons !

— Désolée, j'ai l'esprit confus et je ne respirerai pas à mon aise tant que je ne tiendrai pas mon fils contre moi !

Il faisait gris, la pluie menaçait, mais Jeanne et Eulalie avaient laissé porte et fenêtres ouvertes. Elles furent médusées en voyant entrer les visiteuses.

— Ben, ça alors ! ronchonna Eulalie en sourdine.

La table était encombrée de pois à écosser et d'une pile de casseroles sales. Des mouches agacées par l'humidité volaient au-dessus des ustensiles. Angélina aperçut la fillette de sept mois, endormie dans un sac en toile suspendu à une poutre. La petite avait le teint jaune et le crâne couvert d'un bonnet crasseux.

— Mademoiselle Loubet ! s'exclama Jeanne. En voilà, des manières, de revenir si vite.

— Nous venons chercher mon petit-fils ! coupa Octavie d'un ton hautain. Emballez son linge ; un fiacre nous attend sur la place.

— Mais…, mais pourquoi donc ? interrogea Jeanne. Je peux le nourrir à la cuillère. Mademoiselle Loubet a dû mal vous expliquer la chose. Je lui avais dit que je m'en occuperais, du petit, et pour moins cher que ma fille : cinq francs le mois.

— Je n'ai plus confiance, ajouta la domestique qui prenait soin de détailler la pièce où régnait un désordre inhabituel. Je n'ai vraiment pas aimé que vous exigiez l'acte de baptême, un document que j'ai confié à mon notaire. Ce n'est pas la peine de discuter. Nous emmenons Henri aujourd'hui.

Angélina, elle, commençait à s'inquiéter de ne pas voir son fils. Rouge de colère, Eulalie marcha vers le lit double dont elle écarta les rideaux.

— Il est là, le petit, dit-elle. Je le détache…

— Comment ça, vous l'avez attaché ! s'écria Angélina. Vous pouvez constater, madame, qu'il était urgent d'enlever votre petit-fils de cet endroit.

Octavie n'avait plus besoin de feindre l'indignation. Très droite, le regard furibond, elle rejoignit Angélina, penchée sur le bébé.

— Pas la peine de pousser de grands cris, grogna la nourrice. Ce gosse, il est intenable. Hein, maman ? J'ai beau l'emmailloter serré, il gigote tant que les bandages se dénouent. Si on l'assoit dans son berceau, il essaie de basculer par terre. Je l'attache pour sa sécurité. Il braille un peu, après il s'endort.

Angélina souleva Henri et l'examina des pieds à la tête. L'enfant se réveilla, battit des paupières et poussa un hurlement de détresse.

— La bouillie lui file la colique ! annonça Jeanne Sutra qui se lamentait intérieurement sur la perte d'un confortable revenu mensuel.

— Je vous avais prévenues, avant-hier, rappela Angélina. Madame, partons vite d'ici.

Octavie approuva. Elle avait hâte de quitter ce village perdu entre des pans de montagne et cette maison sombre qui sentait la suie et la graisse froide.

— Voilà son ballot, dit Eulalie. J'ai mis des vêtements à sécher dans le grenier, vous les voulez quand même ?

— Non, gardez-les, répliqua la prétendue grand-mère d'Henri. Adieu, mesdames.

Angélina se précipita dehors. Il pleuvait. Elle protégea son fils de son châle en fin lainage. Le petit s'était tu et la fixait.

« Mon trésor, mon chéri, mon pitchoun, tu viens avec moi, songeait-elle. Tu ne me connais pas bien, mais je suis ta maman et je t'aime de toute mon âme, de tout mon cœur. »

— Il est magnifique, lui dit la domestique très bas. Et costaud, vigoureux.

Elles couraient presque en longeant la rue du Prat Bésial, où la mairie tendait vers les nuages une modeste tour carrée coiffée d'un toit en poivrière.

— Personne en vue, constata Angélina. Nous pouvons parler plus fort. Oh ! Octavie, mon enfant est là, dans mes bras ! Si tu savais comme je suis heureuse ! Je ne puis exprimer ce que je ressens, c'est au-delà des mots. Merci d'être à mes côtés. Au fait, tu as été une grand-mère remarquable.

— Dieu tout-puissant ! Ces femmes n'en menaient pas large. Et la maison n'était guère reluisante.

— C'est la première fois que je constate du désordre. Nous les avons surprises en arrivant au milieu de l'après-midi. Je t'assure que, d'ordinaire, la pièce est propre. Mais Eulalie a de drôles de pratiques. Attacher ce pauvre petit avec des bandelettes... Enfin, peut-être qu'elle dit vrai. S'il est très remuant et aventureux, j'espère que tu n'auras pas trop de difficultés à le surveiller.

— Ne crains rien, je m'en arrangerai, assura Octavie.

Le cocher patientait sur le siège du fiacre d'où il menait son cheval, un hongre à la robe brune. Dès qu'il vit ses clientes approcher, il sauta de son perchoir afin de les aider à s'installer confortablement dans l'habitacle.

— Ah ! j'ai un petit passager de plus ! s'esclaffa l'homme en découvrant l'enfant à demi caché par le châle. Je parie que c'est un nourrisson qui va retrouver sa famille.

— Oui, vous avez raison, répondit Angélina, radieuse.

Quelques instants plus tard, la voiture s'ébranlait dans un grincement d'essieux.

— Octavie, regarde, c'est le roc de Ker, là, sur notre gauche.

— Seigneur, comment es-tu montée là sans te rompre les os ?

— Il y a un sentier qu'on ne distingue pas de la vallée. Un jour, je reviendrai à Biert, quand Henri sera un grand garçon, et nous irons dans la grotte. Mais il ne saura jamais qu'il y est né une nuit de novembre... et que sa mère était seule, désespérée à l'idée de se séparer de lui.

Elle se tut pour couvrir de légers baisers le front de son enfant.

— Mon pitchoun ! dit-elle dans un souffle.

Une joue nichée dans l'entrebâillement de son corsage, le bébé s'était rendormi. Angélina ne se lassait pas de le contempler. Ce petit corps chaud contre le sien lui offrait un sentiment de plénitude inouï, ineffable. Elle n'était plus qu'amour maternel, dévotion, sérénité. Cela se lisait sur son beau visage apaisé et dans ses prunelles violettes d'un éclat inaccoutumé.

— Tu es heureuse, ça se voit, lui dit Octavie. Ah ! il n'y a pas de pire douleur que d'être privée de son enfant.

La jeune fille scruta les traits ronds de la domestique, marqués de deux profondes rides à la commissure des lèvres.

— Tu as perdu un petit ? s'enquit-elle tout bas. Je ne veux pas être indiscrète, Octavie. Je ne sais rien de ton passé.

— J'ai été mariée, confessa la femme. Mon époux est mort du choléra pendant l'épidémie de 1854. Le fléau a touché la Lozère aussi. À cette époque, j'allaitais ma fille qui avait un an. La maladie me l'a prise, quinze jours après son père.

— Mon Dieu, je suis navrée ! s'écria Angélina en saisissant la main d'Octavie. Comme tu as dû souffrir ! Décidément, je ne suis qu'une écervelée. Je me pensais la plus malheureuse de la terre, mais chacun a son lot de chagrin.

— Ah ! ça, du chagrin, j'en ai eu ! J'ai renié Dieu, j'ai même essayé de me pendre. Sans mademoiselle Gersande, je reposerais au cimetière de Mende, près de mon mari et de ma pitchoune. Il faut avoir vu tous ces cadavres entassés sur des charrettes pour comprendre qu'on puisse perdre la foi. Les docteurs conseillaient de brûler les dépouilles contaminées, mais, au début, les gens refusaient. Ensuite, ils n'ont pas eu le choix. Des familles entières ont été exterminées. Va savoir pourquoi j'ai été épargnée ! Enfin, je suis là, maintenant, et je m'occuperai de ton fils comme si c'était le mien.

— J'en suis certaine, Octavie. Pardonne-moi, je t'ai obligée à évoquer de bien tristes souvenirs !

— Ce n'est pas ta faute, dit gentiment la domestique. Nous en parlons parfois, mademoiselle Gersande et moi. Elle me regarde en hochant la tête et elle s'écrie : « Ah ! ma chère Octavie, te souviens-tu de ce soir d'été où j'ai tranché la corde au bout de laquelle tu te balançais ? » J'étais une jeune lavandière d'une vingtaine d'années et je travaillais pour madame Thérèse de Besnac, une femme dure et autoritaire, qui passait ses journées au temple et lisait la Bible tous les soirs. Mademoiselle était fille unique et elle n'avait pas trouvé d'époux à son goût. Monsieur de Besnac, son père, lui vouait une sorte de haine à cause de ça. Pardi, il aurait souhaité un héritier mâle pour reprendre le flambeau du domaine.

— Elle devait être très jolie, mademoiselle Gersande ! avança Angélina, passionnée par les confidences d'Octavie.

— Une vraie beauté, les cheveux blond très clair, un regard d'azur, menue et vive. Je me demande encore comment elle a réussi à me sauver la vie. J'avais attaché la corde au dernier barreau d'une échelle, dans la grange du domaine, parce qu'après la mort de mon mari et de mon bébé je logeais dans une soupente de l'écurie chez les de Besnac. Mademoiselle m'a trouvée pendue. Il paraît que je me débattais, que je gigotais. Elle a eu du sang-froid, pour grimper à l'échelle une faucille à la main et couper la corde. Mieux encore, elle me retenait par un bras, ce qui a amorti ma chute deux mètres plus bas, sur la paille. Quand elle a défait le nœud coulant et que j'ai pu respirer, j'ai su que mon heure n'était pas venue, que j'allais vivre encore longtemps. Nous ne nous sommes plus quittées. Mademoiselle m'a engagée comme chambrière. Elle m'a appris à lire et à écrire. Un soir, elle m'a confié qu'elle avait vécu un grand malheur.

— Un grand malheur ? répéta Angélina, intriguée. S'agit-il de cet enfant dont elle parlait, à qui elle aurait fait du mal ?

La domestique sursauta et considéra Angélina avec un début d'affolement.

— Quelle vieille pie je suis ! ronchonna-t-elle. Si je n'ai pas d'ouvrage, je jacasse à tort et à travers.

Le fiacre traversait le village de Castet-d'Aleu. Le cocher avait mis son cheval au pas. Angélina avait compris qu'Octavie regrettait ses bavardages et elle changea de sujet. Sûrement, un jour, sa chère mademoiselle Gersande lui dévoilerait quelques pages de son mystérieux passé.

— Voici l'auberge où je dormais, dit-elle en désignant la façade d'une maison aux volets jaunes. La diligence fait halte ici, bien souvent. Au printemps, j'ai eu l'occasion de sortir de la voiture. La glycine qui couvre la terrasse était toute fleurie et embaumait l'air environnant d'un parfum délicieux… Chaque fois que je faisais le voyage, j'étais malade d'impatience à l'idée de revoir mon fils. Mais, au retour, j'avais envie de pleurer.

Peut-être sensible au changement d'allure du fiacre, Henri ouvrit les yeux et poussa un petit cri. Aussitôt, Angélina se pencha sur lui en souriant.

231

— Mon trésor, mon câlin ! N'aie pas peur, ta maman est là.

Elle le tenait assis sur ses genoux. L'enfant ne la quittait pas des yeux. Soudain, il lui rendit son sourire en exhibant quatre petites incisives nacrées.

— Octavie, vois un peu ces mignonnes quenottes ! s'extasia-t-elle.

— Je vois surtout comment il te fixe, répliqua la domestique. Les petiots, ils ont de l'instinct. Il sent que tu es sa mère.

— Crois-tu ? demanda Angélina. Tant pis, même si je suis encore une inconnue pour lui, il m'a souri et il n'a pas l'air effarouché ni inquiet. Bientôt, il m'appellera maman.

— Hélas ! non, ma pauvre petite ! Henri va grandir dans la cité. Nous le promènerons. Plus tard, il jouera sur la place avec les autres garçons. Si tu veux garder le secret de son identité, il faudra te présenter à lui par ton prénom quand il commencera à dire ses premiers mots.

Un peu déçue, la jeune fille se résigna vite. Au fond, était-ce si important ? Son fils serait choyé et élevé dans l'opulence. Il n'aurait jamais faim ni froid et, quant à l'amour, il en recevrait tant que sa jeune existence ressemblerait à un beau chemin ensoleillé, semé de pétales de roses, sans ornières ni épines.

Cet après-midi d'août 1879, elle s'en souviendrait sa vie durant.

7

Loin des montagnes

Gare de Saint-Lizier, 3 janvier 1880

La locomotive s'ébranla en rejetant un gros panache de fumée, tandis qu'un sifflement interminable résonnait dans l'air glacé. Le train quittait la gare de Saint-Lizier, établie sur une des berges du Salat.

Debout dans le couloir, Angélina regardait avec un sourire tremblant un petit garçon de treize mois qui agitait encore la main pour dire au revoir. Blotti dans les bras d'Octavie, Henri paraissait tout joyeux. Le spectacle des wagons et les bruits de ferraille lui plaisaient beaucoup. Il avait des cheveux bruns légèrement ondulés qui frôlaient la naissance de son cou. C'était un très bel enfant au teint vif, aux joues bien rondes et aux yeux bruns malicieux.

« Mon pitchoun ! Tu vas tellement me manquer ! » songea-t-elle, les larmes aux yeux.

Elle aperçut encore son père, dont la haute stature dominait celle de la domestique. Augustin Loubet côtoyait son petit-fils et ce n'était pas la première fois. Le cordonnier n'avait aucun soupçon ; aucun doute ne l'avait effleuré. Il ne s'était même pas étonné quand il avait su que mademoiselle Gersande prenait sous son aile un orphelin de mère de la famille de sa bonne.

— Pauvre gosse, il va être élevé par deux huguenotes au milieu des fanfreluches, avait-il dit à Angélina. Enfin, ça vaut mieux pour lui que l'orphelinat !

Elle avait approuvé d'un air faussement distrait. Au fil des jours et des semaines, la joie de pouvoir s'occuper de son enfant matin et soir avait eu raison de ses derniers scrupules. Angélina avait justifié le temps passé chez Gersande de Besnac en racontant qu'elle secondait Octavie dans les travaux ménagers contre un petit salaire bien appréciable. Là encore, son père s'était contenté de ses explications.

Mais l'heure de la séparation tant redoutée venait de sonner. Angélina était admise à l'école de sages-femmes de Toulouse, une institution rattachée à la maternité de l'hôtel-Dieu. Elle avait brillamment passé l'examen préliminaire, ce qui lui permettait de bénéficier d'une bourse. Pour cette raison, elle voyageait en troisième classe, malgré l'insistance de sa protectrice pour lui offrir un billet en première.

— Je suis boursière, mademoiselle, avait-elle objecté. Je ne veux pas paraître d'un rang social supérieur à ma véritable condition. Vous savez bien que les sages-femmes sont souvent issues d'un milieu modeste, même si elles ont un peu d'instruction. Je n'ai pas envie non plus de profiter de vos largesses. Déjà, vous avez recueilli Henri et il est traité en petit prince.

C'était la stricte vérité. Dès l'arrivée du bébé, Gersande de Besnac avait été prise d'une fièvre de dépenses. Henri dormait dans la chambre d'Octavie, celle-ci tenant à veiller sur son sommeil. Il couchait dans un lit d'enfant en bois blanc, peint en bleu et muni d'une hampe d'où descendait un rideau en mousseline. On lui donnait ses repas en l'asseyant dans une chaise haute équipée d'un boulier pour le divertir. Jouets et vêtements de qualité s'accumulaient au point d'inquiéter sa jeune mère.

— Il est trop gâté, répétait-elle.

Gersande répliquait qu'un enfant sans père avait droit à des compensations.

— Ne gâche pas ma joie, petite, ajoutait-elle. En outre, plus notre bambin s'amuse, plus il est sage.

Angélina capitulait, car sa vieille amie avait toujours le dernier mot. Et là, dans le train qui l'emmenait vers Toulouse, elle revoyait tous les bons moments passés avec son fils. C'était pour elle la seule façon de ne pas pleurer, de lutter contre l'anxiété. « Henri a marché le lendemain de son anniversaire, à la mi-novembre. Nous l'avons applaudi toutes les trois et il nous a imitées avant de retomber sur ses fesses. Qu'il était mignon ! Et, à Noël, il contemplait le sapin tout décoré, son pouce dans la bouche. Je n'en avais jamais vu moi non plus. Mademoiselle Gersande m'a expliqué que c'était une très ancienne tradition païenne, qui célébrait l'équinoxe d'hiver. On ornait un résineux de fruits colorés et d'épis de blé en prévision du renouveau, des récoltes à venir. Bien sûr, mon pitchoun a reçu des cadeaux, une jolie figurine de cheval et un ballon en cuir. Il refusait de le poser, son ballon. Comment vais-je supporter de passer une année entière au loin, privée de lui, de ses pitreries, de ses rires ? Octavie a promis de me rendre visite certains dimanches avec lui, mais c'est bien du dérangement. »

Cela lui semblait étrange, de partir ainsi, de se retrouver le soir même parmi des inconnues, entre les murs d'un vaste établissement dont elle ignorait tout. Fébrile, elle ouvrit son sac et en sortit la lettre lui signifiant son admission. Hormis l'adresse de l'hôtel-Dieu et la liste des documents qu'elle devait présenter, il n'y avait aucun renseignement sur ses futures conditions d'élève.

Elle s'était installée dans un compartiment vide. La banquette faite de planchettes vernies n'était guère confortable, surtout que le wagon était secoué de soubresauts constants.

— J'espère que je n'ai rien oublié, chuchota-t-elle après avoir pris une liasse de papiers. Voyons... Mon certificat de bonnes mœurs, signé par le maire. Tant pis : si je mens à mon père, je peux bien mentir au reste du monde.

Les filles-mères ne pouvaient pas prétendre à la profession de sage-femme. Angélina le savait et elle bénissait le ciel d'avoir eu l'aide inespérée de sa vieille amie.

« J'ai tellement de chance, pensa-t-elle encore. Gersande m'a instruite et éduquée, elle m'a toujours donné de l'ouvrage quand j'avais besoin d'argent, et à présent je peux étudier à Toulouse sans me tourmenter au sujet de mon fils. Il est en sécurité, entouré de deux femmes douces et bonnes, mes anges gardiens. »

Elle reprit l'examen des papiers qu'elle tenait. Il y avait une attestation de son identité remplie par le maire de Saint-Lizier, ainsi que les résultats de l'examen qu'elle avait passé à Foix, la préfecture du département. Ses notes étaient excellentes. Tout en soupirant, elle remit le tout dans son sac et se mit à observer rêveusement le paysage qui défilait derrière la vitre. Elle ne s'était jamais éloignée de son pays, excepté pour deux voyages en train jusqu'à Saint-Gaudens, une grosse bourgade située en Haute-Garonne, mais seulement à une cinquantaine de kilomètres de sa cité natale. La veille, Gersande avait eu soin de lui décrire Toulouse, l'antique *Tolosa* romaine, une grande ville dont l'histoire s'était écrite en occitan, entre les ballades des troubadours et le vacarme des guerres de pouvoir.

— Tu verras, les maisons sont bien plus hautes qu'ici, et le long des avenues ont été construits des immeubles imposants faits de briques roses le plus souvent, avait précisé la vieille demoiselle. Le dimanche, promène-toi un peu dans le quartier du Capitole, un magnifique monument qui abrite la mairie et un théâtre. Tu peux aussi flâner le long du canal du Midi.

— Je n'oserais pas aller en ville, j'aurais peur de m'égarer, avait répondu Angélina.

— Tu te feras bien une amie ou deux ! s'était écriée Gersande. Il faudra m'écrire, tout me raconter. N'est-ce pas, petite ?

Angélina avait promis en l'embrassant tendrement. Ces derniers mois, les liens qui les unissaient s'étaient renforcés. La jeune fille se montrait affectueuse, plus familière avec l'exubérante aristocrate, mais sans parvenir à la satisfaire sur un point : elle continuait de lui donner du mademoiselle Gersande, incapable de l'appeler par son prénom.

Le train ralentissait. Angélina, qui avait pleuré tout à son aise, aperçut par la fenêtre la gare de Boussens où elle devait descendre pour emprunter une ligne plus importante qui reliait Toulouse à la côte atlantique et ses villes balnéaires récemment édifiées sous le Second Empire, comme Biarritz, née d'un caprice de l'impératrice Eugénie, l'épouse de Napoléon III. Les deux souverains appréciaient beaucoup le chemin de fer qui les emmenait loin de Paris pour de longs séjours en bord de mer.

Un peu affolée, Angélina s'empara de sa valise et se rua dans le couloir.

« J'ai presque une heure d'attente », constata-t-elle en consultant le tableau d'affichage dans le hall de la gare.

Plusieurs voyageurs occupaient les lieux. Angélina prit place sur un banc, à côté d'un couple d'allure honorable, un homme mûr et son épouse. Deux soldats déambulaient, une cigarette aux lèvres. Ils lui jetèrent un coup d'œil flatteur, si bien qu'elle baissa la tête et ne la releva plus. Sa détresse et son angoisse ne faisaient que croître. Elle eut soudain l'envie irrésistible de rentrer à Saint-Lizier, de revoir le cercle des montagnes enneigées qui barrait l'horizon d'est en ouest. Tous ceux qu'elle chérissait lui manquaient déjà affreusement : son père et ses éternelles remarques acerbes à l'égard de ses contemporains, mademoiselle Gersande, Octavie, son petit Henri.

« Si je pouvais marcher rue Maubec, franchir le portail et voir Sauveur courir vers moi ! déplora-t-elle en silence, la gorge nouée. J'irais donner du foin à notre pauvre Mina ; papa me tendrait une assiette de soupe ; et demain matin je n'aurais qu'à me précipiter en bas de la rue des Halles pour retrouver mon pitchoun. Je l'ai abandonné encore une fois. »

Angélina luttait contre de nouveaux sanglots qui l'étouffaient. Elle maudissait sa décision de devenir une costosida pour succéder à sa mère. On vantait ses talents de couturière ; pourquoi diable s'obstiner à devenir sage-femme !

« Je n'ai qu'à monter dans le prochain train pour Saint-Lizier et renoncer à cette folie, songeait-elle. Je ne veux plus passer un an loin des miens, dans une ville immense. Papa sera rassuré et soulagé, mademoiselle Gersande aussi. Ils ont si souvent essayé de me faire changer d'avis ! »

Mais le chef de gare annonça dans son porte-voix l'arrivée du train pour Toulouse. Il y eut un subit mouvement de foule. Angélina resta assise, hésitante cependant. Des images traversèrent son esprit confus : le visage d'Adrienne, sa mère bien-aimée, exprimant une intense déception, puis ce fut le corps déformé de la malheureuse Valentine et ses cuisses maigres écartées sur son sexe dilaté.

« Si je n'avais pas été là pour la délivrer de son enfant mort, elle aurait agonisé pendant des heures ! » se dit la jeune fille.

Elle se souvint aussi de l'exaltation qui l'avait envahie au chevet de Valentine, au moment d'officier seule pour la première fois. Angélina en gardait un souvenir marquant, d'autant plus que, malgré tous ses efforts, la naissance avait eu une issue tragique.

— Oh ! mon Dieu ! s'écria-t-elle en bondissant du banc. Je dois y aller.

Elle courut sur le quai. Plusieurs sifflements retentirent. La locomotive envoyait vers le ciel gris une colonne de fumée, le mécanicien profitant de l'arrêt pour recharger la chaudière. Angélina grimpa dans le wagon le plus proche, haletante.

— Ma valise ! s'exclama-t-elle. Je l'ai oubliée !

Elle redescendit vite du train, au moment même où un homme en approchait. Il portait un costume trois pièces sous un luxueux manteau à col d'astrakan. Il la salua d'un signe de tête.

— Mademoiselle, votre bagage ! dit-il aimablement. Je vous ai vue sortir de la salle la dernière et j'ai supposé que ceci vous appartenait.

— Merci, monsieur ! Je ne savais pas si j'avais le temps de la récupérer. Je cherchais le chef de gare pour le lui demander.

— Le problème est résolu, lança-t-il. Vous feriez mieux de remonter en voiture. Le convoi va partir.

Angélina tendit la main vers sa valise, mais l'inconnu la garda à la main.

— M'empêcherez-vous d'être galant ? plaisanta-t-il. Je prends ce train, moi aussi. Allez, montez donc !

Elle ne put qu'obéir. Elle était très gênée et avait hâte de se réfugier dans un compartiment, certaine que l'élégant personnage qui se tenait toujours à ses côtés voyagerait en première classe.

« Qu'il disparaisse, au lieu de me regarder comme ça d'un air moqueur ! » pensa-t-elle avant de le remercier de nouveau.

— Je suis ravi d'avoir pu vous être agréable, dit-il en souriant.

L'homme, âgé d'une quarantaine d'années, s'éloigna enfin. Angélina ne s'était pas trompée : il se dirigeait vers les wagons réservés aux passagers fortunés, peu désireux de se mêler à la populace.

« Encore un notable, un riche commerçant ! songea-t-elle. Peu importe, sans lui, je serais dans l'embarras. »

Une fois assise au fond d'un compartiment bondé, elle fut assaillie de souvenirs bien particuliers, ceux qu'elle s'acharnait à chasser de sa mémoire. En dépit de sa volonté, les traits hautains de Guilhem Lesage lui apparurent, tandis que le timbre de sa voix grave et veloutée résonnait en elle. L'instant suivant, elle crut revivre l'ivresse de leurs baisers passionnés, le délire amoureux qui les jetait dans les bras l'un de l'autre, au coin d'un bois ou dans le jardin en friche, en contrebas des remparts. « Non, non ! se dit-elle. Il ne faut pas ! Surtout pas ! C'est la faute de ce monsieur si distingué. Sa voix ressemblait à celle de Guilhem et il avait la même taille, la même prestance. »

La comparaison n'allait pas plus loin. L'inconnu avait des cheveux d'un blond grisonnant, des yeux assez clairs, peut-être verts ou bleus, et il portait des lunettes cerclées de cuivre. Quant à ses traits, Angélina n'y avait pas prêté grande attention. « Il ne m'a pas semblé laid, mais il est beaucoup moins beau que Guilhem ! »

Afin de ne plus évoquer son ancien amant, elle se mit à étudier discrètement la physionomie et les faits et gestes des autres passagers. C'était un passe-temps anodin qui eut le mérite de la divertir jusqu'à Toulouse.

Toulouse, même jour

La nuit tombait quand Angélina posa le pied sur un des quais de la gare Matabiau. Tout la déconcertait : la foule, les odeurs, les bruits de la grande ville qui composaient une rumeur sourde au loin. Elle suivit le mouvement général, ce qui l'amena dans le hall éclairé par des lampes à gaz, puis à l'extérieur. Des fiacres s'alignaient devant le trottoir. Elle s'approcha de la voiture qui lui faisait face. Le cocher la salua en soulevant son chapeau.

— Je dois me rendre à l'hôtel-Dieu Saint-Jacques[1] !
avança-t-elle d'une voix mal assurée.

— Eh ben, montez donc, mademoiselle ! répondit
l'homme.

Angélina avait la bouche sèche, tant elle était émue.
Les rues lui paraissaient démesurées, ainsi que les maisons. De nombreux badauds allaient et venaient le long
des boutiques de l'avenue empruntée par le fiacre. Mais,
peu à peu, aux abords du quartier Saint-Cyprien, dévolu
depuis des siècles à une activité hospitalière, le décor
changea.

Ce faubourg pauvre, populaire, s'était développé sur
la rive gauche de la Garonne. Le fleuve qui prenait sa
source dans les Pyrénées espagnoles se montrait large
et puissant en arrivant dans la vaste plaine toulousaine.
Grossi par la fonte des neiges ou par une longue période
de pluie, il avait souvent submergé les bas quartiers de
cette partie de la ville, détruisant des ponts sur son passage et nombre de maisons vétustes. Cinq ans plus tôt,
l'eau était montée jusqu'à neuf mètres, et la crue avait
tué plus de deux cents personnes.

Le fiacre s'engagea bientôt sur un pont colossal dont
les arches de pierre étaient battues par les flots bruns
et agités. Angélina aperçut une gigantesque bâtisse,
toute de briques roses hormis un dôme couleur bronze
qui dominait l'ensemble. Elle eut l'étrange impression
que les murs naissaient du fleuve et elle se demanda
comment on avait pu construire les fondations. Dans le
même temps, elle supposa avec justesse qu'il s'agissait

1. Un des plus anciens hospices de Toulouse, situé au bord de
la Garonne, et qui jadis hébergeait les pèlerins en route pour Saint-
Jacques-de-Compostelle.

de l'hôtel-Dieu Saint-Jacques. Au sortir du pont, le cocher lui donna raison en s'arrêtant devant une maison qui portait l'inscription *conciergerie*, à l'entrée d'une immense cour arborée.

— Vous me devez cent sous ! lui cria-t-il. Nous sommes arrivés.

Les recommandations de mademoiselle Gersande se bousculaient dans la tête d'Angélina. « Ne te fais pas voler et ne sors pas seule les premiers jours ! Et prends garde aux beaux parleurs, les messieurs très chics qui vantent leur fortune. Ils sont en quête d'une jeune innocente à suborner. »

— Cent sous ! répéta-t-elle en fouillant dans sa bourse.

L'homme sauta de son siège et vint lui ouvrir la porte. Elle descendit et lui donna l'argent. Quelques minutes plus tard, le fiacre s'éloignait. Sa valise posée à ses pieds, elle regarda longuement sans oser avancer les imposants bâtiments en briques rouges de l'hôpital. Ils étaient situés tout au bout de la cour ornée de massifs et d'une interminable rangée de platanes, en demi-cercle. Elle devinait l'entrée principale, surmontée d'un fronton triangulaire qui abritait une niche contenant une statue de saint Jacques, elle-même surmontée d'une horloge. Des dizaines et des dizaines de fenêtres, éclairées pour la plupart, émaillaient la façade.

— Allons-y ! se dit-elle sans même s'adresser à la fameuse conciergerie, malgré le regard suspicieux d'une femme qui se tenait derrière une fenêtre.

Angélina sentait les battements de son cœur s'accélérer à chaque pas fait en direction du double escalier qui menait à la grande porte, elle aussi colossale. La faim se mit à la torturer brusquement. Elle eut très chaud, puis très froid, tandis que des taches brunes dansaient devant ses yeux. Vite, elle prit place sur un des bancs disposés le long de l'allée qu'elle suivait.

Quelqu'un s'approcha et se pencha sur elle l'air soucieux. En reconnaissant l'élégant voyageur de la gare de Boussens, Angélina se crut victime d'une hallucination.

— Mademoiselle ? Vous allez bien ? Dites quelque chose…

— Que faites-vous ici ? balbutia-t-elle en se redressant sur un coude.

— Et vous donc ? s'exclama-t-il gentiment. Ne seriez-vous pas une des nouvelles élèves de notre école de sages-femmes ? Si vous vous évanouissez à la vue d'un hôpital, que ferez-vous en face d'un cadavre à disséquer ? Ou d'un ventre ouvert ?

— J'avais soif et très faim, répondit-elle d'un ton désolé. Et peur, aussi.

Il l'aida à se relever pour mieux l'examiner d'un regard amusé derrière ses lunettes.

— Vous avez raison d'avoir peur, dit-il. La sage-femme en chef déteste les retardataires et je crois que vous risquez de manquer l'appel. Je me présente, docteur Philippe Coste, du service d'obstétrique. Je viens de passer Noël dans ma famille, à Luchon, et je reprends le travail. Alors, êtes-vous satisfaite ?

— Angélina Loubet, dit-elle, confuse.

— Eh bien, dépêchez-vous, mademoiselle Angélina Loubet ! Montez le grand escalier et, une fois dans le hall, frappez au secrétariat. On vous indiquera la salle où vous rendre.

— Merci beaucoup, docteur Coste !

Elle reprit sa valise, qu'elle avait lâchée en perdant connaissance.

Le médecin s'éloigna en empruntant une autre allée. Angélina se maudissait d'avoir eu un malaise. Elle serait amenée à côtoyer l'obstétricien quotidiennement et elle craignait de lui avoir fait une très mauvaise impression. « D'abord, j'oublie ma valise à Boussens, et là, je m'effondre dans le parc ! »

Dès qu'elle pénétra dans l'hôtel-Dieu aux proportions monumentales, ses préoccupations s'envolèrent. Il y avait de quoi être intimidée. Une porte intérieure en chêne clair s'ouvrit tout à coup. Une femme apparut, en longue blouse blanche, un foulard également blanc sur les cheveux. Très grande avec une poitrine imposante et les traits durs, elle pointa l'index en direction d'Angélina.

— Mademoiselle Loubet ?

— Oui, madame.

— Je vous attends depuis vingt minutes. Dans cet hôpital, le temps est compté. Les autres nouvelles patientent dans le réfectoire, où le dîner sera servi à dix-neuf heures. D'ici là je dois vous exposer le règlement. Suivez-moi.

— Oui, madame, je suis désolée et…

— Taisez-vous, je ne tolère pas les excuses de ce genre ! Vous étiez convoquée à dix-sept heures.

Mortifiée, Angélina n'osa plus dire un mot. Elle adopta la démarche rapide de la femme de couloir en couloir, sur une distance assez considérable. Enfin, elles entrèrent dans une grande salle où s'alignaient des rangées de tables.

Des jeunes filles se tenaient là, en vêtements de ville, des bagages à leurs pieds.

— Mesdemoiselles, la retardataire, Angélina Loubet !
Comme je vous l'ai dit, je suis la sage-femme en chef
de la maternité. Vous m'appellerez madame Bertin. Il
me revient de vous enseigner les bases de l'obstétrique,
de vous attribuer des patientes ainsi que des horaires de
garde, et de vous noter. Nous accueillons en majorité des
indigentes et des filles-mères, afin de limiter le nombre
inquiétant des nouveau-nés tués ou abandonnés à la
naissance au coin d'une rue. Elles peuvent laisser leur
enfant ici après l'accouchement et bénéficier des soins
nécessaires. Depuis quelques années, nous recevons
aussi d'honnêtes mères de famille qui, après avoir donné
la vie à trois enfants, se décident à confier leur sort à
du personnel compétent. Il vous reviendra de traiter vos
patientes avec égards et sans tenir compte de leur condition sociale. Autre chose : votre conduite dans le dortoir
et dans ce réfectoire doit être parfaitement irréprochable. Toute atteinte aux bonnes mœurs sera d'abord
punie d'un blâme et, en cas de récidive, d'un renvoi
immédiat. L'hygiène corporelle est indispensable, et
votre linge doit toujours être d'une propreté exemplaire.
Les lits doivent être faits dès cinq heures du matin. En
ce qui concerne les congés, vous aurez une semaine
pendant le carême et le mois de juillet. Vous avez bien
compris ?

Une suite de oui marmonnés répondit à la question.
Le discours de la sage-femme en chef avait permis à
Angélina de dominer son émotion et sa contrariété. « J'ai
attiré l'attention dès le premier soir, se reprochait-elle.
J'aurais dû prendre un train tôt ce matin. Cela m'aurait
évité de passer pour une écervelée aux yeux du docteur
Coste et d'être en retard. »

— Le dortoir est à l'étage, la troisième porte à gauche. Vous pouvez monter et vous installer. Chacune dispose d'un placard pour ses affaires.

Les neuf élèves approuvèrent d'un signe de tête dans un bel ensemble. Angélina retint un soupir de soulagement. Le mois prochain, elle pourrait se retrouver à Saint-Lizier et profiter de son fils plusieurs jours. Il lui restait maintenant à découvrir la vie communautaire, la promiscuité avec ses compagnes de chambre et la discipline.

— Quel garde-chiourme, cette vioque ! déclara une des filles, à peine la porte du dortoir refermée.

Son teint mat, ses boucles noires d'encre, ainsi que ses yeux sombres et ornés de longs cils attestaient une origine méditerranéenne.

— Hé ! toi, la rouquine, pourquoi tu me regardes comme un chien de faïence ? demanda-t-elle immédiatement après.

— Vous êtes grossière ! Nous devons respect à nos supérieurs, répondit Angélina, l'unique rousse du groupe.

— Tu vas me plaire, toi ! Bien nippée et fière, fais-moi croire que t'es boursière ! Pistonnée, oui…

— Laisse-la tranquille, Magali, intervint une petite blonde au nez aquilin. Elle a raison : tu ferais bien de filer doux si tu veux ton diplôme.

— Mademoiselle Désirée me donne des leçons ! ricana la dénommée Magali. On va pas s'amuser tous les jours, dites ! Moi, je me pieute près de la porte. Comme ça, je serai plus vite au réfectoire demain matin.

Les autres élèves discutaient à voix basse pour le choix des placards. Angélina décida d'attendre. En observant toutes ces inconnues, elle regretta d'avoir mis sa toilette favorite, une longue jupe droite et une veste cintrée, l'ensemble en velours mordoré sous une cape courte en drap de laine. « Je porte ces vêtements depuis deux ans, et mon corsage en soie rose appartenait à maman, mais c'est encore trop élégant. Mademoiselle Gersande m'offre des pièces de beau tissu à chacun de mes anniversaires. Au fond, cette fille a raison, je dois paraître fière. Heureusement, dès demain nous serons en blouse. Il n'y aura plus de différence. »

Cependant, ses mains tremblaient en déballant sa valise. La perspective des semaines à venir l'effrayait. Elle n'imagina pas une seconde que sa beauté si particulière suscitait déjà des jalousies.

— La nature t'a comblée, petite, disait souvent Gersande de Besnac. Ta peau blanche s'accorde à merveille avec ta chevelure d'un roux vraiment rare. Ce roux ne supporte qu'une comparaison : le flamboiement des hêtraies au cœur de l'automne. Et puis, tes prunelles violettes, si limpides ! Je n'en avais encore jamais vu. Angélina, les fées se sont penchées sur ton berceau.

Une heure plus tard, elle dînait au réfectoire. Elle n'avait pas prononcé une parole ni échangé un sourire avec quiconque.

— Dis, la retardataire, t'as perdu ta langue ? lui dit Magali tout bas. Je t'ai mouchée comme il faut ?

Il y eut de petits rires en sourdine autour de la table dévolue aux neuf nouvelles élèves. Encore une fois, Désirée défendit Angélina.

— C'est toi qu'il faudrait moucher, chuchota-t-elle. Si tu continues, la sage-femme en chef s'en chargera.

Bizarrement, Magali cessa son manège. Un bourdonnement de ruche emplissait la salle, assorti du tintement des casseroles, des couverts et des verres. Les autres tables étaient occupées par des infirmières, des religieuses et des femmes de ménage. Les étudiants en médecine disposaient d'un second réfectoire, derrière une mince cloison, si bien qu'on entendait leurs voix graves et leurs plaisanteries.

Angélina mangeait du bout des lèvres, trop bouleversée pour apprécier le salé aux lentilles ou le flan au chocolat du dessert.

« Je ne sais pas si je pourrai m'habituer à tout ça, se demandait-elle. Il le faudra bien ! »

Au moment du coucher, elle se fit le plus discrète possible, très embarrassée de se déshabiller devant ses compagnes. Sa voisine de lit n'était autre que l'aimable Désirée.

— Ne t'inquiète pas, murmura-t-elle. Magali est une brave fille, au fond. Depuis Agen, nous avons voyagé dans le même wagon. Son père vient de mourir ; il était ouvrier. Elle n'a plus qu'une tante comme famille.

— Je n'aurais pas cru, s'étonna Angélina. Je te remercie de ta gentillesse. Bonne nuit.

— Bonne nuit !

Les lampes à pétrole s'éteignirent une à une. Le dortoir fut plongé dans la pénombre, mais le silence, lui, ne se fit pas. Des bruits de pas résonnaient dans les couloirs de l'étage, des appels et des plaintes. Soudain, un cri déchirant s'éleva d'on ne sait où, faiblement atténué par les murs, suivi du vagissement d'un bébé.

Angélina Loubet comprit qu'elle était bel et bien dans la maternité de l'hôtel-Dieu Saint-Jacques, loin des siens et de ses montagnes, mais sur le seuil de sa destinée.

Saint-Lizier, 8 janvier 1880

Octavie frappa à la porte du salon où mademoiselle Gersande jouait avec le petit Henri et entra sans attendre de réponse, ce qui n'était pas dans ses habitudes.

— Mademoiselle, vous avez reçu une lettre de notre Angélina. J'ai croisé le facteur près de la fontaine et il m'a tendu l'enveloppe. Je me tourmentais tant pour la petite !

— Nous allons enfin avoir des nouvelles ! soupira Gersande de Besnac, les yeux pétillants de joie. Viens t'asseoir et fais-moi vite la lecture.

— Oh non, pas moi, vous ! Je bafouille quand je lis tout haut. Donnez-moi notre mignon. Il écoutera lui aussi ; au moins votre voix, car il ne comprend pas grand-chose à nos discours.

— Détrompe-toi : un enfant, même de cet âge, assimile bien des mots. Bien, voyons un peu ce que nous raconte notre Angélina ! J'espère qu'elle a également écrit à son père.

— Mais oui, le facteur m'a confié qu'il y avait une lettre pour Augustin, affirma Octavie. Voulez-vous du thé ?

— Pas maintenant, j'ai hâte de lire, puisque tu t'y refuses, coupa la vieille demoiselle.

Très chère Gersande, très chère Octavie,
Fidèle à ma promesse, je prends la plume pour vous parler de ma vie toulousaine. Cette année, nous sommes neuf élèves, ce qui est bien peu, mais un autre contingent de boursières a été envoyé à la maternité de Grave, toute proche. J'ai su par une des cuisinières, fort bavarde, que l'hôtel-Dieu Saint-Jacques

a beaucoup souffert des crues de la Garonne, il y a presque cinq ans de cela. Les eaux sont montées jusqu'au premier étage, ce qui a causé de gros dégâts. Certaines parties du bâtiment sont toujours en chantier. Il paraît que le personnel et les malades ont vécu des heures terrifiantes. Il y a eu aussi du matériel perdu et du linge gâché. Les gens des quartiers voisins et bien des Toulousains sont encore marqués par cette catastrophe. Le spectacle était effrayant, des cadavres flottaient au fil du courant, des chevaux, du bétail, mais aussi des humains, sans compter des meubles, des débris de toutes sortes. Souvenez-vous, cette année-là, le Salat aussi était en crue, et la montée des eaux avait endommagé la ligne de chemin de fer entre Saint-Girons et Prat-Bonrepaux.

Je serai franche : j'étais très intimidée le soir de mon arrivée, et en retard de surcroît. La sage-femme en chef m'a sermonnée, ce qui n'était pas agréable du tout. Je m'en suis remise et depuis je commence à me sentir à ma place ici. Vêtue d'une blouse grise et d'un tablier blanc, les cheveux dissimulés sous un foulard blanc, j'arpente des couloirs interminables sur les traces de ma supérieure et du docteur Coste, obstétricien réputé.

L'hôtel-Dieu Saint-Jacques est aussi immense que magnifique. Je n'en finis pas d'y découvrir de nouvelles particularités et de m'extasier sur la taille et la décoration de certaines salles, comme celle dite des pèlerins, avec ses boiseries sculptées, qui abritait jadis la pharmacie. La salle des colonnes, de dimension à couper le souffle, servait de lieu d'accueil également. Quant à la chapelle, où une messe est célébrée

251

le dimanche, elle est très belle aussi et elle abrite de remarquables statues de la Vierge et de saint Jacques bien sûr, cet hôpital ayant servi par le passé à l'hébergement des pèlerins en route pour Saint-Jacques-de-Compostelle.

Mais je voudrais vous présenter mes compagnes de dortoir et de réfectoire, les autres élèves. D'abord, Désirée, une jeune personne de vingt ans, petite et menue, très blonde, le regard bleu-vert. Elle m'a tout de suite prise en amitié. Je citerai ensuite Magali, une Provençale de souche qui a grandi vers Agen. C'est une forte tête aux boucles noires, au teint doré et mat, dont le vocabulaire me hérisse. La plus discrète, c'est sans conteste Armande, une veuve de trente-deux ans, originaire de la cité de Carcassonne, dans l'Aude. Il semblerait qu'elle pratiquait déjà des accouchements sans être diplômée. Quant à Justine, elle n'a que dix-huit ans, et ses nerfs sont fragiles. Je la plains. Elle a vomi au chevet d'une patiente qui faisait une hémorragie. Je n'ai pas assisté à la scène, mais, pendant les repas, chacune expose ses malheurs.

Marie, une fille de mon âge, est accablée par son poids, toujours épuisée et geignarde. Je me demande si elle tiendra encore longtemps. On nous a annoncé des heures de garde la nuit auprès des parturientes. Pendant les cours, en fin de matinée, et l'après-midi, il faut assister les sages-femmes. Il est impossible de s'ennuyer, même de se reposer, et le soir je m'endors en quelques minutes. J'allais oublier de citer Odette, Lucienne et Janine, des Toulousaines, respectivement âgées de vingt-deux, vingt et vingt-huit ans. Elles sont rieuses, bavardes, très complices parce qu'elles ont passé l'examen d'entrée le même jour ; elles jouent les inséparables.

J'aurai le plaisir de vous revoir toutes les deux pendant les congés du carême, vous et mon cher petit garçon qui doit vous donner beaucoup de travail. Cela me divertira d'avoir de ses nouvelles, d'être au courant de ses dernières facéties.

Je vous embrasse de tout cœur,
Votre Angélina

Gersande de Besnac hocha la tête d'un air mélancolique. Ses yeux clairs étaient embués de larmes.

— Elle me manque tant ! avoua-t-elle tout bas. Je guette en vain son pas léger dans l'escalier, j'espère sans cesse la voir entrer dans ce salon, toujours gracieuse, lumineuse, douce et tendre. C'était une telle joie de la voir rire, de l'entendre chanter pour son fils ! Elle se montrait si gaie depuis que le petit habite ici ! Angélina m'est très chère ; elle a comblé ce vide qui me rongeait.

La domestique approuva d'un sourire compatissant. Elle caressa les boucles brunes de l'enfant, blotti sur ses genoux.

— Nous avons Henri qui nous donne de la joie, rappela-t-elle. Il faudrait vite répondre à notre étudiante !

— J'écrirai une lettre pendant la sieste de notre petit prince. Octavie, sois franche. Crois-tu Angélina sincère, dans sa lettre ? Elle ne se plaint jamais. Et si elle se languissait d'Henri, de la cité, de son père ? De nous aussi… Je suis égoïste, j'aurais préféré la voir s'établir à Saint-Girons comme modiste. J'avais repéré une grande boutique à louer, rue Villefranche.

— Même si les premiers temps sont difficiles pour elle, je crois qu'elle est assez forte pour persévérer. Ne vous tracassez pas, mademoiselle.

Gersande retint un soupir. Elle décida sur-le-champ qu'elle confierait son passé à Angélina dès son retour.

Toulouse, hôtel-Dieu Saint-Jacques, 20 janvier 1880

Tous les matins, en entrant dans le réfectoire, Angélina jetait un coup d'œil au calendrier accroché au mur, près d'un grand buffet où les cantinières entreposaient le linge de table. Elle évaluait ainsi le cheminement des journées écoulées, impatiente d'être à la date du congé de carême. Seule la perspective de reprendre le train, de retrouver son fils et ceux qu'elle chérissait l'aidait à surmonter son mal du pays. Souvent, allongée dans le clair-obscur du dortoir, elle s'imaginait changée en oiseau et se voyait survolant le quartier Saint-Cyprien à coups d'ailes, pour suivre la voie ferrée qui longeait le piémont pyrénéen. « Me voici à Boussens. Maintenant, je dois continuer, atteindre Saint-Lizier », songeait-elle.

Mais elle s'endormait toujours avant de revoir les antiques remparts de la belle cité ariégeoise.

Une religieuse distribuait le courrier aux élèves à l'heure du petit-déjeuner. Gersande de Besnac avait déjà envoyé trois lettres, qu'Angélina relisait avec émotion avant de se coucher.

Ce jour-là, elle en reçut une quatrième. Toute joyeuse, elle décacheta l'enveloppe sans se méfier du regard de ses voisines de table.

— Vous avez vu le sourire de la Loubet ? s'exclama Magali. Ma parole, y a une photographie ! C'est-y ton promis ? Il a des sous pour se faire tirer le portrait !

Angélina eut un réflexe instinctif de défense. Prête à enfouir la lettre dans la poche de son tablier, elle se ravisa. Sa mère ne s'était pas contentée de lui enseigner les bases de son métier ; Adrienne Loubet possédait une science innée de l'être humain, renforcée par des années de pratique. « Ne juge pas trop vite une personne sur ses actes ou ses humeurs, Angélina ! disait-elle souvent. La souffrance et le chagrin peuvent rendre méchant. Au chevet d'une patiente hargneuse, qui pourrait te sembler privée du sens commun, observe son entourage, sa famille. Cette femme en douleurs subit peut-être au quotidien la cruauté morale de son époux ou, pire encore, sa violence. Derrière les railleries ou l'animosité, il faut penser à une blessure invisible, ou à de l'envie, de la jalousie. »

À l'époque, ces paroles avaient marqué Angélina, mais elle les avait un peu oubliées, sinon elle aurait mieux compris l'attitude d'Eulalie Sutra. Ulcérée par la beauté et la bonne éducation de « mademoiselle Loubet », la nourrice s'était empressée de lui chercher querelle. Magali n'était pas en reste. Depuis bientôt trois semaines, la volcanique Provençale l'avait harcelée de piques, de moqueries douteuses, de remarques acerbes, mais elle n'avait pas reçu une seule lettre.

Envahie par une inspiration subite, Angélina lui tendit l'enveloppe.

— Ce n'est pas un promis, hélas ! dit-elle en souriant. Regarde donc le cliché !

Déconcertée par la réaction de son ennemie jurée, Magali osait à peine s'emparer de la lettre.

— Tu n'arrêtes pas de m'accuser d'être plus riche que vous toutes, mais c'est faux, ajouta Angélina. Là d'où je viens, à Saint-Lizier, je faisais des ouvrages de couture pour une vieille dame. Bien entendu, c'est vrai, j'ai eu de la chance, elle s'est entichée de moi.

Elle exagérait le ton confidentiel, un peu complice, tandis qu'on l'écoutait, bouche bée.

— Cette dame qui ne s'est jamais mariée a recueilli le neveu de sa domestique. Sors le cliché, Magali, montre-le aux autres. Ce pauvre gamin, il est mignon comme tout. J'ai cousu des heures pour lui faire des vêtements et grâce à ça j'ai pu mettre de l'argent de côté…

Dépitée, Magali exhiba le portrait du petit Henri, assis sur une fourrure blanche, vêtu d'une large robe à col brodé et d'un béguin.

— Il a une fossette au menton, s'extasia Désirée.

— Angélina, as-tu fait tes toilettes toi-même ? s'enquit Janine, la plus coquette du groupe.

— Oui, je me sers des chutes de tissu de cette dame, puisque c'est moi qui coupe d'après un patron. La tenue en velours brun que j'avais en arrivant, je la porte depuis quatre ans !

Muette et boudeuse, Magali lui rendit la lettre. Angélina la remercia gentiment avant de proposer :

— Si ça vous amuse, je peux lire ce que m'écrit ma bienfaitrice !

— Vas-y, on n'a pas beaucoup de distractions ici, dit Désirée.

— Je commence. Écoutez bien, je ne peux pas parler trop fort.

— *Ma petite Angélina, je te remercie de nous donner de tes nouvelles, malgré des journées bien occupées. C'est un plaisir de partager ta vie à l'hôtel-Dieu et, comme tu m'as présenté les autres élèves, je m'imagine*

sans peine cette aimable troupe de jolies femmes, dans
leurs longues blouses grises et...

— Tu lui as dit qu'on était jolies ? coupa Magali.

— Bien sûr, affirma Angélina avant de reprendre sa
lecture. *Tout est paisible dans la cité qui t'a vue naître.*
Hier, sur la place de la fontaine, j'ai croisé ton père.
Augustin livrait des chaussures au frère Eudes, qui avait
usé les semelles des précédentes, en six ans de bons et
loyaux services à battre la campagne. Octavie et moi
avons hâte de te revoir pendant ton congé. Henri est très
sage. Il trottine dans le salon en faisant un drôle de bruit
avec sa langue, ce qui semble le réjouir. Surtout, étudie
bien et sois assurée de mon soutien en toutes choses. Je
joins à ma lettre un portrait de mon petit protégé, qui te
tiendra compagnie dans ton exil toulousain. Affectueuse-
ment, Gersande.

La veille de son départ, la vieille demoiselle lui avait
annoncé que rien dans leur correspondance ne devait
trahir l'identité d'Henri. Cela frustrait un peu la jeune
mère privée de son enfant, mais c'était le prix à payer
pour obtenir son diplôme.

— Gersande ! grimaça Magali. J'connais pas ce nom-
là ! Dis, t'en as de la chance ! Elle t'a à la bonne, cette
vieille !

Angélina approuva en silence. Escortée d'une infirmière, la sage-femme en chef venait de faire irruption
dans le réfectoire.

— Mesdemoiselles, et vous, madame Armande,
suivez-nous. Cette semaine, il y aura des cours pratiques. Nous avons enfin reçu un exemplaire du mannequin anatomique breveté par madame Angélique du
Coudray moins d'un siècle avant ce jour. Ce sera l'occasion d'évoquer le destin exceptionnel de cette illustre

personnalité dont l'intelligence et le dévouement ont donné ses lettres de noblesse à la profession de sage-femme. Allons, dépêchez-vous ! Le matériel est installé dans votre salle de classe.

Très intriguées, les élèves montèrent au premier étage. Angélina s'étonnait encore en son for intérieur du savoir dont avait fait preuve sa mère durant les vingt ans où elle avait exercé.

« Madame du Coudray… Maman s'était procuré son manuel d'accouchement et elle m'avait parlé de gravures d'une grande précision, et d'une machine, aussi », se souvint-elle.

Elle n'eut pas le loisir de s'interroger davantage. Désirée lui décocha un coup de coude dès qu'elles furent toutes dans la vaste pièce inondée de soleil. De brèves exclamations fusèrent de-ci de-là. Tout en prenant place sur l'estrade, la sage-femme en chef, qui assumait la majorité des cours, rétablit le calme d'un unique claquement de mains.

— Voici donc la machine inventée par madame du Coudray, déclara-t-elle.

Tous les regards étaient fixés sur l'étrange mannequin, rivé à une lourde sellette en fer qui trônait au milieu des tables disposées en arc de cercle. Odette et Janine durent réprimer un fou rire devant ce simulacre de corps féminin, du moins sa partie inférieure, de la taille aux pieds. Le sexe béant laissait sortir un cordon au bout duquel pendait un faux bébé.

— Je vous prie de considérer cette ingénieuse machine sans gloussements ni ricanements ! tonna madame Bertin. Asseyez-vous et prenez vos cahiers.

Angélina était fascinée par l'appareillage complexe qui lui faisait face. Elle attendait avec impatience le moment de s'en approcher et de pouvoir déchiffrer les nombreuses étiquettes cousues sur les organes génitaux.

— D'abord, je tiens à honorer par un historique la mémoire de madame Angélique Marguerite Le Boursier du Coudray. Tel était son nom exact. Elle est née en 1714 à Clermont-Ferrand. Notez tout, je vous prie. Elle exerce la profession de sage-femme à Paris, puis elle décide de retourner en Auvergne, où elle publie en 1759 un livre intitulé *Abrégé de l'Art des accouchements*, qu'elle fera illustrer de gravures en couleur. C'est à la même époque que lui vient l'idée de sa machine de démonstration, par souci de modernité et d'une pédagogie efficace, afin de lutter contre la mortalité infantile qui atteignait alors des proportions considérables. Bien des élèves se sont exercées sur un mannequin semblable à celui-ci, une copie fidèle de l'original. Enfin, nantie de son manuel et de sa merveilleuse machine, madame du Coudray, qui avait un caractère bien trempé, est partie sur les routes de France, munie d'un brevet royal signé par Louis XV. Elle voulait enseigner de façon palpable les gestes du savoir obstétrical à des femmes de la campagne peu instruites, mais capables d'apprendre par les sens et le toucher. Son périple a duré vingt-cinq ans. On estime qu'elle a formé plus de cinq mille sages-femmes, faisant ainsi reculer le règne des matrones qui officiaient jadis, des ventrières[1] uniquement soucieuses des principes religieux. Certes, ces matrones ou ces ventrières

1. Matrones, ventrières : anciens noms donnés aux sages-femmes, aujourd'hui péjoratifs.

259

étaient généralement des mères de famille nombreuse, au courant des souffrances et de la peur que suscite l'enfantement. Notez, je vous prie, Odette Richaud, vous bayez aux corneilles ! En conclusion, il est établi que le fabuleux tour de France de madame du Coudray a sauvé des milliers d'enfants et beaucoup de femmes en couches.

Angélina releva le nez de son cahier. Elle détailla avec attention le mannequin aux cuisses écartées, au ventre proéminent et fendu en son milieu.

« Sûrement, le faux bébé doit loger dans la cavité et cela permet de bien comprendre le travail de l'accouchement », se dit-elle en essayant de compter les étiquettes.

Madame Bertin descendit de l'estrade et contourna la machine d'Angélique du Coudray.

— Observons à présent la machine, décréta-t-elle. Elle comporte ce mannequin grandeur réelle, qui représente la partie inférieure d'un corps de femme, mais aussi une poupée de la taille d'un nouveau-né, des accessoires montrant l'anatomie féminine, ainsi qu'un fœtus à l'âge de sept mois et des jumeaux. Tout est confectionné avec de la toile et de la peau tannée très fine, de couleur rose, l'intérieur étant rembourré de coton. Le mannequin s'ouvre sur l'abdomen pour positionner la poupée dans le ventre maternel. La reproduction est d'une fidélité admirable. Vous trouverez également des orifices où coulisse un jeu de ficelles et de lanières qui permet de simuler les mouvements du vagin et la dilatation du périnée lors du passage de l'enfant. Il y a vingt et une étiquettes cousues avec soin qui désignent les différents organes reproducteurs, tout en indiquant leur situation par rapport à l'intestin et à la vessie. Désirée Leblanc,

veuillez vous lever et lire à haute voix deux de ces étiquettes, celles de votre choix.

Toute fière d'être appelée, la jeune fille se précipita.
Elle dut se pencher sur la machine et examiner l'intérieur.

— Ovaires, utérus, dit-elle bien fort.

— Merci, allez vous asseoir ! Angélina Loubet, à
votre tour. Montrez-moi comment pratiquer un toucher
du col utérin.

— Oui, madame Bertin, tout de suite.

Ravie de pouvoir utiliser le mannequin, Angélina exécuta l'exercice. Quand elle eut terminé, rien ne put l'empêcher de déchiffrer en silence une autre étiquette.

« Les trompes de Fallope, se dit-elle. Elles relient les
ovaires à l'utérus. Quel grand mystère, la conception
d'un être vivant ! Un homme et une femme partagent
du plaisir et des caresses. Ils font l'amour, et un enfant
se forme et se développe, jusqu'au jour où, pareil à un
fruit mûr, il met tout en œuvre pour quitter son refuge,
exister, manger, boire, marcher et parler. »

Elle pensa à son fils qui avait pris vie à l'intérieur de
son ventre et s'y était niché neuf mois.

— Angélina Loubet, vous n'avez pas commenté votre
palpation ! gronda la sage-femme en chef.

— Qu'aurais-je dû dire, madame Bertin ? murmura-
t- elle.

— Ce que vous diriez à une future mère en pratiquant
cet examen qui la gêne forcément. Il fallait expliquer
ce que vous entrepreniez, la rassurer comme le préconisait madame du Coudray. Je la cite : « *En attendant
le moment de délivrer la femme, on doit la consoler le
plus affectueusement possible : son état douloureux y*

engage ; mais il faut le faire avec un air de gaieté qui ne lui inspire aucune crainte de danger. Il faut éviter tous les chuchotements à l'oreille, qui ne pourraient que l'inquiéter et lui faire craindre des suites fâcheuses[1]. »

— Je suis désolée, cela ne m'est pas venu à l'esprit, madame Bertin ! répliqua Angélina, très pâle.

— Retournez vous asseoir, trancha la sage-femme en chef. Vous devez toutes être capables de prendre des initiatives pendant votre année d'études et ensuite, quand vous serez auprès d'une de vos patientes. C'est ce que j'attendais d'Angélina Loubet, un peu d'audace ! Aucune de vous ne touchera une parturiente tant qu'elle ne se sera pas entraînée sur la machine. La direction de l'hôtel-Dieu l'a louée pour deux mois. Aussi, ne chômez pas. Un dernier point : il vous est formellement interdit de manipuler cet appareillage coûteux en mon absence.

L'infirmière, qui n'avait pas bronché durant le cours, jeta un coup d'œil inquiet à la pendule. Elle alla discuter à voix basse avec madame Bertin.

— Sortez ! ordonna la sage-femme. Vite, vite ! Désirée Leblanc, Odette Richaud, venez avec moi. Vous assisterez à un accouchement ; une de mes patientes aura son enfant avant midi.

Les deux élèves s'éloignèrent d'un pas alerte en échangeant des regards de triomphe. Les bras croisés sur sa poitrine, Angélina avait une grosse envie de pleurer.

— Te mine pas, lui dit Magali à l'oreille. La mère Bertin, c'est rien qu'une peau de vache. Moi non plus, j'aurais pas pu parler, le bras enfoncé dans ce truc ! Raconte, c'est comment dedans ? Mou ? Froid ?

---

1. Conseils authentiques, extraits du manuel de madame du Coudray.

Les autres filles pouffèrent, excepté Armande, plus âgée. Mais Angélina, humiliée, ne daigna pas répondre. Elle s'éloigna en courant, dévala l'escalier et sortit de la maternité. Il faisait très froid en dépit d'un ciel limpide. La nuit, il gelait dur et, dans le parc de l'hôtel-Dieu, l'herbe était encore couverte de givre, à l'ombre des bosquets et des arbres.

« J'aurais été ridicule de parler à ce mannequin, songeait-elle en marchant d'un bon pas le long d'une allée. Madame Bertin s'est moquée de moi ; elle ne m'aime pas, je le sens. Nous ne sommes pas au théâtre, pour faire semblant d'être avec une vraie patiente ! Depuis mon arrivée, je n'ai pas approché une femme en couches. Il faut regarder, observer et écouter pour apprendre. »

L'incident la hantait, réveillant son mal du pays et le manque de son enfant. Elle s'appuya au tronc grisâtre d'un platane et put enfin pleurer à son aise.

— Eh bien, mademoiselle Loubet, fit une voix masculine. Que se passe-t-il ?

Elle reconnut le timbre grave du docteur Coste. Ce n'était pas la première fois qu'il engageait la conversation. Il le faisait dès qu'il la croisait, en fait. Vexée d'être surprise, elle sécha ses larmes du bout des doigts.

— Qu'avez-vous donc ? insista le médecin. J'espère que ce ne sont pas des mauvaises nouvelles de votre famille !

— Pas du tout, docteur, rétorqua-t-elle sèchement. Il s'agit d'une petite contrariété, rien d'important.

Elle tremblait de froid, ce qui altérait son élocution. Philippe Coste s'en aperçut.

— Rentrez donc à l'abri. Vous risquez de tomber malade à l'ombre de cet arbre ! Ce serait dommage, j'ai besoin d'une assistante cet après-midi. J'ai pensé à vous.

Incrédule, Angélina dévisagea le médecin d'un air méfiant. Elle crut bon de protester :

— Je ne suis pas assez qualifiée !

— Ce n'est pas à vous d'en juger, dit-il en souriant. J'ai lu votre dossier de candidature. Votre mère est sage-femme et vous l'avez secondée durant deux ans. J'estime qu'il n'y a pas de meilleur apprentissage.

Désemparée, Angélina ne sut que répondre. Très intuitive, elle percevait dans le regard et la voix de son interlocuteur une discrète tentative de séduction. Guilhem Lesage avait pu abuser de sa naïveté, mais cela ne se reproduirait pas.

— Je préciserai que j'ai lu tous les dossiers des nouvelles élèves, pas seulement le vôtre, ajouta le docteur Coste. De toute façon, vous ne pouvez pas refuser. Vous êtes sous mes ordres.

Il parut soudain intimidé sous le feu des prunelles violettes qui le fixaient avec mélancolie.

— Je serai honorée d'obéir, dans ce cas, déclara Angélina.

Philippe Coste la dévisagea longuement sans rien répliquer. Il la trouvait d'une beauté fascinante, avec ses traits délicats et racés, d'une exquise finesse, ses lèvres roses et ses yeux, ses magnifiques yeux à l'expression grave, intense. Accoutumé à côtoyer des femmes de tous âges, il devinait chez celle-ci une maturité étrange, comme si elle avait déjà beaucoup souffert. Depuis qu'il lui avait parlé sur le quai de la gare, à Boussens, elle l'obsédait. Toujours célibataire, le médecin avait eu des relations épisodiques avec des mondaines en quête d'aventure libertine, mais il n'avait jamais été amoureux. En quelques jours, Angélina avait ravagé son cœur.

— Je suis à votre disposition, dit-elle tout bas. Vers quelle heure avez-vous besoin de moi et dans quelle salle ?

— Rejoignez-moi dans mon bureau à quinze heures. En fait, une de mes patientes est dans les douleurs depuis hier soir. Je crains un siège à complications. Et je me refuse à pratiquer des césariennes, car le taux de mortalité demeure effrayant[1]. Un de mes confrères a réussi l'opération l'été dernier, mais après combien d'échecs ! Quand vous assistiez votre mère, a-t-elle souvent dû faire face à des naissances par le siège ? Comment procède-t-elle ?

Le docteur Coste semblait sincèrement intéressé. Il guettait sa réponse d'un air impatient.

— Je n'avais pas signalé dans mon dossier le décès prématuré de ma mère, Adrienne Loubet ! avoua la jeune fille. Un terrible accident de calèche, il y a plus de deux ans. Mais oui, je l'ai vue délivrer ses patientes d'un enfant qui se présentait en position de siège complet. Cela ne lui posait pas de problème particulier. Bien souvent, aussi, elle parvenait, par des manipulations, à faire basculer le bébé avant l'accouchement. C'était une sage-femme réputée, très habile, douce et rassurante. Je voudrais être digne d'elle un jour.

Le médecin ajouta :

— Si votre mère avait des mains comme les vôtres, presque celles d'une enfant de douze ans, je ne m'étonne pas de son adresse ni de ses prouesses. Ce détail a son importance !

Il agita ses propres mains devant lui, avec un sourire amer.

1. De 1787 à 1876, il n'y a eu aucune survivante à une césarienne à Paris, et le roman se déroule trois ans après cette époque.

— Voyez ces outils qui seraient plus aptes à manier la charrue ou le marteau du forgeron ! Je m'en accommode, hélas ! Allons, rentrez vite, vous êtes transie.

Les notes de tendresse dans la voix de cet homme, le souci qu'il avait d'elle et ses regards explicites, tout cela réconforta Angélina. À condition de le tenir à distance, elle aurait un allié dans la place.

— Merci, docteur Coste, murmura-t-elle en s'éloignant.

Il fut soulagé de voir sa silhouette s'amenuiser le long de l'allée. Si elle était restée quelques minutes de plus, il aurait très bien pu, fort de ses prérogatives d'obstétricien renommé, l'enlacer, chercher sa bouche. Au début de sa carrière, il avait déjà eu une jolie infirmière pour maîtresse et elle s'était pliée à ses désirs sans penser à le repousser.

« Angélina Loubet n'est pas de ces filles faciles, songea-t-il. Je ferai sa conquête, même s'il me faut des semaines. Le jeu en vaut la chandelle, comme disait mon père. »

Angélina eut une pénible surprise en entrant dans le réfectoire. Magali l'accueillit avec un sourire narquois.

— Ma pauvre Loubet ! s'écria-t-elle. Notre chef t'a demandée et tu avais disparu. Justine et moi, on t'a cherchée, mais, pas de bol, on a fait chou blanc. Tu écopes d'un blâme.

— Quoi ? s'exclama Angélina, vraiment stupéfaite. Un blâme pour être allée dans le parc avant le repas de midi ? Madame Bertin exagère. Je n'ai pas enfreint le règlement ni troublé la discipline.

— Je suis désolée pour toi, coupa la dénommée Justine. Magali dit la vérité. Tu en sauras plus tout à l'heure ; madame Bertin accouche une patiente. Désirée et Odette sont en salle de travail. Viens manger, on a des pieds de cochon et de la purée.

Elle se mit à table, écœurée par la vue du plat, très gras et à l'odeur fortement aillée. Sans décolérer, elle se servit de la salade de betteraves.

— Sans blague, ma belle, tu étais où ? lui demanda Magali, en veine d'amabilité.

— Dans le parc, près du pavillon des jardiniers. L'air froid m'a calmée après cette stupide affaire de mannequin.

— Dis surtout pas ça à la Bertin ! chuchota Justine. C'est l'endroit des rendez-vous clandestins, où certaines élèves rencontrent des hommes qui peuvent entrer comme ils veulent. Si tu es soupçonnée de voir un galant, tu seras renvoyée vite fait.

— Je vous remercie toutes les deux, c'est gentil de m'avertir. Mais je suis sûre que madame Bertin m'en veut, particulièrement à moi, et je voudrais bien savoir pourquoi.

— Peut-être qu'elle aime pas les rouquines, hasarda Magali en ricanant.

— Taisez-vous donc ! protesta Armande qui supportait mal le caractère et les manières de la jeune Provençale.

— Oh ! toi, la veuve, mets-la en veilleuse ! menaça Magali. On peut pas rigoler, ici ?

Du haut de ses trente-deux ans, ladite veuve toisa la fille avec un mépris non dissimulé.

— Je vous plains, ma pauvre fille, ajouta-t-elle. Vous n'aurez jamais votre diplôme. Une sage-femme doit avoir un minimum d'éducation.

Contre toute attente, Magali piqua du nez dans son assiette. Enfin, elle se leva d'un mouvement brusque et partit en courant dans le couloir. L'écho de ses sanglots se fit bientôt entendre.

— Nous sommes toutes sur les nerfs, intervint Angélina. Au lieu de nous quereller sans cesse, nous ferions mieux d'être unies, solidaires, et de remiser la jalousie jusqu'à la fin de nos études.

— Tu as raison, affirmèrent Janine et Lucienne.

Trois des jeunes filles, dont Angélina, se précipitèrent pour consoler Magali. D'abord, elle les repoussa en agitant les bras, puis elle se jeta au cou de la frêle Justine.

— C'est pas ma faute, hoqueta-t-elle. Je cause comme mon père me causait, et les autres ouvriers. Son éducation, la vieille Armande, elle peut se la foutre dans le cul !

— Chut ! recommanda Angélina, effarée. Magali, nous allons t'aider. Le soir, dans le dortoir, nous te donnerons des leçons de maintien et je corrigerai ton vocabulaire !

— Mon quoi ?

— Tu sais très bien ce que c'est, puisque tu es allée à l'école, dit Janine. Ne pleure pas, il faut se serrer les coudes.

Elles échangèrent des sourires spontanés qui avaient le mérite d'être sincères. Madame Bertin apparut peu de temps après. D'un geste du menton, elle congédia Magali, Justine et Janine.

— Angélina Loubet, suivez-moi, je vous prie.

La sage-femme en chef cachait mal son épuisement. Blême, les traits tirés, elle conduisit la jeune fille dans un petit local où était stocké du linge.

— Inutile de monter jusqu'à mon bureau, commença-t-elle. Je suppose que Magali Scotto vous a parlé du blâme que je voulais vous adresser.

— Oui, madame Bertin.

— La sanction est levée. Je ne pouvais pas deviner que le docteur Coste vous avait convoquée à la fin du cours. Il vient de m'en informer. Vous devez me juger dure et injuste, mais je suis responsable de vous toutes. Mon Dieu, ce n'est pas de tout repos, de mêler la surveillance à mon pénible labeur. Je serai franche : j'ai craint un geste désespéré de votre part, à cause de ce qui s'était passé en cours. L'année dernière, les élèves de l'école de sage-femme étaient au nombre de seize ; j'ai cru ne pas en venir à bout. Vous êtes moins nombreuses et c'est tant mieux. Je vous ai infligé une cuisante humiliation en public et j'ai pris peur. Le cas est déjà arrivé il y a deux ans. Une fille de dix-huit ans s'est jetée dans la Garonne, parce qu'un des docteurs l'avait traitée d'imbécile. Le fleuve coule le long de nos murs, alors…

Médusée, Angélina l'écoutait. Elle avait noté l'état de fatigue de son interlocutrice et éprouvait à son égard une sorte de respect teinté d'admiration. Profitant d'un temps de silence, elle dit très vite :

— J'ai les nerfs solides, ne vous en faites pas, madame Bertin. Vous devriez prendre un peu de repos ! L'accouchement n'a pas été facile, on dirait ?

— En effet ! La parturiente s'est affolée. Elle ne respirait pas bien et se mordait les bras ; une furie ! Il a fallu la calmer au chloroforme et employer les forceps.

L'enfant a été sauvé in extremis. Vous pouvez disposer, Angélina. Encore une chose, j'ai la fâcheuse tendance à être plus sévère avec celles chez qui je sens d'excellentes capacités.

— J'ai compris, madame Bertin !

— Il y a fort à parier que vous suivrez les traces de votre mère.

Ces paroles ravirent Angélina. Elle se promit de ne pas décevoir la sage-femme en chef, en hommage à Adrienne Loubet, sa chère maman disparue.

8

Le docteur Coste

Hôtel-Dieu Saint-Jacques, même jour

À quinze heures précises, Angélina entra dans le bureau du docteur Philippe Coste. Après son entretien avec la sage-femme en chef, elle avait travaillé à la pouponnière. C'était une grande salle où s'alignaient de petits lits tous semblables. Deux infirmières veillaient sur les bébés qui passaient là quelques heures par jour afin de permettre aux mères de se reposer. Les nouveau-nés pleuraient beaucoup, et cela créait une cacophonie de vagissements plus ou moins virulents.

La jeune fille ne se lassait pas de circuler entre les berceaux pour étudier la physionomie de chaque enfant. Elle leur parlait d'une voix douce dans l'espoir de les apaiser. C'était un peu une manière de compenser l'absence de son fils.

Philippe Coste l'observa avec un air perspicace.

— Avez-vous eu des ennuis ? s'inquiéta-t-il.

— Aucun, docteur, répondit-elle. Et je vous remercie. Sans vous, j'aurais écopé d'un blâme. Mais vous avez menti à madame Bertin…

Le médecin eut un sourire ironique. Il quitta son siège et contourna la lourde table en chêne sur laquelle s'entassaient des dossiers.

— Disons que c'était un pieux mensonge. Enfin, un demi-mensonge. Nous avons bel et bien eu un entretien, pas ici, mais sous un arbre du parc. Venez, je vous prie.

Angélina le suivit en prenant soin de vérifier sa tenue. Elle rajusta le foulard blanc qui cachait ses cheveux et frotta son grand tablier dont elle resserra la ceinture.

— Ma patiente est une primipare ; je veux dire par là que c'est son premier enfant, précisa le docteur Coste.

— Je connais ce terme.

— Excusez-moi… C'est une primipare de trente-quatre ans, ce qui complique les choses. La sage-femme qui la surveille vient de m'informer que la dilatation du col est à cinq doigts, après des heures de douleurs répétées sans effet notable. De plus, il s'agit d'un siège complet. Je pense pratiquer dans l'heure des incisions du périnée pour faciliter le passage.

Ils longeaient un des couloirs de l'étage. À la fois fière et angoissée d'assister l'obstétricien, Angélina n'osait guère donner son point de vue. Mais, juste avant d'entrer dans la salle d'accouchement, il l'y contraignit.

— Que feriez-vous à ma place ?

— Je vous en prie ! protesta-t-elle. Je ne suis pas diplômée, je ne peux pas vous aider. Pourquoi me faire confiance ainsi ?

— Je sollicite un avis. Dans le milieu médical, nous avons coutume de nous consulter les uns les autres.

Une clameur de bête blessée les fit sursauter. Le médecin tourna la poignée de la porte et se précipita au chevet de la future mère. Angélina s'approcha elle aussi pour découvrir une femme de forte corpulence au visage ingrat. Le front constellé de gouttes de sueur, la malheureuse paraissait au supplice. Le bas du corps dissimulé sous un drap, elle subissait l'examen d'une sage-femme, elle-même en partie cachée par le drap.

— Respirez, madame, respirez ! répétait celle-ci. Maintenant, le col est à sept doigts, docteur.

— Parfait ! Les choses avancent, commenta l'obstétricien tandis qu'une jolie femme de trente ans environ se dégageait du drap et venait vers eux. Angélina Loubet, voici madame Anne Moreau, qui est comme vous sous les ordres de madame Bertin, mais diplômée depuis huit ans.

Angélina salua d'un petit signe de tête. Le docteur Coste s'approcha ensuite de sa patiente et lui dit d'un ton rassurant :

— Courage, madame, vous serez bientôt délivrée. Vous êtes en de bonnes mains. Mademoiselle Loubet, faites-la boire un peu.

Angélina s'empressa d'obéir. Elle prit ensuite la main de la parturiente et se pencha sur elle.

— Tout va bien se passer, madame. Ayez confiance ! Vous êtes tendue et effrayée, mais il faut vous calmer.

Ses intonations caressantes et son regard limpide aux nuances violettes eurent le don d'apaiser la femme qui fondit en larmes.

— J'aurais pas dû me marier sur le tard, hoqueta-t-elle. Je le paie cher aujourd'hui.

— Ne pensez pas des choses pareilles ! Ce soir vous aurez un bébé à aimer et à choyer, affirma Angélina en lui épongeant le front à l'aide d'un linge humide.

— J'vais mourir, sûr. J'ai si mal, mademoiselle, je peux plus endurer !

— Je sais que vous souffrez, mais ce sera bientôt fini.

Le docteur Coste et la sage-femme s'étaient éloignés du lit et conversaient tout bas. Angélina les observait du coin de l'œil, sans parvenir à distinguer leurs paroles.

« Que se disent-ils ? s'inquiétait-elle. Si seulement je pouvais mettre en pratique les enseignements de maman, ces massages qu'elle m'a appris ! A-t-on donné à cette personne les tisanes salutaires qui favorisent les contractions et stimulent l'utérus ? De l'agripaume, de la sauge, des feuilles de framboisier et d'ortie. Et il faudrait tenter de faire basculer l'enfant, qu'il se place bien. Je ne suis pas dupe : le docteur Coste a exigé que je sois là par caprice. Il veut me séduire, je le sens. Au moins, Guilhem m'aura appris à deviner le désir dans les yeux d'un homme ! »

— Mademoiselle, gémit la femme, j'ai mal, là, ça revient. Oh ! mon Dieu ! J'ai trop mal ! Depuis hier que ça dure ! Et là, ça me déchire les entrailles, je ne peux plus le supporter. Non, non !

Elle se tétanisa en hurlant à nouveau, la face crispée sur un rictus d'épouvante. Philippe Coste l'examina lui-même, puis il toussota, indécis, avant de dire tout haut :

— Il va falloir pousser, c'est le moment, madame !

Une infirmière entra, escortée d'une religieuse. Elles se mirent à préparer le nécessaire pour accueillir le bébé. La sage-femme s'empara d'un flacon de chloroforme et d'un tampon d'ouate. Chacun paraissait savoir exactement la tâche qui lui incombait.

« Je suis là pour réconforter la parturiente, songeait Angélina. Mais elle est affolée, terrifiée, épuisée par la souffrance qui va croissant, et elle m'entend à peine. Qu'ont-ils décidé ? J'aimerais tant le savoir ! Le docteur Coste n'a pas fourni d'explications à cette malheureuse femme. Il a dû décider de l'endormir pour procéder à l'incision du périnée. Elle doit même ignorer que l'enfant se présente par le siège. »

Adrienne Loubet avait coutume de dire toute la vérité à ses patientes dans le but de les faire participer à la naissance, même si des complications étaient à craindre. Mais, à la maternité de l'hôtel-Dieu Saint-Jacques, ce genre de complicité féminine, de confiance mutuelle, ne se pratiquait pas, et c'était le cas dans beaucoup d'hôpitaux.

Les cris de la future mère ne cessaient plus. La tête rejetée en arrière, elle cambrait le dos tout en broyant les doigts d'Angélina.

— Poussez fort ! ordonna le médecin. Madame, il faut pousser.

— J'ai plus la force, non, j'peux pas ! haleta la femme. Qu'est-ce qui se passe, docteur ? J'ai peur…

En guise de réponse, la sage-femme lui appuya le tampon imbibé de chloroforme sur le nez. Aussitôt, Philippe Coste prit place entre les cuisses de la patiente, à l'abri du drap. Impressionnée par la scène, Angélina serra les dents. Elle imaginait les ciseaux coupant les chairs distendues quand l'obstétricien lança une brève exclamation :

— Seigneur, il ne manquait plus que ça !

La femme sombrait déjà dans une bienfaisante léthargie. Le médecin se releva, l'air effaré.

— L'enfant a bougé, il s'est placé en travers de la matrice. J'allais couper quand j'ai vu son bras dans le vagin. Un cas rarissime. Nous allons les perdre de toute façon, même en tentant une césarienne.

Un silence de mort s'installa. La religieuse se signa et la jeune infirmière l'imita aussitôt. Angélina, qui avait pu libérer sa main, rejoignit le docteur Coste. Elle avait l'étrange impression d'être dédoublée, dénuée de tout sentiment de panique ou d'effroi. Son esprit lui dictait les gestes qui pourraient sauver la mère et l'enfant avec une précision inouïe, à la manière d'images défilant devant ses yeux.

— Docteur, perdu pour perdu, il y a une chose à essayer, osa-t-elle déclarer d'un ton ferme. La situation dont vous faites état est exceptionnelle et j'ai la certitude que ma mère, en vingt ans d'exercice, n'y a pas été confrontée. Mais, si Dieu est avec nous, nous avons une chance.

— Que voulez-vous entreprendre ? questionna anxieusement le médecin. Dites toujours !

— Il faudrait remettre le bras dans l'utérus et, puisque le bébé s'est déplacé, qu'il n'est plus en siège, il y a une infime chance qu'il se place la tête en bas en massant l'abdomen, murmura-t-elle. Si cela se produit, il pourrait venir au monde dans de bonnes conditions, au pire avec des forceps.

Philippe Coste parut réfléchir, tandis que la sage-femme et l'infirmière chuchotaient entre elles d'un air perplexe.

— Non, je n'y crois pas, dit-il enfin. Cela semble simple en théorie, mais j'estime que c'est bien trop dangereux.

— Mais moins dangereux qu'une césarienne qui condamne d'office la mère, répliqua Angélina d'un ton net. Sinon, on laisse mourir cette malheureuse sans rien tenter ?

La religieuse s'interposa, son chapelet à la main. Elle regarda la jeune fille qui s'était exprimée avec tant d'autorité, puis l'obstétricien.

— Je partage l'avis de cette demoiselle, docteur, affirma-t-elle. Il faut essayer. Si Dieu le veut, vous réussirez.

— Je risque de faire des dégâts, déplora-t-il en fixant ses mains, fortes, larges et aux doigts courts. Madame Moreau, je préfère que ce soit vous.

Il s'adressait à la sage-femme qui recula, indécise, avant de protester d'une voix tremblante :

— Non, docteur Coste, je ne tiens pas à être responsable du décès de la patiente et de son enfant. Selon moi, la position du bébé est irréversible.

Exaspérée, Angélina courut se laver les mains qu'elle frotta ensuite avec une solution antiseptique. Tous l'observaient, médusés. Elle demanda à la sœur de rejeter le drap qui couvrait le bas du corps de la femme. Elle n'écouterait plus rien de ces tergiversations, sachant que chaque minute comptait.

« Tant pis, je serai renvoyée, se disait-elle. Tant pis pour mon diplôme ! Je suis certaine que rien n'est encore perdu. N'est-ce pas, maman ? Tu as dû m'inspirer, me donner la solution. »

— Mais que faites-vous, mademoiselle Loubet ? s'écria le médecin, sidéré.

— Je fais preuve d'initiative, d'audace, comme le souhaite madame Bertin, jeta-t-elle sans le regarder. Je vous en conjure, docteur, laissez-moi faire, je m'en sens capable. Voyez mes mains : elles ne tremblent pas, elles sont aseptisées… et minuscules.

De nature sanguine, Philippe Coste s'empourpra. La jeune fille usait contre lui de ses propres arguments.

— Eh bien, allez-y ! dit-il.

Angélina avait à peine attendu sa permission. Sans le drap, elle distinguait mieux les parties intimes de la parturiente qui gémissait, à demi inconsciente. Le petit bras était toujours visible. En retenant sa respiration, tout entière concentrée sur ce qu'elle faisait, elle parvint à replacer délicatement le membre à l'intérieur de l'utérus.

— J'ai réussi, dit-elle en se redressant.

— Merci, Seigneur ! soupira la religieuse.

La sage-femme et le médecin suivaient d'un œil inquiet le moindre geste d'Angélina. Ils la virent masser le ventre avec une assurance surprenante, en une suite d'effleurements, de gestes circulaires, légers et fermes.

« Je t'en supplie, petit, aide-moi, implorait-elle en silence. Tu dois vivre. Ta mère aussi ! »

La patiente s'agitait, la bouche grande ouverte pour aspirer de l'air.

— Une contraction très forte ! cria soudain Angélina. Venez vite, docteur, vite ! L'enfant s'est tourné, vite !

À la stupeur générale, le bébé sortit de sa prison de chair au bout de quelques minutes, la tête la première, tout visqueux mais vigoureux. C'était un garçon. L'obstétricien le tendit à l'infirmière.

— Et il pleure bien fort, ce chérubin, s'extasia Anne Moreau. Je vous félicite, mademoiselle Loubet. Est-ce au fond de vos montagnes qu'on apprend ce genre de prouesses ?

— Sans doute, admit Angélina tout bas.

L'état de transe qui l'avait soutenue en pleine action retombait. Elle était vide, épuisée. La raison reprenait ses droits et elle n'osait plus bouger ni dire un mot. Les témoins de l'accouchement la dévisageaient avec un air ébahi.

— Je vous remercie, mademoiselle Loubet, dit le médecin. Mais cela tient du miracle. Vous avez pris un risque insensé. Je serai dans l'obligation de rapporter votre conduite à madame Bertin. Cependant, l'enfant est vivant, ainsi que la mère ; elle en tiendra compte.

Sur ces mots, il sortit de la salle d'un pas rapide, partagé entre la colère et l'admiration. Il fuyait surtout cette jeune fille aux prunelles d'améthyste, dont il était amoureux et qui venait de lui donner une leçon de courage... autant que d'obstétrique.

La sage-femme surveillait l'accouchée. Sous peu, des contractions plus faibles annonceraient l'expulsion du délivre, qu'il lui faudrait examiner avec soin.

— Dois-je sortir, madame Moreau ? lui demanda Angélina qui guettait le réveil de la patiente.

— Vous pouvez rester, vous le méritez bien ! Je pense que cette dame tiendra à vous remercier dès qu'elle aura retrouvé ses esprits. Grâce à vous, elle a un beau petit garçon. Mon Dieu, j'ai vu mourir tant de femmes et de nouveau-nés, ici ! C'est une joie infinie quand on peut déjouer la fatalité.

Angélina approuva d'un murmure inaudible. Elle tenait de nouveau la main de cette inconnue qui bientôt ouvrirait les yeux et lui confierait son nom, de même que le prénom choisi pour son fils. Cela ne tarda pas. Les vagissements du bébé finirent par tirer sa mère de sa léthargie. Elle battit des paupières.

— Oh ! fit-elle. Je suis à l'hôtel-Dieu... Et l'enfant ? C'est lui que j'entends ? Vierge Marie, il est là, vivant ?

La voix pâteuse, elle réclama à boire. La religieuse se chargea de lui apporter un peu d'eau.

— Le docteur m'a endormie ? demanda encore l'accouchée. Tout à coup, je n'ai plus rien senti.

— Vous allez voir votre bébé, dit Angélina avec douceur. Vous avez un fils, madame. L'infirmière lui donne les premiers soins. Dès qu'il sera lavé et habillé, vous pourrez le tenir dans vos bras.

— Merci, mon Dieu, merci ! murmura la femme.

Quelqu'un entra dans la salle au même instant. C'était madame Bertin, la mine furibonde. Elle fit signe à sa consœur Anne Moreau de la rejoindre près de la porte. Après un bref conciliabule, la sage-femme en chef ordonna sèchement :

— Angélina Loubet, venez par ici ! Dehors !

L'austère sexagénaire ressortit et attendit la jeune fille dans le couloir où Philippe Coste faisait les cent pas.

— Madame, est-ce que vous avez besoin de moi ? interrogea Angélina.

— Je dois seulement vous parler. Le docteur Coste m'a fait part de ce qui s'est passé dans cette salle d'accouchement. Je croyais avoir été claire, ce matin : pas une de mes élèves ne devait toucher à une parturiente avant deux mois d'exercice sur la machine de madame du Coudray. Vous avez enfreint mes ordres.

— Sur vos conseils, madame, répliqua Angélina. Vous vouliez de l'audace et de l'initiative.

« Autant dire ce que je pense, songea-t-elle. Tant pis si je suis renvoyée. » Mais elle luttait pour ne pas pleurer, tant elle était à bout de nerfs, tant elle était contrariée par cette scène injustifiable. Très gêné, le médecin arrêta de déambuler et se posta près de madame Bertin qui ajouta :

— Vous m'avez désobéi ! Néanmoins, grâce à vous, la patiente et son bébé sont en vie. Une sage-femme ne doit avoir que ce souci à l'esprit : mettre au monde un enfant dans les meilleures conditions, tout en préservant la vie de sa mère. L'incident en restera donc là, mais à une condition : votre exploit sera passé sous silence, et la réussite de l'accouchement reviendra au docteur Coste, pour la famille et le personnel de la maternité, et surtout pour les autres élèves. J'en ai averti madame Moreau, qui a dû prévenir la sœur et l'infirmière. C'est compris, Angélina Loubet ?

— Oui, madame Bertin.

— Si vous vous retrouvez au chevet de cette femme, n'allez pas vous vanter de votre prouesse ! Je ne le tolérerai pas. La naissance s'est déroulée normalement, l'enfant s'est présenté par la tête et le docteur Coste en recevra seul le mérite. Vous pouvez disposer.

Avant de s'éloigner, Angélina adressa un regard plein d'incompréhension au médecin qui ne lui accorda même pas un sourire.

« Quel goujat ! se dit-elle en entrant dans le dortoir. Il me flatte quand nous sommes seuls, mais il me traite de haut devant madame Bertin. Mais, au fond, cela n'a pas d'importance. Grâce à Dieu et grâce à toi, maman, j'ai sauvé cette femme et son bébé. »

Les jours suivants, Angélina fit de son mieux pour éviter le docteur Coste, ce qui n'était guère facile. Le médecin s'arrangeait pour la croiser le plus souvent possible. Il passait devant le réfectoire quand les élèves en sortaient ou y entraient. Et il lui arrivait même de la surprendre au chevet d'une patiente en travail, de jour comme de nuit. Il posait alors une ou deux questions et, n'obtenant que des réponses à voix basse sans avoir droit à un regard, il repartait.

Ce soir-là, à l'heure du coucher, Magali pointa un doigt sur la poitrine d'Angélina.

— Il en pince pour toi, le beau docteur, minauda-t-elle. N'est-ce pas, Désirée ? T'as remarqué, toi aussi ?

— Oui, il ne voit qu'elle, il ne regarde qu'elle. Tu en as, de la chance, Angélina !

— Vous m'agacez, toutes les deux. D'abord, il n'est pas beau, cet homme-là. Je me moque bien de lui plaire. Il a sûrement le double de mon âge. Et puis, je suis ici pour étudier, pas pour trouver un amoureux.

C'était le moment des bavardages, des confidences échangées dans la lumière tamisée des veilleuses. Magali et Désirée rirent de plus belle, assises sur le même lit, les cheveux défaits, en chemise de nuit. Les deux filles étaient devenues très amies, sans mettre Angélina à l'écart, mais son caractère réservé et le petit air hautain derrière lequel elle dissimulait sa timidité dressaient une barrière invisible entre elle et les autres élèves. Cependant, on la respectait.

— Moi, si je me remariais, je voudrais bien que ce soit avec un médecin, avoua Armande. Je suis d'une bonne famille ; si le docteur Coste me faisait les yeux doux, je ne résisterais pas longtemps. Mon veuvage me pèse…

— Il coucherait peut-être avec toi, mais de là à t'épouser…, coupa Odette. Ma mère m'a mise en garde contre les étudiants en médecine. Ils n'ont que la chose en tête et ils font des paris à qui dévergondera les plus naïves. Après, si ça se sait ou qu'on est grosse de leurs œuvres, c'est le renvoi immédiat et, quelques mois plus tard, on a un bâtard sur les bras. Le pauvre gosse, il n'y est pour rien. Hélas ! il finit à l'orphelinat. Il ne faut jamais céder à un homme sans avoir la bague au doigt !

Blessée dans son amour-propre, Angélina serra les dents. Les paroles d'Odette résonnaient douloureusement dans son cœur. Afin d'échapper à la discussion, elle décida d'écrire à sa chère vieille amie.

— Ce matin, j'étais de garde au chevet d'une drôle de patiente, intervint Désirée. Elle m'a raconté sans honte qu'elle vendait ses charmes. Depuis dix ans, en plus. Une prostituée, imaginez un peu. Elle a déjà deux enfants que sa mère élève. C'est son troisième. Savez-vous ce qu'elle m'a dit ?

— Ben non, poulette, dit Magali.

— Les petits, elle connaissait leur père, même qu'ils ont tous le même. C'est son souteneur. Je me demande comment elle peut en être sûre.

— Elles sont rusées, va, se récria Janine. Quel culot, de venir accoucher à l'hôpital ! Ces filles, elles ont des maladies. Je ne voudrais pas être obligée d'en toucher une.

— Taisez-vous donc, maintenant, soupira Armande. J'ai sommeil.

— Oui, taisez-vous, insista Angélina. Et je vous rappelle que nous n'avons pas à juger les femmes admises à la maternité. Ce sont nos patientes.

Excédée, elle posa sa plume et son bloc de feuilles. Gersande de Besnac n'aurait pas de courrier avant la semaine prochaine. Elle s'allongea entre les draps froids et rêches, et tira sa couverture sur son visage. Ses compagnes de chambre poursuivaient la conversation tout bas.

« Mon petit Henri, mon fils, mon pitchoun, je ne t'ai pas abandonné, mais tu n'as pas de nom. Pardonne-moi, mon enfant. J'espère que tu ne m'en voudras pas trop, plus tard ! » songea Angélina, le cœur serré.

Janine éteignit les veilleuses. Les journées étaient longues et pénibles. Les élèves de madame Bertin s'endormirent très vite.

Gare de Boussens, 10 février 1880

Angélina descendit du train en provenance de Toulouse dans un état d'exaltation indicible. Enfin, elle rentrait au pays. Le soir même, elle verrait la nuit tomber sur la cité de Saint-Lizier, elle retrouverait son père et sa maison, ainsi que le brave pastour au poil blanc. Surtout, elle pourrait embrasser son enfant. C'était autant de promesses de joie et de bons moments à passer pendant plus d'une semaine.

Il était presque midi. Malgré un ciel d'un bleu pur, il faisait très froid. Elle contempla avec une douce émotion les sommets enneigés qui se découpaient à l'horizon. Elle les avait déjà aperçus de la fenêtre du wagon, mais, là, elle pouvait les admirer dans toute leur majestueuse magnificence.

« Quel bonheur de revenir chez soi ! » se dit-elle en marchant d'un pas vif vers la salle d'attente.

Un sourire rêveur illuminait son visage, ce dont elle n'avait même pas conscience. Les jours précédant le congé du carême avaient filé si vite ! Angélina gardait le souvenir de toutes les heures passées au chevet des patientes de madame Bertin, des heures riches en précieux enseignements. Son statut d'élève la reléguait au rang de simple assistante, mais il privilégiait l'échange avec ces femmes en douleur. Si les gestes étaient fidèlement les mêmes – éponger les fronts en sueur, donner à boire, tenir la main, mettre le bébé au sein dans certains cas –, aucune parturiente ne ressemblait à une autre. Certaines supportaient mieux la souffrance et se montraient enjouées et courageuses ; d'autres se débattaient en hurlant, se plaignaient et sanglotaient.

« J'ai eu de la chance, songea-t-elle. Janine et Odette ont vu mourir deux jeunes patientes de la fièvre puerpérale[1]. Je dois me préparer à affronter ce genre de tragédies. Malgré toutes les recommandations de madame Bertin, il y a forcément eu un manque d'hygiène. Maman n'a jamais eu à déplorer de cas de fièvre mortelle. »

Dehors, le chef de gare fit une annonce dans son portevoix, mais, plongée dans ses pensées, elle n'y prêta pas attention. Assise sur un banc, elle fixait ses mains gantées, ces mains qui deviendraient plus tard ses plus fidèles alliées. Il lui fallut quelques secondes pour constater qu'une personne se tenait devant elle. Intriguée, elle releva la tête et découvrit le docteur Coste, vêtu de son manteau de voyage en astrakan, un chapeau melon sur ses cheveux gris blond.

— Angélina Loubet ! Quel hasard ! dit-il en prenant place à ses côtés. Je finirai par aimer cette gare. Cela ne vous dérange pas, si je vous appelle par votre prénom, hors des murs de l'hôtel-Dieu ?

Elle s'écarta un peu sans lui accorder de réponse. Le médecin poussa un bref soupir.

1. Fièvre due à une infection de l'utérus, mortelle à cette époque. Au XIXᵉ siècle, avant le développement de l'antisepsie, c'était un vrai fléau en milieu hospitalier, si bien que les femmes redoutaient d'accoucher à l'hôpital.

— Allez-vous m'ignorer encore longtemps ? demanda-t-il. Vous travaillez dans mon service, mais vous réussissez à ne pas m'adresser la parole, vous évitez mon regard !

— Laissez-moi tranquille, rétorqua Angélina.

— Non ! s'écria-t-il. Je savais que vous preniez ce train et je suis descendu à Boussens pour vous parler. Angélina, j'aimerais vous inviter à déjeuner. Le chef de gare vient d'annoncer que votre train avait une avarie et qu'il ne partirait qu'à quatorze heures. Je vous en prie, faisons la paix.

— Je ne suis pas en guerre, ironisa-t-elle. Et, comme vous l'avez précisé, nous ne sommes pas à l'hôtel-Dieu, ici. Rien ne m'oblige à vous côtoyer ou à vous écouter. Hors des murs de l'hôpital, je suis libre d'agir à ma guise. Et vous feriez mieux de m'appeler mademoiselle. Angélina, sans même ajouter mon patronyme, c'est un peu familier à mon goût.

Philippe Coste ne la quittait pas des yeux. Elle lui présentait son ravissant profil et il se contenait pour ne pas la forcer à se retourner un peu. Il avait une envie insensée de se perdre dans ses prunelles violettes, d'y lire un peu d'indulgence, voire un début d'absolution.

— Sur ce point, vous avez raison, admit-il. Je me doute que vous m'en voulez depuis ce fâcheux incident dont madame Bertin porte l'entière responsabilité. Il faut la comprendre. Elle a la lourde charge de former de futures sages-femmes et cela passe par une discipline irréprochable, destinée à éviter la moindre erreur.

Cette fois, Angélina lui fit face, submergée par la colère.

— Un fâcheux incident ? répéta-t-elle tout bas. Mon Dieu, pour moi, c'était tout autre chose. J'ai été humiliée, blessée par votre indifférence, ce jour-là. Ai-je commis une faute, une erreur ? Je ne réclamais ni compliments ni remerciements, mais je me suis sentie lésée. J'ai eu l'impression d'être punie alors que j'avais sauvé cette mère et son enfant. On m'a interdit de les revoir tous les deux. Je n'aurais pas dévoilé mon rôle, puisque cela devait rester secret. Et vous n'êtes même pas intervenu en ma faveur ! Que s'est-il passé, ensuite ? Une rumeur a parcouru toute la maternité, vantant votre talent, parce que vous aviez réussi une manipulation fabuleuse sur une présentation par le siège.

— Mademoiselle Loubet, enfin, soyez lucide ! Il était impossible de révéler votre intervention. Réfléchissez. Trois semaines après son admission, une jeune élève de l'école de sages-femmes qui, d'autorité, prend la situation en main… Et vos consœurs, qui semblent déjà vous jalouser, n'auraient pas fini de vous chercher querelle au moindre prétexte. Allez, venez déjeuner au buffet de la gare. Je vous présenterai mes plus plates excuses et nous trinquerons à votre avenir.

— Vous pouvez vous excuser ici, le coupa-t-elle.

— Bien entendu ! Je vous demande pardon pour ma vanité et un brin de lâcheté. Je n'ai pas osé plaider votre cause auprès de madame Bertin et j'étais assez content de m'octroyer le mérite de cette naissance au dénouement heureux. Mais, je le sais, sans vous, cette femme serait morte et enterrée, son fils également. Je n'oublierai jamais ces instants où vous avez officié en silence, telle une magicienne, si habile, si sérieuse. Seigneur, je deviens lyrique, grâce à vous !

— Ce n'était pas de la magie, mais de l'intuition et de la logique. Si vous aviez été vraiment fasciné, vous m'auriez permis de revoir votre patiente et son bébé.

— Excusez-moi, vraiment, insista le médecin. À ce propos, madame Moreau, qui est la loyauté personnifiée, a eu une querelle avec madame Bertin. Anne tenait à ce que vous receviez les félicitations auxquelles vous aviez droit de la part de la mère, et aussi du père, un commerçant renommé du quartier Saint-Michel.

Angélina retint un sourire. Le docteur Coste le prit pour lui, mais elle s'amusait d'un détail anodin. « Anne Moreau, il l'appelle Anne ! Quelle familiarité ! Je suppose qu'il l'a courtisée, et sûrement avec succès. »

— Madame Moreau est-elle votre maîtresse ? s'enquit-elle d'un ton moqueur.

— Quelle idée ! Une jeune personne bien éduquée ne poserait pas de questions pareilles !

— Simple curiosité ! répliqua Angélina en se levant. Au revoir, docteur. Je suis ravie de vous avoir déplu.

— Attendez ! Il en faudrait plus pour me déplaire. Seigneur, vous me surprenez beaucoup. On vous croirait très timide et, tout à coup, vous faites preuve d'un esprit frondeur, quand vous ne servez pas ses quatre vérités à madame Bertin. Angélina, je vous en prie, acceptez de déjeuner en ma compagnie. Nous discuterons en toute franchise. Quant à Anne, je la connais bien, rien d'autre. Après avoir obtenu son diplôme, elle a fait sa formation à mes côtés. Je l'appelle par son prénom par habitude. Pour vous aussi je préférerais supprimer le patronyme ou les « mademoiselle ». En salle d'accouchement, c'est plus rapide. Alors, venez-vous à table ? C'est dans la salle voisine. Vous verrez, la cuisine est très correcte.

Elle capitula, car elle était affamée. Elle pensait aussi qu'il serait intéressant de mieux percer la personnalité de l'obstétricien.

— Bien, je vous suis, dit-elle. Mais ce n'est guère convenable pour une jeune personne, même mal éduquée, de déjeuner seule avec un homme. Mon père, modeste cordonnier, désapprouverait votre attitude et votre invitation.

Le médecin parut réfléchir un moment avant de lever les bras au ciel.

— Bon sang ! Ce n'est pas un dîner dans un restaurant de Toulouse, mais un repas vite pris dans un lieu fréquenté ! Donnez-moi donc votre valise.

Il était un peu nerveux. Angélina avait brandi l'étendard du père de famille respectable et soucieux de l'honneur de sa fille, et cela troublait son bel enthousiasme.

— Soit ! ajouta-t-il. Vous direz à votre père que ce déjeuner était le fruit du hasard, un concours de circonstances.

Elle ne répondit pas, mais elle lui adressa un étrange regard où il crut lire des reproches. Ils s'installèrent à une petite table où deux couverts étaient déjà disposés, ainsi qu'une corbeille de pain et une carafe de vin rouge.

— Ah ! Voyons le plat du jour, dit-il en lui souriant. Du sauté de veau à la persillade et des pommes de terre sautées. Je commanderai de la salade de betteraves en entrée. Est-ce que cela vous tente ?

— Je ne suis pas difficile ! laissa-t-elle tomber laconiquement.

Elle se mit à observer les autres clients. Philippe Coste en profita pour l'admirer à son aise. Il ne lui trouvait aucun défaut. « Tout chez elle est fin, subtil, gracieux : ses oreilles, son nez, sa bouche, le dessin de ses sourcils. Ses cheveux font de petites frisettes au niveau des tempes, et sa peau est si claire ! Et son cou a la rondeur de l'enfance, encore… » Il eut beau s'interdire d'évoquer le corps d'Angélina, son esprit s'emballa. « Elle semble mince, mais ses seins pointent sous sa veste en velours et elle a une taille bien marquée. »

Depuis une douzaine d'années, sa profession lui avait permis d'examiner la morphologie d'innombrables patientes. Il aurait pu décrire sans peine des multitudes de cuisses, de ventres, de toisons féminines. Il osa imaginer le pubis d'Angélina, ombré de bouclettes rousses. Le feu lui monta aux joues.

— Ce vin est bien trop fort ! déclara-t-il pour justifier cette brusque rougeur.

— Je m'en tiens à l'eau, répondit Angélina.

— C'est prudent, en effet, plaisanta-t-il. Alors, parlez-moi de vous. Pour être sincère, vous m'intriguez beaucoup. Je suis persuadé que vous deviendrez une femme de caractère.

— J'espère surtout être une excellente sage-femme, trancha-t-elle. Je n'ai qu'une hâte : obtenir mon diplôme et succéder à ma mère. J'ai parcouru à nouveau le manuel de madame du Coudray que j'ai emporté dans ma valise. Cette remarquable costosida dénonce avec des arguments irréfutables les pratiques dangereuses des matrones, dont le règne n'est hélas ! pas terminé. Ma mère n'hésitait pas à parcourir des kilomètres pour se rendre au chevet de ses patientes, tant elle redoutait de les voir faire appel à une certaine personne qui sévit toujours dans les environs de Saint-Girons. L'an dernier, trois mères de famille sont mortes des suites de leurs couches.

— Une costosida, répéta Philippe Coste d'un air songeur. Je n'avais pas entendu ce mot depuis fort longtemps. Ainsi, vous souhaitez exercer très vite, l'an prochain, si j'ai bien compris, et dans votre ville.

— Oui, évidemment, s'enflamma-t-elle.

Ils furent interrompus par le serveur qui venait prendre leur commande. Angélina s'aperçut qu'elle s'était adressée au médecin sur un ton assuré, et sans s'embarrasser de leur différence d'âge, de milieu et de position sociale. Elle se promit d'être moins véhémente et plus discrète.

— Que de détermination ! dit-il au même instant. Cela ne vous tenterait pas de travailler à l'hôtel-Dieu ? Madame Bertin n'est plus toute jeune. Encore cinq ans et ce sera Anne Moreau qui occupera ses fonctions. Vous auriez votre place à l'hôpital.

— Oh non, je ne pourrais pas vivre à Toulouse, affirma-t-elle d'une voix radoucie.

— Peut-être à cause d'un fiancé qui vous épousera dès votre retour définitif au pays ?

— Vous êtes bien indiscret !

— Dans ce cas, nous sommes à égalité, Angélina. Vu votre embarras, je ne dois pas me tromper. Excusez-moi, je vous ai encore appelée Angélina !

— Ici, ce n'est pas très grave, concéda-t-elle gentiment. Cela dit, je n'ai pas de fiancé et je ne me marierai jamais.

On leur apporta la salade de betteraves et une marmite en terre grise d'où s'échappait un fumet appétissant. Douché par la repartie catégorique d'Angélina, le médecin préféra commencer à manger et il décida de ne plus aborder le sujet. Très vite, cependant, il en conçut une exaltation qui le rendit imprudent. « Si elle dit la vérité, j'ai une chance de la conquérir, songeait-il. Elle est jolie, spirituelle, intelligente. »

— Vous refuseriez même un bon parti ? s'entendit-il demander à sa propre surprise.

— Oui, même un roi, un prince, répondit-elle d'un air mutin avant de s'attrister. J'ai de bonnes raisons pour cela, docteur Coste. Mes parents s'aimaient vraiment ; ils formaient un couple uni, mais je les ai pourtant vus se quereller à plusieurs reprises. Mon père supportait mal les absences continuelles de ma mère. Il s'inquiétait si elle rentrait à la maison plus tard que prévu, il ne décolérait pas quand elle passait plusieurs nuits au chevet d'une patiente. Moi aussi, j'en ai souffert. Souvent, maman me confiait à une voisine. Ensuite, je suis allée en pension à Saint-Girons et, de la salle de classe, je regardais la cité haut perchée où se trouvait mon foyer. Saint-Lizier a été bâti sur un large promontoire rocheux, ceinturé de remparts. On voit de loin le palais des Évêques, qui a été un séminaire dans le passé et qui abrite maintenant un hôpital pour indigents. Un matin, je me suis enfuie et j'ai couru jusque chez moi. Papa m'a grondée, sermonnée ; il a failli me gifler. Mais il a fait bien pire. Il m'a ramenée à l'école, et la directrice m'a infligé une punition : deux semaines sans sortir le dimanche. En résumé, le métier que j'ai choisi n'est guère conciliable avec le mariage.

Tout en parlant, Angélina, perdue dans ses souvenirs, fixait un point invisible de l'espace. Le médecin l'écoutait, déconcerté de recueillir de telles confidences. Elle s'écria soudain :

— Oh ! excusez-moi, je suis désolée de vous avoir raconté tout ça ! Je dois vous ennuyer ! Ce n'est pas dans mes habitudes d'être aussi bavarde.

Elle était sincèrement navrée. Elle regarda Philippe Coste avec une attention nouvelle et constata qu'il était encore jeune et assez séduisant, et que son visage, ses yeux clairs exprimaient une profonde tendresse. Elle n'avait plus devant elle le docteur en obstétrique de l'hôtel-Dieu, mais un homme attentif, galant, sûrement d'une réelle gentillesse. « S'il m'aimait, si j'essayais de l'aimer en retour, que deviendrait Henri ? se dit-elle. J'ai un fils et, ma vie durant, je me consacrerai à lui. »

— Angélina, vous me flattez en m'accordant autant de confiance et vous ne m'ennuyez pas. Un jour, peut-être, je vous parlerai de mon enfance à Luchon. La ville se transforme sans cesse, ses eaux sont appréciées et, à la belle saison, les curistes affluent. Voyez, j'ai grandi à la montagne, comme vous. Et je ne prisais guère l'école. Mais c'est à mon tour de craindre de vous lasser. Prendrez-vous du café ?

Elle allait répondre lorsque le chef de gare fit une nouvelle annonce.

— Mon train va partir, s'affola-t-elle. Ils ont dû réparer l'avarie plus vite que prévu. Je vous laisse.

Elle se leva précipitamment. Le médecin la rassura.

— Calmez-vous ! Nous avons un peu de temps, quand même. Je vous accompagne. Garçon, un café ! Je reviens.

Il se chargea de la valise d'Angélina et, sans plus réfléchir, il lui prit le bras pour la soutenir. Elle n'en fut pas choquée, mais soulagée. C'était agréable de s'en remettre à quelqu'un de respectable et d'influent. Pour un peu, bouleversée et anxieuse, elle aurait voulu poser sa tête contre cette épaule masculine, s'y réfugier, pleurer de douceur.

Ils étaient sur le quai. Le docteur l'aida à monter sur le marchepied et hissa ensuite sa valise.

— Au revoir et à bientôt, Angélina, dit-il. Profitez bien de votre congé.

Elle le remercia tout bas, haletante. Un employé des chemins de fer ferma la porte. Le convoi démarra dans une cacophonie de sifflements et de grincements.

— Au revoir, Philippe, articula Angélina tout bas en agitant timidement la main droite.

Il ne pouvait plus l'entendre, mais il vit son geste esquissé et ce sourire tremblant qu'elle lui adressait. Cela lui suffisait. « Pourquoi la conquérir, lui voler son innocence ? pensa-t-il le cœur serré. Elle sera mon épouse... »

Saint-Lizier, même jour

Angélina gravissait d'un bon pas l'abrupte rue de la Caussade, qui la conduirait au plus vite à l'angle de la rue des Nobles et de la rue de l'Horloge d'où elle pourrait rejoindre la rue Maubec, édifiée sur le plateau rocheux. Sa valise pesait au bout de son bras, mais elle ne ralentissait pas pour autant. Personne ne l'attendait à la gare et cela l'avait un peu déçue. « J'ai prévenu papa du jour de mon retour ; il aurait pu venir à ma rencontre ! Octavie a sûrement préféré rester au chaud avec Henri. Le vent est glacial ! Il neigera ce soir ou cette nuit. »

Depuis le départ de Boussens, elle avait vu le ciel se couvrir de nuages d'un gris cotonneux. Un dicton en patois de son grand-père lui était revenu en mémoire, qu'elle

avait répété plusieurs fois tout bas, comme une berceuse :
La nèou dé féouré, coumo l'aïgouo al paniè[1] *!*

Elle retrouvait sa cité natale avec une joie enfantine. Chaque façade lui était familière, celle du notaire ornée d'un long balcon en fer forgé, aux arabesques élégantes, celle de Saturnin, le sonneur de cloches, que des rosiers grimpants envahissaient d'année en année… Au mois de juin, c'était un enchantement de voir des nuées de fleurs rouges et jaunes dansant sur l'ocre du crépi, tandis qu'un parfum capiteux vous enveloppait.

Malgré le vent glacé et violent qui circulait dans le dédale des ruelles, Angélina riait en silence, si impatiente qu'elle aurait voulu courir. « Je vais d'abord embrasser mon père, ensuite j'irai vite chez mademoiselle Gersande. J'arrive, mon pitchoun, mon tout-petit ! se disait-elle en franchissant le clocher-porche. Dieu du ciel, cette valise ! Je n'aurais pas dû ramener mes livres… »

Elle ouvrit avec délectation le battant droit du portail en bois délavé par les intempéries. Tout de suite, des aboiements rauques retentirent, entrecoupés de grogne-ments sourds.

— Sauveur, c'est moi, Angélina ! Sauveur, viens, mon chien !

Mais l'animal était attaché dans un angle de la cour. Il tirait comme un forcené sur la chaîne qui le retenait prisonnier. La jeune fille posa sa valise et courut le détacher.

— Ma pauvre bête, tu as maigri et ton poil est sale, déplora-t-elle à mi-voix.

---

1. Dicton du pays massatois : « Neige en février, eau dans un panier. »

Une fois libéré, le pastour lui fit la fête à son aise. Elle en fut quitte pour des traces grisâtres sur le velours brun de sa jupe. Mais elle s'en moquait, trop contente de caresser son chien, de le gratter au sommet du crâne. Mais bientôt un détail l'intrigua. Il n'y avait pas de lumière dans l'atelier du cordonnier.

— Papa n'est pas là ? s'étonna-t-elle.

Elle entra afin d'en avoir le cœur net. La vaste pièce était déserte et glaciale, le poêle était éteint. Seule la puissante odeur des peaux et des cuirs graissés témoignait d'une présence, sinon on aurait pu croire le lieu abandonné. Elle sortit et tenta de pénétrer dans la maison. La porte était fermée à clef.

— Quel accueil ! se dit-elle.

Au fond, cela l'arrangeait. Elle rangea sa valise sur le seuil de l'atelier pour repartir chez Gersande de Besnac.

— Viens, Sauveur, tu dois avoir besoin de te dégourdir les pattes.

Angélina croisa Saturnin, le sonneur de cloches, au milieu de la rue de l'Horloge. C'était un homme de soixante ans, petit et râblé, toujours coiffé d'un large béret noir et vêtu d'une cape.

— Tiens, t'es de retour au pays, pitchoune, lui dit-il en exhibant une dentition douteuse sous sa moustache grise. *Qué bal mès èsté aousèl dé bosc qu'aousèl dé gabio !* Comprends-tu ce que je raconte au moins, ou bien causes-tu seulement toulousain, à présent ?

— J'ai très bien compris, Saturnin, je connais encore notre patois, répliqua-t-elle en riant. Mieux vaut être un oiseau des bois qu'un oiseau en cage ! Hélas ! dans les grandes villes, il n'y a pas assez d'arbres à mon goût.

— Eh oui, pardi, mais t'as volé loin de ta cage. Et tu nous reviens encore plus belle.

— Merci, vous êtes galant homme !

— Té ! Aussi galant que mes cloches, pitchoune, riposta-t-il en s'esclaffant.

Elle le salua et descendit la rue des Nobles. Toute la cité était pavée de gros galets bruns qui rendaient la marche peu commode. Enfin, ce fut la halle couverte et le passage voûté qu'elle avait franchi tant de fois. « Mon petit Henri chéri, ta maman est là ! » pensa-t-elle en montant les marches quatre à quatre, le pastour sur ses talons.

À sa grande surprise, Angélina trouva la porte entrebâillée, ce qui n'était pas dans les habitudes d'Octavie. Tout de suite, elle perçut des plaintes d'enfant, un remue-ménage et des discussions. Plus curieuse qu'inquiète, elle se glissa dans le vestibule et jeta un regard ému aux murs tapissés d'un papier peint rouge et or, au miroir vénitien au portemanteau en bois d'ébène ; ce décor qui lui était familier.

— Sage, Sauveur, couche-toi là et ne bouge pas, ordonna-t-elle au chien.

Soudain, un hurlement spasmodique retentit dans le salon. Seul Henri pouvait crier ainsi. Le cœur pris de folie, Angélina se rua dans la pièce. Là, elle aperçut Octavie, mademoiselle Gersande et le docteur Buffardaud, tous penchés sur son fils.

— Mon Dieu, que se passe-t-il ? s'exclama-t-elle. Henri est malade ?

Son irruption fit sursauter les deux femmes, qui ne l'avaient pas entendue entrer. Quant au médecin, il lui décocha un coup d'œil irrité. Gersande de Besnac se précipita vers elle.

— Ah ! te voilà, Angélina, murmura-t-elle. Henri avait tellement de fièvre qu'Octavie est allée chercher le docteur. Depuis hier matin, notre petit tousse beaucoup et il vomit ses repas.

La jeune mère dut faire appel à toute sa volonté pour ne pas se trahir. Elle déclara très bas :

— Il fallait me prévenir, m'envoyer un télégramme ! J'aurais pris le train plus tôt. Je veux le voir.

— Viens, approche, mais, par pitié, garde ton sang-froid, chuchota la vieille demoiselle, l'air affolé.

— Oui, je vous le promets !

Angélina retint un gémissement de peur en découvrant son enfant en proie au délire. Le bébé avait le visage très rouge et les yeux à demi révulsés, tant il hurlait et se débattait entre les mains du médecin. Chacun de ses cris s'achevait sur une note vibrante, éraillée, presque insupportable. Octavie sanglotait en fixant le petit malade.

— Je diagnostiquerais une bronchite ou le croup, dit le docteur Buffardaud.

— Le croup ? répéta Angélina, livide. Ce n'est pas possible !

— Seriez-vous médecin, mademoiselle Loubet ? ironisa l'homme. Vous étudiez l'obstétrique, pas les maladies infantiles.

Sur ces mots, il se tourna vers Octavie qui secouait la tête d'un air hagard.

— Il faut surveiller la respiration de votre neveu, lui dit-il. Le plus important est de le calmer, qu'il puisse dormir. Je vous prescris du laudanum. Vous lui en donnerez de petites quantités, une cuillère matin et soir dans de l'eau sucrée. Cela ne lui fera pas de mal, même s'il s'agit d'une bronchite. Je reviendrai demain matin.

Le médecin rédigea une ordonnance et remit sa redingote. Il souleva à peine son haut-de-forme pour saluer.

— Bonsoir, mesdames ! Ne me raccompagnez pas, restez près de ce pauvre petit.

Il y eut alors un léger incident qui aurait fait rire Angélina en d'autres circonstances. En voyant apparaître un inconnu dans le vestibule, le chien se mit à grogner, le poil hérissé. Le docteur poussa un juron, ce qui acheva d'irriter Sauveur. Il décida que cet homme ne franchirait pas la porte.

— Venez m'aider, bon sang ! appela Buffardaud. Cette bête va me mettre en pièces.

Angélina s'apprêtait à prendre Henri dans ses bras. Elle dut y renoncer et voler au secours du docteur. Sans hésiter, elle saisit le chien par son collier. Il changea aussitôt d'attitude, pareil à un ours apprivoisé.

— Vous pouvez sortir, il ne vous fera aucun mal ! dit-elle sans aucune amabilité.

— Rien n'est moins sûr, dit le médecin. Votre père avait pourtant l'ordre de le tenir enfermé jusqu'à demain. Les gendarmes vont l'abattre, votre monstre ! Il a attaqué Blaise Seguin ce matin et, Dieu merci, il a déposé une plainte. C'était bien une idée d'écervelée de prendre une bête de ce genre ici, en ville. Les pastours sont faits pour la haute montagne, où ils laissent les honnêtes citoyens en paix.

Le docteur Buffardaud la foudroya du regard et sortit enfin, non sans claquer violemment la porte. Trop préoccupée par la santé de son fils, Angélina ne s'attarda pas sur ce nouveau souci.

— Comment va-t-il ? interrogea-t-elle en se précipitant vers Henri. Pourquoi hurlait-il aussi fort, tout à l'heure ?

— Je crois qu'il avait peur du médecin, hasarda Octavie.

— Il faut dire que ce triste praticien a examiné notre chérubin comme s'il s'agissait d'un pantin, ajouta Gersande de Besnac.

Angélina écoutait à peine. Elle s'était assise sur la méridienne et tenait son enfant contre sa poitrine.

— Il est brûlant et écarlate ! Seigneur, ne me le prenez pas, gardez-le en vie ! Mon petit ange, mon agneau sans tache, mon unique trésor !

Gersande lui effleura l'épaule avec une infinie délicatesse.

— Ma petite Angélina, ne pleure pas. Si Henri n'est pas rétabli demain, je demanderai à un autre docteur de venir, ce fameux Pierre Regeihl qui s'est installé à Caumont, sur la route de Toulouse.

— Moi, dit Octavie, je vais chercher du laudanum à la pharmacie de l'hôtel-Dieu[1]. Les sœurs doivent en avoir.

— J'en ai une bouteille, coupa Gersande. J'en achète pour soulager mes migraines et pouvoir dormir. Oh ! Angélina, je suis désolée ! Quel retour ! Nous étions si contentes, Octavie et moi !

Sans même répondre, la jeune fille se leva en tenant son fils avec passion. Le petit paraissait à demi inconscient.

— Mon pitchoun, courage ! dit-elle à voix basse. Tu vas guérir, ta maman est là, maintenant.

Les deux femmes furent stupéfaites de la voir ouvrir une des hautes fenêtres à petits carreaux.

— Que fais-tu, Angélina ? s'alarma la vieille demoiselle. As-tu perdu l'esprit ?

---

1. Il existait aussi un hôtel-Dieu à Saint-Lizier, jouxtant le couvent et la cathédrale. Ce terme désignait souvent les hôpitaux réservés aux plus pauvres.

— Je dois absolument faire baisser sa fièvre, répliqua-t-elle sans se détourner une seconde. Maman préconisait d'exposer les bébés fiévreux à l'air froid.

— Dieu tout-puissant ! gémit Octavie. Notre petiot ne résistera pas à ce traitement. Angélina, je t'en prie !

Malgré leurs protestations, elles n'osèrent pas insister. Un lourd silence régna alors dans le salon, si total que toutes percevaient le bruit ténu de leur respiration.

— Il est déjà moins chaud, annonça Angélina en reculant.

D'un pas de somnambule, elle reprit sa place sur le canapé et commença à bercer son enfant, sous le regard navré de la vieille demoiselle. La domestique avait refermé la fenêtre et reniflait, vaguement rassurée.

Sòm, sòm, vèni vèni vèni
Sòm, sòm, vèni d'endacòm
Sòm, sòm, vèni vèni vèni
Sòm, sòm, vèni d'endacòm
La sòm-sòm se n'es anada
A caval sus una cabra
Tornarà deman matin
A caval sus un polin[1]

— Maman me chantait ça, quand j'étais malade ! expliqua Angélina d'un air rêveur. Et elle me caressait le front.

Sommeil, viens, viens...
Sommeil, viens de quelque part...

1. Ancienne berceuse occitane.

Le sommeil s'en est allé
À cheval sur une chèvre
Il reviendra demain matin
À cheval sur un poulain...

— Voilà, il respire mieux et il ouvre les yeux, dit-elle peu de temps après. Tu n'as pas le croup, mon beau pitchoun, tu te languissais de ta maman.

Sauveur entra prudemment dans la pièce. Le chien se dirigea tête basse vers sa jeune maîtresse et se coucha à ses pieds. Angélina le considéra un instant d'un air inquiet. Elle revit le faciès sinistre du docteur Buffardaud qui parlait d'abattre l'animal. « J'ai dû mal comprendre ! » pensa-t-elle.

L'enfant se mit à tousser, mais c'était une toux ordinaire due à un encombrement du nez et de la gorge. Son teint avait repris une couleur normale.

— Cela n'a rien arrangé qu'il crie aussi fort ni qu'il ait peur, affirma Angélina. Mademoiselle, puis-je dormir ici cette nuit ? Je me coucherai par terre, s'il le faut. Je ne veux pas m'éloigner d'Henri. J'ai l'impression qu'il me reconnaît.

Gersande de Besnac hocha la tête. Elle respirait vite, encore sous le choc d'une terrible frayeur.

— Excuse-moi, petite, j'ai cru devenir folle. Je ne savais plus quoi faire. Es-tu certaine qu'il va mieux ?

— Non, mais il est apaisé. Je lui ferai boire de la tisane de tilleul avec du miel. Ce remède a fait ses preuves.

Elle contempla son fils blotti contre elle. Du bout des lèvres, elle embrassa ses cheveux bruns trempés de sueur.

— Octavie, pourrais-tu me rendre un service ? Il faudrait prévenir mon père que je reste avec vous. Dis-lui que ton neveu est bien malade et que vous avez besoin de mon soutien. Dis-lui ce que tu veux. Papa n'était même pas à la gare… Je suis entrée dans son atelier et il n'avait pas allumé le poêle de la journée.

— J'y vais tout de suite ! s'écria la domestique. En rentrant, je préparerai un bon dîner.

Elle enfilait son manteau quand on tambourina à la porte principale. Octavie s'enquit de l'identité du visiteur, et une voix tonitruante résonna jusqu'au salon.

— Seigneur, c'est papa ! s'effara Angélina en confiant le bébé à Gersande. Il vaut mieux que je lui parle en personne.

Augustin Loubet se tenait sur le palier, l'œil furibond. Dès qu'il vit sa fille, il déclara d'un ton sec :

— Je ne mettrai pas les pieds chez des huguenotes… Qu'est-ce que tu fiches ici, Angélina ? Suis-moi, nous avons de gros ennuis.

— Mais, monsieur Loubet, entrez donc, protesta Octavie.

— Je vous ai dit non et je ne changerai pas d'idée ! tonna le cordonnier. Je n'ai rien d'une girouette.

— Papa, où étais-tu ? interrogea Angélina. Tu as dû trouver ma valise dans la cour. Je suis venue me réfugier là pour fuir le vent qui est glacial. Le neveu d'Octavie, le petit Henri, est très malade. J'ai décidé de passer la nuit à son chevet. Cela soulagera mademoiselle Gersande et Octavie qui sont épuisées.

La domestique s'était éclipsée. Augustin Loubet pointa un doigt vers la jeune fille.

— Tu m'as laissé seul pendant plus d'un mois et tu découches le soir de ton retour ? Et ton chien ? Bien sûr, tu l'as détaché et il va courir dans la cité attaquer d'autres gens. Je paie cher ma sottise. Cette bête a le diable dans la peau. Tu veux savoir où j'étais ? Le maire m'a convoqué comme si j'étais un bandit, un gredin !

— Si tu me disais ce qui s'est vraiment passé, soupira Angélina. J'ai croisé le docteur. Il prétend que Sauveur a mordu Blaise Seguin. Papa, entre au moins dans le vestibule. Il fait froid sur ce palier. Je suis déjà gelée.

— Non et non ! hurla-t-il. Je n'irai pas me fourvoyer dans ce repaire de mauvaises chrétiennes et j'aurais dû te défendre de fréquenter cette femme, avec sa particule et sa fortune. Elle finira par te corrompre, te détourner de la vraie foi.

Le cordonnier avait un air terrible, les yeux fixes, la bouche grimaçante. Angélina crut sentir une vague odeur de vinasse.

— Papa ? Tu as bu ?

— Et alors ! J'ai bien droit à un coup de rouge ! Blaise Seguin venait me commander des guêtres en cuir de veau, mais ton pastour s'est jeté sur lui. Seguin a pu s'en débarrasser à coups de pied. Il est parti en braillant qu'il porterait plainte, qu'il avait la cuisse en sang. *Diou mé damné !* Il l'a fait, ce couillon ! Les gendarmes sont montés rue Maubec à midi. Demain matin, ils reviennent tuer ce maudit chien.

Angélina fit un effort surhumain pour ne pas pleurer ou crier à son tour. Elle était à bout.

— Personne ne fera de mal à Sauveur, répondit-elle assez doucement. Papa, tu devrais aller dormir. Je viendrai au petit jour à la maison. La journée a été longue pour moi aussi. Mon Dieu, j'étais si contente de rentrer au pays ! Et tout va de travers. Ce pauvre petit enfant malade, mademoiselle Gersande et Octavie en émoi, et en plus Blaise Seguin refait des siennes, pendant que toi, tu bois.

Le cordonnier se frotta le visage à pleines mains. Il bâilla et eut un ricanement pathétique.

— Faut plus l'appeler Sauveur, ta bête ! Tu as blasphémé, ma fille, en lui donnant ce nom. Notre unique sauveur, c'est Jésus, pas ce pastour. Si j'avais un fusil, il serait mort, ton chien. Je te le dis, Angélina : quoi qu'il arrive, je ne garde pas cet animal. Puisque tu es partie, il doit disparaître.

— Tu es ivre, gémit-elle. Va-t'en, tu me fais honte ! Sauveur est là, sous la protection de mademoiselle Gersande, la meilleure personne du monde. Tu ne le reverras pas, et les gendarmes ne le trouveront pas demain. Je l'emmènerai à Biert le plus vite possible. Oncle Jean le voulait. Il ne causera plus de tort dans la cité.

— Va dire ça à Blaise Seguin, Angélina, qu'il retire sa plainte, éructa son père.

— Mais j'irai, papa, j'irai, affirma-t-elle. Même si cela me coûte beaucoup de discuter avec ce sale individu.

Augustin Loubet tourna le dos à sa fille et dévala les marches en pierre d'une démarche incertaine. Elle s'empressa de fermer la porte pour rejoindre son enfant.

« Il n'y a que toi qui comptes, mon pitchoun ! songeait-elle. Pour toi, je surmonterai toutes les épreuves. »

9

Le venin des secrets

Chez Gersande de Besnac, même soir, 10 février 1880
De retour dans le salon, Angélina reprit Henri dans ses bras et le serra contre son cœur avec une tendresse passionnée. L'altercation qui l'avait opposée à son père lui laissait un sentiment d'amertume. Après une séparation d'un mois seulement, ils étaient presque devenus des étrangers l'un pour l'autre.

L'enfant était encore chaud, mais plus éveillé. Il lui adressa un regard surpris avant de lui sourire.

— Mon Dieu, il me reconnaît ! murmura la jeune fille. Avez-vous vu ça, mademoiselle Gersande ? Il semble content de me revoir.

Attendrie, sa vieille amie approuva, toute frêle dans la bergère où elle s'était assise, au coin de la cheminée. Octavie rapportait des bûches de la réserve, située derrière le cellier.

— Ton père était très en colère, Angélina, dit la domestique. Tu devrais peut-être le suivre et le raisonner.

— Non, il avait bu. Je redoutais de le laisser livré à lui-même, vu son caractère ombrageux. Je ne me

306

trompais pas : il va cesser de travailler et se saouler à l'auberge tous les soirs.

— Allons, Angélina, ne noircis pas le tableau ! Augustin a pu boire un verre de trop ; de là à finir ivrogne, j'en doute, assura Gersande. Enfin, n'en parlons plus, notre unique préoccupation doit rester la santé de ce petit ange.

— Ce n'est pas le croup, j'en suis sûre, déclara la jeune mère. Mes frères en sont morts, et maman n'a pas pu les sauver. Ça ne peut être ça, non. Si je perdais Henri, mon beau bébé, ma vie s'arrêterait avec la sienne.

Reprise par le cruel chagrin qui avait endeuillé sa jeunesse, Octavie eut un sanglot sec. Elle se revit, folle de douleur devant le corps de sa petite fille.

— J'ai eu si peur quand je courais chez le docteur tout à l'heure ! Je l'aime tant, cet enfant ! S'il lui arrivait malheur, je ne le supporterais pas moi non plus.

Angélina eut conscience de l'intense émotion qui agitait Octavie.

— Je suis désolée, cela t'a rappelé d'affreux souvenirs, dit-elle à mi-voix. Je vous remercie toutes les deux de prendre si bien soin de lui. Mais c'est beaucoup de tracas pour vous. Je crois que je ne repartirai pas à Toulouse, à la fin de mon congé. Ma place est ici, près d'Henri. Oh ! regardez, il s'endort dans mes bras !

— Il respire un peu mieux, dirait-on, constata Gersande de Besnac. Dieu tout-puissant, je ne parviens pas à reprendre mon calme. Octavie, donne-moi un remontant, je te prie. Mon vieux cœur me joue des tours. Il n'avait pas cogné aussi fort depuis bien longtemps.

Les trois femmes reprirent leur calme petit à petit. Angélina n'aurait lâché son fils pour rien au monde. Il somnolait dans ses bras, et ce contact lui était infiniment précieux. Comme bien des mères, elle avait l'impression, par sa simple présence, de le protéger de tout danger.

— Quel silence ! se plaignit enfin la maîtresse des lieux. Ma pauvre Octavie, tu aurais dû prendre une liqueur, toi aussi. Tu es encore pâle. Et toi, Angélina, tu n'as plus de couleur sur le visage. Si nous pensions à dîner ! Il fait nuit noire.

La jeune fille observa le cadre qui l'entourait et constata que chaque particularité lui était familière, réconfortante. Elle aimait ce salon aux murs couverts de boiseries fort anciennes, au parquet ciré, aux meubles cossus, mais d'une rare élégance. Ses yeux se posèrent sur le bon feu qui brûlait dans l'âtre. De hautes flammes étincelantes dansaient derrière une grille fine à trois pans au montant ouvragé.

— J'avais tellement hâte d'être ici, avec vous et mon petit ! C'est étrange… En descendant du train, j'ai eu un pressentiment. Le quai était désert, le ciel, si sombre ! Le vent sentait la neige. Plus tard, dès que je suis entrée dans le salon, j'ai compris. Mon instinct m'avait avertie : Henri était malade.

— Il a commencé à tousser hier matin, après notre balade, raconta Octavie. Il soufflait un air glacé sur la place et dans les rues. Je lui avais mis une écharpe en laine et un bonnet, à notre petit chéri, mais il s'arrange toujours pour se découvrir. Je pense qu'il a pris froid.

— Déjà, à midi, il avait le nez qui coulait, ajouta Gersande. J'ai voulu le moucher, mais il s'est débattu en criant : « Non, non ! » Un vrai non bien net ! Pendant la journée, cela n'a fait qu'empirer, il toussait, il avait de la fièvre. Au lieu d'être abattu, il était très nerveux et il transpirait abondamment.

— Il vous a vraiment dit non ? s'émerveilla Angélina.

— Deux fois de suite ! Comme je te l'écrivais dans ma dernière lettre, Henri prononçait trois mots au début du mois : maman, « ontaine » pour fontaine, parce que l'eau le fascine, et bobo. Et, hier, il a dit non.

Angélina s'extasia en souriant, à la fois amusée et peinée. Elle aurait tant voulu entendre son pitchoun dire maman !

— Qui appelle-t-il maman ? s'enquit-elle doucement.

— Personne de bien précis, ma petite amie, affirma la vieille demoiselle, sensible à l'expression navrée de la jeune mère. Il le répète en jouant.

Octavie choisit ce moment pour regagner la cuisine. Les bras engourdis, Angélina essaya d'allonger Henri sur la méridienne sans le réveiller. Elle glissa un oreiller sous sa tête et le couvrit d'un châle qui se trouvait là, sur le dosseret.

— Son sommeil est paisible, à présent, dit-elle. Et sans avoir avalé du laudanum. Je préférerais qu'il n'en prenne pas, surtout si petit. Maman déplorait la manie qu'ont les nourrices peu scrupuleuses d'en faire boire aux bébés qu'elles gardent pour les faire dormir. Quand Henri réclamera à boire, il aura du lait ou de la tisane.

— Agis à ton idée, ma chère enfant, approuva Gersande. Tu te débrouilles mieux que nous. Nous avons cédé à la panique, alors que ce n'était peut-être qu'un gros rhume.

— Je l'espère de toute mon âme.

Elles échangèrent encore leurs appréhensions quant à la maladie dont souffrait Henri. Angélina n'en oubliait pas pour autant de le surveiller. Il toussait par intermittence, sans toutefois en paraître gêné.

Octavie vint annoncer que le repas était prêt.

— Nous dînerons là, dans le salon, décida Gersande de Besnac. Et tu te mets à table avec nous, Octavie.

— Bien, mademoiselle, mais je n'ai pas faim. Mon Dieu, j'en suis encore toute retournée ! Et s'il n'y avait que ça ! Le bourg de Taurignan est en deuil, ma pauvre Angélina !

— Que s'est-il passé ? s'étonna celle-ci.

— Une fille de quinze ans avait disparu depuis trois jours, déclara la domestique d'un ton sinistre, le regard dilaté par l'horreur de ce qu'elle allait raconter. Son frère aîné l'a retrouvée avant-hier, toute dénudée et cachée dans le tas de fumier d'un voisin. Elle avait été violée, la malheureuse enfant !

— Oh non ! gémit Angélina. Alors, ça continue ! Papa me mettait en garde, l'hiver dernier, mais je ne pouvais pas croire qu'il y aurait d'autres victimes dans le pays. Comment s'appelait-elle ? Je la connaissais peut-être !

— Colette Rumaud, dit Gersande. Sa famille venait du Gers. Ce nouveau crime a délié les langues. Enfin, moi, je ne sors guère par ces temps humides et froids, mais Octavie me rapporte fidèlement tout ce qui se dit sur la place publique. Bien sûr, tout le monde fait le rapprochement avec le meurtre de la fille du quincaillier de Castillon. Les gendarmes ont sillonné les bois et les champs sans trouver le coupable. Mon intuition ne me trompe pas ; je pense qu'il s'agit du même monstre à face humaine.

— Et toi, Octavie, tu as quand même promené Henri hier ? s'indigna Angélina, choquée par ce qu'elle venait d'entendre.

— Pardi, on ne peut pas s'arrêter de vivre ! protesta la domestique. Et puis je ne suis pas une proie pour ce genre de malade, je suis trop vieille.

— Ce n'est pas une raison ; il faut se méfier.

— Ne t'inquiète pas, Octavie dit vrai, dit la vieille demoiselle. Cet homme-là ne s'en prendrait pas à une quinquagénaire et à un petit de l'âge de notre Henri.

Mal à l'aise, Angélina ne répondit pas. Cette affreuse nouvelle, ajoutée à l'état de santé de son fils, achevait de ternir la joie qu'elle avait conçue de son retour dans la cité.

« Violée à quinze ans par une brute sans pitié ! songeait-elle. Mon Dieu ! j'espère que ce sadique l'a tuée avant ! Ce doit être la pire épreuve, de subir un acte d'une telle barbarie. »

En ne quittant guère des yeux l'enfant couché sur le canapé, les trois femmes mangèrent sans appétit une soupe de pois cassés et une omelette. Lorsqu'il poussa un faible cri, Angélina fut la première debout.

— Je viens, pitchoun, ne pleure pas ! Je suis là !

Comme il avait souillé ses langes, elle eut le bonheur de le changer, de le laver à l'eau tiède et de lui enfiler un pyjama propre. Ses gestes n'étaient que caresses, sa voix se faisait musicale, câline. Enfin, elle lui donna un biberon de tisane.

— Le tilleul a des vertus calmantes, et le miel vient à bout de nombreuses infections, expliqua-t-elle. Il a encore un peu de fièvre, mais si peu que je ne m'inquiète pas. Je travaille souvent à la pouponnière de la maternité. Ainsi, j'apprends comment soigner les bébés. Les infirmières sont très aimables et toujours disposées à m'enseigner ce qu'elles savent. L'hôtel-Dieu est assez bien équipé, mais ce n'est pas suffisant. La médecine aurait de réels progrès à faire.

Angélina passa une main lasse sur son front. Gersande l'observait avec une attention extrême.

— Es-tu fatiguée, petite ? interrogea-t-elle.

— Pas vraiment, mais je ne peux pas m'empêcher de penser à cette fille de quinze ans, à ce nouveau crime. J'ai l'impression que mon cher pays est sali, souillé. En même temps, je ne sais plus si j'ai tort ou raison de suivre cette année d'études. Vous avez pris mon fils en charge et c'est très généreux, mais, quand je reviendrai définitivement, il aura deux ans. Il gambadera, il dira d'autres mots… Je serai une inconnue pour lui et j'aurai manqué tellement de jours de sa petite enfance ! Je ne sais plus… Et je voudrais le protéger de tous les malheurs, de tous les dangers.

— Serais-tu découragée ? Ce métier ne te tente plus ? demanda la vieille demoiselle.

— Oh si, il me tente ! Je me sens en paix et plus forte auprès des patientes. Je n'ai pas encore le droit de pratiquer ni même d'examiner une parturiente, mais j'ai pourtant sauvé une mère et son fils. Le docteur Coste et la sage-femme avaient renoncé, ils étaient résignés à les voir mourir. La solution m'est apparue et je n'ai plus hésité, je suis intervenue. Mes doigts étaient souples et habiles. Je ne tremblais pas. J'étais moi-même, mais une autre aussi. La nuit qui a suivi, j'ai eu du mal à dormir, car je revivais la scène sans arrêt.

— Petite folle, tu ne dois pas abandonner ! s'écria Gersande. Je m'étais promis d'avoir une conversation très sérieuse avec toi, ce soir. Je n'avais pas prévu qu'Henri nous ferait une telle peur, qu'il tomberait malade. Et j'aurais préféré qu'Octavie ne te parle pas de la mort de Colette Rumaud. Nous en aurions discuté demain. J'ai prié pour cette pauvre petite victime et j'ai prié pour Henri. Tu vois, il va mieux et je ne veux plus attendre. J'ai besoin de ton accord sur un point précis.

— Est-ce si grave, mademoiselle Gersande ?

— Disons que c'est important pour moi, pour toi et pour ton fils. Tu vas m'écouter attentivement, cela te changera les idées.

Octavie se gratta la gorge pour attirer leur attention. Elle désigna ensuite le petit Henri qui bâillait, assis sur les genoux de sa mère.

— Je pourrais le coucher, Angélina. Ne crains rien, je serai dans la chambre avec lui. Je t'ai déjà préparé un lit d'appoint. S'il y a quoi que ce soit, je viendrai te chercher.

— Eh bien, oui, faisons ainsi, concéda-t-elle en cachant sa déception.

La domestique emmena le bébé. Gersande de Besnac patienta encore un peu avant de se lever et de marcher dans un bruissement de tissu jusqu'à un secrétaire en merisier. Elle portait une robe en moire grise à la jupe très large et au bustier entièrement plissé. Angélina ne lui avait jamais vu cette toilette.

— Cette enveloppe contient mon testament, chère petite, déclara la dame en revenant s'asseoir près du feu. Enfin, un nouveau document. Quand j'aurai ta réponse, je le confierai à mon notaire.

— Mademoiselle Gersande, je vous en prie, vous n'avez pas vraiment l'intention de me désigner comme votre héritière ?

— Crois-tu que je plaisantais lorsque je te disais que tu aurais cet immeuble et de l'argent ? s'offusqua Gersande.

— Non, mais je pensais avoir l'occasion de vous faire changer d'avis.

— Dans ce cas, réjouis-toi, je t'ai déshéritée au profit de ton enfant ! Oui, dans ce testament, je lègue à Henri tous mes biens, le domaine familial en Lozère, une maison bourgeoise au Puy-en-Velay, ce logement et mes bijoux, ainsi que mes capitaux. Une clause demeure de mon testament antérieur, soit l'obligation d'assurer le gîte et le couvert à Octavie, pour qui j'ai une immense affection.

Sidérée, Angélina n'eut pas l'occasion de protester. Gersande ajouta aussitôt :

— Tu ne peux pas t'opposer à ma volonté testamentaire et tu serais bien sotte de le faire, ma petite Angélina. Mais tu as le droit de refuser ce que je vais te proposer maintenant. Je désirerais adopter Henri et lui donner mon nom. Loin de moi l'idée de te blesser, mais tu sais certainement que, malgré tout ton amour maternel, ton fils sera sa vie durant un enfant illégitime. Plus tard, on le traitera de bâtard, et ça, je tiens à l'éviter. Je peux lui épargner cet affront. Après moi, plus personne sur terre ne portera le nom de ma famille. Un jour, Henri se mariera, il aura une descendance et je ne serai pas tout à fait morte. Henri de Besnac ! Il n'y a pas de honte à s'appeler ainsi. Bien sûr, d'ici quelques années, il comprendra que je ne suis pas sa mère en raison de mon grand âge. Si je suis encore vivante à ce moment-là, il saura la vérité. Je lui avouerai que je l'ai adopté. Et ce sera peut-être l'occasion pour toi de lui révéler que tu es sa véritable mère.

Angélina en avait le vertige. D'abord incapable de prononcer un seul mot, elle fixa les flammes, l'esprit vide, le cœur brisé. Encore une fois depuis qu'elle connaissait la vieille demoiselle, elle eut la sensation qu'un piège doré se refermait sur elle.

— Non, je refuse, dit-elle enfin. Je ne peux pas renoncer à mon fils, nier le lien qui nous unit, lui et moi. C'est très généreux de votre part, mais à mes yeux, cela équivaut à un abandon. J'ai déjà pensé à adopter Henri plus tard, à lui donner le nom de son grand-père. Henri Loubet, ça me plairait, et il n'y a pas de honte non plus à s'appeler ainsi. J'ignore tout de mon avenir. Cependant, il m'arrive de rêver d'un mari loyal, d'un homme intègre qui m'aimerait tant qu'il légitimerait mon fils en m'épousant, même si ce n'est pas le sien. En acceptant votre offre, je m'ôte toute chance d'élever mon enfant. Comment vivre sans jamais lui révéler qui je suis ? Ou bien, quand il sera adulte, je lui dévoilerai le secret de sa naissance, et il me méprisera, il me haïra parce qu'il aura cru longtemps être un autre, un de Besnac !

Blême de stupeur, Gersande étouffa un sanglot. Des larmes brillèrent sur ses joues poudrées. Devant ce spectacle, Angélina se mit à trembler, déchirée entre son amitié pour Gersande et sa propre révolte.

— Mademoiselle, je vous en prie, ne pleurez pas et écoutez-moi ! Vous me comblez de bienfaits depuis des années. Sans vous, je serais bien moins instruite, sûrement moins polie. Au fond, vous avez fait de la fille d'un cordonnier et d'une costosida une sorte de personnage factice. Malgré tous vos efforts, je n'appartiens pas à votre milieu. Mes parents ont toujours été humbles, plus pauvres qu'aisés, même s'ils possédaient leur maison.

Papa économisait le moindre sou et il continue. Maman gagnait peu, malgré sa renommée. Mais je n'ai jamais manqué de rien et, si j'apprécie l'argent pour les commodités qu'il procure, je suis gênée par vos largesses à mon égard. La fortune que vous voudriez offrir à Henri, quel profit en tirera-t-il ? Aura-t-il le goût du travail, devenu un homme ? Et pourquoi l'aurait-il, puisqu'il sera riche ? Cela pourrait le corrompre, faire de lui un paresseux. Non, je refuse !

Gersande de Besnac essuya délicatement ses paupières. Le véhément discours d'Angélina l'avait atteinte en plein cœur.

— Je n'avais pas réfléchi à tout cela, admit-elle. Pardonne-moi, petite, je ne voyais pas aussi loin. Je souhaitais avant toute chose vous mettre à l'abri, Henri et toi. Le destin m'a fait naître dans une famille d'aristocrates, une vieille noblesse de province, et je t'assure que cela ne m'a pas rendue plus heureuse. J'ai eu l'occasion de côtoyer la misère, de constater de visu l'injustice, l'iniquité du sort. Quand j'avais ton âge, je déplorais l'avarice de mon père et la froideur de ma mère qui considérait les gens du peuple comme la lie de la société humaine. Ah ! elle priait au temple et chantait des psaumes, mais sans éprouver une once de pitié pour son prochain, sans faire preuve de charité. Je ne voulais pas te voler Henri, ma chère petite Angélina, mais lui offrir une vie meilleure. Il pourra étudier, devenir médecin ou notaire. Je peux m'en aller d'un jour à l'autre, si Dieu le juge bon. Chaque fois que je m'imagine au cimetière, je pense à toi et à ton enfant, et je me dis : « Gersande, tu n'iras pas au ciel en les sachant dans le besoin ! »

Attendrie, Angélina prit les mains diaphanes de son amie dans les siennes.

— Mais si je suis sage-femme, établie rue Maubec sous le toit des Loubet, je ne serai pas dans le besoin. Ni Henri. Dès qu'il aura quatre ou cinq ans, je pourrai le prendre avec moi.

— Et que raconteras-tu à ton père, si tu héberges le prétendu neveu d'Octavie ? Qui le gardera pendant que tu seras au chevet de tes patientes ? Quant à te marier, je pense que les hommes assez ouverts d'esprit pour légitimer ton enfant ne courent pas les rues. Sers-moi donc un verre de liqueur… Tu paraissais fâchée contre moi et j'en suis bouleversée.

Mal à l'aise, Angélina s'exécuta. Elle en profita pour remettre du bois dans la cheminée.

— C'est à mon tour de vous demander pardon, mademoiselle Gersande, dit-elle. Je me suis emportée et j'ai été ingrate. Vous êtes une seconde mère pour moi, et d'une telle bonté…

— Angélina, je t'ai dit cent fois que tu as ensoleillé ma triste vie de vieille coquette ! Ton père me traite avec obstination de huguenote, mais s'il savait quelle mauvaise pratiquante je suis ! Je vais au temple pour le plaisir d'exhiber mes nouvelles robes, mes manteaux, mes bijoux. Le pasteur me sermonne souvent ; il déplore mon manque de discrétion vestimentaire. Il faut me sermonner, je le mérite, et tu t'en es chargée ce soir. Pourtant, je croyais avoir agi au mieux. Qui héritera de mes biens si tu refuses ?

— Vous avez obligatoirement des cousins, une parenté même lointaine ! insista Angélina.

— Non, petite. Mais j'aurais pu avoir un héritier. Même si cette confession me coûte beaucoup, je n'ai plus le choix. Tant de fois j'ai failli te parler et, par lâcheté, je me suis tue. Angélina, en dédaignant mon argent, en rejetant ma proposition, tu me prives de mon unique chance de rachat. Je me suis promis il y a trente ans de réparer ma faute.

— Mais quelle faute ? interrogea la jeune fille tout bas.

La vieille demoiselle appuya sa tête au dossier de la bergère. Son regard se voila de larmes.

— J'ai eu un enfant et je l'ai abandonné, lâcha-t-elle d'une voix chevrotante. Tu m'entends ? Je l'ai rayé de ma vie, je l'ai condamné à un sort affreux. Je regretterai mon geste jusqu'au jour de ma mort. C'est une longue et tragique histoire, tout un pan de mon existence que je garde enfoui en moi sans oser y toucher.

Angélina était abasourdie, presque incrédule. Un frisson lui parcourut le dos. Gersande de Besnac avait été mère, elle avait accouché d'un bébé vivant et s'en était séparée !

— Vous n'étiez pas mariée, n'est-ce pas ? hasarda-t-elle.

— Tu as deviné : mon fils était illégitime, comme Henri. Quant à son père, il s'est éteint dans mes bras, atteint de phtisie. J'étais enceinte de six mois. Aussi, ce soir d'automne où tu m'as rendu visite, amincie, le visage marqué par une détresse infinie, je me suis revue après mon accouchement clandestin, sur le lit douteux d'un hospice, à Lyon. J'étais désespérée, seule, meurtrie. Tu portais la même souffrance morale sur le visage. Mais tu as nié et je n'ai pas insisté.

— Et c'est pour cette raison que vous avez été si indulgente envers moi, lorsque je vous ai avoué ma condition de fille-mère ?

— Comment aurais-je osé te juger ? Tu aimais Guilhem de tout ton être et tu t'étais donnée à lui. Malgré mon âge, je n'ai pas oublié ce splendide orage qu'est l'amour. Le sang qui court plus vite dans nos veines, le cœur qui palpite comme pris de folie et la saveur des baisers, ce délire de tendresse et de passion, cette fièvre dont on ne veut pas guérir ! La chair est faible, dit-on, mais quelle faiblesse savoureuse ! On ne peut pas se refuser à l'amant, et lui céder nous rend forte, toute-puissante. La femme devient une déesse, si elle a le courage de chasser sa peur du déshonneur, si elle consent au plaisir.

Gersande de Besnac reprit son souffle, tandis qu'Angélina baissait la tête pour cacher ses joues empourprées. L'éloquence de sa vieille amie dans ce domaine si intime l'avait troublée.

— Je vous plains, chère mademoiselle, dit-elle malgré son embarras. Moi, en mettant Henri au monde, j'avais encore foi en Guilhem, je pensais qu'il reviendrait et m'épouserait. Cela m'a aidée. Mais vous, vous aviez perdu le père de votre enfant et c'était bien pire.

— Oui, petite, tu dis vrai. Donner la vie en pleurant celui qu'on adorait est la pire des épreuves. J'ai mis des années à guérir de la mélancolie qui me rongeait. La plaie a cicatrisé, mais j'en demeure souillée. J'ai toujours refusé de me repentir, d'accepter ma faute. Mon Dieu, Angélina, si tu savais combien de fois j'ai failli mettre fin à mes jours ! Je réfléchissais à longueur de temps à la façon de procéder. Chaque soir, je me disais : « Demain, tu te jettes dans l'étang, une pierre attachée à la cheville. » Ou bien : « Demain, tu avales de l'arsenic ! » Mais les jours s'écoulaient et les semaines sans que j'aie le courage d'en finir. J'avais trente-trois ans. L'épidémie de choléra s'est répandue en Lozère. Ce fléau n'a pas voulu de moi.

— C'est à cette époque que vous avez sauvé Octavie, quand elle a tenté de se pendre ? s'enquit Angélina.

— Comment sais-tu cela ?

— Octavie me l'a raconté quand nous sommes allées à Biert. Elle m'a parlé aussi de son mari et de sa fille, emportés tous les deux par le choléra. Mais rien d'autre vous concernant.

— Je m'en doute ! Enfin, puisque tu es au courant, je peux continuer et en venir au point le plus important. J'étais rentrée au domaine de mes parents depuis sept mois, moi qui croyais ne jamais y retourner, ne jamais revoir ses toits d'ardoises, ses fenêtres à meneaux, les cèdres du parc. Tu dois tout savoir, petite, sinon tu ne comprendras rien. Dieu que j'ai froid !

— Mais il fait bon, ici ! s'étonna Angélina.

— J'ai froid à l'intérieur de moi, comme si mon sang se glaçait en évoquant ces tristes souvenirs, précisa Gersande de Besnac. J'étais fille unique, destinée à un beau mariage. Mes parents n'avaient qu'une idée : me fiancer au meilleur parti. Ils donnaient des bals, où ils invitaient la noblesse protestante. Certains prétendants venaient des Cévennes, quitte à voyager deux jours entiers. Aucun d'eux ne me plaisait, si bien qu'à vingt-cinq ans j'étais toujours célibataire. Mon père en était exaspéré. Il a fini par me dire qu'on pouvait se marier sans amour, dans l'intérêt familial. Il exigeait une des-cendance. Ma mère se désespérait et elle en venait à me détester. Moi, égoïste et le cœur sec, je passais mon temps à étudier, à monter à cheval ou à jouer du piano.

Enfin, j'ai rencontré un certain Hubert de Marquais. Il était assez bel homme, grand, élégant, érudit. De guerre lasse, j'ai décidé de me fiancer avec lui. Ma mère était enchantée. Elle m'a fait confectionner une garde-robe de duchesse afin d'éblouir la haute société de Mende. J'aimais déjà les beaux tissus et les parures, je me trouvais jolie et je l'étais. Mais tout a basculé le matin où mes rêveries secrètes ont eu l'occasion de se colleter à la réalité. Je lisais beaucoup, surtout des pièces de théâtre, et je m'imaginais souvent en comédienne, succédant à Mademoiselle Mars ou à Rachel[1], des gloires parisiennes. Je les connaissais grâce aux revues dont j'étais friande, où figuraient leurs portraits et le récit de leurs succès... Mon Dieu, parler autant me donne soif. Sers-moi un verre d'eau, petite.

Vaguement apitoyée par l'émotion visible qui terrassait sa vieille amie, Angélina mit à sa disposition une carafe en approchant le guéridon de la bergère.

— Et alors, que s'est-il passé ? demanda-t-elle. Vous me tenez en haleine !

— C'était une radieuse journée d'été. Notre cocher m'avait conduite à Mende où je devais acheter de la dentelle et des rubans. Je sortais seule, sans surveillance. Mes parents ne s'inquiétaient pas pour ma vertu, car je me mariais sur le tard et je m'étais montrée froide, peu encline à la sensualité. Enfin, je te fais languir. Ce jour-là, donc, lorsque notre calèche est arrivée sur la place de la cathédrale, qui est assez vaste, j'ai entendu de la

1. Anne-Françoise-Hippolyte Boutet, dite Mademoiselle Mars, comédienne française (1779-1847) très prisée à Paris. Elle jouait surtout des rôles d'ingénues ; Élisabeth Rachel Félix, surnommée Rachel (1821-1858), actrice de théâtre, grande tragédienne.

musique et j'ai aperçu une estrade, couverte d'un dais rouge. C'était des comédiens ambulants qui donnaient un spectacle. Il y avait un attroupement, et les gens riaient. J'y suis allée aussi, fascinée. Tout me charmait, les costumes, les masques, les cabrioles des uns, les jeux de jambes d'une fille coiffée d'une perruque extravagante. Et je l'ai vu, lui. Il était tête nue, auréolé de boucles brunes, pas très grand, pas très beau, mais avec un sourire à damner une sainte, ce que je n'étais pas sous mes allures sages et réservées. Je n'avais jamais éprouvé une telle attirance pour un homme. Son regard a croisé le mien à plusieurs reprises. J'en avais la bouche sèche, les jambes molles. Mon cœur battait à tout rompre, ce cœur qui avait refusé d'aimer. J'ai attendu la fin de la représentation pour l'applaudir, lui seul. Sais-tu ce qu'il a fait ? Il m'a jeté une fleur en papier du décor, montée sur une baguette. Je l'ai saisie au vol et il m'a saluée bien bas. Je t'épargnerai les ruses que j'ai déployées pour pouvoir assister au spectacle du soir. C'était magnifique, la scène était entourée de torches, il faisait tiède, la ville semblait vibrer autour de moi. Lui, il ne me quittait plus des yeux et, dans la clarté des flammes, il me plaisait encore davantage. Oh ! Je me souviendrai jusqu'à mon dernier souffle de l'instant où il a sauté de l'estrade pour me rejoindre. Dès qu'il s'est approché de moi, j'ai senti des ondes de désir entre nos deux corps. Je suis navrée d'être si impudique, Angélina, mais, comme tu as aimé également, je ne crois pas devoir prendre des gants blancs avec toi. Il se faisait appeler William, en hommage à l'auteur de théâtre anglais William Shakespeare, qu'il idolâtrait. Mais ce n'était pas son véritable nom, il me l'a avoué tout de suite. Il était français, né à Lyon, et baptisé Ernest. Les artistes choisissent souvent de cacher leur identité sous un patronyme étranger. Enfin, ce soir-là, il m'a entraînée vers les contreforts de la cathédrale et il m'a tout de suite embrassée en me serrant très fort contre lui. Cela m'a suffi pour le suivre le lendemain. J'ai fui le domaine de ma famille, mes parents et mon fiancé. La troupe se déplaçait dans de pittoresques chariots bâchés, tirés par des mules. J'étais tellement heureuse, ivre de liberté, avide de nouveaux paysages. Et comblée par celui que j'aimais. Au fil des mois, j'ai eu le droit de jouer de petits rôles, et c'était merveilleux de revêtir un des costumes. Moi si précieuse, j'enfilais des robes empestant la sueur d'autrui sans sourciller. Mon Dieu, cette existence me ravissait ! William me chérissait, il inventait des surnoms exquis pour me faire rire. J'étais tour à tour sa petite oiselle, sa marquise déplumée, ou bien encore sa blonde huguenote.

Perdue dans un songe, Gersande de Besnac se tut un moment. Angélina la dévisagea afin de chercher, sur ses traits encore altiers malgré les rides, la jeune aristocrate amoureuse d'un comédien.

— Si j'avais su que vous étiez une aventurière, mademoiselle…, hasarda-t-elle tout bas en souriant. Pourquoi ne pas m'avoir confié votre passé plus tôt ?

— Je n'avais même pas prévu te donner autant de détails. Au fond, je suis soulagée. Si je disparais, toi au moins tu sauras.

— Et Octavie, elle est au courant ?

— Oui, évidemment ! Mais toi, tu es jeune, tu nous survivras. Ma chère petite Angélina, la suite de mon récit tourne au drame. J'avais laissé une lettre à mes parents, dans laquelle je leur expliquais les raisons de ma fuite, et j'avais emporté de l'argent, de même que des bijoux. On me les a volés pendant un spectacle, dans le chariot de William. Après ça, j'étais à sa charge ; il devait me nourrir et m'habiller. Les autres membres de la troupe ne m'appréciaient pas, et des querelles éclataient régulièrement à mon sujet. Mon amant me défendait, il menaçait de les quitter, ce qui calmait un peu les choses, car il était le plus applaudi. Nous avons parcouru bien des provinces comme la Bourgogne et le Dauphiné. Nous allions de ville en ville ; Bourges, Mâcon, Troyes, puis Paris, Rennes… L'hiver, cette vie nomade devenait très pénible. Le pire, c'était la pluie. L'eau s'infiltrait dans les chariots et détrempait tout, les vêtements comme la nourriture. Rien ne me rebutait. Le croirais-tu, petite, moi si douillette, si coquette, je me lavais dans les rivières par n'importe quel temps et je dormais sur une paillasse, blottie contre mon compagnon. Il en fut ainsi pendant presque cinq ans. Et je suis tombée enceinte alors que je ne m'y attendais plus. William n'a pas sauté de joie ; il était désemparé, accablé. « Je suis malade, ma colombe, je ne ferai pas de vieux os, m'a-t-il avoué. Cet enfant sera un traîne-misère, si tu restes avec moi. » Dieu du ciel, quand j'ai entendu ces mots, mon cœur s'est brisé. J'avais résisté au froid, à la faim, à l'animosité des autres comédiens, mais ces mots-là m'ont ôté toute force. William me suppliait de rentrer à Mende, d'implorer le pardon de mes parents et d'élever notre bébé sous le toit du domaine familial. À cette période, nous étions à Lyon, dans une pauvre auberge où la pension coûtait quelques sous. Bien sûr, j'ai refusé de partir et j'ai tant pleuré qu'il a cédé. Ensuite, sa santé s'est dégradée à une vitesse terrifiante. Il est mort après quelques mois.

Gersande hocha la tête. Ses lèvres tremblaient, elle gardait les mains jointes sur sa poitrine.

— Je vous plains, dit Angélina avec tendresse. Mademoiselle, vous n'êtes pas obligée de tout me dire, si cela vous fait souffrir.

— Jamais je ne saurai si j'ai été assez punie. William a échoué dans une fosse commune. Il m'avait laissé de l'argent pour la naissance. Aux premières douleurs, je suis allée à l'hospice. Et c'est là mon crime. Je maudissais ce petit être qui voulait vivre, j'avais de la haine pour lui.

— Non, c'est impossible, je ne vous crois pas, protesta la jeune fille.

— Hélas ! Je te dis la vérité ! J'ai accouché en hurlant, à demi folle de rage et de désespoir. La sœur qui tentait de me raisonner, je l'ai griffée. J'avais beau être menue et de petite taille, j'étais violente, j'étais ardente. Et l'enfant est né. Il a crié, le malheureux, et ce cri a vrillé mon âme. D'un coup, je me suis apaisée et j'ai réclamé mon tout-petit. J'ai pu pleurer en le tenant dans mes bras, un flot de larmes que je n'avais pas versées sur le corps de William. Une des religieuses m'a demandé si je comptais abandonner mon fils. Je lui ai répondu que non. Pourtant, deux semaines plus tard, je l'ai déposé au couvent voisin.

— Mais pourquoi ? s'étonna Angélina, horrifiée.

— Sans doute pour lui éviter la misère qui me guettait. J'étais seule, la troupe avait quitté Lyon et, même dans le cas contraire, ils ne m'auraient pas recueillie. Que faire d'un nouveau-né ? J'ignorais ce que j'allais devenir sans la protection de William. J'ai mis mon enfant à l'abri, du moins je le pensais. Après ce geste abominable, je vécus des jours affreux. Je logeais encore à l'auberge, mais je ne pouvais pas dormir. Mes seins gonflés de lait me torturaient et je croyais sans cesse entendre les pleurs de mon bébé. La patronne a eu pitié de moi et elle m'a engagée comme servante. J'étais nourrie, mais je n'avais plus droit à la chambre ; je couchais dans le grenier de l'écurie. Je me demande encore ce qui me poussait à respirer, à manger, à me lever le matin. Un soir, à la lumière d'une chandelle, j'ai écrit à mes parents. Deux mois s'étaient écoulés, deux longs mois de remords et de chagrin. Je leur ai avoué ma situation. Ma mère m'a répondu très vite. Je connais la lettre par cœur. « Gersande, Dieu est seul juge de nos actes, aussi laids soient-ils. En dépit d'un silence de cinq années et du déshonneur que tu as jeté sur notre nom, tu demeures notre fille et nous souhaitons ton retour. Je te prie de ramener l'enfant. Le sang des de Besnac coule dans ses veines, il est à ce jour l'héritier que ton père désirait. Personne ne devra savoir qu'il n'est qu'un bâtard. Officiellement, ce sera un orphelin que nous adoptons. Si tu n'acceptes pas nos conditions, il est inutile de nous écrire à nouveau. »

— Et vous avez accepté ? interrogea Angélina, en proie à une vive émotion.

— Je n'avais pas le choix. Mon fils aurait un toit, un avenir, une fortune, il grandirait près de moi. Pour être sincère, petite, j'étais folle de bonheur. J'avais hâte de retrouver la maison, les chevaux, les bons repas, j'avais hâte de ne plus avoir ni peur ni froid. Dès qu'elle a reçu mon acte de soumission, ma mère a envoyé un cocher à Lyon. Cet homme a voyagé six jours en calèche, sûrement payé à prix d'or. C'était un parfait inconnu, il avait ordre de me déposer à la grille du domaine. Je suppose que mes parents lui ont servi une histoire à leur convenance, afin de cacher ma honte. Je m'en moquais. La seule chose qui importait, c'était de reprendre mon enfant et de rentrer au bercail. Le cocher m'a conduite jusqu'au couvent. La supérieure m'a reçue, la mine grave. Et là j'ai appris qu'un incendie avait ravagé la pouponnière une semaine auparavant. Presque tous les bébés avaient été sauvés, hormis trois garçons, dont le mien.

— Oh non !

— Je dois ajouter, petite, que je n'avais pas déposé mon fils au tourniquet des innocents, comme disaient les Lyonnais. Je l'avais remis à une sœur du couvent, en lui promettant de revenir le voir, et peut-être même de le reprendre si je trouvais du travail. J'avais conservé une médaille en or qui portait mes initiales au revers. Je l'ai accrochée aux rubans du béguin de Joseph. Il s'appelait Joseph, selon le vœu des religieuses qui m'avaient aidée à le mettre au monde. Ces femmes ignoraient que j'étais de religion protestante. Elles pensaient protéger mon bébé en le baptisant ainsi, car elles l'ont baptisé. Je n'étais pas en état de protester et, surtout, je m'en moquais bien, alors, des doctrines théologiques. Joseph, mort brûlé ou…

La vieille demoiselle ouvrit la bouche, l'air hagard comme si elle suffoquait. Angélina se jeta au pied du fauteuil et lui reprit les mains en la regardant avec une immense pitié.

— Arrêtez, Gersande ! Vous vivez à nouveau cette tragédie, et cela me touche affreusement. Si l'on m'annonçait que mon pitchoun a péri dans les flammes, j'en mourrais sur l'heure.

— On croit ça, petite, mais la faucheuse n'est pas toujours facile à amadouer. Elle nous prend l'homme qu'on aime, elle nous vole un enfant ou une mère et elle s'enfuit, impitoyable, refusant de nous délivrer de nos tortures morales. Oh oui, je te l'avoue, j'ai imploré la mort, je l'ai désirée de tout mon être après avoir écouté cette religieuse qui osait me débiter ses sornettes, qui me disait que Dieu avait rappelé mon fils à lui. Un si petit garçon, un innocent ! Je suis restée debout, vide, désincarnée, frappée d'une stupeur atroce. Une autre sœur plus jeune m'a guidée par le bras vers les vestiges noircis du bâtiment. Et là, loin des oreilles de la supérieure, elle m'a parlé. Si seulement elle s'en était abstenue…

— Que vous a-t-elle dit, mademoiselle ?

— Une histoire étrange, qui m'a empoisonnée à jamais. Elle a semé le ferment du doute en moi et cela m'a plongée dans une sorte de folie. Cette jeune religieuse a prétendu qu'il n'y avait que deux petits corps carbonisés, deux, pas trois. Selon elle, un des enfants avait disparu, avant ou pendant l'incendie. Mais elle était incapable de savoir lequel. Mon Dieu, Angélina, conçois-tu ce que j'ai ressenti en l'écoutant ? Joseph était peut-être en vie ! Ce doute m'a hantée et il me hante encore. Pour retrouver un semblant de paix, je me suis persuadée qu'il était une des victimes. Je préférais le pleurer et prier pour sa petite âme que de me poser des questions du matin au soir, et cela jusqu'à ma mort. Même s'il n'a pas péri, il a survécu combien de temps ? Qui l'aurait enlevé et pourquoi ? Ne valait-il pas mieux le repos éternel qu'un sort abominable, livré aux marchands de garçonnets qui sévissaient dans les bas-fonds de Lyon ?

Angélina pleurait en silence, épouvantée par le récit de sa vieille amie. Son instinct maternel se révoltait devant une telle tragédie. Elle se raccrocha à sa force d'espérer et nia l'horreur.

— Gersande, votre fils a pu être sauvé. Sauvé du feu ou de ces odieux marchands. L'avez-vous cherché, ensuite ?

— Non, je suis rentrée à Mende et j'ai dit à mes parents que mon petit était mort. J'ai cru que mon père allait me chasser, mais il a eu pitié de moi. Une des domestiques m'a mise au lit et, le lendemain, j'étais atteinte d'une fièvre cérébrale. Il paraît que ma mère m'a veillée durant plusieurs jours. Je me suis rétablie, et mon existence oisive a repris. Je lisais, je dormais, je n'étais plus rien. Une ombre ! Le choléra décimait une partie de la France. Si j'avais le malheur d'imaginer Joseph toujours vivant et rongé par ce mal atroce, j'en faisais des cauchemars. La suite, tu la connais un peu. J'ai empêché Octavie de mourir et l'ai prise avec moi, jour et nuit. Nous sommes devenues des amies, des sœurs, car, pour la convaincre de continuer à vivre, je lui ai confié mes malheurs et ce doute insupportable qui me maintenait entre deux eaux, une fois prête à me noyer, une fois à la surface. Seigneur, je n'en peux plus ! Si nous causions chiffons à présent, dentelles et fanfreluches !

— Non ! coupa Angélina. À partir de maintenant, je vous dissuaderai de toutes les façons possibles de faire d'Henri votre héritier et de me léguer quoi que ce soit. Si votre fils respire sur terre, en France ou ailleurs, vos biens lui reviennent, à lui et à personne d'autre. Quel âge aurait-il ? Vraiment, rien ne vous permettrait de l'identifier ?

— Reconnaître parmi des millions de gens un homme de trente-deux ans ! se récria la dame. Je me souviens d'un détail… Joseph avait une tache de naissance en forme de cœur juste au creux des reins, au-dessus des fesses, vois-tu ! Ma chère petite, dois-je partir en croisade et baisser le pantalon de tous les messieurs que je rencontrerai ?

Gersande de Besnac éclata d'un rire ironique, sinistre, qui se changea aussitôt en sanglots pathétiques.

— Je t'en supplie, Angélina, si tu as un peu d'affection pour la vieille femme que je suis, ne m'encourage pas à croire que je reverrai mon fils un jour ou l'autre. Aide-moi à me racheter. J'ai fait tant de mal autour de moi ! Mon père s'est éteint sans me pardonner mes fautes, et ma mère a perdu l'esprit quelques années plus tard. Je l'ai soignée et nourrie, puis elle est morte à son tour. Il y a de cela neuf ans environ. J'ai enfin pu fuir ce maudit domaine, après l'avoir confié à un régisseur. Son épouse était chargée d'entretenir la maison et de l'aérer. Octavie et moi, nous avons quitté la Lozère avec un soulagement indicible et nous nous sommes installées ici, dans ta cité natale. Je devine à ton expression intriguée que tu te demandes pourquoi je suis venue habiter à Saint-Lizier.

— Oui, c'est vrai, admit Angélina. Pourquoi ?

— Je t'ai déjà expliqué que la noblesse protestante se fait rare depuis des siècles. Certains ont émigré à la Révolution, d'autres ont abandonné leur particule. Les huguenots, comme dit ton père, sont beaucoup moins nombreux que les catholiques, si bien que nous formons une sorte de communauté dont les relations s'étendent au-delà des limites d'un département. Ainsi, je correspondais avec le frère du pasteur de Saint-Girons, cet aimable vieillard avec qui tu as voyagé dans la diligence pour Massat et qui, en toute bonne foi, m'a renseignée sur tes expéditions secrètes. Enfin, il me vantait dans ses lettres le charme de ce pays, décrivant la cité comme un fabuleux balcon de pierre d'où on pouvait admirer les montagnes. Il ajoutait non sans humour que les évêques du palais des Évêques avaient déserté les lieux et que cette grande bâtisse abritait un hôpital[1]. En fait, il voulait me vendre cette maison. Et il a réussi. Il m'a décrit le grand salon, soutenu par les piliers séculaires des halles, une pièce claire et ensoleillée grâce à ses six fenêtres. Voilà la clef du mystère. Et un mois après mon arrivée, je me suis promenée sur la place de la fontaine. J'ai vu sortir de la cathédrale une fillette aux nattes d'un roux sombre et aux prunelles violettes. Sa mère, une très jolie femme, confiait à qui l'écoutait qu'Angélina avait eu son certificat d'études. Je cherchais depuis longtemps une enfant à aimer et à choyer. Je ne t'ai pas choisie, petite, tu es entrée dans mon cœur avec tes sourires, ton regard si beau, ta gentillesse. Et maintenant, il y a Henri, un ange, une source de joie. Je t'en prie, toi qui m'as offert tant de bonheur, écoute ma supplique ! Laisse-moi adopter ton fils et en faire mon héritier. J'ai songé à tout. Nous le ferons baptiser à la cathédrale et tu seras sa marraine.

Angélina se releva, engourdie, étourdie aussi par tant de paroles, par tant de révélations. Elle reprenait pied dans la réalité en marchant sans bruit sur le parquet. Gersande de Besnac n'était plus une apprentie

---

1. Le palais des Évêques de Saint-Lizier a été aménagé en maison de santé à partir de 1830 environ.

comédienne folle amoureuse d'un William tuberculeux, mais une vieille dame fantasque, marquée par trop de remords et de chagrins.

— Mademoiselle, vous dites avoir songé à tout, murmura-t-elle, debout près de la cheminée. Mais comment justifier un baptême catholique pour le prétendu neveu d'une protestante ? Le chanoine s'y opposera, sauf si Octavie se convertit. Et, si le chanoine s'y oppose, le prêtre lui obéira. Et puis, j'ai déjà baptisé mon fils.

— Ce baptême à l'eau de source d'une grotte ne compte pas, ma petite rebelle, soupira Gersande. Tu ignores une chose : il y a longtemps déjà qu'Octavie souhaitait se convertir. Aussi, par affection pour ton fils et pour moi, elle a pris sa décision. Combien de fois m'a-t-elle confié qu'elle rêvait d'aller à la messe, d'admirer les vitraux et les fresques, de communier. C'est une chance qu'elle ait encore la foi. Depuis l'épidémie de choléra, elle ne tient pas Dieu en haute estime, même si elle l'invoque comme nous tous à la moindre occasion.

— Je dois réfléchir, répliqua Angélina. Je suis trop émue pour l'instant. J'ai l'impression d'être avec une personne différente de ma chère mademoiselle Gersande. J'étais idiote de croire que vous n'aviez rien vécu par le passé.

— Es-tu déçue ? Tu peux me juger, me condamner, je ne t'en voudrai pas, petite.

— Moi, vous juger ? Jamais ! Je vous respecte encore plus d'avoir traversé de telles épreuves et d'apprécier autant les fragiles plaisirs de l'existence, d'être généreuse et non aigrie. Je comprends mieux aussi votre attachement pour moi et pour Henri.

Elle aperçut Sauveur, étendu de tout son long contre un des murs. Le chien, habitué à dormir dehors, fuyait le feu.

— Même lui, vous le protégez, dit-elle en désignant le pastour d'un mouvement de tête. Je vais l'emmener dans votre jardin ; il a trop chaud.

— Fais, fais, petite ! marmonna Gersande, une main sur ses yeux.

Angélina se couvrit chaudement pour sortir et alluma une lanterne. Le jardin dont elle parlait n'était accessible qu'en empruntant l'escalier en pierre, puis le couloir voûté du rez-de-chaussée, donnant d'un côté sur la rue, de l'autre sur une porte basse qui communiquait avec une cour pavée en son centre, mais plantée de rosiers et de buis le long des murs qui la délimitaient. Le chien ne se fit pas prier pour la suivre. Une fois à l'extérieur, elle s'aperçut qu'il neigeait. Pressée de rentrer, elle montra du doigt un petit cabanon.

— Sauveur, tu seras mieux là. Sois sage, surtout !

L'animal semblait comprendre tout ce qu'elle lui disait. Elle s'empressa de remonter. L'air songeur, la tête penchée sur le côté, Gersande n'avait pas bougé.

— Alors, petite, as-tu réfléchi ? s'enquit-elle d'une voix lasse.

— Non, mademoiselle ; il me faut plus de temps. Je crois que vous êtes épuisée. Allons nous coucher. Je vous donnerai une réponse demain, je vous le promets.

Gersande de Besnac se leva sans dire un mot et se dirigea vers sa chambre. Angélina éteignit la lampe à pétrole et couvrit le feu de cendres pour en étouffer les dernières flammèches. Enfin, elle se glissa sans bruit dans la pièce où dormaient Octavie et Henri. La femme se réveilla. En appui sur un coude, elle scruta le visage de la jeune fille qu'une chandelle éclairait d'une douce lumière.

— Il n'a même pas toussé, Angélina ! chuchota-t-elle. J'ai vérifié deux fois s'il avait de la fièvre, mais son front était tiède. Mademoiselle t'a révélé ses secrets, n'est-ce pas ? Et que lui as-tu répondu, pour l'adoption ?

— Je pense refuser, Octavie !

— Ne fais pas cette bêtise !

— Crois-tu possible que le fils de mademoiselle Gersande soit vivant ?

— Je n'en sais rien, moi, mais, même s'il a survécu, ça m'étonnerait qu'elle le retrouve un jour.

— Peu importe, je ne peux pas accepter la proposition de mademoiselle, soupira Angélina. Bonne nuit, Octavie, je suis fatiguée et je veux me lever aux aurores.

La domestique n'insista pas.

Rue Maubec, le lendemain matin

Ce ne fut pas sans appréhension qu'Angélina franchit le portail de la maison Loubet à six heures du matin. Un jour blafard pesait sur la cité endormie. Elle aperçut de la lumière derrière la fenêtre de la cuisine et elle entra le cœur serré à l'idée d'affronter son père. Cependant, le cordonnier avait meilleure allure. Rasé, coiffé, vêtu d'une chemise propre et d'un gilet en peau de chèvre, il balayait le plancher avec énergie.

— Bonjour, petite, laissa-t-il tomber sans la regarder.

— Bonjour, papa, répondit-elle gentiment, soulagée de le voir dans de bonnes dispositions. On pourrait s'embrasser, puisque nous n'avons pas eu l'occasion de le faire hier soir.

Augustin posa le balai et se gratta le menton d'un air gêné. Très vite, il ouvrit les bras à sa fille.

— Je suis désolé, avoua-t-il. *Diou mé damné !* Je ne bois jamais et il a fallu que ce soit lè jour de ton retour.

J'avais la tête à l'envers, aussi, avec ce qui s'est passé du côté de Taurignan, chez les Rumaud, de bien braves gens. Quel malheur !

— Je sais, papa. Octavie m'en a parlé hier soir. Tu voyais juste : il y a eu une autre victime.

Angélina se retrouva blottie contre son père. Il lui tapota le dos en se dégageant. Les effusions n'étaient pas son fort.

— Et alors, ce maudit chien, qu'en as-tu fait ? demanda-t-il.

— Je le cache chez mademoiselle Gersande. Tout le monde ici sait que je passe beaucoup de temps chez elle, mais les gendarmes n'oseront pas l'importuner.

— Espérons-le ! coupa Augustin. Veux-tu un bol de chicorée ? J'en ai mis à infuser. Avec du bon lait frais ? La veuve Marty m'en a vendu un litre hier soir.

— Je veux bien, je n'ai encore rien bu ni avalé. Octavie était levée quand je suis partie, mais mademoiselle Gersande dormait encore.

— Le petit gars va-t-il un peu mieux ? s'enquit son père.

— Oui, il n'a plus de fièvre, et sa toux ne m'inquiète pas. Je crois que le médecin s'est trompé et que mes chères amies se sont affolées. Papa, je suis navrée de t'avoir faussé compagnie à peine arrivée, mais je ne pouvais pas les laisser seules. Sais-tu que je travaille à la pouponnière de l'hôpital ? Je commence à être experte dans l'art de calmer les bébés.

Augustin Loubet eut un timide sourire. Il s'empressa de servir sa fille, tout content d'entendre à nouveau sa voix et de pouvoir l'admirer.

— C'est une bonne chose, Angélina, concéda-t-il. Dis-moi, tu es toujours aussi jolie, mais tu as maigri et ça ne me plaît pas, ça…

— Nous sommes pourtant très bien nourries, à l'hôtel-Dieu. De solides repas, je t'assure. Seulement, je n'ai pas d'appétit là-bas et je cours d'une salle à l'autre du matin au soir, sans oublier les nuits de garde.

Le cordonnier prit place à la table, en face d'Angélina. Il la dévisageait, apaisé, ému.

— Tu me manques, ma fille ! murmura-t-il. Les premiers jours sans toi, je n'étais pas fier, va ! Et ton pastour me faisait enrager. Il n'avait qu'une idée : filer dans la rue. Bon sang, cette bête m'a fait tourner en bourrique.

— A-t-il vraiment mordu Blaise Seguin ? s'inquiéta Angélina.

— Je n'ai pas vu de sang, mais son pantalon était déchiré. Le souci, c'est cette plainte qu'il a déposée. Attends un peu et les gendarmes seront là.

— Ils ont sûrement d'autres chats à fouetter, comme on dit. Ne te tracasse pas. Sauveur m'appartient ! C'est à moi de discuter avec ces messieurs de la police s'ils viennent jusqu'ici. Je leur dirai que le chien s'est enfui dans les bois et que Blaise Seguin va retirer sa plainte.

— *Foc del cel !* j'en doute fort, jura son père.

— J'irai lui rendre visite. Ce rustre sera bien obligé de plier l'échine. Il m'a déjà agressée et, moi, je ne suis pas allée me plaindre à la maréchaussée. Papa, aie confiance, je ne t'ai jamais causé d'ennuis auparavant. Tu n'auras pas un sou à verser à Seguin.

On frappa à la porte au même instant. Augustin Loubet étouffa un juron, mais Angélina ouvrit et se rua dehors d'un seul élan. Deux gendarmes se tenaient là, coiffés de leur mirliton en cuir, que des flocons parsemaient. L'un tenait un fusil, l'autre semblait prêt à dégainer son épée.

— Messieurs, bonjour ! dit-elle avec un délicieux sourire. Mon père m'a expliqué l'incident d'hier. Je suis vraiment navrée. D'une part, ce chien m'a déjà protégée des avances outrancières de Blaise Seguin. D'autre part, cet homme va retirer sa plainte. Il est venu nous le dire hier soir. Vous feriez mieux de rentrer dans votre caserne, bien au chaud.

— Et la bête, où est-elle ? interrogea le brigadier. Plainte ou pas plainte, je préfère l'abattre. D'autres personnes ont eu des dégâts.

— Quels dégâts ? Mon pastour ne sort pas de cette cour, répliqua-t-elle, amusée par le regard admiratif du plus jeune militaire.

— Eh bé ! disons… des dégâts. Une poule a disparu, je crois.

— Un renard sera passé par là, supposa Angélina d'un air sérieux. Mais, pour le chien, je suis bien ennuyée, il s'est enfui. Vous pouvez fouiller l'écurie et la grange, même l'atelier de mon père, il n'est plus là.

Les deux gendarmes hésitaient. Ils se concertèrent à voix basse avant de saluer la jeune fille.

— Bon ! Il faudra que monsieur Seguin passe à la gendarmerie retirer sa plainte de façon officielle. Pour le pastour, si on le voit, on lui tire dessus. Vous êtes prévenue. Au revoir, mademoiselle Loubet.

— Au revoir, messieurs, répondit-elle d'un air sage.

Dès qu'elle se retrouva dans la cuisine, son père lui fit les gros yeux.

— Tu mens comme tu respires, petite ! Je ferais bien de me méfier de toi. On te donnerait le bon Dieu sans confession, mais tu es bien une femme, coquette, rusée, habile à embobiner ces crétins de gendarmes. Je serais plus tranquille si tu te mariais le plus vite possible.

— Mon pauvre papa, répondit Angélina, arme-toi de patience, je n'ai pas envie de convoler. Pas avant longtemps. Maintenant, tu devrais chauffer ton atelier et te mettre à l'ouvrage. Je vais retourner chez mademoiselle Gersande prendre des nouvelles du petit Henri et je descendrai à Saint-Girons raisonner Blaise Seguin. Il s'irrite facilement, mais je crois que ce n'est pas un mauvais bougre, au fond.

Décontenancé par ses derniers mots, Augustin observa sa fille avec un œil perspicace.

— Petite, qu'est-ce qui te passe par la tête ? s'exclama-t-il. Tu n'as pas voulu de lui pour fiancé, tu le dis laid, sale, ignare, et voilà que tu changes d'avis. Est-ce bien prudent d'aller seule à Saint-Girons ? Je vais t'accompagner. Les gens ont peur, et moi aussi, j'ai peur pour toi. S'il t'arrivait malheur ? Sans compter que Blaise Seguin t'a déjà importunée. Ce n'est pas un enfant de chœur, le bourrelier !

— Non, papa, je n'ai pas besoin d'escorte. Il fait grand jour à cette heure-ci et la route est très fréquentée. Quant à Blaise, il sera correct, surtout que son oncle et son frère travaillent avec lui. Je n'ai pas changé d'avis, mais j'ai réfléchi à ma conduite. Je me suis si souvent moquée de cet homme dès qu'il m'approchait. Et si Sauveur l'a blessé, je lui dois des excuses. Ne t'inquiète pas !

Angélina ponctua sa recommandation d'un léger baiser sur la joue paternelle.

— J'ai monté ta valise dans ta chambre, lui dit-il, amadoué. J'ai allumé le brasero et tu as un broc d'eau chaude.

— Merci, papa !

Elle emprunta le couloir sombre et froid pour gravir l'escalier étroit menant à l'étage. Elle eut l'impression étrange de s'être absentée des années, et non pas seulement un mois. « Mon Dieu, que c'est long ! Il me restera encore mars, avril, mai et juin avant les congés d'été, songea-t-elle. Et ensuite tout l'automne et tout l'hiver. Si je renonçais, je pourrais être près de mon pitchoun tous les jours. Qu'aurais-tu fait à ma place, maman ? Toi, tu as attendu d'avoir ton diplôme pour te marier et donner la vie à des enfants. C'est ma faute si je suis déchirée entre mes études et mon petit Henri. »

Angélina avait enlevé sa jupe de voyage et la veste assortie. En jupon blanc et corsage rose, elle déambulait entre le lit et son coffre à vêtements. Enfin, elle prit place sur un tabouret et ôta ses bottines en beau cuir brun. De toutes les filles de la cité, elle était la mieux chaussée. Augustin Loubet avait à cœur de lui confectionner des escarpins l'été et des bottines à lacets l'hiver. Elle commença à se laver, d'abord le visage, puis les avant-bras. En rinçant ses cuisses, elle retint un gémissement de frustration. Elle était jeune, belle, et Guilhem Lesage avait su l'initier au plaisir. Au moment d'entreprendre sa toilette intime, ses doigts se firent insistants, d'abord maladroits, puis habiles, jusqu'à lui offrir une jouissance trop brève, trop imparfaite.

« C'est mal, ce que j'ai fait ! se reprocha-t-elle. Comment ai-je pu, ici ? » Elle constata aussi que sa porte n'était pas fermée à clef. « Je suis une fille perdue, se dit-elle. Eh bien, tant pis ! »

Deux heures plus tard, elle entrait dans la boutique de Blaise Seguin.

10

Le bourrelier

Boutique Seguin et frères, Saint-Girons, même jour

Il régnait dans l'atelier Seguin l'odeur tenace des cuirs qui avait bercé l'enfance d'Angélina. Entre le métier de bourrelier et celui de cordonnier, il existait bien des points communs. Blaise et son frère utilisaient des outils souvent identiques à ceux d'Augustin Loubet : aiguilles de toutes les tailles, poinçons, alènes… Mais les peaux employées différaient. Chez les Seguin, on travaillait en grande partie du cuir épais et solide provenant des vaches et des bœufs, parfois même des chevaux.

Angélina venait d'entrer dans la boutique ayant pignon sur rue, où quelques pièces neuves de bourrellerie étaient suspendues à des clous ou posées sur des tréteaux. Le véritable atelier, assez exigu, se trouvait derrière une cloison vitrée. Ne voyant personne, elle observa d'un œil intéressé les licols neufs, rangés par catégorie. Une étiquette indiquait à quel animal ils convenaient : chevaux de trait, chevaux de selle, mules, ânes et même poneys. Des colliers munis de sonnailles étaient destinés aux béliers ou aux boucs. Elle effleura du bout des doigts une selle d'amazone en cuir rouge, décorée de clous tapissiers[1] en cuivre.

— Eh ! C'est une belle pièce, fit une voix égrillarde. Boudiou, j'ai de la visite, et quelle visite !

Blaise avait surgi d'une étroite porte communiquant avec un couloir. Il rajustait sa braguette. Ce détail hérissa Angélina qui détourna vite la tête.

— La demoiselle Loubet ! ajouta l'artisan. En v'là, une rude surprise ! Tu regardais la selle, hein ? T'es pas prête d'en avoir une comme ça pour ta vieille carne de mule. Monsieur Lesage m'en a passé commande pour les trente ans de sa bru, Clémence.

— C'est du bel ouvrage, reconnut Angélina poliment, troublée d'avoir entendu résonner le nom des Lesage. Blaise, je ne compte rien t'acheter, je suis venue te présenter mes excuses. Je sais que mon chien t'a attaqué et je le regrette. Mais ce n'est pas la faute de mon père. Si tu maintiens ta plainte, il faut donner mon nom aux gendarmes, pas le sien.

L'homme ricana en l'examinant de haut en bas sans hâte, les mains sur les hanches. Il portait un pantalon large en velours retenu par des bretelles crasseuses et une chemise rayée sous un veston fourré de laine de mouton. Les manches retroussées, il exhibait des avant-bras musculeux, couverts d'une toison de poils noirs.

— Pour sûr que je maintiens ma plainte ! Et j'espère bien que les gendarmes ont abattu ta sale bête de pastour, grogna-t-il.

— Non, pas encore. Je leur ai dit que le chien s'était enfui dans les bois, ce qui est vrai.

1. Clous à tête arrondie, assez large.

Tout en parlant, Angélina tentait d'apercevoir Michel, le frère du bourrelier. C'était un garçon de vingt-sept ans qui rentrait du service militaire et qui jouissait d'une bonne réputation. Il ne ressemblait en rien à Blaise, ce qui faisait naître bien des ragots sur la vertu de leur défunte mère.

— T'es une maligne, Angélina ! s'exclama-t-il. Tu leur aurais pas dit aussi que j'avais retiré ma plainte ? Parce qu'ils sont passés ici à cheval, ceux que tu as vus ce matin. Hé ! petite caille, moi, j'ai pas moufeté. J'ai pensé qu'on s'arrangerait, nous deux, un arrangement à l'aimable, comme y disent dans les journaux.

— Non, à l'amiable, rectifia Angélina machinalement.

— Oh ! ça va, ne joue pas les grandes dames ! trancha-t-il. Faut pas m'en conter, à moi, ma petite caille. Et puis, quand je te vois là, tout près, j'en perds l'entendement !

Angélina recula d'un pas. Blaise sentait la sueur et la graisse rance ; ses narines délicates s'en offusquaient. Malgré toute sa bonne volonté, cet homme lui répugnait.

— Je peux te dédommager, dit-elle. J'irai jusqu'à deux francs d'argent.

— Bah, je m'en fiche, des sous. J'ai point changé d'idée. Je voudrais te marier. Je suis pas difficile, d'épouser une cruche déjà ébréchée. Viens un peu par là, que je te dise une chose…

Elle ne comprenait pas de quoi il parlait. Le bourrelier la prit par le coude et la dirigea vers l'arrière-boutique.

— J'veux pas qu'on nous surprenne ; j'suis pas aussi méchant que tu crois, Angélina chérie.

— Ne m'appelle pas comme ça, protesta-t-elle en essayant de libérer son bras. Et si tu as quelque chose à me dire, tu peux le faire dans le magasin.

— Allons, tu n'es pas si prude que ça ! Je t'ai vue, une fois, dans les bois de Montjoie, là où je chasse. Fi de loup, tu avais les tétons à l'air, t'étais toute blanche. De la crème, j'me suis dit !

Blaise commençait à respirer très vite, les yeux exorbités. Il affermit sa prise et débita des mots en pagaille au nez d'Angélina.

— Je t'ai vue. Tu te rhabillais, et l'autre, le fils Lesage, je l'avais croisé juste avant ça. T'es pas mieux que les autres filles, Angélina, mais je l'ai dit à personne. J'me suis juste permis de te chercher des noises, l'autre jour, sur la place de la cité. Je blaguais, rien d'autre, puisque j'savais, moi, que t'avais pas peur de voir le loup. Hé ! tu réponds pas ? T'as une sacrée dette envers moi ! J'aurais pu causer sur ton dos, dire à ton père ce que tu valais, ou même à monsieur Honoré Lesage. Tes deux francs d'argent, j'en veux pas. C'est toi que j'veux, là, tout de suite. Après, je t'épouse, ma caille. T'auras le logement là-haut et je ferai installer un comptoir en bois verni, ici, dans la boutique. Tu pourras jouer les dames, à encaisser les ventes.

Prisonnière d'une poigne énergique, la jeune fille, presque fascinée par le débit rapide du bourrelier, écoutait cette avalanche de paroles. Tout se mêlait dans son esprit et elle avait le sentiment de se noyer au fond d'un gouffre : Blaise et ses menaces mielleuses, les gendarmes, la peur de voir son chien abattu et encore Henri qui hurlait, l'œil méprisant du docteur, la peur du croup, les larmes de mademoiselle Gersande, l'horrible histoire du petit Joseph, brûlé ou non dans l'incendie du couvent, et toujours l'haleine fétide de Blaise sur son visage, un mélange d'ail, de vin et de dents gâtées.

— Boudiou, ma belle, c'est-y que tu vas tomber dans les pommes ? demanda-t-il en la voyant fermer les yeux, pâle à faire peur.

L'homme en profita pour l'attraper par la taille. Maintenant, il chuchotait à son oreille :

— J'crois même que, Guilhem Lesage, y t'a mis un petiot dans le ventre. Je suis pas bigleux. Quand tu m'as tapé dans l'œil, au bal du 14 juillet, t'étais pas aussi maigrichonne. Y a des gens qui se posent des questions par chez toi, à propos du gosse, le neveu de la bonniche Octavie. Vous êtes comme cul et chemise, la vieille huguenote et toi. Peut-être ben qu'elle t'a rendu service ! Et que ce petit, ce serait le tien...

Angélina crut qu'elle allait vraiment s'évanouir. Sa pire crainte se concrétisait ; son secret était découvert.

— Non, non, tu racontes n'importe quoi, Blaise, gémit-elle. Lâche-moi, tu me fais mal !

— Pourtant, j'te veux que du bien, ça oui ! rétorqua-t-il. Si tu deviens ma femme, y en aura pas un en ville qui causera sur toi. Je lui fermerai son clapet. Et ton pitchoun, ça sera le mien, je lui donnerai mon nom, on signera un papier le jour de la noce. Dis oui, Angélina, ma petite caille ! T'es d'accord, hein ?

Il ponctua sa question d'un baiser humide dans le cou d'Angélina avant de poser ses lèvres épaisses sur sa bouche. Elle se débattit, révulsée, mais il força le barrage de ses dents et lui imposa le contact d'une langue dure et avide. De sa main droite, il maintenait sa tête ; de la main gauche, il la plaquait contre lui, si bien qu'elle sentit la proéminence de son sexe d'homme à travers le pantalon. Affolée plus qu'effrayée, elle luttait de toutes ses forces pour échapper à l'emprise du bourrelier. Par chance, il était bavard et elle eut un temps de répit.

344

— Alors, tu m'épouseras ? haleta-t-il. Tu verras, j'te rendrai heureuse. Je sais y faire, va ! Plus belle sera la rose, plus grosse sera l'épine, qu'y dit, mon vieux père. Tu la sens, mon épine ?

— Pauvre fou ! s'écria-t-elle. Lâche-moi. Je ne veux pas me marier. Ni avec toi ni avec un autre. Tu délires, Blaise. Je n'ai jamais eu d'enfant et ce n'est pas moi que tu as vue dans les bois. Je pourrais le jurer sur la sainte Bible.

Angélina constata un changement dans l'attitude du bourrelier. Il jetait des regards inquiets du côté de la rue tout en la tenant encore plus serrée. Soudain, il la souleva du sol et se dirigea en vacillant vers un recoin sombre de l'atelier. C'était une sorte de grand placard encombré de vieilles pièces de cuir, d'un balai en paille et d'un établi.

— J'te veux, ma jolie, bredouilla-t-il, la bouche béante. Après, tu seras bien contente, tu me voudras aussi, parce que je sais y faire, j'te dis.

Blaise Seguin était une force de la nature, une montagne de muscles. Angélina était incapable de lui échapper. Il la plaqua contre la cloison en planches.

— Non, je t'en supplie, laisse-moi, implora-t-elle. Ce ne sont pas des manières…

— Non, t'as aussi envie que moi, je le sens bien. T'es une petite caille toute chaude, éructa-t-il en l'embrassant à nouveau à pleine bouche.

Angélina refusa de céder à la panique. Elle revit Magali Scotto, la volcanique Provençale, qui racontait une de ses mésaventures de son timbre grave et un peu rauque : « Cet enfant de putain, il voulait pas me lâcher et j'avais beau me débattre, l'était plus fort que moi.

Alors, je lui ai flanqué un coup de genou dans ses bijoux de famille. Peuchère ! Il a couiné comme un goret. Je vous jure qu'il pouvait plus cavaler, après ça ! »

— Attends, Blaise ! dit-elle tout à coup. Je veux bien, mais il y a quelque chose qui me blesse. Sûrement un clou, là, dans mon dos…

Ramené à la réalité, le bourrelier qui n'en croyait pas ses oreilles la libéra et recula d'un pas. Angélina lui décocha un violent coup de pied à l'endroit le plus stratégique de son anatomie.

— Espèce de salaud ! aboya-t-elle.

Plié en deux, le bourrelier poussait des cris d'agonie, les mains sur son bas-ventre irradié d'une douleur atroce.

— Je te préviens, Seguin, ajouta-t-elle, prête à s'enfuir. Si j'entends encore parler de toi, je porterai plainte à mon tour et tu finiras en prison.

En se ruant vers la porte de la boutique, elle se heurta au vieux Lucien Seguin qui allait entrer, suivi de Michel, son fils cadet.

— Pardon ! Laissez-moi passer, hoqueta-t-elle.

Ils constatèrent le désordre de sa coiffure et surtout l'expression effrayée qu'elle avait.

— Mademoiselle Loubet ! Qu'avez-vous ? interrogea le père du bourrelier.

Il posait la question par principe, ayant deviné d'emblée la situation.

— Je vous préviens tous les deux, déclara-t-elle. Blaise a grand intérêt à retirer la plainte qu'il a déposée contre mon père. Il m'a entraînée dans l'arrière-boutique et m'a embrassée de force. Je suis sûre qu'il voulait bien plus encore. J'étais venue trouver un arrangement, mais c'est terminé. S'il ose m'approcher encore, j'espère que mon chien l'égorgera.

Michel Seguin lui adressa un regard apitoyé, mais le vieux Lucien se rua à l'intérieur du magasin. Il attrapa une cravache en cuir noir suspendue à un clou et disparut derrière la cloison vitrée.

— Blaise, Blaise ! s'égosillait-il. Montre-toi, ordure ! J'vais t'apprendre, moi !

Des clameurs de fureur retentirent, ainsi que des bruits de coups et d'ustensiles renversés. Angélina s'éloigna en courant presque, les dents serrées, écœurée mais soulagée d'imaginer la correction que recevait le bourrelier malgré ses trente-deux ans. Ses bottines foulaient le trottoir en terre nappé d'une fine couche de neige, semée ici et là de flaques d'eau boueuse.

L'esprit confus, elle marcha à vive allure jusqu'au carrefour sur lequel s'ouvraient trois routes, celle de Foix, celle de Saint-Lizier et de Castillon, et celle de la rue du Quai, une des plus commerçantes de Saint-Girons. Tout en longeant un large chemin carrossable à travers de vastes pâtures, il lui restait plus de trois kilomètres à parcourir avant d'atteindre les premières maisons de la cité.

« Quelle canaille ! Une vraie bête, oui, un beau salaud ! pensait-elle en répétant l'injure favorite de Magali Scotto. Il faudra que je la remercie à mon retour. Sans elle, je ne sais pas jusqu'où serait allé Seguin. Mon Dieu ! papa avait raison : cet homme est une brute sans foi ni loi. Et moi, je me suis jetée dans la gueule du loup, sotte que je suis ! »

Un vent glacé soufflait du nord, qui apportait de minuscules flocons. Il faisait très froid. Angélina regretta de ne pas avoir mis sa pèlerine. Elle avait endossé un manteau court sans capuchon.

« Je ne dirai rien, ni à père ni à mademoiselle Gersande. Ils n'ont pas besoin de savoir », décida-t-elle en empruntant un sentier qui surplombait le talus. Le raccourci lui ferait gagner une centaine de mètres ; c'était déjà appréciable. Elle s'en félicita, car une calèche grise et noire survint du virage, tirée par un gros cheval blanc. Angélina distingua un homme coiffé d'un haut-de-forme et une femme assez jeune derrière la vitre de la portière.

« Monsieur Honoré Lesage et sa bru doivent aller chercher la selle d'amazone, songea-t-elle, car elle avait reconnu le père de Guilhem et Clémence, l'épouse du fils aîné. Le diable les emporte ! »

Elle déplora immédiatement cette invective et se signa dans l'espoir de lui ôter tout pouvoir maléfique. Des larmes ne tardèrent pas à couler le long de ses joues. Vaincue, elle se mit à pleurer tout son saoul, assise sur un muret blanc de givre. « Je me suis fait un ennemi redoutable, aujourd'hui, se disait-elle. Blaise ne me pardonnera jamais. Pour se venger, il pourrait répandre la rumeur que j'ai un fils illégitime, l'enfant de Guilhem. Que ferait monsieur Lesage s'il l'apprenait ? » Étouffée par l'angoisse, elle imagina toutes les catastrophes qui découleraient des racontars du bourrelier. « Papa me renierait, je perdrais son amour et son estime. Et si Honoré Lesage écrivait à Guilhem ! Ces gens sont rongés par l'orgueil ; ils voudront peut-être me prendre Henri et l'élever au manoir… Non, cela ne sera pas. Je vais mettre mon pitchoun à l'abri. »

Une demi-heure plus tard, Angélina frappait à la porte de Gersande de Besnac. Tout sourire, Octavie lui ouvrit en essuyant ses mains à un tablier blanc fraîchement amidonné.

— Viens vite voir ton petit ! s'écria la domestique. Le docteur est revenu comme prévu et il l'a examiné. Notre Henri n'a rien de grave. C'était une grosse dent qui a percé, une prémolaire, paraît-il. Semble-t-il que ça peut causer de la fièvre, et même des convulsions. Ah ! ces dents… Quelle calamité !

— Une dent ! répéta la jeune femme. Comme je suis soulagée ! Cela dit, ce matin, il semblait en meilleure forme qu'hier ?

— Mademoiselle lui fait manger sa bouillie. Pour qu'il se tienne sage, elle récite des vers de Victor Hugo !

Angélina éclata de rire, toute contente. Après l'enfer, elle se réfugiait au paradis en compagnie de ces femmes charmantes dont la bonté et la sincérité ne faisaient aucun doute. Elle se rua dans le salon en compagnie de la domestique.

Dans la plaine
Naît un bruit.
C'est l'haleine
De la nuit.
Elle brame
Comme une âme
Qu'une flamme
Toujours suit.

La voix plus haute
Semble un grelot.

D'un nain qui saute
C'est le galop.
Il fuit, s'élance,
Puis en cadence
Sur un pied danse
Au bout d'un flot[1].

La jeune mère joignit les mains devant sa bouche, comme en adoration. Gersande de Besnac lui adressa un doux sourire. Juché sur sa chaise haute, Henri se retourna également, un filet blanc coulant de sa lèvre inférieure.

— Non, petit coquin, on ne recrache pas, s'écria la vieille dame. Il faut finir ce bol. Approche, Angélina, viens donc me remplacer.

— Oh oui, avec plaisir !

Éblouie de le revoir, elle continua de faire manger l'enfant. Il n'avait plus les joues rouges, et ses yeux bruns pétillaient de malice.

— Que tu es beau, mon pitchoun ! dit-elle en riant. Et tu gazouilles à merveille. Non, ne crache pas ta bouillie. Oh ! vilain !

Le bébé venait de l'asperger d'un jet de lait épaissi à la farine. La jupe d'Angélina en était constellée, mais elle s'en moquait.

— En voilà, des façons, mon tout-petit ! gronda-t-elle avec tendresse. Je crois qu'il n'a plus faim.

Octavie s'empressa de nettoyer les dégâts à l'aide d'un linge humide. Debout près du feu, Gersande riait

1. Extrait du poème de Victor Hugo, « Les Djinns », recueil *Les Orientales*, 1829.

en silence. Angélina prit son fils dans ses bras et le garda ainsi, le couvant d'un regard passionné.

— Mademoiselle, la nuit porte conseil, déclara-t-elle en faisant face à sa vieille amie. J'accepte votre proposition. Vous pouvez adopter Henri. Je serai sa marraine. Je tiens à ce qu'il porte votre nom. Hier soir, je n'ai pas mesuré l'immense honneur que vous me faites, ni votre générosité.

— Vraiment, tu acceptes ? s'étonna Gersande. Pourquoi ce brusque revirement ? Tu m'avais promis d'y réfléchir, mais j'avais peu d'espoir. Mon Dieu, comme je suis soulagée !

Octavie pleurait sans bruit. Les paroles d'Angélina signifiaient beaucoup pour la domestique. L'humble paysanne de jadis, instruite par sa patronne et heureuse de l'être, caressait le rêve de participer aux offices catholiques, d'entrer enfin dans la cathédrale dont les cloches rythmaient sa vie depuis son installation à Saint-Lizier. Elle souhaitait se convertir depuis des années, et voilà que le baptême de son faux neveu lui en donnait enfin l'occasion. Comme si elle lisait dans ses pensées, Angélina lui dit :

— J'en discuterai avec le père Anselme. Il m'a baptisée et il a célébré ma première communion. C'est un homme charitable et ouvert d'esprit. Il t'accueillera avec joie parmi ses paroissiens ; ton neveu aussi. N'est-ce pas, mon pitchoun ? Monsieur Henri de Besnac ? Tu es né dans une grotte de la montagne sans nom de famille, mais une bonne fée s'est penchée sur ton berceau.

Angélina ponctua cette déclaration d'un baiser sur le front de son fils. Le petit se mit à rire, égayé, et il voulut l'embrasser aussi, bien maladroitement.

— Quel joli tableau ! s'exclama Gersande. Mes enfants chéris, comme je vous aime !

Submergée par une émotion trop vive, la vieille demoiselle se dirigea vers la bergère et s'assit, toute pâle. Elle poursuivit d'une voix faible :

— Angélina, tu me rends au centuple les quelques bienfaits que je t'ai accordés par pur égoïsme... Je t'en prie, Octavie, sers-moi une liqueur.

— Vous en prenez bien souvent, ces temps-ci, mademoiselle, fit remarquer la domestique.

— Seigneur ! Je fais ce que je veux. Est-ce ma faute si je dois affronter tant de joyeux bouleversements ? Ma longue confession d'hier soir m'a épuisée. J'ai les nerfs en pelote.

Un sourire ébloui sur les lèvres, Angélina les écoutait. Le grand salon embaumait un indéfinissable parfum de cire, de feu et de lavande. Cette dernière fragrance venait des sachets de tissu garnis de fleurs de lavande séchées que Gersande de Besnac disposait sur le manteau de la cheminée. Elle les achetait durant l'été, faisant pour cela le voyage jusqu'à Toulouse.

« J'ai une seconde famille, ici, songeait la jeune fille. Tout m'est précieux : les livres reliés, les bibelots, les rideaux de velours rouge, les sachets de lavande et la vaisselle fine. Mais, le plus merveilleux, c'est l'amitié que me vouent Gersande et Octavie, ainsi que leur dévouement à mon égard. »

Elle s'entendit déclarer ensuite bien haut :

— Je ne mesurais pas la valeur de votre offre, mademoiselle. Henri sera à jamais protégé du triste sort réservé aux bâtards, ce terme injurieux qu'il me coûte de prononcer. Je ferai en sorte qu'il soit digne de votre bonté et que plus tard il devienne un homme loyal et honnête, aussi charitable que vous.

— Je n'en doute pas, petite, répliqua sa bienfaitrice après avoir siroté sa liqueur de cassis.

Angélina posa son fils qui se démenait pour aller gambader à sa guise. Il trottina vers Octavie en se frottant les yeux.

— Notre petit prince a sommeil, annonça la domestique. Il dort toujours après le repas de midi. Angélina, veux-tu le coucher ? Il faut le langer et lui chanter une berceuse. Suis-je bête de te le rappeler ! Tu as l'habitude.

— Oh oui, je veux bien. Ce sont ces moments avec lui qui me manquent le plus, à Toulouse.

— Déjeuneras-tu avec nous, après, que nous puissions discuter ? s'enquit mademoiselle Gersande.

— Non, j'ai promis à mon père de partager le repas de midi avec lui. Il doit déjà s'impatienter.

Elle emmena Henri dans sa chambre. Elle ferma les volets, tandis que l'enfant l'attendait sagement, assis sur un tapis en laine rouge. Ce fut avec une infinie satisfaction et une douceur extrême qu'elle s'occupa de lui.

— Mais à qui sont ces petons ? chantonnait-elle. Qu'ils sont mignons, ces petons ! Et ce ventre tout rond ? Et ce menton ?

Le bébé riait à perdre haleine. Émue de le sentir confiant et câlin, Angélina lui enfila un pyjama.

« Comme c'est étrange, la différence qu'il y a entre un tout petit gars et un homme adulte ! se disait-elle. Un jour, Henri sera grand et fort ; il aura de la barbe et de la moustache… Un jour, il fera l'amour. Je lui inculquerai la galanterie, la tendresse, le respect qu'on doit à une femme. »

L'image de Blaise Seguin la traversa. Elle avait l'impression de s'être débattue contre un animal en rut et, bizarrement, elle n'éprouvait ni honte ni humiliation, rien qu'une saine colère. Une force nouvelle l'envahissait. « Je me battrai encore s'il le faut, songea-t-elle. Pas en hurlant ni en griffant, mais par la ruse. Si un jour je mets au monde une fille, je lui apprendrai à se défendre contre ce genre d'individus. »

Elle coucha son fils. Il suça aussitôt son pouce en clignant des paupières.

Elle caressa les cheveux bruns et soyeux du bébé somnolent, puis elle fredonna tout bas :

S'il chante, qu'il chante.
Ce n'est pas pour moi,
Mais c'est pour ma mie
Qui est loin de moi.
Baissez-vous, montagnes,
Plaines, haussez-vous,
Que mes yeux s'en aillent
Où sont mes amours.

Des larmes tièdes roulèrent le long de son nez. La dernière fois qu'elle avait chanté l'ancienne complainte occitane, c'était le lendemain de la naissance d'Henri, sous la voûte de la grotte du Ker, et elle sanglotait de désespoir à l'idée de confier le nouveau-né aux femmes Sutra.

Elle se raisonna.

— Je n'ai pas le droit de pleurer. Mon pitchoun n'a pas été séparé de moi trop longtemps, et maintenant il loge dans cette belle maison, il dort dans des draps brodés et il aura un nom respectable, une fortune aussi, plus tard. Non, je n'ai pas le droit de pleurer ni de me plaindre, et rien ne doit compter, hormis le bonheur de mon fils.

Henri dormait. Elle sortit de la pièce sur la pointe des pieds.

Saint-Lizier, samedi 14 février 1880

Angélina était assise en face de son père. Le cordonnier avait préparé deux bols de lait en guise de repas afin d'observer la période du carême.

— Quand repars-tu, petite ? demanda-t-il d'un air sombre.

— Dans deux jours, papa. Ce n'est pas de gaîté de cœur. Je m'inquiète pour toi, seul ici du matin au soir.

— Je vais trouver le temps bien long jusqu'au mois de juillet ! Même si tu passes tes journées chez la huguenote, je sais que tu es là, dans la cité.

Elle considéra son père avec tendresse.

— Tu n'as plus de soucis à te faire, maintenant. J'ai réglé cette affaire de plainte avec Blaise Seguin et j'ai emmené Sauveur chez oncle Jean pour que tu n'aies pas d'ennuis. Toulouse n'est pas au bout du monde. Tu pourrais venir un dimanche me rendre visite.

— J'y songerai, répliqua le cordonnier. Tiens, au fait, si on causait un peu de la lettre que le facteur t'a apportée ce matin ! Tu l'as ouverte devant moi et j'ai cru apercevoir une carte de Saint-Valentin[1]. Tu as eu beau vite

---

1. La Saint-Valentin est fêtée depuis le Moyen-Âge en France. D'abord fête de la fécondité, de l'amour physique, elle a évolué au fil des siècles vers un échange de billets doux et de vœux amoureux.

la ranger dans ta poche de tablier, je suppose que tu as un amoureux…

— Non, pas du tout, et je suis encore plus surprise que toi. Je n'en croyais pas mes yeux en voyant la signature au dos de la carte. Si tu savais de qui il s'agit ! Un homme de quarante ans, qui a des lunettes et un poste important à l'hôpital. Le docteur Coste, un obstétricien, mon supérieur. Je ne l'imaginais pas du tout se pliant à cette tradition, lui qui paraît si sérieux.

— Pardi, tu as dû l'encourager, petite, s'il se permet de t'écrire chez moi sans mon accord et sans s'être présenté, tonna-t-il. *Foc del cel !* Tu ferais mieux de me donner une explication, Angélina.

— Mais, papa, ce n'est pas ma faute si ce médecin joue les grands romantiques ! Il prend le même train que moi pour se rendre à Luchon, sa ville natale. Une fois, il a porté ma valise et, le jour de mon retour, il est descendu à Boussens et j'ai déjeuné avec lui.

Augustin Loubet accusa mal la nouvelle. Il tapa à nouveau sur la table du plat de la main.

— Cet homme ne veut qu'une chose, petite, ta vertu. *Diou mé damné !* qu'est-ce que j'ai fait pour mériter ça ! Tu es trop jolie, Angélina, et je suis sûr que tu t'es montrée coquette et souriante avec ce docteur Coste. Jamais il ne t'épousera. Ne te fais pas d'illusions là-dessus. S'il prétend le contraire, dis-lui de ma part de venir me parler ; je saurai vite ce qu'il vaut. Mais, à mon avis, ce jean-foutre est déjà marié. Il ôte son alliance pour travailler et séduire les oies blanches de ton genre.

— Moi, une oie blanche ? s'insurgea Angélina. Mon pauvre père, tu me connais mal. Le docteur Coste ne me touchera pas, tu entends ? Et puis, tu peux lire sa carte. Il s'est contenté d'écrire : « Amicales pensées. » Rien d'autre !

Elle se leva, agacée.

— Je vais m'occuper de Mina. La pauvre bête n'est pas bien soignée avec toi.

Son père se contenta de hausser les épaules. Angélina sortit et traversa la cour. Leur mule se faisait vieille, et de rester dans un bâtiment sombre des jours d'affilée n'arrangeait pas sa santé.

— Oh ! Dans quel état tu es ! soupira Angélina. Depuis que maman n'est plus là et que je t'ai abandonnée moi aussi, tu dépéris. Je me demande si papa ne t'oublie pas, certains jours. Avant-hier, tu n'avais pas d'eau… et bien peu de foin.

Augustin Loubet avait réitéré ses menaces, la veille. Selon lui, il fallait envoyer Mina à l'équarrissage. Angélina retrouva dans une panière la brosse, l'étrille en fer et le cure-pied dont elle se servait pour panser l'animal. Elle réussit à rendre brillante la robe brune de sa mule et à lui démêler la crinière.

— Je t'ai toujours connue, Mina, lui dit-elle en la caressant. Maman t'aimait tant ! Elle prétendait que tu comprenais toutes ses paroles, et même que tu trottais si elle était pressée, sans qu'elle t'en donne l'ordre. Quand j'étais petite, j'adorais monter sur ton dos. J'avais le droit de me promener tout le long de la rue Maubec et même dans le bois de chênes. Le printemps arrive sans hâte, ma brave bête ! J'ai une idée : tu serais mieux dans un pré. Avant mon départ, il me semble que la veuve Marty se plaignait d'avoir une parcelle où l'herbe était trop haute.

Angélina n'en finissait pas de promettre une vie meilleure à la vieille mule qui semblait l'écouter avec intérêt.

— Je fais ce que je peux, Mina. Sauveur va garder les moutons de mon oncle Jean et mon pitchoun vit dans une belle maison, entre deux femmes qui l'aiment tendrement. J'en ai assez du malheur et de la tristesse. Je voudrais redevenir l'Angélina d'avant la mort de maman, d'avant Guilhem. Tous les gens de la cité vantaient ma gentillesse, ma gaîté, ma bonne humeur. Après tout, je n'ai pas à me plaindre. Bien sûr, il y a Blaise Seguin, une sale brute, un pourceau !

Elle se tut et se cramponna à pleines mains au rebord de la cloison délimitant la stalle de Mina. Ses doigts se crispèrent et ses ongles s'enfoncèrent dans le bois vétuste.

« Un salaud, un fumier, un bouc puant ! songea-t-elle, le visage durci par une rage rétrospective. Mais je dois tirer profit de ma mésaventure, redresser la tête et ne plus jamais avoir peur. Surtout pas des hommes ! Oh ! C'était une ivresse sans nom de faire l'amour avec Guilhem. Mon corps était parcouru de mille étincelles de jouissance et je ne regrette pas d'avoir connu ce bonheur-là. Il y en a un autre dont je ne craignais rien, c'était le violoniste. Luigi… J'espérais le revoir, mais non. Lui, quand il m'a embrassée, c'était doux, tendre et respectueux. Enfin, il se moque bien de moi, sans doute ! Tant pis, j'ai dit que je n'étais pas à plaindre. Après tout, le docteur Coste m'a écrit. Je dois prendre de bonnes résolutions. Quand je serai de retour à l'hôtel-Dieu, je me montrerai plus aimable avec les autres élèves, je rirai comme elles, je partagerai leurs confidences et leurs bavardages, le soir. Je faisais la fière par timidité, je les traitais de haut. Pourquoi, Seigneur ? Déjà, je vais sauter au cou de Magali Scotto et je lui raconterai la façon dont je me suis débarrassée de Blaise. Les jours et les semaines passeront plus vite si je ne me tiens pas à l'écart, si j'ai le cœur en paix. »

Elle n'avait pas conscience du mouvement de balancier que son buste et sa tête effectuaient. Semblable à une enfant qui aurait voulu s'étourdir, Angélina se berçait de promesses. Augustin la surprit ainsi.

— Que fais-tu, petite ? demanda-t-il d'un ton suspicieux. Tu ne serais pas en train de rêver à ton docteur ?

Angélina se retourna brusquement, avec un doux sourire.

— Non, papa, affirma-t-elle. J'ai seulement décidé d'être heureuse envers et contre tout. Je ne t'ennuierai plus. Je crois que c'est toi qui devrais penser à te marier…, enfin, à te remarier. Cela te rendrait moins grognon. Au revoir, Mina ! Au revoir, papa ! Je vais chez mon amie Gersande ; nous avons un baptême à préparer. Eh oui, demain, c'est le baptême d'un petit ange dont je serai la marraine.

Hôtel-Dieu Saint-Jacques, dortoir des élèves de madame Bertin, mercredi 18 février 1880

Magali Scotto regardait Angélina Loubet avec attention. Toutes les élèves, en chemise de nuit, étaient assises autour de la jeune Ariégeoise, qui leur racontait les péripéties de son congé de carême.

— Dimanche, c'était le baptême du petit Henri, le neveu de la domestique de Gersande de Besnac. La cérémonie a eu lieu dans la cathédrale. Mais vous ne connaissez pas la cité de Saint-Lizier... Je dois préciser que notre petite cathédrale est surplombée d'une tour ronde à créneaux, tout en briques roses. Nous étions seulement quatre : mademoiselle Gersande, sa domestique Octavie, le prêtre et moi, la marraine. Je peux l'appeler mon filleul, maintenant. Il n'a même pas pleuré en recevant l'eau bénite sur le front. Cela le faisait rire. Mais sa tante pleurait et j'étais très émue aussi. J'ai un cliché photographique. Vous verrez comme il était beau dans sa robe blanche toute brodée. Et ma bienfaitrice va l'adopter et en faire son héritier, puisqu'il est orphelin.

— Elle aurait pu te choisir, toi, suggéra Désirée, qui mordillait le bout de sa natte blonde.

— Mais il a sa tante ! protesta Odette Richaud.

— Oui, bien sûr, dit Angélina. Et sa tante aime si fort ce petit garçon qu'elle préfère assurer sa fortune et qu'il porte un nom honorable. Les de Besnac sont issus d'une très ancienne noblesse.

— Montre-nous la photographie ! s'écria Lucienne, dont le front était barré par une épaisse frange noire. Tu étais très chic, sûrement. Tu es toujours chic, toi !

— J'avais une robe en velours bleu ciel, la robe de mariée de ma mère, et mademoiselle Gersande m'avait prêté une cape doublée de fourrure blanche. Et je m'étais coiffée comme ça.

Angélina releva ses bras minces et souleva la masse somptueuse de sa chevelure rousse. D'un geste rapide, elle en composa un chignon haut. Des mèches folles ornaient son cou laiteux, tandis qu'elle souriait, les lèvres humides. Naguère si réservée et taciturne, elle frôlait à présent l'exubérance, ce qui fascinait son auditoire.

— Je ne sais pas ce qui s'est passé durant ces dix jours, fit remarquer Janine, mais tu n'es plus la même. Tu as dû rencontrer ton promis et il t'a offert une bague pour la Saint-Valentin. C'est pour ça que tu es euphorique !

— Pas du tout ! répliqua Angélina. Je n'ai ni fiancé ni amoureux. J'ai eu la joie de revoir mon père, mes amies, le petit garçon dont je suis la marraine et mon chien, un grand pastour au poil blanc. J'ai veillé aussi au confort de Mina, la mule de la famille. Elle est très âgée, mais j'ai défendu à mon père de la faire abattre. Et je lui ai trouvé un pré. Pauvre Mina ! Elle était ravie.

— Pauvre Mina ! Elle était ravie, minauda Janine, un peu jalouse de l'engouement que suscitait Angélina. Les bêtes, il n'y a pas à s'en soucier. Elles sont là pour nous rendre service. Mes parents, ils ne font pas tant de sentiment que toi. Mina, quel drôle de nom, aussi !

— Ah bon ? s'étonna Angélina. Et Janine, ce n'est pas trop dur à porter ?

Il y eut un éclat de rire général. Angélina en profita pour se lever et fouiller dans son placard.

— Voici le portrait officiel de mon filleul, pris par un photographe de Saint-Girons, et un petit cadeau pour chacune. Des dragées.

Elle distribua les cornets en satin bleu, ornés d'un ruban en taffetas doré. Il y en avait un de trop. Magali s'en saisit et le cacha sous son oreiller.

— Justine ne reviendra pas ; madame Bertin l'a dit, annonça-t-elle. Mademoiselle a laissé sa place. Elle ne supportait pas les odeurs de l'hôpital ni la vue du sang. Demain, y aura une nouvelle.

Angélina eut honte, soudain. Elle n'avait pas prêté attention à l'absence de la trop sensible Justine. Gênée, elle retourna sur son lit, un carton à la main. C'était la photographie. Toutes les filles, hormis Armande, plus calme, se précipitèrent.

— Qu'il est mignon, ce pitchoun ! hurla Magali.

— Tu prends bien la pose, renchérit Odette. Ton filleul, on lui donnerait deux ans !

« J'avais bien tort de ne pas me mêler à elles, se disait Angélina. Heureusement que mademoiselle Gersande a pensé aux dragées ! Elles sont si contentes ! »

Angélina répondait aux compliments tout en admirant elle aussi son enfant. Elle avait l'étrange impression de renaître, d'avoir surmonté les pires épreuves de sa jeune existence.

— Faites moins de chahut, recommanda Armande du haut de ses trente-deux ans et du veuvage qui la rendait plus respectable. Madame Bertin n'est pas loin.

— Au diable la Bertin ! pouffa Désirée.

Mais l'avertissement fut entendu et le calme revint. La joyeuse troupe se coucha, et les lampes à pétrole s'éteignirent une à une.

— Demain matin, debout à cinq heures, rappela Odette. Sauf si on vient nous chercher avant.

— On dirait qu'il n'y a pas de patiente, tant c'est silencieux, ce soir, nota Lucienne en bâillant.

Satisfaite de son succès, Angélina tombait de sommeil. Cela ne l'empêcha pas de se remémorer son voyage et les rêveries qui lui avaient tenu compagnie de Saint-Lizier à Toulouse. « Au fond, j'étais un peu déçue de ne pas voir Philippe Coste dans le train. Je croyais qu'il m'était indifférent, que je ne l'appréciais pas, mais je guettais sa silhouette parmi les passagers. Comme j'espérais un peu voir surgir Luigi au détour du chemin, quand je suis allée à Biert. Il y en a un que j'oublie, c'est Guilhem et c'est tant mieux. Il m'a trahie. Comment ai-je pu l'aimer à ce point ? »

La veille, attristée de quitter son fils et son pays, Angélina avait dîné avec Gersande. Le nom du docteur Coste était venu dans la conversation, à cause de la carte de Saint-Valentin. Angélina s'était étendue sur le sujet en évoquant leurs rencontres hasardeuses ou fortuites à Boussens.

— Ne sois pas trop intransigeante avec ce médecin, avait dit la vieille demoiselle. Si tu lui prouves que tu n'es pas une proie facile, il pourrait aller jusqu'à t'épouser et tu mériterais cette ascension sociale. Tu as de l'allure, tu es intelligente, instruite et belle à croquer !

— Mais je ne peux pas me marier, vous savez bien pourquoi, avait répondu Angélina. Il y a Henri et mon futur métier.

— J'ai songé à cela aussi, petite, en te proposant d'adopter ton enfant. Tu n'es pas obligée de révéler vos liens de parenté. Cependant, tu es sa marraine, à présent. Nous ne sommes plus toutes jeunes, Octavie et moi. Quel époux bon et généreux s'offusquerait de te voir recueillir ton filleul ?

Oui, Gersande de Besnac avait pensé à tout, et la jeune fille en faisait le constat encore une fois, frileusement pelotonnée au creux de son lit. « Ma chère demoiselle a juste omis un détail, se dit-elle. Je crois que je ne pourrai plus aimer un homme, du moins lui faire confiance. Enfin, je ne pourrai plus aimer comme j'aimais Guilhem. Peut-être que certaines unions se fondent sur l'amitié et la tendresse. Non, moi, je ne parviendrai pas à ce genre d'arrangement et n'offrir qu'un peu de mon cœur et de mon corps. Et jamais le docteur Coste n'égalera Guilhem, ni lui ni un autre. Ou alors, peut-être… non, c'est ridicule, je deviens folle ! » Elle venait de revoir le visage basané de Luigi et l'éclat de son regard sombre. Il lui avait donné un baiser, et ce baiser, bien que délicat et léger, avait laissé une douce empreinte dans son cœur. Épuisée, elle tenta de faire le vide dans son esprit. Ce fut en vain, et elle soupira de contrariété.

— Qu'est-ce que tu as ? demanda tout bas Magali, sa voisine de lit. Je parie que tu es gelée.

— Un peu…

Il ne faisait pas très chaud dans le dortoir, équipé d'un poêle à charbon qu'il revenait aux élèves de garnir. Un employé de l'hôpital montait un seau de combustible tous les matins et il n'était pas question d'en obtenir davantage.

— Au fait, je voulais te remercier, Magali ! dit Angélina en chuchotant. Grâce à toi, j'ai pu me débarrasser d'un salaud de la pire espèce.

La Provençale pouffa, réjouie de l'entendre user d'un tel vocabulaire. Quand elle sut le fin mot de l'histoire, elle répliqua d'un ton grave :

— Bravo, Angélina ! Tu l'as échappé belle. Si je croise ce Blaise Seguin un jour, je lui fais la peau.

Elles n'eurent pas le loisir d'en discuter davantage. La porte du dortoir s'ouvrit et madame Bertin entra.

— Angélina Loubet, Désirée Leblanc, habillez-vous vite et rejoignez-moi en salle d'accouchement. Une patiente est en travail. J'ai diagnostiqué une grossesse gémellaire. J'ai besoin d'aide, d'autant que le docteur Coste n'est pas de garde cette nuit.

Sur ces mots, elle sortit de sa démarche raide.

— Quelle vie ! Être tirée du lit cinq nuits par semaine…, ricana Magali.

— On s'en moque et toi tu vas pouvoir dormir, répliqua Angélina qui s'était levée prestement et enfilait sa blouse.

Quelques minutes plus tard, les deux jeunes filles se hâtaient le long du couloir.

— Des jumeaux, tu te rends compte ! murmura Désirée. La patiente ne doit pas être à son terme. Les bébés vont être petits et fragiles. Il faudra les réchauffer. Si toutefois ils sont viables. Il aurait mieux valu pour eux qu'ils naissent en été.

— Tu as raison, mais nous ferons de notre mieux, affirma Angélina, émue et impatiente.

Lorsqu'elles se présentèrent au chevet de la parturiente, la sage-femme en chef les toisa d'un regard perspicace.

— Angélina Loubet, vous procédez à des massages circulaires de l'abdomen, et vous, Désirée Leblanc, tenez la main de madame Fort ; donnez-lui à boire si nécessaire.

La future mère, une femme de trente ans environ, gémissait sans discontinuer, les yeux fermés. Son ventre était énorme et la peau était distendue.

— J'ai mal, j'ai mal ! se lamenta-t-elle en soulevant les paupières. Mademoiselle, pitié, ne me touchez pas !

Elle s'adressait à Angélina qui commençait à effleurer de mouvements circulaires la zone entourant le nombril.

— Ayez confiance, madame. Cela va aider les tissus à se détendre et stimuler votre matrice.

La jeune fille souriait ; ses prunelles violettes brillaient de compassion dans la clarté des lampes. Madame Bertin préparait ses instruments, les forceps, les ciseaux et les linges imprégnés d'antiseptique. Une odeur de chlore et d'alcool flottait dans l'air, à laquelle s'ajoutaient celles du sang et de l'urine.

— Je dois vous examiner encore une fois, annonça la sage-femme en chef.

— Oh non, je ne veux pas, ça fait mal ! se plaignit la patiente.

— Allons, soyez courageuse, madame, ordonna l'austère praticienne. Vous portez deux enfants. Ils seront donc d'une taille inférieure à la moyenne. Si vous y mettez du vôtre, ils passeront aisément vos voies naturelles.

— Oui, il faut vous calmer, renchérit Angélina avec une grande tendresse. Respirez bien, soyez à l'écoute de votre corps. Dieu vous a bénie en vous accordant deux bébés.

— On m'a dit qu'ils ne survivraient pas, qu'ils viennent trop tôt, répliqua la future mère, en larmes.

— Qui peut prédire de telles choses ! s'insurgea la jeune fille. Je vais vous raconter une anecdote. Cela s'est passé dans ma propre famille, il y a longtemps. Mon arrière-grand-mère a mis au monde une petite fille d'à peine deux kilos un mois avant le terme, au cœur de l'hiver, dans la montagne. L'enfant logeait dans les deux mains ouvertes de son père. Tout le monde se désolait, pensant que ce bébé minuscule, pas tout à fait fini, allait mourir. Mais ses parents l'ont couché près de la cheminée, sur la pierre de l'âtre, dans un nid bien chaud de lainages et de peaux de mouton. Très vite, ils ont gardé la petite avec eux dans le lit. Elle tétait, dormait et tétait encore. Et elle est devenue ma grand-mère, une personne robuste, dotée d'un solide appétit et d'un caractère énergique.

— Ah, ça alors…, soupira la parturiente. Oh ! j'ai envie de pousser, je sens que ça vient… Oh ! aidez-moi, mademoiselle !

Madame Bertin se rua sous le drap qui cachait le bas du corps de sa patiente. Assise sur un tabouret, elle força un peu sur les cuisses déjà écartées pour les obliger à s'ouvrir davantage.

— En voici un ! s'écria-t-elle. Désirée, tenez les épaules de madame Fort. Si elle a besoin de se redresser, aidez-la. Loubet, venez vite, l'enfant se présente.

Angélina se précipita, ainsi que l'infirmière qui assistait à l'accouchement et qui patientait, une serviette à bout de bras.

— Le cordon, Loubet ! il s'est enroulé autour du cou, chuchota madame Bertin. Vous avez les mains fines et les doigts habiles ; dégagez-le.

Ce fut fait en quelques secondes. Le bébé poussa un cri aigu.

— Vous avez un petit gars, dit Angélina. Beau comme tout, pas malingre ni mal formé.

— Dieu soit loué ! balbutia la mère.

Très émue, Angélina confia le nouveau-né à l'infirmière. Madame Bertin recueillit ensuite une fillette, plus menue que son frère, mais en bonne santé elle aussi. Elle s'empressa de le préciser à haute voix.

— Mon mari va être si heureux ! Vraiment, vous êtes sûres qu'ils sont viables ?

— Tout à fait, madame, dit Angélina. Deux jolis poupons à chérir ! Je vous félicite !

— Vous m'avez beaucoup aidée, mademoiselle. Vous êtes tellement aimable et douce ! Votre prénom, c'est bien Angélina ? Ma fille le portera. Oui, je la ferai baptiser Angélina en souvenir de vos si jolis yeux. Mon mari fait le commerce des violettes enrobées de sucre. Toute l'année, je suis dans les fleurs, les célèbres violettes de Toulouse.

Madame Bertin ne fit aucun commentaire, mais, pour la première fois, Désirée et Angélina la virent sourire.

Parc de l'hôtel-Dieu Saint-Jacques, dimanche 7 mars 1880

En ce dimanche du début de mars, le printemps semblait déjà au rendez-vous. Des arbustes exhibaient une floraison d'un jaune vif, tandis que, dans les massifs, crocus et jonquilles pointaient leurs feuilles épaisses d'un vert bleuté.

Les élèves de madame Bertin avaient profité de cette belle journée ensoleillée pour se promener dans le parc de l'hôtel-Dieu. Près du pavillon qui servait aux jardiniers se trouvaient deux bancs en fer où elles venaient de s'asseoir. Chacune, puisque c'était jour férié, arborait sa plus jolie toilette, ainsi que sa chevelure, comme une revanche sur les semaines qu'elles passaient en blouse grise, tablier blanc et foulard.

— Au diable cet uniforme ! s'écria Janine en s'étirant. Quand j'aurai mon diplôme, j'irai au chevet de mes patientes vêtue de soie et de dentelles.

— Tu seras bien avancée, coupa Odette. On ne ressort pas souvent propre d'un accouchement. Moi, hier, la femme que je lavais m'a presque pissé dessus. Elle ne pouvait pas se retenir, paraît-il. Mais je crois qu'elle l'a fait exprès.

Assise entre Lucienne et Désirée, Angélina écoutait en souriant. Leurs bavardages tournaient toujours autour des patientes, de toutes ces femmes dont les élèves faisaient la connaissance dans des circonstances très particulières. Un climat d'intimité s'instaurait rapidement durant les heures précédant l'arrivée du bébé, mais il

368

y avait des exceptions, des antipathies immédiates, des colères d'un côté ou de l'autre. L'avant-veille, la jeune Ariégeoise s'était vue chasser de la salle d'accouchement. Madame Bertin avait dû céder aux exigences de la parturiente, qui refusait d'être soignée, même touchée par une rousse. Il avait suffi pour cela d'une mèche dépassant du fameux foulard blanc. « Où va se nicher la bêtise humaine ? s'était demandé Angélina. Si le docteur Coste avait été présent, il aurait peut-être raisonné cette furie ! » Mais Philippe Coste était absent. Elle ne l'avait pas revu depuis son retour à l'hôpital. Une rumeur circulait dans la maternité : le médecin aurait contracté la terrible phtisie auprès d'une malade. Nul ne savait si c'était vrai ou faux. Cependant, Angélina en était affectée. « Au fond, il me manque. J'aimais bien le rencontrer dans le couloir et croiser son regard, se souvint-elle. Je comptais le remercier pour sa carte de Saint-Valentin. S'il est souffrant, quand le reverrai-je ? »

Angélina était informée du fléau que représentait la tuberculose. Elle s'inquiétait sincèrement pour l'obstétricien qui, soudain auréolé de faiblesse, menacé, lui devenait plus proche.

« Et si je lui écrivais ? pensa-t-elle. Je pourrais sans doute avoir son adresse au secrétariat. »

— Mais à quoi rêve Angélina Loubet ? s'exclama Lucienne. Je sais, à son amoureux, le grand docteur Coste qui se meurt loin d'elle…

— Veux-tu te taire ! dit Janine, indignée. Ce n'est pas drôle, de plaisanter avec la maladie.

La silencieuse Marie, mal fagotée dans une large robe beige qui moulait cependant ses formes opulentes, jeta des coups d'œil affolés à Armande, qui était devenue sa protectrice. La veuve la réconforta d'une caresse sur le poignet.

— Janine a raison. Tu n'as pas de cervelle, Lucienne. Nous savons toutes que la maman de Marie a succombé à la phtisie l'an dernier. Ce n'est pas délicat de ta part.

Ces propos jetèrent un froid sur la joyeuse troupe. Magali esquissa une grimace vulgaire à l'encontre d'Armande qui ne la regardait pas.

— Nous avons toutes le droit de rêver, dit une fille assise à côté d'Odette Richaud.

C'était la nouvelle élève qui remplaçait Justine. Elle s'était adaptée sans trop de problèmes à la classe, mais elle ne suscitait aucun enthousiasme.

— Une future madame Bertin, avait chuchoté Magali dès qu'elle l'avait vue entrer dans le réfectoire.

Sophie des Montels avait vingt-cinq ans. Elle était très maigre et affublée de lunettes à verres épais. Coiffée d'un chignon d'un châtain terne, elle faisait preuve d'une instruction irréprochable et d'une froideur bizarre. Déjà en possession d'un diplôme d'infirmière, elle souhaitait exercer comme sage-femme dans le cadre d'un hôpital, et non pas en ville ou en campagne.

— Moi, je rentre au dortoir, dit Angélina. Je n'ai pas écrit à mon père depuis la fin du congé.

Elle se leva du banc, droite et élégante dans une jupe noire et un corsage en velours mauve, de la teinte exacte de ses yeux quand la lumière du jour les rendait plus limpides. L'or rouge de ses cheveux légèrement ondulés parait ses épaules d'une cape souple et mouvante. Un simple ruban, également mauve, les retenait en arrière du front.

Elle remonta une allée bordée de buis, dont la fragrance si particulière lui rappelait les flancs rocheux du roc de Ker. Elle suivit ensuite une autre allée qui la conduisit jusqu'au grand escalier. Elle avait choisi cet itinéraire, ayant décidé de passer au secrétariat, alors que les élèves empruntaient souvent une autre porte, réservée au personnel.

Un homme lui apparut sur la première marche de marbre rose. C'était Philippe Coste, le teint blême, amaigri.

— Oh ! Docteur ! s'écria-t-elle. Vous êtes de retour !

Elle lui tendit la main. Il semblait tout à fait heureux de la revoir.

— Angélina ! soupira-t-il. Comment allez-vous ?

— Très bien, mais vous ? On vous disait souffrant.

— J'ai été malade, en effet. Une mauvaise bronchite qui m'a cloué au lit. Je suis resté à Luchon, aux bons soins de ma sœur aînée et de ma mère, une alerte septuagénaire.

Le médecin la contemplait, ébloui de la retrouver aussi belle, avec cet air déterminé et tendre qu'elle avait souvent.

— Vous êtes l'allégorie du printemps, Angélina, chuchota-t-il. Quelle audace de porter cette couleur, mais quelle réussite !

— Nous sommes dimanche ; c'est agréable de s'habiller et, comme je suis bonne couturière, je confectionne moi-même ma garde-robe. Savez-vous d'où vient ce tissu ? C'est une doublure de malle.

Il éclata de rire avant de tousser plusieurs fois ; des quintes rauques qui inquiétèrent Angélina.

— Vous auriez dû patienter avant de reprendre votre service, docteur Coste !

— Vous me manquiez, avoua-t-il en la fixant d'un air passionné. J'ai donc pris le train.

Elle le devança en s'élançant dans l'escalier. Une fois à l'écart, elle dit tout bas :

— Je vous remercie beaucoup pour la carte postale.

— Oh ! j'ai eu un accès de romantisme ! répliqua le médecin. La fièvre provoque de singuliers délires.

Elle lui adressa un sourire radieux et courut vers le perron. Son cœur cognait fort dans sa poitrine, mais c'était de joie.

11

Au bord du canal

Saint-Lizier, 30 mai 1880

Gersande de Besnac considérait maître Vigier, son notaire, d'un œil méfiant. Il n'en finissait pas de toussoter, de remuer des piles de documents, de se gratter le front à l'aide de son coupe-papier.

— Quand pourrai-je signer ? demanda-t-elle d'un ton sec. Il me semble que tout est en règle. Vous voyez bien que notre petit garçon s'impatiente ! Un enfant de cet âge ne tient pas en place trop longtemps. Et puisque la présence d'Octavie Merin, sa tante, est indispensable, je ne peux pas lui dire de sortir.

— Bien sûr, bien sûr, marmonna le notaire. Je suis navré, madame de Besnac, mais nous ne pouvons procéder autrement pour l'acte officiel d'adoption.

— Mademoiselle de Besnac, je vous prie, rectifia-t-elle.

— Excusez-moi ! Je ne voulais pas vous manquer de respect. Cependant, une chose me tracasse. Je ne vous en ai pas parlé lors de nos précédents entretiens. Comment êtes-vous si sûre qu'il n'y aura aucun héritier susceptible de se manifester un jour, ne serait-ce qu'un

373

lointain cousin, un petit-neveu par alliance ? Si tel était le cas, votre testament pourrait poser problème. Nous pourrions envisager un codicille.

— Il n'y aura pas de codicille, maître. Même si j'avais une centaine de descendants, j'ai le droit de léguer ma fortune à qui je veux. Dois-je vous répéter encore une fois que je suis fille unique et que mes parents sont morts ? À ce propos, mon père s'est éteint prématurément, tant il était désespéré de voir son domaine sans successeur masculin. Il ne prisait guère la gent féminine…

Octavie poussa un bref soupir. Henri s'agitait de plus en plus sur ses genoux. Elle avait déjà ramassé au moins six fois son hochet, qu'il jetait sur le parquet dès qu'elle le lui redonnait ; le jouet ne l'intéressait plus.

— Au pire, monsieur le notaire, faites-moi signer le papier que je dois signer et j'emmènerai le petit dehors, intervint la domestique.

L'homme de loi jeta un coup d'œil méprisant à la grande femme endimanchée qui lui faisait face. Il la jugeait sévèrement, persuadé qu'elle désirait cette adoption pour mieux récupérer l'argent de sa patronne, même s'il avait rangé Gersande de Besnac dans la catégorie des vieilles dames excentriques et capricieuses. Après tout, cela ne le concernait pas, si elle se faisait dépouiller de son plein gré.

— Bien, dans ce cas, restons-en là, dit-il en tendant des documents à Octavie. Si vous savez écrire votre nom, veuillez l'apposer au bas de cette feuille.

Gersande fronça les sourcils, irritée par le ton hautain de maître Vigier. Elle se garda cependant d'intervenir afin d'en terminer avec ces paperasses.

— Je sais écrire autre chose que mon nom, ronchonna Octavie en s'armant du porte-plume.

— Je vous en félicite, madame, ironisa le notaire.

En écoutant le grattement de la plume sur le papier épais, la vieille demoiselle, envahie par un sentiment de doute, eut le cœur serré.

« Et si Joseph, mon fils, réapparaissait ? s'interrogea-t-elle en silence. Dieu que l'espoir est tenace et que je suis sotte ! Même s'il avait survécu, comment le reconnaître et que serait-il à présent ? Mendiant, bandit, ou bien honnête homme, ouvrier, paysan, marié, père de famille… »

Octavie se leva et quitta l'étude, une grande pièce aux murs recouverts de lambris de chêne. Elle portait son faux neveu dans ses bras. Le petit lança un au revoir dans son langage encore approximatif.

— Mademoiselle de Besnac, c'est à vous de signer l'acte d'adoption qui fait de cet enfant votre légataire, reprit maître Vigier.

Elle s'exécuta, mais sa main tremblait un peu. La vision d'Angélina traversa son esprit, et elle eut l'impression de voler Henri à sa mère.

— Voilà qui est réglé ! dit-elle tout bas. Mais, à la réflexion, maître, je préfère ajouter un codicille au testament que je vous ai remis. Vous préciserez que je laisse à mademoiselle Angélina Loubet, la marraine de mon fils adoptif, le soin de disposer d'une partie de mon héritage si jamais un lointain parent se faisait connaître après ma mort. Enfin, vous me comprenez ! Ce sera à cette jeune personne de prendre la décision. J'ai une entière confiance en elle.

— Eh bien, mon secrétaire va s'en charger immédiatement et vous pourrez signer le codicille. Cela vous évitera de repasser à l'étude.

— Je vous remercie, répondit Gersande d'une voix altérée par l'émotion.

Le passé refluait à sa mémoire, et des images d'une netteté implacable la harcelaient. Elle revoyait le visage de son enfant, son regard et ses sourires innocents.

« Je ne dois plus penser à ça, se dit-elle. Il faut oublier, maintenant. J'ai Angélina à chérir et notre petit prince, Henri de Besnac. »

Octavie, quant à elle, promenait le garçonnet sur la place de la fontaine. L'air était délicieusement tiède, parfumé par la floraison exubérante des lilas qui régnaient en seigneurs absolus dans les jardins et le long des murailles du palais des Évêques. Le ciel était d'un bleu profond, sans l'ombre d'un nuage. En ce milieu de matinée, la cité vibrait d'une joyeuse animation.

Un colporteur attachait son âne devant l'auberge, tandis que les ménagères se précipitaient autour des corbeilles que l'animal portait sur ses flancs. Le marchand ambulant conseillait aux femmes de reculer, afin de pouvoir vanter les nouveautés qu'il ramenait de son périple.

— Des rubans de satin blanc, des galons en pur coton, des boutons en nacre, mesdames ! criait-il. Médailles pieuses, lunettes, bijouterie de Tarbes, casseroles et pierres à faux. Profitez-en, car j'ai rendez-vous avec le chanoine, l'aubergiste, et les sœurs de l'hôtel-Dieu. Tout ce beau monde m'attend et compte me dévaliser.

Octavie écoutait le boniment de l'homme coiffé d'un béret noir et en bras de chemise. Peu de temps après, les cloches de la cathédrale sonnèrent la fin de la messe de dix heures. Cela fit battre le cœur de la domestique qui, depuis sa conversion, suivait un office par jour, le plus souvent celui du soir, ce qui obligeait sa patronne à s'occuper seule du petit Henri. Le cérémonial catholique la ravissait, elle qui avait déploré durant des années l'austérité des temples protestants.

« C'est si beau, la lumière à travers les vitraux du chœur, et l'autel drapé de blanc ! Hier, quelqu'un avait apporté des lys et des roses et cela sentait très bon. Ce qui me plaît aussi, ce sont les anges. Les statues sont magnifiques. Et le prêtre a un air de bonté digne d'un saint. »

Elle revint sur terre en recevant quelque chose de froid sur les mains. Henri, qui approchait de ses dix-neuf mois, tapait de toutes ses forces dans l'eau du bassin avec son hochet. Les éclaboussures que le soleil irisait d'argent l'enchantaient.

— Non, non ! protesta-t-elle. Il ne faut pas faire ça, mon mignon. Ta veste est trempée.

Le petit désigna d'un doigt les poissons rouges qui nageaient près du bord. Il répéta deux fois un mot se terminant par « on ».

— Tu voulais attraper un poisson ? s'esclaffa Octavie. Quel coquin tu fais !

Elle aperçut au même instant un couple qui la saluait. Stupéfaite, elle reconnut le père d'Angélina, en costume gris et cravate, un canotier sur la tête. La veuve Marty paradait à son bras, sa silhouette massive sanglée dans une robe en satin jaune ornée d'un col de dentelle.

— Bonjour, madame. Votre neveu a grandi, déclara Augustin en souriant. C'est vraiment un bel enfant.

— Bonjour, monsieur Loubet, dit la domestique, embarrassée.

Elle le croisait rarement et, depuis le départ d'Angélina pour Toulouse, elle ne fréquentait guère l'atelier de la rue Maubec, si bien que le cordonnier n'avait croisé ni elle ni Henri depuis quelques semaines.

— Avez-vous des nouvelles de votre fille ? demanda-t-elle, ne trouvant pas d'autre sujet à aborder. Mademoiselle Gersande a reçu une longue lettre hier.

— Angélina m'a envoyé une carte postale il y a trois jours. Mais juillet sera vite arrivé et je me réjouis qu'elle ait un congé de quatre semaines. Nous aurons beaucoup de choses à nous raconter.

Henri échappa à la surveillance d'Octavie et courut vers le couple. Il secoua son hochet en lançant un cri de joie.

— Eh oui, tu as un beau joujou ! minauda la veuve Marty, dont les joues rondes se plissèrent pour un petit rire satisfait.

Augustin fixait l'enfant avec insistance. La domestique finit par en concevoir une vague appréhension. Selon Angélina, Henri ressemblait beaucoup à Guilhem Lesage, mais le cordonnier pouvait lui trouver un air de famille avec ses fils morts au même âge, ou avec sa fille.

— Viens ici, Henri, appela-t-elle. Tu ennuies le monsieur et la dame.

— Mais non, protesta Augustin. J'espère être grand-père un jour. Il faudra que je m'habitue à côtoyer des garnements en culotte courte.

Gersande de Besnac approchait de la fontaine de son pas encore alerte. Elle découvrit la scène et n'en parut pas émue.

— Bonjour, dit-elle d'une voix bien timbrée.

— Ah ! Bonjour, répliqua le père d'Angélina qui prit la fuite aussitôt, après avoir soulevé son canotier.

Il entraîna la veuve d'un geste autoritaire. Médusée, Gersande rejoignit sa domestique.

— Seigneur ! Cet homme ne supporte pas ma vue. Il manque vraiment de tolérance. Cela fait pourtant des siècles que les protestants ne sont plus jugés hérétiques. Enfin, deux siècles à peine, puisque le Roi-Soleil a eu l'audace de révoquer l'édit de Nantes.

— Avec moi, il a été très aimable, nota Octavie.

— Eh oui, puisque tu es convertie à sa religion. Rentrons à la maison, je suis épuisée par toutes ces palabres chez le notaire. Il me faut un café ou un verre de citronnade. Je n'ai même pas eu le temps de relire la lettre d'Angélina.

La domestique reprit Henri à son cou afin de marcher plus vite. Gersande déplia son ombrelle d'un geste nerveux.

— C'est fait, Octavie, marmonna-t-elle entre ses dents. Ce petit est légalement mon fils et mon héritier. Je devrais me réjouir : j'ai obtenu ce que je voulais. Mais je suis contrariée. Enfin, nous en discuterons plus tard.

Elle jeta des œillades méfiantes à une de ses voisines de la rue des Nobles, qui balayait le seuil de sa porte. Puis ce fut le facteur, chargé de sa mallette en bois, qui eut droit à un regard furibond.

Elle ne reprit son calme qu'une fois assise au frais, dans son salon. Elle avait besoin de ce cadre familier pour éprouver un semblant de paix intérieure.

— Oh ! Octavie, je deviens casanière. Moi qui ai joué les nomades, jadis…

— Mademoiselle, je sens bien que vous êtes triste. Je garde Henri à la cuisine, ça l'amuse de me voir préparer le repas, et je vous sers votre citronnade. Ensuite, reposez-vous.

— Oui, je vais me reposer.

Elle tenait la lettre d'Angélina à la main, deux grandes feuilles pliées par moitié. Octavie hocha la tête et la laissa seule.

Chère mademoiselle Gersande, chère Octavie, mon cher filleul,

Le temps passe si vite ici que je réserve une heure ou deux de mes dimanches à ma correspondance. J'ai pourtant tant de choses à vous raconter ! Tout d'abord, je tiens à vous remercier encore de votre gentillesse à toutes les deux et de votre générosité, chère mademoiselle.

C'était une telle joie de vous voir à Toulouse ! Un mois s'est écoulé depuis votre visite, mais j'y pense sans cesse. J'ai vécu une journée délicieuse, merveilleuse. Heureusement que j'étais avertie de votre arrivée par un télégramme. Je l'ai même accroché dans mon placard. Je me revois devant la grande porte du parc. Je guettais le fiacre qui vous amènerait vers moi et, dès qu'il est arrivé, j'ai vu le doux visage de mon petit Henri par la vitre. Et vous deux, mes très chères amies, qui aviez fait ce voyage pour me faire plaisir.

J'étais si contente de me promener ensuite devant le Capitole et de déjeuner en votre compagnie dans ce restaurant si luxueux, en terrasse… Vous avez envisagé de revenir au mois de juin, mais je crains que de grosses chaleurs ne soient déjà là, ce qui rendrait peut-être le trajet en train pénible pour notre petit homme et pour vous. Tenez-moi au courant de votre décision.

Pour évoquer maintenant ma vie d'apprentie sage-femme, je vous confierai que j'ai acquis une certaine réputation dans la maternité, grâce au massage que ma mère m'avait enseigné. Les patientes dont j'ai la garde s'en trouvent grandement soulagées.

Hier, j'ai eu la tristesse de voir partir une des élèves, Magali Scotto. Elle a été renvoyée pour indiscipline notoire, ayant osé sortir le soir sans autorisation pour bavarder avec un étudiant en médecine. Je vous avais décrit cette fantasque Provençale au langage et aux manières outrancières et, je l'avoue, les premiers temps, je ne l'appréciais guère. Mais j'estime son renvoi injuste et elle nous manque à toutes.

Sinon, je suppose que vous brûlez d'en savoir plus sur le docteur Coste et votre petite amie en exil au bord de la Garonne. Je suis navrée de vous décevoir, il n'y a pas de romance dans l'air toulousain. Monsieur l'obstétricien me demande souvent de l'assister, il se montre poli, galant, attentif, mais rien dans son attitude ne laisse présager une vraie déclaration et je préfère cela, car je serais bien embarrassée d'y répondre.

Maintenant, je compte les jours qui me séparent du congé d'été. Plus que trente-deux levers et couchers de soleil, environ, et je vous reverrai, vous, mes précieuses amies, mon filleul adoré, mon pitchoun, mais aussi mon père, ma chère cité haut perchée, mes montagnes qui seront, je l'espère, encore poudrées de neige. J'ai hâte également de rendre visite à mon oncle Jean pour caresser mon brave Sauveur. Vous m'avez promis ou presque d'être de l'expédition. Nous pourrons sûrement dormir au hameau, d'où le panorama sur le mont Valier est superbe.

Je vous embrasse affectueusement,
Votre Angélina

Gersande replia les feuilles, songeuse. Elle était déçue par les lignes concernant le docteur Coste.

« Qu'attend-il pour lui faire vraiment la cour, à cette perle ? Seigneur, cet homme est-il stupide, ou aveugle ? J'ai bien senti qu'Angélina l'estimait, qu'il lui plaisait. Je voudrais tant qu'elle devienne son épouse ! Madame Angélina Coste, cela sonne joliment. Ma petite amie entrerait ainsi dans la bonne société, où son charme et son intelligence feraient merveille. Et plus tard, si je ne suis plus là, un médecin digne de ce nom serait disposé à recueillir le filleul de sa femme, surtout un enfant titré et fortuné. Je ne peux, hélas ! pas m'en mêler ! »

Exaspérée, la vieille dame tapa du pied. Octavie accourut.

— Ciel, qu'avez-vous aujourd'hui, mademoiselle ?

— Je suis pareille à un marionnettiste qui n'a pas le droit ni la possibilité de tirer certaines ficelles ! avoua Gersande. Je voudrais m'éteindre l'esprit serein. Et cela passe par l'union d'Angélina et du docteur Coste.

La domestique approuva d'un air conciliant. Ce n'était pas le moment de contrarier davantage sa patronne.

— Vous n'êtes pas encore sur votre lit de mort. Mais je prierai Dieu et ses saints pour que votre vœu se réalise ! dit-elle tout bas.

— Oh ! toi et tes saints[1] ! Je ne m'y fais pas. Tu aurais dû te convertir il y a des années, Octavie. Mais où est Henri ? Il ne faut pas le laisser seul dans la cuisine, enfin. Il peut se brûler ou se couper.

— Ne vous affolez pas, je l'ai installé dans sa chaise haute et il est attaché. Je retourne le faire manger.

1. Les protestants étaient opposés au culte des saints, propre à l'Église catholique.

— Je viens, alors. Je lui réciterai une poésie de Victor Hugo. Notre petit prince est sensible à la musique des mots. J'en ferai un lettré, un brillant étudiant.

— Oui, bien sûr, mademoiselle ! Mais, pour l'instant, il a surtout faim de nourriture.

— Rabat-joie, grenouille de bénitier ! la taquina la vieille dame.

— Huguenote ! osa répliquer la domestique.

Elles échangèrent un sourire complice. Au-delà de leurs différences sociales et de leurs aspirations opposées, elles demeuraient les jeunes femmes qui s'étaient liées d'amitié trente ans auparavant et qui ne s'étaient jamais séparées plus de quelques heures. Ni l'une ni l'autre n'envisageait une existence où elles ne seraient pas ensemble du matin au soir, hiver comme été, printemps et automne. Et, à présent, elles veillaient avec le même amour maternel sur le petit Henri de Besnac.

Toulouse, au bord du canal, dimanche 6 juin 1880

Toutes en robes claires, assises sur l'herbe verte de la berge, les jeunes filles évoquaient irrésistiblement un ravissant bouquet de fleurs dotées de vie et de mouvements gracieux par quelque magicien. Les badauds qui se promenaient sur l'autre rive du canal, attirés par l'écho de leurs rires frais et de leur voix légère, ne pouvaient s'empêcher de les regarder.

Pour agrémenter leur dimanche, quatre des élèves de madame Bertin avaient organisé un pique-nique à l'ombre d'un saule pleureur. Il y avait là Angélina, Désirée, Odette et Lucienne qui, toutes rendues joyeuses par ces heures de liberté, profitaient de la chaleur du soleil dont les rayons filtraient à travers le feuillage des platanes voisins et dansaient sur l'eau paisible.

— Je plains celles qui sont de garde, dit Désirée Leblanc.

— Mais les patientes seront ravies d'être entre les mains de madame la veuve, de la grosse Marie et de Sophie la pimbêche ! s'écria Odette, toujours moqueuse. Heureusement, ils auront Janine pour récolter quelques sourires.

— Moi, j'ai faim, intervint Lucienne, dont le décolleté audacieux inquiétait un peu ses compagnes.

— Plusieurs hommes t'ont reluquée, Lulu, la sermonna Odette. Tu devrais mettre un carré de soie ; on voit la moitié de tes seins.

— Ils prennent l'air, rétorqua l'interpellée.

Angélina demeurait silencieuse. Elle sortit d'un panier du pain blanc, des œufs durs et un morceau de fromage.

— Et le saucisson, le pâté en croûte que j'ai acheté ce matin ? demanda Lucienne. Je suis gourmande, moi !

— Tiens, les voici, dit Désirée. Qui veut de la limonade ?

Les victuailles, posées sur un torchon blanc, furent tout de suite investies par les mouches. Agacée, Odette entreprit de les chasser à l'aide de son éventail.

— Sales bestioles ! enragea-t-elle. Aussi, il fallait s'y attendre, si près du canal. L'eau n'est pas très propre ; j'ai vu un rat qui traversait à la nage.

— Magali aurait tellement aimé pique-niquer ici ! fit remarquer Désirée, son regard turquoise voilé de nostalgie.

— On ne parle pas de choses tristes aujourd'hui, lui opposa Odette. On est venues s'amuser, profiter du beau temps.

— Oui, causons plutôt d'une idylle naissante ! claironna Lucienne. Mademoiselle Angélina l'irréprochable, la première de la classe, et le docteur Coste ! Je ne suis pas jalouse, Dieu m'en garde ! Ce bigleux…

Désirée et Odette poussèrent des cris outragés. Philippe Coste leur plaisait et elles auraient bien voulu être à la place d'Angélina.

Dans sa dernière lettre à Gersande de Besnac qui datait de dix jours, elle s'était montrée discrète sur ses relations avec le médecin. C'était chez elle une sorte de retenue, de la pudeur, afin de dissimuler ses pensées les plus intimes. De plus, l'insistance de la vieille dame qui tenait à un mariage l'agaçait un peu. « Ce qui se passe entre le docteur Coste et moi, personne n'a besoin de le savoir, songea-t-elle en écalant nerveusement son œuf dur, dont la coquille se détachait mal. Tous les deux, nous nous contentons des moments passés au chevet des patientes, de nos rencontres dans le parc, de nos conversations. Mais je le connais mieux, à présent, et je ne crains plus de lui sourire, ni de répondre à ses menues attentions par de petits messages que je glisse sous la porte de son bureau. Il m'a dit l'autre jour que nous retombions en enfance et que c'était charmant. En fait, il est l'opposé de Guilhem. L'un est blond, l'autre, très brun. Philippe aime la poésie, les fleurs, les animaux, alors que mon ancien amant avait le culte de la chair et du plaisir ; il ne m'a jamais parlé de ses passions ni de ses lectures ; il chassait aussi, avec son père, tandis que mon cher docteur abhorre ce qu'il nomme des tueries gratuites. »

— Regardez, encore une péniche ! cria soudain Odette. C'est la troisième depuis que nous sommes installées là. Cette fois, ce sont des bœufs qui la tirent.

— Pauvres bêtes ! s'apitoya Désirée.

— La première, il n'y avait qu'un cheval de trait, fit remarquer Angélina. Mais elle était plus petite. Je crois qu'elle transportait des voyageurs et non de la marchandise.

— Où vois-tu de la marchandise sur celle-ci ? demanda Lucienne.

— Bécasse ! les mariniers n'exhibent pas forcément ce qu'ils acheminent, dit Odette en ricanant. Un de mes oncles travaillait comme matelot sur une péniche. Son patron faisait le trajet de Toulouse à Sète en trois jours, parce qu'il changeait de chevaux à chaque relais. Tonton nous rapportait du savon de Marseille, qu'il piquait dans la cargaison. Il nous racontait que la partie habitable est réduite et que la femme du marinier ne se fatiguait pas au ménage, mais qu'elle aussi trimait dur à chaque écluse pour embarquer et débarquer les caisses.

Rêveuse, Angélina observait la péniche. Elle aperçut un homme debout à l'arrière de l'embarcation, dont la silhouette et le visage lui étaient familiers.

« Mais où l'ai-je vu ? » s'interrogea-t-elle.

L'inconnu avait le teint hâlé de ceux qui vivent dehors toute l'année. Ses cheveux noirs mi-longs attachés sur la nuque brillaient au soleil. Elle le reconnut, et son cœur fit un bond dans sa poitrine.

— Oh ! fit-elle, stupéfaite.

— Quoi ? demanda Désirée en se rapprochant d'elle.

— L'homme sur la péniche, je l'ai déjà rencontré ! C'était dans la vallée de Massat. Il est musicien…, enfin, il se disait baladin. Luigi, il s'appelle Luigi.

— Un baladin…, répéta Lucienne en plissant son nez mutin. Mon Dieu, qu'il est beau ! Luigi ?

Sur ces mots, elle se leva et agita la main en appelant, prise d'un fou rire qui la grisait.

— Luigi ! Luigi !

Furieuse, Angélina tira sur sa jupe.

— Mais veux-tu te taire, Lulu ? Es-tu devenue folle ? C'est malin ! Il nous a vues ! Ce ne sont pas des manières, enfin !

Elle était troublée et nerveuse. Cela ne lui aurait pas déplu de revoir le violoniste, mais ni ici ni en compagnie des autres filles.

— Monsieur Luigi, vous avez une amie parmi nous ! hurla Lucienne de plus belle en se trémoussant.

Très menue avec une forte poitrine, elle se savait jolie. Sa chevelure de jais très raide valsait au vent qui soulevait à peine sa lourde frange, coupée au ras des sourcils. Odette et Désirée riaient aussi, excitées par la chaleur du mois de juin et les pitreries de leur amie.

Flatté d'être salué par de jeunes personnes en toilette d'été, l'homme leur fit face et il eut un large sourire. Angélina se détourna et baissa un peu son chapeau de paille orné de fleurs en tissu. Mais elle se ravisa. « Pourquoi me cacher ? pensa-t-elle. Il était drôle et plus comédien que bandit. Peut-être qu'il m'a complètement oubliée. »

Luigi, car il s'agissait bien de lui, courut à l'avant du bateau qui poursuivait sa lente avancée sur les eaux vertes du canal. Guidés par le marinier, les bœufs avaient ralenti l'allure.

— Bonjour, mesdemoiselles, dit-il en esquissant une révérence et en faisant semblant d'abaisser un chapeau invisible. Quel accueil !

Les poings sur les hanches, bien campé sur ses jambes, il les dévisagea à tour de rôle. Tout à coup, il tendit les bras vers le ciel et se précipita vers la coursive de la péniche, dont le bastingage était à un mètre environ de la berge. Il prit son élan et sauta.

— Seigneur, le baladin est aussi acrobate, dit Lucienne d'une voix aiguë en s'esclaffant.

— Calme-toi, Lulu ! Tu es vraiment imprudente, lui dit tout bas Angélina qui s'était relevée. Au fond, je le connais à peine.

Elle se tut, gênée, parce que Luigi approchait d'une démarche féline, toujours souriant. Une étrange émotion la fit rougir. Il la désigna de l'index.

— Mais c'est Violetta ! Par quel miracle est-ce que je vous retrouve à Toulouse, gente demoiselle, après vous avoir laissée dans les redoutables gorges de Peyremale, durant un hiver glacial ? Violetta, je savais bien que je vous reverrais !

— Bonjour, monsieur, répondit Angélina sur un ton neutre, soucieuse de ne pas trahir ce qu'elle éprouvait.

— Violetta de mes rêves, me présenterez-vous ces superbes naïades qui vous entourent ? déclama-t-il avec une expression suppliante. Il ne fallait pas vous donner tant de mal pour mon arrivée dans cette ville !

Excédée par les mimiques du bohémien, agacée aussi par les compliments qu'il adressait à ses compagnes, Angélina recula d'un pas et le toisa sans gentillesse aucune.

— Vous plaisantez toujours, cingla-t-elle. Nous sommes là par le plus grand des hasards.

— Je m'en doute, rétorqua-t-il. Mais oui, je plaisante. Cela rend l'existence moins cruelle, à mon humble avis.

Muettes de saisissement, Odette, Désirée et Lucienne assistaient à la scène. Cela leur permettait aussi de détailler Luigi sans se faire remarquer. Il portait une large tunique dont l'échancrure dévoilait un torse lisse et doré, sans l'ombre d'un poil. Ses cuisses robustes étaient moulées par de la toile beige, et ses mollets musclés étaient sanglés dans des guêtres.

— Que faites-vous ici ? demanda Angélina en étudiant les traits du jeune homme qui lui paraissait plus séduisant encore que dans son souvenir.

— Je reviens des doux rivages de la Méditerranée, où j'ai passé la saison froide, ma chère. J'ai travaillé comme matelot sur cette péniche pour payer le voyage. J'hésitais entre remonter à bord demain matin afin de visiter Bordeaux, ou bien retourner dans la montagne, où j'ai de bons amis. Cela me fait songer que j'ai abandonné sur ce bateau mon violon et mon baluchon, bourré de mes frusques. Et vous, Violetta ?

— Mais pourquoi l'appelez-vous Violetta ? s'enquit Lucienne. Son prénom, c'est Angélina. Angélina Loubet !

— Merci du renseignement, ô céleste beauté ! Et vous, comment vos parents vous ont-ils baptisée ?

— Lucienne, enfin Lulu. Je suis de Toulouse, et élève de l'école de sages-femmes à l'hôtel-Dieu Saint-Jacques. Voici Odette, une Toulousaine également, et Désirée.

Le baladin considéra chaque jeune fille d'un regard avide, qu'Angélina jugea presque carnassier. Très déçue par ce constat, elle nota également un éclat gourmand dans ses yeux sombres tandis qu'il lorgnait le décolleté de Lucienne. Odette eut droit au même examen et elle le subit en pouffant, soudain consciente de chaque parcelle de son corps vierge aux formes de femme, de ses longs cheveux couleur noisette, de son visage ovale. Désirée fut la seule à opposer au masque rieur de Luigi une attitude hautaine. Sa petite taille l'amenait à se tenir très droite, le cou bien dégagé.

— Je dirai dans mes mémoires que je n'avais jamais vu un si bel échantillon de grâces féminines avant ce jour de juin, déclara-t-il enfin. N'est-ce pas, Angélina ? Seigneur, elle se fâche ! Vous êtes témoins, mesdemoiselles, elle me foudroie de ses prunelles violettes. Je ferais mieux de m'enfuir. Hélas ! je ne peux pas, car je suis affamé et je vois là des restes de votre repas. Puis-je avoir un bout de pain ? L'épouse du marinier me servait de la soupe à la grimace. Elle n'appréciait ni ma musique ni mes facéties.

Le langage soigné et coloré de Luigi, auquel les jeunes filles n'étaient pas accoutumées, les amusait beaucoup. Lucienne s'empressa de lui proposer de partager leur pique-nique.

— Il y a encore du fromage, des biscuits et des fruits secs, dit-elle. Nous vous invitons, monsieur.

— Belle et charitable ! s'écria-t-il. La chance me sourit.

En proie au doute, Angélina demeurait sur la défensive. Même si le bohémien au regard de braise lui semblait familier, elle se méfiait. « Je n'ai passé qu'une heure avec lui et je ne dois pas oublier qu'il avait volé Mina. Certes, il me l'a avoué, mais, sans les gendarmes de Massat je n'aurais pas revu notre mule. À l'époque, il m'a étourdie de bonnes paroles et de compliments, mais apparemment il agit ainsi avec toutes les filles. Quand il m'a embrassée, cela ne devait avoir aucune importance pour lui ; ce n'était qu'un jeu. »

Elle observa d'un œil perplexe Odette et Lucienne, assises en compagnie de Luigi sous le saule pleureur.

Désirée, qui paraissait hésiter à les rejoindre, vint lui demander conseil.

— Angélina, pourquoi te tiens-tu à l'écart ? demanda-t-elle tout bas.

— Je suis contrariée. Si Lucienne ne s'était pas conduite comme une écervelée, cet homme ne serait pas là à nous faire du boniment. Je n'ai pas eu le temps de vous dire dans quelles circonstances je l'ai rencontré.

— Ne t'inquiète pas, il va s'en aller. Il ne semble pas bien dangereux. Lulu et Odette ont grandi à Toulouse ; elles ont plus l'habitude que nous deux de voir des saltimbanques faire leur numéro.

Tandis qu'elles discutaient tout bas, le rire exalté de Lucienne vrillait l'air chaud. Angélina, qui ne la quittait pas des yeux, s'en irrita. Luigi, quant à lui, s'enhardit à chatouiller la joue de la jolie brune.

— Retournons avec elles, souffla Désirée. Cela empêchera Lulu de se donner en spectacle.

Angélina se reprocha en silence d'être piquée par l'aiguillon de la jalousie. C'était stupide de sa part, elle en avait conscience, et elle se répéta que le musicien ne lui plaisait plus du tout. Elles se glissèrent entre les branches en cascade de l'arbre et reprirent place autour du panier et du grand torchon blanc à présent jonché de miettes, de coquilles d'œuf et de croûtes de fromage. Attiré par les odeurs de nourriture, un chien noir arriva sur les lieux presque aussitôt.

— File ! gronda Odette.

Mais Angélina caressa l'animal, qui la renifla en remuant la queue.

— Avez-vous toujours votre pastour, Violetta ? s'enquit Luigi.

— Oui, mais j'ai dû le confier à mon oncle, qui habite un hameau de montagne. Vous avez bonne mémoire !

— Certaines choses vous marquent à jamais, répondit-il d'un ton sérieux. Comment aurais-je oublié ce matin d'hiver là, quand votre pastour vous attendait devant la porte d'une certaine écurie ! Ainsi, vous étudiez à Toulouse, fidèle à votre vœu d'être costosida.

— Vous vous souvenez de ça aussi ? s'étonna-t-elle en cachant sa satisfaction.

— De ça et de votre mule, de la neige et du chant de la rivière, ajouta-t-il.

Lucienne en prit ombrage. Elle n'avait pas l'intention de laisser Angélina accaparer le baladin.

— Ne vous souciez pas de mademoiselle Loubet, déclara-t-elle en minaudant. Le docteur Coste ne serait pas content s'il la voyait en votre compagnie. C'est vrai, Angélina, hein ! Tu as d'autres chats à fouetter…

Luigi eut un singulier sourire. Jamais il n'aurait sauté de la péniche en marche s'il n'avait pas reconnu celle qu'il appelait Violetta. Cependant, en grand amateur de femmes, il était sensible à l'attention que lui prêtait Lucienne, fort séduisante elle aussi.

— Ne vous battez pas pour moi, mesdemoiselles, dit-il en bondissant sur ses pieds. Merci pour le repas. Il me faut rattraper la péniche et récupérer mon précieux violon. Mais je vous reverrai avec grand plaisir ici même, en ce divin après-midi ensoleillé !

— Nous serons là, promit Lucienne avec empressement. Monsieur Luigi, j'espère écouter votre musique avant ce soir. Nous devons toutes être de retour à l'hôtel-Dieu pour le dîner.

— Auparavant, nous comptions faire une balade le long du canal jusqu'à la gare, ajouta Odette en se fendant d'un jeu de paupières un peu ridicule.

— Faites, mes chères muses, les encouragea le baladin en reculant d'un pas dansant. Je serai au rendez-vous. Au revoir, ô beautés !

Flattée, Désirée finit par rire à son tour. Angélina eut la vague impression que Luigi lui décochait un regard insistant, grave, dénué de cette gaîté factice qu'il affichait. Mais elle baissa vite la tête. Dès que le bohémien fut assez loin, elle accabla Lucienne de reproches.

— Tu exagères tout, Lulu ! D'abord, tu te conduis en dévergondée. Et tu n'as pas à débiter des ragots sur le docteur Coste et moi. Si tu t'étais vue, avec cet homme. C'était d'une impudeur !

— Tu es jalouse, voilà, rétorqua Lucienne. Parce qu'il me trouvait belle et que, pour une fois, tu n'étais pas au premier plan. Je n'ai rien fait de mal. On peut quand même s'amuser !

— Pas avec un parfait inconnu qui s'est vanté sans honte de ses nombreuses conquêtes, riposta Angélina. Sais-tu comment je l'ai rencontré ? Il avait volé ma mule, mais, quand les gendarmes l'ont arrêté, il m'a juré qu'il était innocent. Moi, trop naïve, je l'ai défendu et il a été relâché. Après ça, il m'a guettée à l'entrée des gorges de Peyremale pour m'annoncer que, oui, il avait bel et bien volé ma bête. Il cachait une dague dans une de ses bottes et je n'ai pas osé lui interdire de me suivre. Cet homme raconte ce qu'il veut. Il ne faut pas le croire aveuglément.

Ce petit discours impressionna Lucienne. Les lèvres pincées, Désirée commença à faire place nette en rangeant les vestiges du pique-nique dans le panier.

— Nous ferions mieux de ne pas revenir ici ce soir, dit-elle. Angélina a raison, il faut se méfier.

— Que peut-il nous faire, après tout ? dit Odette. La semaine, on n'a aucune distraction. Ça me plairait de l'écouter jouer du violon.

— Je dois avouer que, sur ce point, il ne ment pas. C'est un excellent musicien, concéda Angélina.

— Les gens détestent les bohémiens, les forains et tous ceux qui sortent de la norme, dit Lucienne. Je ne suis pas comme ça. Je me fais mes propres opinions. Je serai au rendez-vous.

— Je ne juge pas Luigi sur son apparence ou son mode de vie, précisa Angélina. Et je ne prétends pas qu'il puisse nous mettre en danger. Seulement, à mon avis, il n'a guère de moralité. Il a pu croire que tu étais une fille complaisante.

— Et alors ? Même s'il pense ça de moi, je ne vais pas me jeter à son cou pour autant. Je m'amusais, Angélina, rien d'autre. J'ai bien l'intention d'être vierge le jour de mes noces. Ce ne sera pas le cas de tout le monde…

Sur ces allusions, Lucienne s'éloigna au bras d'Odette. Angélina secoua la tête, vexée.

— Lulu vient de m'accuser à sa manière de coucher avec le docteur Coste.

— Peut-être, soupira la petite blonde. Laisse-la dire.

Elles en discutèrent encore tout bas, marchant à bonne distance de Lucienne et d'Odette dont elles devinaient parfois les rires ou les éclats de voix. Le dimanche, beaucoup de Toulousains se promenaient au bord du canal, à l'ombre des platanes. Le trafic des péniches était moindre, mais certains mariniers naviguaient quand même et c'était un spectacle attractif pour les enfants et les couples.

Angélina profitait malgré tout de la joyeuse ambiance qui régnait sur les berges. Les femmes arboraient des toilettes colorées, à l'abri de leurs ombrelles légères, pareilles à des corolles de fleurs avides de soleil. Les hommes, en canotier et costume, affichaient des visages détendus, heureux de la pause dominicale.

Sur l'avenue qui suivait en parallèle le tracé du canal, les fiacres circulaient au trot. Les sabots ferrés des chevaux faisaient un bruit sec sur les pavés, un bruit incessant, presque agaçant tant il était cadencé et monotone.

— Nous approchons de la gare, dit soudain Désirée en percevant le sifflement d'une locomotive. Tiens, Lulu et Odette font demi-tour. Tu leur donneras le panier, Angélina, c'est à elles de le porter.

— Oh ! Il est bien moins lourd que ce matin, plaisanta la jolie rouquine.

Lucienne les rejoignit, une expression ironique sur le visage. Elle désigna discrètement de l'index une calèche arrêtée près d'un réverbère.

— Tu as vu qui est à l'intérieur, Angélina ? dit-elle assez bas. Ton cher Philippe Coste, en compagnie d'une élégante personne qui cache sa beauté derrière une voilette noire. Tu as perdu toutes tes chances, on dirait. Mais ce n'est pas surprenant, tu es si fière, si froide !

Angélina reconnut le médecin, assis près d'une femme dont le large chapeau de paille noire était garni d'un voile sombre. Elle en eut le cœur serré. Sans qu'elle éprouve pour lui les sentiments passionnés qu'elle avait eus pour Guilhem Lesage, le docteur Coste ne lui était pas indifférent et elle lui vouait du respect, une vive affection, même.

— Il est libre de fréquenter quelqu'un, dit-elle d'une voix ferme, ce qui lui coûta un effort. Vous vous imaginez toutes qu'il y a quelque chose entre nous, mais c'est faux.

— Pourtant, si tu voyais ta tête, ma pauvre fille ! fit remarquer Lucienne d'un ton moqueur.

Au même instant, Philippe Coste descendit de la calèche et se dirigea vers elles. Il avait beaucoup d'allure, en costume trois pièces de lin beige rehaussé d'un chapeau blanc. Avec un large sourire, il fit un signe amical aux quatre élèves, mais il n'en regardait vraiment qu'une.

— Angélina, je vous trouve enfin ! s'écria-t-il. Si vous aviez la gentillesse de me suivre, je voudrais vous présenter ma sœur Marie-Pierre. Elle séjourne à Toulouse jusqu'à mardi. Nous pourrions aller boire un thé place du Capitole.

— Volontiers, docteur Coste, répondit Angélina.

Cela aurait été impoli de refuser. Et quelle revanche sur les piques venimeuses de Lucienne !

— Je vous abandonne, dit-elle à ses trois amies. Nous nous verrons ce soir, au réfectoire.

Désirée accusa le coup, mais elle s'efforça vaillamment de cacher sa déception. Elle laissa cependant tomber :

— Alors, Lulu, tu en es pour tes frais ! Le docteur Coste aime Angélina, ça crève les yeux. Il va l'épouser et c'est tant mieux.

— Oui, ça se pourrait, approuva Odette. On ne présente pas une fille à sa sœur si on veut juste la séduire.

Elles observèrent le couple qui s'éloignait, non sans une vague envie d'être à la place d'Angélina Loubet.

Place du Capitole, terrasse de la pâtisserie des Arcades, même jour

Marie-Pierre Coste détaillait discrètement la fameuse Angélina dont son frère lui avait tant parlé pendant sa maladie, à la fin de l'hiver. Dans ses lettres, il vantait aussi le charme et l'intelligence de la demoiselle, si bien que leur vieille mère avait supplié sa fille de partir pour Toulouse faire une petite enquête.

— Ton frère pense au mariage, Marie-Pierre. Mais tu le connais, c'est un naïf, un romantique à la merci d'une rouée, d'une intrigante.

En dépit de ses préjugés à l'égard d'Angélina Loubet, la sœur du médecin ne trouvait rien à redire sur la jeune personne en question. « Elle est très jolie, même belle, sans conteste, songeait-elle. Son éducation, son langage, ses manières sont vraiment irréprochables. Sa tenue vestimentaire est sobre, pudique et de bon goût. Ce corsage en soie plissée est ravissant ; la jupe en serge est d'une coupe impeccable. De plus, elle semble intelligente, spirituelle et instruite. Et ce regard, mon Dieu ! Je n'ai jamais vu des yeux de cette couleur, des bijoux vivants, comme dit mon frère. Il avait raison. »

Consciente de subir une sorte d'examen, Angélina demeurait naturelle, simple et franche. Elle avait évoqué son enfance vécue dans un milieu modeste en quelques phrases sincères et éloquentes. Elle dégustait avec aisance une tarte aux fraises en contemplant l'animation de la place. La haute bourgeoisie toulousaine était de sortie, à pied ou en voiture à cheval.

— Ainsi, le dimanche, vous organisez des pique-niques au bord du canal ? demanda le médecin afin de relancer la conversation plutôt languissante.

— C'était la première fois, répliqua Angélina. Je préfère être de garde. L'oisiveté me pèse vite.

— Seigneur, quel aveu ! s'esclaffa Marie-Pierre Coste. Le repos dominical est sacré, il me semble.

— Sauf dans nos professions, la coupa son frère. Je comprends Angélina. Moi aussi, je m'ennuie quand je séjourne à Luchon trop longtemps, avec pour unique distraction les bavardages de nos voisins ou les parties de dames avec mère.

— Tu n'es pas sincère, Philippe, s'offusqua-t-elle. Tu vas souvent en montagne faire de la marche et tu rentres à la nuit tombée. Maintenant, laisse un peu parler mademoiselle. Je voudrais qu'elle me confie pourquoi elle a décidé d'être sage-femme.

— Ma mère l'était, madame, et ma grand-mère prêtait main-forte aux accouchées. Elle n'était pas diplômée, évidemment ; mais on se félicitait de ses services.

— Vous suivez une tradition familiale, en fait. Pardonnez-moi si je vous livre mes idées sans prendre de gants, mais l'exercice de ce métier est pénible. Il se concilie rarement avec une vie conjugale. Je suppose que vous espérez vous marier et avoir des enfants !

Angélina fixa d'un air très doux son interlocutrice avant de répondre.

— Ma mère était mariée et elle m'a donné naissance, ainsi qu'à mes frères aînés, qui sont morts tout petits, hélas ! dit-elle d'une voix tendue. Pour ma part, j'estime qu'il est possible de concilier son foyer et son travail. Mais je privilégierai toujours ma vocation, madame.

— Bien, bien, soupira Marie-Pierre, non sans jeter un coup d'œil à son frère. Personnellement, je n'aurais pas aimé me livrer à une quelconque activité. Je suis mariée, j'ai quatre enfants étudiants, et mon plus grand bonheur est de tenir ma maison, de recevoir mes amis, de servir mon époux…

— Marie-Pierre, je t'en prie, protesta Philippe. Chacun mène son existence à sa guise. Tu as épousé un notaire ; je ne t'en ai fait aucun reproche, alors que mère et toi déploriez mon choix. Je m'en souviens. L'obstétrique, disiez-vous, quelle horreur ! Un peu plus, Angélina, ma famille me taxait de pervers, vu que je souhaitais accoucher des femmes.

— Es-tu sot ! s'offusqua sa sœur. Ne l'écoutez pas, mademoiselle, il se plaint sans cesse de nous. Dans tous les cas, vous avez raison d'exprimer franchement vos idées. Je ferai de même. Vous me plaisez. Et savez-vous pourquoi ?

— Non !

— Eh bien, vous ne cherchez pas à tricher, à passer pour une autre. Je ne vous ai pas entendue renier vos origines modestes ni juger vos camarades de classe. Je comprends mieux Philippe, à présent, qui vous a dépeint comme la huitième merveille du monde.

— Oh ! veux-tu te taire ! intervint le médecin, très gêné.

— Peut-on me comparer à ces sites antiques, à ces monuments érigés par les hommes de jadis ? s'étonna Angélina avec malice.

Le docteur Coste frissonna de satisfaction.

— Vous êtes une perle, mademoiselle ! déclara la femme. Puis-je vous appeler Angélina ?

— Mais oui, bien sûr !

La discussion s'orienta sur l'Antiquité, avant de se centrer sur les poètes de l'époque. À rude école avec

Gersande de Besnac, la fille d'un humble cordonnier de Saint-Lizier continua à enchanter le frère et la sœur, issus d'une lignée de notables.

« Mère sera conquise elle aussi par Angélina, se disait le médecin. Mon Dieu que j'ai hâte de faire ma demande ! »

Il décida de patienter jusqu'à la fin du mois, lorsqu'Angélina serait en congé. « En juillet, je l'inviterai à Luchon, où nous pourrions fêter nos fiançailles », rêva-t-il encore.

Angélina, elle, regarda la montre à gousset que lui avait offerte sa chère vieille amie. Lucienne, Odette et Désirée devaient à cette heure-là écouter Luigi jouer du violon. Elle regretta d'avoir dû les laisser seules avec le bohémien. « Comme si ma présence pouvait freiner son excentricité, tempérer ses instincts de coureur de jupons, se dit-elle en silence. Non, ça ne changerait rien. Et Lucienne n'est pas folle, quand même… »

Maternité de l'hôtel-Dieu Saint-Jacques, le soir

Le docteur Coste avait tenu à faire visiter Toulouse à sa sœur et il avait prié Angélina de rester en leur compagnie. La jeune fille avait beaucoup apprécié cette promenade en calèche, une voiture de louage plus confortable et mieux aérée qu'un fiacre. Ensuite, Marie-Pierre Coste était descendue à son hôtel de la rue de Rémusat.

Le médecin avait indiqué l'hôtel-Dieu Saint-Jacques au cocher, ce qui préoccupa Angélina.

— Il y aura encore des ragots si nous arrivons ensemble à la maternité, avança-t-elle en cours de route. Je vous remercie pour ce délicieux après-midi, mais l'intérêt que vous me témoignez suscite des jalousies.

— Je suis cependant très discret !

— Ce n'était pas très discret de venir me chercher au milieu de mes amies en précisant que vous vouliez me présenter à votre sœur.

— Je ne pensais pas que cela vous dérangerait à ce point. Excusez-moi, dit-il sans réelle conviction. J'ai tant de plaisir à vous avoir près de moi, Angélina !

Il la contempla telle qu'elle était à ce moment précis, nimbée par la lumière adoucie du soleil déclinant. Sa chevelure captait le moindre rayon, et ses prunelles violettes paraissaient d'une profondeur inouïe.

— Je ne veux pas vous causer de soucis, ajouta-t-il.

— Ne vous inquiétez pas, j'y suis habituée, à présent, avoua-t-elle. J'aurai droit à des questions, à des plaisanteries sur vous et moi, et je ne dirai rien ou presque.

— Je peux passer par le grand escalier, et vous, par la porte de service, proposa-t-il. Nous sommes arrivés, hélas…

Angélina vit se dresser l'immense façade de l'hôtel-Dieu, dont les briques roses se paraient elles aussi d'une clarté dorée.

— Il y a autre chose, confessa-t-elle. J'ai abandonné mes amies et je m'en veux un peu.

Elle n'osa pas évoquer leur rencontre avec un bohémien aux yeux de braise, beau parleur et sans aucun doute dénué de sens moral. La calèche s'immobilisa devant le portail.

— Laissez-moi rentrer la première, dit Angélina. Quelques mètres suffiront peut-être à donner le change.

Le docteur Coste la retint par le poignet. Il avait une envie folle de l'embrasser.

— Angélina, ma chère Angélina, chuchota-t-il, vous êtes au cœur de toutes mes pensées ; je devais vous le dire.

Troublée, elle ne sut que sourire en le remerciant très vite, à voix basse. Il se reprocha aussitôt de brûler les étapes.

— Pardonnez-moi, soupira-t-il. Allez devant, je règle la course.

Ce fut avec soulagement qu'Angélina retrouva Odette, Désirée et Lucienne à leur table du réfectoire. Sophie des Montels avait presque fini son repas, mais il manquait Armande et Marie.

— Il y a eu un accouchement à complications dans le service de madame Bertin, annonça Odette. Une patiente de quarante-six ans ! Son cinquième enfant ! La matrice est sortie avec le bébé. Le temps de réparer les dégâts, une hémorragie s'est déclarée.

— Mon Dieu, quelle horreur ! s'écria Angélina. Est-ce que la malheureuse a survécu ?

— Pour l'instant, elle vit encore, affirma froidement Sophie. Bon appétit. Si on me cherche, je serai à la chapelle de l'hôpital.

Elle les salua du bout des lèvres. Dès qu'elle fut sortie, les langues se délièrent.

— Je suis bien contente de ne pas avoir vu ça, dit Désirée.

— Et toi, Angélina ? Est-ce que tu t'es bien amusée avec le docteur Coste et sa sœur ? interrogea Lucienne.

— Pas plus que vous. Et je n'ai rien à raconter. Je pense à cette femme qui risque de mourir. Vous feriez bien de prier pour elle, vous aussi.

— Ce que tu es sérieuse, Angélina ! dit Odette tout bas. Nous avons revu le baladin. Dieu qu'il est drôle ! Il a fait la roue sur l'herbe, plusieurs tours sur les mains. Un vrai acrobate !

— Et il a joué du violon, renchérit Désirée. C'était très beau ; j'en aurais pleuré. *Les Quatre Saisons…*

— Oui, une musique de Divaldi, je ne sais plus bien, hasarda Lucienne.

— Vivaldi, rectifia Odette. Un compositeur italien. Si tu ne le connais pas, pourquoi prétendre le contraire devant Luigi ?

— Elle voulait se faire valoir, coupa Désirée. Si tu l'avais vue, Angélina. Lulu s'était étendue sur l'herbe, les bras sous la tête. J'ai cru que ses seins ne resteraient pas dans son corsage.

— Chut ! fit Odette, les sœurs pourraient t'entendre. Laisse Lucienne tranquille. Elle a le droit de se coucher par terre.

— Pas de montrer ses chevilles et le bas de ses mollets, répliqua la petite blonde. Il y avait deux hommes sur l'autre berge qui la lorgnaient en riant.

L'entrée de madame Bertin les fit taire. La sage-femme en chef semblait épuisée. Avant de prendre place à sa table, elle désigna d'un geste Angélina et Désirée.

— Vous deux, dépêchez-vous, j'ai dit à Armande et à Marie que je vous envoyais au chevet de ma patiente. Cette dame exige une surveillance constante. Le sang ne coule plus, mais elle est très faible.

Angélina se releva immédiatement, mais Désirée hésita.

— Nous n'avons pas commencé à manger, madame Bertin, se plaignit-elle.

— Vous n'aviez qu'à rentrer à l'heure et à vous hâter de dîner. Il n'y a pas à discuter.

Personne ne saisit l'étrange expression de triomphe qui passa sur les traits de Lucienne ni le coup de coude que lui décocha Odette.

Trois heures plus tard, sous les regards consternés d'Angélina, de Désirée, du docteur Coste et de madame Bertin, la patiente de quarante-six ans s'éteignait, exsangue. Un second flux de sang avait eu raison de ses dernières forces.

— Elle laisse cinq orphelins, déplora tristement le médecin. Je regrette d'avoir pris mon après-midi, tout ça pour accueillir ma sœur.

— Vous ne pouviez pas savoir, docteur, dit la sage-femme en chef. Et madame Moreau était présente. Elle m'a aidée à remettre en place les organes de la patiente. Je la connaissais bien, cette dame. Son mari et elle tiennent une épicerie dans le quartier Saint-Michel. Elle me disait le jour de son admission que le petit dernier sortirait aussi facilement que ses quatre autres enfants. Seigneur, quelle tragédie !

Deux infirmières se chargeaient de la toilette mortuaire de la défunte. Bouleversées, Angélina et Désirée attendaient d'être libérées de leur garde.

— Vous pouvez aller prendre un peu de repos, leur dit enfin madame Bertin. Docteur, si la jeune patiente qui a des douleurs régulières perd les eaux, faites appeler Sophie des Montels et Lucienne Gendron. Quant à moi, si je peux m'allonger une heure, je serai disponible.

Philippe Coste acquiesça poliment. Il adressa un regard tendre à Angélina, qui ouvrait la porte. C'était une manière de la rassurer et de lui faire accepter les accidents propres à ce métier qu'elle souhaitait exercer. Au bord des larmes, elle ne put lui dédier qu'un timide sourire.

— C'est affreux, épouvantable, s'enflamma Désirée, une fois dans le couloir désert. Je tiens toujours à être sage-femme, mais Dieu m'est témoin que je n'aurai pas d'enfants. Aucun homme ne me touchera. Jamais !

— Tu ne peux pas en être sûre, répliqua Angélina avec lassitude. Et je suis si fatiguée que je n'ai pas envie d'en discuter.

Elles n'échangèrent plus un mot jusqu'au dortoir. Là, à leur grande surprise, la panique régnait. Ni Janine, ni Armande, ni Marie ne dormaient, malgré une dure journée. Quant à la sévère Sophie, elle arborait un masque indigné.

— Angélina, nous sommes fichues, soupira Odette. Lucienne est sortie en douce. Elle a dit qu'elle avait sommeil, qu'elle voulait profiter de la chambre sans personne pour la déranger. Moi, je suis restée à table avec Armande et Marie.

— Quoi ? Mais elle est folle ! s'écria Angélina.

— Quand nous sommes venues nous coucher, elle n'était pas là. Enfin, on croyait qu'elle était là à cause de ça, gémit Marie.

Elle montrait le lit de Lucienne où quelqu'un semblait dormir. Armande tira un pan de drap.

— Une ruse de pensionnaire : des couvertures enroulées qui imitent un corps, commenta la jeune veuve. Mais ça a fonctionné. Il fait si chaud que je me suis penchée sur l'oreiller, craignant que Lulu manque d'air, et j'ai compris. Elle nous a dupées.

— Mais où peut-elle bien être ? s'inquiéta Désirée. Odette, tu ne sais vraiment pas ce qu'elle complotait ?

Odette avait juré à sa meilleure amie qu'elle ne la trahirait pas. Cependant, la peur du renvoi et les mines effrayées des autres filles eurent raison de sa promesse.

— Lulu m'a demandé de vous retenir au réfectoire, sanglota-t-elle, prise de panique. Elle m'a suppliée de l'aider. Au début, je n'ai pas trouvé ça très grave. Je crois qu'elle avait rendez-vous avec le bohémien.

Accablée, Angélina ferma les yeux une seconde. Ce qu'elle redoutait inconsciemment se produisait et, sans savoir pourquoi, elle éprouvait une peur bizarre dont le poison se glissait dans ses veines et torturait son cœur. C'était sans commune mesure avec le danger que représentait un rendez-vous amoureux.

— Ils sont peut-être près du pavillon des jardiniers, avança Janine.

— Cela vaudrait le coup de vérifier avant que madame Bertin ne s'aperçoive de sa disparition, affirma sèchement Sophie des Montels. Eh oui, ne me regardez pas comme ça, je ne dénoncerai pas Lucienne !

— Faites toutes semblant de dormir, je vais la chercher ! s'écria Angélina.

— Et si le docteur Coste la fait demander ? s'effara Désirée.

— Que l'une de vous se propose à sa place en prétextant qu'elle est souffrante.

Angélina était hors d'elle. Un sentiment d'urgence la taraudait. Vite, elle mit un châle sur ses épaules, ôta son foulard et se glissa dans le couloir.

12

Le temps du doute

Toulouse, même soir

Angélina marchait d'un pas rapide dans la pénombre de la vaste cour que tout le monde surnommait le parc, sûrement en raison de l'abondance des arbres d'ornement, des platanes et des érables. Elle avait réussi à sortir par la porte réservée aux livraisons, mais de braver ainsi la discipline l'angoissait, et son cœur cognait à grands coups dans sa poitrine. Son isolement, le silence, l'obscurité de certains passages, tout cela l'oppressait jusqu'au malaise. Par chance, un quartier de lune éclairait par endroits un bout d'allée ou un massif fleuri. Bizarrement, elle était bien plus effrayée dans ce quartier de Toulouse, en bordure de la Garonne, qu'elle ne l'aurait été sur un sentier de montagne.

« Je suis stupide, se reprocha-t-elle. La nuit, tout paraît différent. Mais ici au moins il n'y a ni loups ni ours. Mon Dieu, si j'avais Sauveur près de moi, je me sentirais plus en sécurité. »

Deux fois, elle avait failli faire demi-tour et rentrer en courant vers l'asile illuminé de l'hôtel-Dieu. Même la nuit, une partie du personnel veillait et s'activait.

Angélina n'avait pas encore pris conscience de l'atmosphère particulière qui animait ses murs, ses couloirs, les chambres et les salles. Partout, chaque instant, elle pouvait parler à une sœur ou à une infirmière, ou encore à une femme de ménage. Les veilleuses ne s'éteignaient pas avant le lever du jour, chassant ces appréhensions venues du fond des temps que les ténèbres avaient le don de susciter chez les plus téméraires.

« Lucienne me le paiera, pensa-t-elle pour s'encourager. Mademoiselle s'offre un rendez-vous nocturne, au risque de toutes nous compromettre. Ce n'est qu'une capricieuse, une coureuse ! Et Luigi ne vaut pas mieux, s'il l'a encouragée à sortir ce soir. J'espère ne jamais le revoir... »

Cette bouffée de colère la stimula. Certaine de surprendre la fameuse Lulu près du pavillon où se donnaient bien des rendez-vous galants, elle se promit de déverser sa hargne sur la fugueuse avec délectation.

« D'après Odette, elle serait partie depuis la fin du dîner ; cela fait plus de trois heures et demie. Trois heures et demie... Elle devrait être de retour. Ou bien elle est allée plus loin, là où nous avons pique-niqué. C'est de la folie ! »

Le petit bâtiment en briques lui apparut enfin. Angélina crut deviner que la porte était entrebâillée.

— Lulu ? appela-t-elle. Lucienne ? Si tu es là, écoute-moi, tu dois rentrer. Madame Bertin t'a désignée pour la garde de minuit à cinq heures et il est presque minuit. Lulu ?

Elle s'aventura près des bancs sans apercevoir de silhouette féminine ni masculine. De plus en plus inquiète, elle s'exhorta à pénétrer dans le pavillon. « Il n'y aura personne, je crois, mais je dois vérifier. Sinon, je m'en voudrais d'être venue et de ne pas avoir tout inspecté. »

Elle s'approcha, mais la porte ouverte lui fit l'effet d'une sinistre gueule noire, capable de l'engloutir. Tremblante d'une frayeur insensée, elle resta sur le seuil.

— Lulu ? Je t'en prie, réponds, Lulu !

Un bruit métallique retentit à l'intérieur, si brusquement qu'Angélina, tétanisée, crut s'évanouir de terreur. Un autre bruit suivit, plus sourd, comme étouffé.

— Qui est là ? Lucienne ? balbutia-t-elle.

Un gros chat se rua dehors avec un miaulement furieux. L'animal disparut ventre à terre dans le buisson le plus proche.

— Oh ! mon Dieu ! gémit-elle, une main sur son cœur dont les battements résonnaient à ses tempes et à la naissance de sa gorge. Seigneur ! Sale bestiole ! J'ai failli mourir de peur.

Elle recula, déplorant de ne pas avoir pris une lanterne. Quelqu'un la saisit alors par les épaules, et ce contact fut si soudain qu'elle hurla.

— Eh bien ! Que faites-vous ici aux douze coups de minuit ? demanda une voix d'homme, celle de Luigi.

— Lâchez-moi ! s'écria-t-elle. Où est Lucienne ? Qu'est-ce que vous lui avez fait ?

Elle n'osait ni bouger ni se retourner. Pareils à des serres d'oiseau de proie, les doigts sur sa chair avaient quelque chose d'implacable.

— Lucienne n'est pas venue, répondit-il à son oreille. Je suis arrivé trop tard ou trop tôt. Voulez-vous m'accorder ce qu'elle semblait me promettre ?

Paralysée par la panique, Angélina suffoquait. Tout se mêlait dans son esprit. Elle le revoyait, hautain et moqueur, prisonnier des gendarmes à Massat, et elle se souvenait de la dague effilée qu'il avait brandie sous son nez.

— Je vous en prie, lâchez-moi, parvint-elle à articuler.

— Si je vous laisse aller, vous prendrez la fuite comme une biche aux abois, déclara-t-il d'un ton grave.

— Pas si vous me dites où est Lucienne. Je suis sûre que vous l'avez rencontrée, ici. Je la cherche ; je risque d'être renvoyée à cause d'elle.

Luigi la libéra en soupirant. Elle fit volte-face, ivre de rage au point d'en oublier toute prudence. Le baladin se cachait dans le clair-obscur d'un bosquet de lilas.

— Il ne fallait pas donner rendez-vous à Lucienne, débita-t-elle, le souffle court. Je sais qu'elle s'est comportée de façon inconvenante, mais c'était un jeu, un jeu dangereux, à mon avis.

— Violetta, il faut me croire, je n'ai pas vu votre amie, affirma-t-il en s'exposant aux rayons de la lune. Pas plus que je ne lui ai donné un rendez-vous. Si j'ai pris le parti de venir ici, c'était pour la protéger et lui conseiller de rentrer le plus vite possible dans l'hôpital. De l'autre côté du mur d'enceinte, le quartier n'est pas très bien fréquenté.

— Ne m'appelez plus jamais Violetta, ordonna-t-elle. Ce n'est pas mon nom. Et arrêtez de mentir ! Vous essayez de me berner, vous et peut-être bien Lucienne aussi. Si elle se dissimule près de nous, dans le pavillon ou sous les arbres, je ne la félicite pas.

Le bohémien la reprit par un bras en lui parlant de très près.

— Ce soir, quand j'ai revu vos trois amies, je me suis contenté de jouer du violon. Oui, Lucienne me provoquait, alanguie sur l'herbe, mais ce n'est pas pour elle que j'ai sauté de la péniche. J'étais bêtement heureux de vous revoir, Angélina. Un idiot de saltimbanque qui croit retrouver une ancienne connaissance et tient à la saluer, à prendre de ses nouvelles… Lorsque j'ai dit au revoir à ces charmantes filles, déçu de votre absence, Lucienne m'a rattrapé. Elle m'a chuchoté : « Ce soir, à huit heures et demie au fond du parc de l'hôtel-Dieu, près d'un pavillon en briques. » Et elle s'est éloignée en courant. Comme je n'ai pas pu répondre, je suis venu. En toute franchise, je lui aurais volontiers volé un baiser après m'être acquitté de mes devoirs d'honnête gredin.

— Vous accordez bien facilement des baisers, monsieur, jeta-t-elle sèchement.

— Seriez-vous jalouse ? Je ne pourrais recevoir plus beau compliment.

— Taisez-vous donc ! Je suis trop inquiète pour écouter vos sottises.

L'histoire de Luigi se tenait. Angélina insista cependant, se sachant trop crédule, encline surtout à sous-estimer les perversités humaines.

— Pourquoi conseiller la prudence à une jolie fille que vous comptiez embrasser, ou pire encore, séduire ? interrogea-t-elle.

— Un baiser n'est pas un péché mortel. Je peux vous le prouver à nouveau, sur-le-champ. Et est-ce un crime, de calmer les ardeurs d'une vierge exaltée ?

Ces derniers mots mirent Angélina en rage. Elle gifla l'homme de toutes ses forces. Sidéré, il se frotta la joue.

— Vous vous êtes trahi, espèce de salaud ! Comment sauriez-vous que Lucienne est vierge, si vous n'aviez pas abusé de sa crédulité ?

— Touché ! ironisa Luigi. Votre raisonnement est logique, mais faux dans le cas précis. Vous êtes naïve et peu au courant des rouages du verbe. Je disais une vierge pour ne pas être insultant. Bon sang, vous êtes d'une violence ! J'ai la joue en feu, petite furie. Vous feriez mieux de rentrer, vous aussi. Il y a fort à parier que la belle Lulu s'est glissée dans son lit et rêve de moi. Mais, par pitié, si jamais il était arrivé malheur à votre amie, ne me mêlez pas à ça, je serais guillotiné illico. La police ferait de moi le coupable idéal. Nomade, histrion, baladin sans foi ni toit, j'aurai beau clamer mon innocence, c'en sera fait de ma liberté et de ma vie. Adieu, Violetta !

Il s'inclina et s'éclipsa en quelques secondes, à la faveur des zones où l'obscurité était totale.

— Non, attendez, supplia Angélina, épouvantée par certaines de ses paroles.

Elle renonça à le poursuivre, trop émue, les nerfs à vif. Ses jambes la soutenaient à peine et elle s'achemina vers l'hôtel-Dieu d'un pas maladroit, dont la lenteur l'affolait. Le visage du bohémien l'obsédait, tel qu'il lui était apparu, pâli par la lune. « Il avait l'air d'un diable. Ses yeux étaient noirs et brillants… Mon Dieu, faites que Lulu soit dans le dortoir. Je me jetterai à son cou, je l'embrasserai… Seigneur, pourquoi a-t-il dit ça ? "Si jamais il était arrivé malheur à votre amie…" Quelle imbécile je fais ! Il sait peut-être ce qui s'est passé. »

Angélina apercevait déjà, à bonne distance, le grand escalier en marbre surmonté d'une grosse lampe à gaz, et cette vision la réconforta. Mais, à l'instant où elle atteignait la porte de service, le docteur Coste surgit de nulle part pour lui en interdire l'accès.

— Ciel, où étiez-vous, Angélina ? demanda-t-il froidement. Je marchais dans le parc afin de me calmer et je vous vois sortir du couvert des arbres.

— Vous calmer ? Vous êtes nerveux à cause de moi ? s'étonna-t-elle d'une voix faible.

— Mais non, vous n'étiez pas en cause. Maintenant, oui, je suis hors de moi. Voyez-vous un autre homme ?

Il la prit par le poignet et scruta son visage, en quête des baisers qu'elle aurait pu recevoir ou donner. Elle renversa un peu la tête en arrière, si lasse et bouleversée qu'elle n'avait plus le courage de se justifier. Malade de jalousie, Philippe Coste admira le dessin de ses lèvres, la finesse de son nez, le modelé si noble de ses pommettes.

— Je vous en supplie, dit-elle tout bas, sans savoir vraiment à quel propos.

— Vous me suppliez de quoi, Angélina ? De vous pardonner une faute, de me laisser croire à des sentiments réciproques ? Je vous plaçais sur un piédestal, je vous croyais pure, innocente, pudique et...

— Et quoi ? protesta-t-elle en le regardant. D'abord, je ne vous appartiens pas. Nous ne sommes ni fiancés ni mariés. Et si vous étiez moins aveuglé par une jalousie inutile, vous verriez que je suis en blouse de travail et que j'ai pleuré. Ai-je l'air d'une fille qui s'est compromise ? Docteur Coste, je ne peux pas vous expliquer ce que je faisais dehors à cette heure de la nuit, mais, si vous doutez de moi, autant en rester là. J'aurais surtout besoin de gentillesse et de douceur. J'ai eu si peur !

Le médecin lâcha son poignet et, d'un élan impétueux, il l'enlaça tout entière. Le désir qu'il avait d'elle le torturait depuis des jours. Enfin, il la tenait contre lui, il respirait sa peau, il forçait sa bouche tendre et tiède. Angélina ne résista pas. Elle voulait effacer l'heure affreuse qu'elle venait de vivre. C'était tellement bon de sentir des bras virils la serrer avec passion, d'être fragile, abandonnée, tandis que les aiguillons du plaisir réveillaient son jeune corps, sevré de caresses depuis le départ de Guilhem !

— Oh ! ma chérie, ma petite Angélina ! chuchota-t-il après avoir repris son souffle. Comment ai-je pu vous soupçonner ? Vous me direz vos raisons demain, ou plus tard. Je suis un goujat, une brute. Je n'ai qu'une excuse, c'est de vous aimer à la folie. Mais j'étais exaspéré et meurtri. Une patiente a été conduite ici en urgence, le bébé engagé dans le col de l'utérus et étranglé. J'ai dû charcuter ce malheureux enfant pour sauver la mère. Je ne supporte pas ça. Hélas ! le docteur Fradin était parti et le sale boulot m'a échu.

— Je suis désolée, soupira Angélina qui se tourmentait pour Lucienne.

Elle était toujours blottie contre la poitrine de Philippe, qui la dépassait d'une vingtaine de centimètres. Sous sa veste en lin, elle devinait un torse musculeux et un ventre plat. Elle eut envie de lui, ce qui la mortifia.

— Je dois rentrer, dit-elle en se dégageant de son étreinte. J'ai été imprudente. Si madame Bertin constate mon absence, je suis renvoyée. Dieu sait que je n'ai rien fait de mal…

— Voyons, ma chérie, dites-moi donc ce qui se passe !

— Pas encore, mais je vous promets la vérité demain matin, si tout s'est arrangé.

Le docteur eut un sourire complice. Il caressa d'un doigt les cheveux d'Angélina.

— J'ai compris. Selon la coutume de l'hôpital à la belle saison, une des élèves a fugué pour retrouver son amoureux et vous vous êtes sacrifiée afin de la ramener au bercail. Allons, avouez ! Je ne la blâme pas. Le mois de juin est si délicieux, ces parfums de fleurs, la chaleur…

— C'est bien ça, confessa-t-elle. Je suppose que j'ai visité le fond du parc en vain et que la coupable dort en paix.

— Je bénis son indiscipline, ma chérie, puisque cela m'a permis de vous embrasser, de goûter enfin à vos lèvres, des fruits exquis, dignes du paradis ! Angélina, ma divine Angélina, remontez vite vous reposer.

— Merci, Philippe, dit-elle sans réfléchir.

Qu'elle l'appelle par son prénom le fit tressaillir de bonheur.

Angélina se glissa par la porte de service, suivit un corridor, grimpa un escalier et longea deux couloirs, tout cela dans un état second. Bien qu'encore troublée par le baiser du médecin, elle n'avait oublié ni la terreur éprouvée près du pavillon ni les étranges discours du bohémien. « Mon Dieu, soyez bon, faites que je voie Lulu dès que je franchirai le seuil du dortoir ! » implora-t-elle en silence.

Elle tourna la poignée et poussa le battant. Le lit de Lucienne était vide.

Les autres élèves étaient couchées et semblaient dormir. Mais elles se redressèrent toutes en entendant les pas légers d'Angélina. Odette se précipita vers elle :

— Alors ? Est-ce que tu l'as trouvée ?

— Non, j'ai prié de toute mon âme pour qu'elle soit là. Mais Luigi rôdait au fond du parc. Il prétend qu'il ne l'a pas vue ; je suis sûre qu'il ment. Il faut alerter madame Bertin, prévenir la police…

— La police ? s'étonna Désirée, qui s'était levée à son tour. Patientons encore un peu. Lucienne a pu inventer ce rendez-vous avec le bohémien pour rencontrer un autre homme, qui serait son véritable amoureux. Odette m'a avoué que Lulu voyait quelqu'un, certains dimanches. Elle peut très bien arriver d'une minute à l'autre.

— Je suis de l'avis de Désirée, intervint Armande. Si nous racontons ça à madame Bertin, nous serons sanctionnées.

— Non, Lucienne a bien donné rendez-vous à Luigi dans le parc, rétorqua Angélina. Enfin, c'est ce qu'il prétend, mais il peut très bien m'avoir menti. Je n'y comprends plus rien et j'en ai assez fait.

Sur ces mots, elle ôta son châle et ses chaussures et s'étendit entre ses draps. Plus elle y songeait, plus la conduite provocante de Lucienne plaidait en faveur d'une escapade volontaire au détriment de Luigi, et d'elles toutes, ses prétendues amies.

Odette se remit à sangloter nerveusement. Sophie la gronda.

— Fais moins de bruit ! Angélina a raison, nous ne pouvons pas perdre nos places à cause d'une dévergondée. Demain, nous devons être prêtes à travailler.

Le silence se fit petit à petit, tout relatif, émaillé de soupirs, de froissements de linge, de toux brèves et de larmes étouffées. Chacune eut du mal à s'endormir, mais la fatigue vint à bout des résistances.

Au lever du soleil, Odette s'assit, échevelée. Elle regarda le lit de son amie. Il était toujours vide.

Une heure plus tard, Angélina et Désirée frappaient au bureau de madame Bertin. Dès qu'elle fut au courant, la sage-femme en chef considéra les jeunes filles d'un air glacial.

— Je n'avais guère d'estime pour Lucienne, déclarat-elle. Ce qu'elle vient de faire m'amène à la juger plus durement encore. Vous vous tracassez pour rien, mesdemoiselles. Ce ne serait pas la première élève qui déserte l'école pour reprendre son existence habituelle hors de ces murs, et surtout se marier bien vite pour légitimer une grossesse.

— Excusez-moi de donner mon opinion sans y avoir été invitée, madame Bertin, intervint Angélina, mais, si c'était le cas, pourquoi Lucienne n'aurait-elle pas annoncé son départ ? De plus, elle a laissé ses effets personnels dans son placard, un nécessaire à coiffure, une trousse de couture et des vêtements.

— Les parents de cette demoiselle sont de gros commerçants en liqueurs et vins fins, dit la sage-femme en chef. Je suppose que Lucienne se moque bien de ce qu'elle a abandonné ici. Quant à sa fugue un dimanche soir, elle lui évite de quitter le service au su et au vu de tous, ce qui n'est pas glorieux après presque six mois d'études. Néanmoins, je me dois d'envoyer un coursier au domicile de sa famille, qui portera un message expliquant la situation. Si votre amie a passé la nuit en galante compagnie, elle réglera le problème avec son père, loin de notre institution. Je vous remercie de votre franchise. Angélina Loubet, vous irez en salle 3 ; le docteur Coste vous a demandée. Désirée Leblanc, allez à la pouponnière.

Les deux filles n'osèrent pas discuter les ordres de leur supérieure. Toute la matinée, Angélina fut distraite, soucieuse, même au chevet des patientes, ce qui intrigua

Philippe Coste. Le médecin aurait aimé la retrouver uniquement imprégnée de leur baiser de la veille, mais elle se montra taciturne et ne lui témoigna aucune attention particulière. « C'est normal, nous sommes trop entourés. Il y a la religieuse, les infirmières et la sage-femme. Elle a raison d'être discrète », se disait-il sans cesser de l'observer.

Vers midi, après avoir procédé à deux accouchements sans complications, l'obstétricien réussit à attirer Angélina dans un local où étaient entreposés des médicaments et des flacons de désinfectant. Il voulait l'embrasser et la tenir contre lui.

— Non, pas maintenant, protesta-t-elle en esquivant ses gestes de tendresse. Docteur Coste, vous ne pouvez pas m'obliger à m'isoler avec vous à la moindre occasion. Je suis une élève de madame Bertin, j'ai prêté serment et je dois prouver mes bonnes mœurs. Respectez-moi, je vous en prie.

— Mais je vous respecte, ma chérie. Je pensais qu'un baiser, rien qu'un petit baiser, serait le bienvenu.

— Je ne suis vraiment pas d'humeur à batifoler, dit-elle froidement. Lucienne a disparu depuis hier au soir. Nous avons averti madame Bertin à la première heure, bien en vain. Selon elle, il s'agit d'un caprice, d'une toquade. Je n'y crois pas et je suis très inquiète.

— Seigneur Dieu ! Et vous dites que madame Bertin a pris ça à la légère ? Je vais immédiatement lui parler. Cela me concerne tout autant. Je vous remercie de votre sincérité.

Il n'était plus question d'un baiser volé à l'ordre établi. Le médecin sortit et se mit en quête de la sage-femme en chef.

« Nous verrons bien les conséquences ! » songea Angélina.

Elle se dirigea vers l'escalier qui menait au rez-de-chaussée. Sur un des paliers, elle croisa Odette, la mine crispée, la bouche ouverte sur un rictus effaré.

— Le père de Lucienne est en bas, au secrétariat, lui dit-elle d'une voix rauque. Je courais te chercher. Monsieur Gendron est aux cent coups. Il affirme que sa fille n'avait aucune intention de quitter l'école et que le jeune homme qu'elle fréquentait est caserné du côté de Carcassonne depuis deux semaines. Angélina, il veut te parler, lui, monsieur Gendron. Pardonne-moi, mais j'ai avoué que tu avais vu Luigi dans le parc, hier soir. Viens, ils t'attendent dans le réfectoire.

— Qui, « ils » ?

— Le père de Lucienne, madame Bertin et un policier. Tu parles d'une affaire ! Ça frise le scandale. Mais ça ne nous rend pas Lulu.

Angélina approuva d'un signe de tête. Elle luttait pour garder son calme, tout en réfléchissant à ce qu'elle répondrait lors de l'interrogatoire qui s'annonçait. « Si je rapporte exactement les paroles de Luigi, il sera arrêté, s'il n'est pas déjà bien loin de Toulouse. Il avait menti pour le vol de la mule ; il a dû mentir là aussi. »

— Odette, peut-être que Lulu a suivi le bohémien, dit-elle tout haut. Je t'assure, je me suis posé la question hier soir quand il me débitait ses boniments. Crois-tu qu'elle aurait pu s'enfuir avec lui ?

— Je ne sais pas, peut-être ! Mais si tu n'avais pas reconnu ce sale bonhomme sur la péniche, Lucienne serait encore là.

— Tu ne vas pas m'accuser, maintenant, protesta Angélina. C'est un comble !

— Je suis désolée, soupira Odette en pleurant à nouveau. Nous étions si heureuses, hier après-midi, au bord de l'eau. Et il avait l'air gentil, Luigi. Je n'avais jamais autant ri de ma vie. Quel pitre ! Même qu'à un moment, quand il faisait la roue, sa chemise est sortie de son pantalon, et on a vu qu'il avait une tache de naissance en bas du dos. On aurait dit la forme d'un cœur ! Lulu en est devenue presque hystérique. Elle poussait de petits cris ravis, comme si elle était moins innocente que nous. Ton baladin s'est vite remis debout pour rajuster ses frusques.

— Ce n'est pas mon baladin !

Exaspérée, Angélina haussa les épaules. Puis elle se troubla, aux aguets, comme sur le point de toucher du doigt un détail capital. Enfin, la voix de mademoiselle Gersande résonna dans son esprit : « Joseph avait une tache de naissance en forme de cœur, juste au creux des reins, au-dessus des fesses… Ma chère petite, dois-je partir en croisade et baisser le pantalon de tous les messieurs que je rencontrerai ? » « Non, c'est impossible, pensa-t-elle. Il s'agit d'un simple hasard, d'une coïncidence. »

L'arrivée de Philippe Coste l'empêcha de peser le pour et le contre. Le médecin paraissait hors de lui.

— Je ne trouvais pas madame Bertin ! s'exclama-t-il. Ce n'est pas surprenant, on m'a confié qu'elle était par là, ainsi que la police. Je suis convoqué également.

— Moi aussi, précisa Angélina.

Il lui adressa un sourire compatissant. Un instant plus tard, il la devançait dans le réfectoire.

— Ah ! Docteur, s'écria la sage-femme en chef, merci d'être venu si vite. Je vous présente monsieur

Gendron, le père d'une de mes élèves, et l'officier de police Davaud. Nous sommes tous inquiets, évidemment, quant au sort de Lucienne.

En pleine confusion, Angélina fixait le policier. Il était âgé d'une quarantaine d'années, grand, brun et moustachu. Il semblait sympathique, et elle se promit de ne pas trembler ni bafouiller devant lui. Ce n'était pas exclu, pourtant, car elle ne cessait d'échafauder des théories, de douter de Luigi.

« Non et non, ce n'est pas le fils de Gersande, se répétait-elle en son for intérieur. Il y a forcément sur terre des milliers d'hommes affublés d'une tache de naissance en bas du dos. Je n'ai décelé aucune ressemblance avec ma chère amie, mais…, mais… il a été abandonné, il cherchait sa famille sur les routes… »

— Mademoiselle Loubet ? l'interpella l'officier de police qui s'était assis à une des grandes tables. Votre témoignage est des plus importants, d'après les aveux de mademoiselle Odette Richaud. Asseyez-vous en face de moi.

Elle obéit, émue et la bouche sèche. C'était affreusement gênant de conter par le menu son expédition dans le parc. Elle n'omit aucune précision, décrivant le chat qui l'avait effrayée, puis l'irruption de Luigi. De ce fait, elle dut narrer aussi leur rencontre à Massat, plus d'un an et demi auparavant.

— Vous êtes du genre naïf, mademoiselle, fit remarquer le policier. Si vous aviez laissé les gendarmes mettre cet individu en prison, votre amie Lucienne aurait sans doute échappé à un grave danger. Il faut croire que ce saltimbanque sait berner les jeunes filles ou les gagner à sa cause. Ainsi, hier, vous l'avez cru encore une fois quand il vous a dit ne pas avoir revu Lucienne Gendron. Ensuite, il a filé et vous êtes rentrée ici, à la maternité. Vous n'avez croisé personne d'autre dans les allées ? Ou bien aperçu quelqu'un aux allures louches ?

Angélina hésita à parler de Philippe Coste. Mais elle jugea bon d'être honnête.

— Le docteur Coste se trouvait dans le parc à minuit passé. Il m'a demandé d'où je venais. Oh ! je tiens à dire que cela n'a rien d'extraordinaire ! Le docteur avait besoin de se détendre après un acte chirurgical très pénible.

— Oui, en effet, coupa l'intéressé.

Il était fort embarrassé. Il avait cru qu'Angélina n'ébruiterait pas leur entrevue. Après un moment d'hésitation, il y alla d'une explication supplémentaire.

— Je marchais un peu ; il faisait bon dehors. J'exerce un métier difficile, monsieur l'officier.

— Je veux bien le croire. Et vous n'avez rien vu d'anormal, hormis le retour nocturne de cette jeune personne.

— J'ai été très surpris, je vous le concède, ajouta le docteur. Mais mademoiselle Loubet m'a tout de suite confié son souci. J'ai conclu à une escapade amoureuse et, à mon grand regret, j'ai supposé que la fugueuse devait être rentrée.

Le père de la disparue, Marcel Gendron, écoutait les uns et les autres, les traits tendus, le regard voilé par une angoisse légitime. L'apparente désinvolture du médecin le fit sortir de ses gonds.

— Il fallait alerter la police à ce moment-là ! s'écria-t-il. Où est ma fille, à l'heure qu'il est, hein ? Et vous autres, pourquoi avez-vous caché son absence ?

Il dévisagea tour à tour les élèves de madame Bertin qui se tenaient debout, alignées près de la table.

— Nous redoutions que Lucienne soit renvoyée, avoua Sophie d'un ton ferme.

— J'espère qu'elle le sera, renvoyée ! Déjà, ma fille ne nous rendait presque plus visite le dimanche, alors que ça faisait tant plaisir à sa mère. On n'était pas emballés par son idée d'être sage-femme. Et voilà le résultat ! Lucienne a passé la nuit dehors. Je croyais que les dortoirs étaient surveillés, moi.

— Nous serons désormais dans l'obligation de prévoir la présence d'une religieuse dans la chambrée, monsieur ! répondit madame Bertin.

Angélina aurait bien aimé se lever et échapper aux œillades soupçonneuses de l'officier Davaud. Il profita du bref silence qui s'était instauré pour reprendre l'interrogatoire.

— Mademoiselle Loubet, puisque vous étiez la seule à connaître la personnalité excentrique de ce vagabond, armé d'une dague selon votre déposition, pourquoi n'avoir pas mis en garde vos amies ?

— Mais je l'ai fait, monsieur, répliqua-t-elle à mi-voix. Hélas ! Lucienne n'a pas suivi mes conseils.

Afin d'épargner Marcel Gendron, elle n'osa pas révéler toute la vérité. Le pauvre homme était suffisamment affligé. S'il apprenait que sa fille avait donné rendez-vous au bohémien, cela achèverait de le désespérer. « Oui, inutile de le faire souffrir davantage, songea-t-elle très vite. Mais, une fois encore, je crois Luigi. Je me base sur ses déclarations, qui peuvent être totalement fausses. »

Perplexe, le policier fit une grimace avant d'ajouter :

— Mademoiselle Loubet, je voudrais que vous me fassiez une description le plus précise possible du dénommé Luigi.

Angélina s'exécuta. Ensuite, Odette, Armande, Marie et Sophie furent soumises à un questionnaire rapide, mais Désirée fut sommée de dépeindre également le bohémien.

Les cuisinières, jardiniers, infirmiers et infirmières durent subir eux aussi un bref interrogatoire. Le docteur Coste finit par s'impatienter. Une sœur s'était glissée près de lui pour le tenir au courant de la bonne marche de la maternité.

— Monsieur l'officier, déclara le médecin. Je déplore ce triste incident, mais nul ne peut décider de l'heure d'une naissance. Je dois retourner dans mon service, une patiente va accoucher, et la sage-femme, madame Moreau, me fait appeler.

— Allez-y, docteur, convint le policier.

Angélina se sentit très seule après le départ de Philippe Coste. Il régnait dans le réfectoire une atmosphère oppressante, et la mine hargneuse de madame Bertin n'arrangeait pas les choses. Les bras croisés sur sa poitrine, elle étudiait d'un œil mauvais chacune de ses élèves.

Il était plus de trois heures de l'après-midi quand l'officier se leva du banc et prit congé. Monsieur Gendron, lui, était reparti depuis longtemps, non sans menacer de porter plainte contre la direction de l'hôtel-Dieu.

— Tous ces discours n'ont pas ramené Lucienne, chuchota Désirée à l'oreille d'Angélina. Pourvu que les gendarmes soient en train de la chercher !

— Mais oui, le policier disait à monsieur Gendron qu'une brigade inspectait le quartier autour de l'hôpital, répliqua-t-elle tout bas. Ils vont chercher Luigi, maintenant. À mon avis, il s'est enfui.

Madame Bertin frappa dans ses mains. Livide, le regard noir, elle distribua des consignes d'un ton dur.

— Armande Blanchard, Sophie des Montels, allez en salle 2, faites les toilettes et changez les draps. Désirée Leblanc et Marie Faye, montez nettoyer la salle de cours. Odette Richaud, rejoignez le docteur Coste en salle 3. Dites que c'est moi qui vous envoie. Angélina Loubet, dans mon bureau.

— Bien, madame !

Elle était résignée à essuyer un sermon, mais ce fut sans réelle crainte qu'elle entra dans la pièce tapissée d'étagères remplies de dossiers. La sage-femme en chef ne lui proposa pas de s'asseoir.

— Ce ne sera pas long, Angélina, déclara-t-elle. Vous pouvez faire votre valise, vous êtes renvoyée. C'est une décision sans appel ; je serais bien en peine de vous montrer la moindre indulgence. De vous plus qu'une autre, j'attendais une conduite exemplaire, une application stricte du règlement, car vous étiez ma meilleure élève. À la minute où Odette Richaud vous a annoncé l'absence de Lucienne, vous auriez dû me le signaler. Votre expédition dans le parc n'est pas plus tolérable à mes yeux. Ne vous fatiguez pas à discuter. Plaise à Dieu que mademoiselle Gendron réapparaisse saine et sauve. Elle sera renvoyée immédiatement, bien sûr.

La nouvelle terrassa Angélina. Elle avait sacrifié des semaines, des mois de sa vie de mère pour obtenir son diplôme. Au milieu de son année d'études, son rêve s'effondrait.

— Madame Bertin, c'est une injustice ! s'écria-t-elle. Je n'ai rien fait, j'ai juste voulu aider une autre élève et, sur ce point, nous étions toutes d'accord. Pourquoi suis-je la seule à être punie ?

— Cela me semble évident, Angélina Loubet. Vous avez enfreint le règlement en quittant le dortoir à une heure tardive du soir. De plus, vos accointances avec un saltimbanque ne vous permettent plus de briguer votre diplôme. Sortez à présent !

La gorge nouée, Angélina quitta le bureau, brisée, révoltée. Mais elle ne prit pas la direction du dortoir. Au mépris des ordres de la sage-femme en chef, elle se rendit dans la salle où se trouvait le docteur Coste. Il se lavait les mains, tandis que madame Anne Moreau, toujours souriante, félicitait l'accouchée, qui avait mis au monde un bébé en pleine santé, de sexe masculin.

— Mon Dieu, que se passe-t-il encore ? s'enquit à voix basse le médecin en voyant Angélina approcher, pâle comme une morte, toute tremblante.

— Je dois vous parler, mais pas ici, murmura-t-elle. Je vous en prie, c'est grave !

— Lucienne ?

— Non ! Je vous attends dans le couloir.

Incapable de maîtriser ses nerfs, elle quitta la salle. Elle avait souvent déploré d'être séparée de son fils, d'être loin de son père, de sa chère mademoiselle Gersande et d'Octavie. Mais son renvoi la condamnait à ne jamais exercer et cela lui était insupportable.

Philippe Coste la rejoignit aussitôt. Il l'entoura d'un bras protecteur, un geste plus paternel qu'amoureux. Elle n'y prêta pas attention.

— Je suis renvoyée, laissa-t-elle tomber, hors d'elle. Madame Bertin exige que je parte sur-le-champ.

— Comment ça ? Pourquoi écoperiez-vous d'une sanction aussi sévère ?

— J'avais promis à maman sur sa tombe que je serais une costosida digne d'elle, gémit Angélina. C'est terminé, je n'ai plus qu'à plier bagage et à me remettre à la couture, tout ça à cause de Lucienne.

— Vous êtes tout de même à blâmer. J'ai été très déçu en découvrant que vous étiez avec cet homme, hier soir, un homme que toutes les élèves ont décrit comme séduisant et audacieux. Je veux bien croire qu'il n'a pas attenté à votre vertu, mais il aurait pu abuser de votre imprudence.

Pathétique dans son immense détresse, Angélina secoua la tête. Le docteur Coste songea qu'il ne l'avait jamais vue aussi belle, aussi fragile. Ses prunelles violettes exprimaient une sorte d'effroi.

— Vous faites erreur à mon sujet, dit-elle. Je préfère vous dire adieu.

Elle s'éloigna sans lui accorder un dernier sourire. Son destin changeait de cours, à la manière d'un ruisseau qui doit contourner sans arrêt des obstacles et qui ne peut couler droit. « Oui, il se trompe, se disait-elle. Hier, entre lui et sa sœur, j'ai osé rêver de cette vie mondaine que Gersande désirait pour moi. Je me suis vue mariée à un obstétricien renommé, après avoir paradé à l'église dans une magnifique robe blanche, mais cette union aurait été fondée sur un mensonge. Oh ! si vous saviez, Philippe, que j'ai déjà connu un homme, que j'ai eu un enfant de lui ! Vu votre profession, je n'aurais pas pu vous duper sur ma virginité et vous auriez souffert le martyre, jaloux comme vous êtes. »

Elle se réfugia avec soulagement dans le dortoir désert. Là, elle s'allongea sur son lit et pleura tout son saoul.

*

Henriette Bertin était toujours dans son bureau. Elle avait ôté sa coiffe blanche et passait une main lasse sur ses cheveux gris, tirés en arrière et noués en chignon. En bonne catholique, elle venait de prier pour le salut de Lucienne Gendron, dont la sensualité et le tempérament de feu l'avaient frappée dès le jour de son admission à l'école.

« Je devine si facilement la nature humaine, maintenant, après avoir vu défiler ici tant de filles, le plus souvent jeunes, avides d'apprendre, ou bien coquettes, étourdies, indifférentes au sort des patientes ! Je faisais vite le tri entre celles qui ne resteraient pas un mois et les autres, studieuses, appliquées, dévouées, comme Angélina Loubet. Je souhaite de toute mon âme pouvoir dire ses quatre vérités à Lucienne… »

On frappa à sa porte. Philippe Coste entra sans attendre de réponse. Il était en blouse blanche et, derrière ses lunettes, ses yeux clairs étincelaient de colère.

— Madame, nous devons nous expliquer, dit-il froidement. Vous n'êtes pas la seule à enseigner l'obstétrique aux jeunes personnes qui ont brillamment réussi l'examen d'entrée. J'ai le droit de donner mon avis sur vos agissements, de surcroît.

— Docteur, veuillez garder votre calme, exigea-t-elle en le toisant. Je me suis référée au règlement intérieur de la maternité de cet hôpital et, que cela vous plaise ou non, je suis la seule habilitée à prendre certaines décisions.

— De là à renvoyer Angélina Loubet… C'est un abus de pouvoir, selon moi. Et vous ignorez un détail d'importance. Nous allions nous fiancer le mois prochain.

La sage-femme en chef remit sa coiffe et observa ses ongles, courts et larges.

— Seigneur Dieu ! Vous comptez vraiment épouser la fille d'un cordonnier ? ironisa-t-elle. Dans ce cas, je regrette encore moins ma décision. Angélina n'aura pas besoin de travailler, une fois mariée à un médecin fortuné. Et ne montez pas sur vos grands chevaux, je suis vraiment trop soucieuse pour batailler.

— J'exige qu'elle demeure ici jusqu'à la fin de juin, madame. Et puis, admettez qu'elle ne mérite pas d'être renvoyée. Odette Richaud est bien plus coupable ; elle a favorisé la fugue de Lucienne. Pourtant, elle n'est pas sanctionnée.

Henriette Bertin se leva pesamment de son fauteuil. Elle jaugea le médecin avec sympathie.

— Angélina Loubet pourra se présenter dans une autre école de la région en janvier, si vous acceptez qu'elle continue dans cette voie.

— Mais elle est vraiment malheureuse ! Elle voulait ce diplôme. Le mariage ne se fera pas avant l'été prochain. Au risque de vous paraître ridiculement sentimental, chère madame Bertin, je vous dirai que je veux son bonheur avant toute chose. Je vous en prie, faites un geste ! Soyez au moins équitable !

— Bien, bien, je conçois votre souhait. Je vais écrire à l'hôtel-Dieu de Tarbes. J'ai eu la visite d'un infirmier qui est en poste là-bas. Il m'a confié que la maternité était en sous-effectif. Ils n'ont que deux élèves pour seconder une seule sage-femme. Angélina Loubet pourra obtenir son diplôme aisément au mois de décembre. Pour être franche, docteur Coste, elle pourrait sans peine exercer dès aujourd'hui. J'ai connu sa mère, Adrienne, en qui j'ai pressenti une personnalité exceptionnelle, un talent fascinant pour l'obstétrique. Angélina l'a assistée pendant deux ans, ce qui équivaut à une formation supérieure à la nôtre. Je la recommanderai chaudement au directeur de l'établissement. Je ne peux faire plus.

Malgré son désappointement, Philippe Coste consentit à cette solution. Il remercia madame Bertin avant d'ajouter :

— Ne soyez pas surprise si je renonce à exercer ici. Je pense qu'on serait disposé à me nommer médecin-chef dans une modeste petite ville comme Tarbes !

Il la salua et sortit en claquant la porte. Au même étage, Angélina, assommée de chagrin et de doutes odieux, somnolait sur son lit. Elle s'était interrogée sur l'identité de Luigi jusqu'à en avoir la migraine, pour conclure qu'il y avait une chance infime, voire inexistante, que le bohémien soit le fils de Gersande de Besnac. Son imagination s'était emballée quelques instants, mais très vite elle avait fait appel à sa raison. Des milliers d'enfants échouaient dans des orphelinats, c'était un fléau en cette fin de siècle, et les taches de naissance n'étaient pas des raretés. Augustin, son père, en avait une à la base du cou.

— Angélina, fit une voix méconnaissable. Mon Dieu, Angélina, réveille-toi !

— Je ne dormais pas.

Elle ouvrit les yeux et vit Désirée penchée sur elle, blafarde, les joues noyées de larmes.

— Pourquoi pleures-tu ? Parce que je suis renvoyée ? se hasarda-t-elle, encore étourdie et ensommeillée.

— Mais non, ce n'est pas ça…, balbutia son amie. Faut que je te dise ! Un marinier a retrouvé Lucienne dans la Garonne, sous un tas de branches. Le fleuve avait emporté son corps en aval, à trois kilomètres au moins. Oh ! Seigneur ! Angélina, c'est horrible, elle est morte ! Les gendarmes sont en bas. Ils l'ont ramenée sur une civière. Il paraît qu'elle a été violée. Ses cuisses sont tailladées et ses seins ont été griffés. Angélina, serre-moi fort. Je veux rentrer chez moi.

Désirée s'effondra dans ses bras, tandis que la tragique nouvelle pénétrait avec lenteur l'esprit d'Angélina. « Morte, violée, torturée ! songeait-elle, épouvantée. Oh ! Sainte Vierge d'amour, veillez sur son âme ! La pauvre malheureuse... C'est donc arrivé ici aussi, une horreur pareille, comme chez nous, au pays ! »

Elle revit la jolie fille brune au rire aigu, telle qu'elle était la veille, au bord du canal, gaie et moqueuse. Elle évoqua ses yeux noirs sous sa frange tout aussi noire. « Lulu, notre capricieuse Lulu ! se dit-elle. Hier, elle savourait les biscuits et les fruits ; sa peau était perlée d'une fine sueur à la naissance de sa gorge. Elle respirait, elle parlait, elle était vivante, gourmande, ravissante. Oh ! mon Dieu ! non, non ! »

Désirée sanglotait, à demi folle de chagrin. Angélina la berça tendrement, elle-même abasourdie. Elle avait éprouvé une immense compassion pour les victimes dont lui avaient parlé son père et Octavie, mais là, c'était bien pire. Elle côtoyait Lucienne depuis six mois.

— Mais qui lui a fait ça ? interrogea-t-elle dans un souffle. Un monstre déguisé en homme ! Désirée, pitié, reprends-toi, dis-moi où sont les autres élèves.

— Je ne le sais pas, je veux partir, geignit la petite blonde. L'officier de police a juré de trouver l'assassin et de l'envoyer à la guillotine.

À cet instant précis, Angélina acquit une certitude absolue. Luigi, le baladin au sourire de fauve, était le coupable.

— Il paiera, Désirée, sois tranquille, il paiera le prix du sang.

Saint-Lizier, jeudi 10 juin 1880

Gersande de Besnac décacheta avec empressement la lettre d'Angélina qu'elle venait de recevoir. Octavie lui apportait toujours les enveloppes en provenance de Toulouse avec le même air réjoui, un peu émerveillé, comme si elle trouvait au fonctionnement de la poste quelque chose de magique.

— Je vous laisse lire, mademoiselle. Henri a besoin d'être changé. Vous me direz ce que la petite raconte.

Les deux femmes comptaient les jours qui les séparaient du retour de leur jeune amie. Elles se promettaient bien des réjouissances pendant ce mois de juillet, dont la fameuse expédition à Biert, chez l'oncle Jean Bonzom, prévue depuis longtemps.

— Voyons un peu les nouvelles de l'hôtel-Dieu ! se dit tout bas la vieille dame.

Malgré les années, elle avait une vue excellente et, tout heureuse, elle se lança dans la lecture de la lettre. Dès les premières lignes, son cœur se serra. Le ton d'Angélina était loin d'être joyeux.

Chère mademoiselle, chère Octavie, et bien sûr, cher petit Henri,

Je ne change pas le début de cette triste missive, mais, Dieu merci, notre petit ange ne peut pas comprendre ce que je vais narrer ici, même si vous lisiez à haute voix. Je suis profondément secouée par la tragédie qui a endeuillé l'hôpital et semé la panique dans tout le quartier de Saint-Cyprien. Une des élèves, Lucienne, que nous surnommions Lulu, a été assassinée. Un marinier a retrouvé son corps mutilé et violenté dans la Garonne. Rien que de tracer ces mots, je pleure encore et encore, terrassée par ce crime odieux qui a fauché une fille de mon âge, pleine de vie. Vous ne pouvez pas imaginer l'atmosphère qui règne à présent à la maternité et dans tout l'établissement. Même si la police suspecte un homme, un pénible climat de méfiance s'est établi. Il n'est plus question de sortir dans le parc après le dîner, ou d'aller seule à la lingerie. La peur ne nous quitte plus.

J'ai pris aussi la mesure, à cause de tout ceci, de l'horreur absolue d'une pareille mort et j'ai beaucoup pensé à ces innocentes qui ont été tuées dans les environs de Saint-Girons, ces dernières années. Il faut croire que le mal rôde partout, dans nos montagnes aussi bien que dans les grandes villes. Odette, la meilleure amie de la pauvre Lucienne, m'a dit qu'il y avait de nombreux crimes de ce genre à Toulouse, et les coupables sont rarement retrouvés...

Les yeux embués de larmes, Gersande s'arrêta de lire. La nouvelle la frappait de plein fouet et elle se sentit glacée, malgré la chaleur estivale qui pénétrait dans son salon par les fenêtres grandes ouvertes.

— Dieu tout-puissant ! Quelle abomination !

La vue brouillée, elle essaya de déchiffrer la suite. Elle n'y parvint qu'au bout d'un moment, après s'être tamponné les paupières. Angélina relatait par le détail les circonstances de la disparition de Lucienne et sa sinistre découverte. Elle dénonçait aussi le rôle d'un bohémien, le principal suspect, qui aurait fui la ville. La suite consterna la vieille demoiselle.

Je suis doublement malheureuse, ma chère et douce amie, car cette horrible affaire a causé mon renvoi de l'hôtel-Dieu, madame Bertin, la sage-femme en chef, m'ayant punie pour désobéissance au règlement. Elle m'en a informée quand nous ne savions pas ce qu'était devenue Lucienne et, d'abord, je n'ai pensé qu'à moi, à mes rêves brisés. Mais, lorsque Désirée m'a annoncé la mort de notre amie, ce renvoi est passé au second plan. J'ai même eu honte de m'être lamentée sur mon sort. Il n'y a pas de bien plus précieux que la vie. Il est si bon de pouvoir respirer l'air tiède de cette fin de printemps, de toucher son visage et qu'il soit chaud et doux. Hélas ! mademoiselle, je n'ai aperçu le corps de notre pauvre Lulu qu'une seconde, mais cela m'a suffi. Que d'étranges pensées nous traversent dans de tels moments ! J'aurais voulu faire sa toilette, coiffer ses cheveux, la revêtir de ma plus belle robe. Je plaignais aussi ses parents, qui doivent endurer un calvaire.

La police mène son enquête en privilégiant la piste du bohémien, comme l'a dit l'officier Davaud qui nous a longuement interrogées, les autres élèves et moi, ainsi que tout le personnel de l'hôpital. Tous les soupçons se portent sur cet homme dont je vous ai parlé plus haut. Moi qui tenais à ne jamais juger quelqu'un sur son rang social, son apparence ou son mode d'existence, j'en viens à conclure que ces gens, les bohémiens, n'ont aucune morale. Et pourtant, je peine à tracer ces mots de ma plume, car chaque présumé coupable devrait avoir le bénéfice du doute.

Enfin, ce drame affreux me retient à Toulouse, puisque la police m'a ordonné de rester à sa disposition afin d'identifier le dénommé Luigi s'il était arrêté. Madame Bertin n'a pas osé protester et, grâce à l'appui du docteur Coste, je reprendrai mes études le premier jour du mois d'août, mais à Tarbes.

Je n'ai pas le cœur de vous en confier davantage. Cependant, je tenais à vous exposer la situation, et cela m'a soulagée. Les obsèques de Lucienne auront lieu vendredi à la basilique Saint-Sernin. Nous avons le droit d'y assister. Surtout, veillez bien sur mon petit Henri, que je voudrais serrer contre moi pour m'assurer qu'il va bien, qu'il ne souffrira jamais des bassesses humaines et qu'il n'en commettra aucune, une fois adulte.

Je vous écris très vite,
Affectueusement,
Votre Angélina

Gersande de Besnac posa la lettre sur ses genoux. Elle aurait voulu abolir les distances et pouvoir consoler Angélina, sans grands discours, mais en la prenant dans ses bras, telle une mère ou une grand-mère. Un trottinement sur le parquet lui fit lever les yeux de la funeste lettre. Henri venait de se poster devant son fauteuil, sa frimousse ronde lavée, ses boucles brunes soigneusement peignées. L'enfant brandissait le hochet en bois qui faisait ses délices. La domestique accourut.

— Notre chéri m'a échappé, mademoiselle. Regardez ça, je n'ai pas fini de le reculotter. Et cette lettre ?

435

— Nous en discuterons plus tard, Octavie. Crois-tu possible que nous partions pour Toulouse aujourd'hui même ?

— Mais pourquoi donc ? Par ces chaleurs ? Il y aurait de gros orages très bientôt que ça ne m'étonnerait pas. Angélina serait-elle souffrante ? Le petit lui manque trop ? Elle n'a plus que trois semaines à patienter.

— Tu as raison, ce n'est peut-être pas une bonne idée, se résigna la vieille demoiselle. Tiens, lis !

Octavie ne tarda pas à pousser un cri d'horreur en se signant avec application, car le geste n'était pas encore très spontané pour elle.

— Mon Dieu ! Et si c'était arrivé à notre Angélina ! dit-elle d'un ton effaré.

— Tais-toi, sinon je vais me ronger les sangs, coupa Gersande. Me comprends-tu mieux, à présent ? Si nous allons aux funérailles de cette malheureuse jeune fille, ce sera aussi une occasion de réconforter un peu Angélina. Je peux m'y rendre seule, Octavie. Je sais que tu ne prises guère les voyages en train. Et, pour Henri, mieux vaut qu'il demeure ici avec toi. C'est décidé. Va prévenir Alphonse qu'il prépare la calèche. Je prendrai le train de quatorze heures.

— Je préfère vous accompagner, protesta la domestique. Dites-moi ce que nous devons emporter comme bagages.

Songeuse, Gersande hésitait encore. De plus en plus agile et vigoureux, Henri s'était montré turbulent durant le trajet en train lors de leur précédente visite à Toulouse.

— Et moi, je préfère que tu restes là, trancha-t-elle. Le petit aime ses habitudes. Je reviendrai vite, sûrement samedi. Il n'y a plus à tergiverser, Octavie. Si tu pouvais préparer ma valise en cuir rouge… Je m'occupe de ce garnement.

Basilique Saint-Sernin, vendredi 11 juin 1880

Angélina et Désirée observaient la foule qui se pressait sur le parvis de la basilique, une foule silencieuse et recueillie, venue rendre hommage à une enfant de la ville victime d'un odieux criminel. Les parents de Lucienne, des commerçants aisés et très estimés, étaient un peu dépassés par l'importance que prenaient les obsèques de leur fille aînée.

— Il paraît que le magasin de monsieur et madame Gendron n'est pas loin de l'église, murmura Janine en s'approchant des deux jeunes filles. Ma mère est venue, et je lui tiens compagnie. Nous sommes voisins ; Odette aussi.

Odette n'était pas loin. Toute vêtue de noir, elle pleurait sous sa voilette, cramponnée au bras de son père. Le cercueil se trouvait déjà dans le sanctuaire érigé au IIIe siècle pour abriter les reliques de saint Saturnin, évêque de Toulouse et martyr de la foi catholique. La rue du Taur qui partait de la place du Capitole et rejoignait la basilique avait été baptisée ainsi en souvenir des circonstances de ce martyre, le saint ayant été traîné sur cette voie par un taureau furieux.

— Mon Dieu ! il ne s'est pas écoulé une semaine depuis notre pique-nique au bord du canal, et Lulu est morte, chuchota encore Désirée. Angélina, tu ne m'écoutes pas, tu regardes sans arrêt de tous les côtés…

— Ma bienfaitrice, Gersande de Besnac, devrait être là. J'ai reçu un télégramme ce matin qui m'annonçait sa présence en ville. Elle a pris le train hier et elle a dormi à l'hôtel. Un fiacre devrait la conduire jusqu'ici. Je suis si touchée qu'elle ait pris la peine de se déplacer ! Oh ! ça y est, tout le monde entre dans l'église !

— Regarde madame Bertin. Ça fait tout drôle de la voir sans sa tenue de sage-femme, en robe et chapeau, commenta Désirée.

— Je ne prête pas attention à ces détails, un jour pareil, dit Angélina d'un ton réprobateur.

Philippe Coste, mêlé aux autres médecins de l'hôtel-Dieu, se retourna et la regarda, comme s'il avait perçu le son de sa voix. Très élégant, en costume gris et chapeau melon noir, il lui adressa un pâle sourire. Elle baissa la tête. Désirée, à qui rien n'avait échappé, soupira.

— Ce que tu es bête à la fin, Angélina ! Il veut t'épouser et, toi, tu l'ignores.

— Il a dit à madame Bertin que nous allions nous fiancer sans me demander mon avis. Malgré la mort de Lucienne, des gens de l'hôpital m'ont déjà félicitée. Je n'avais même pas pris de décision. Je suis presque soulagée de terminer mon année à Tarbes. Je ne le verrai plus.

— Mais je croyais qu'il te plaisait !

— Je t'en prie, Désirée, ce n'est ni le lieu ni l'heure de parler de ça.

Angélina se sentait mal. Il faisait une chaleur poisseuse, étouffante. Elle avait mis la toilette la plus discrète qu'elle possédait, mais c'était encore trop clair, trop gai. Aucune des élèves n'avait pu lui prêter de vêtements sombres et légers. De plus, elle s'inquiétait pour sa vieille amie, qu'elle imaginait perdue dans la ville ou prise d'un malaise à son hôtel.

— Mademoiselle Loubet ! appela-t-on tout bas, dans son dos.

Elle virevolta et se trouva nez à nez avec l'officier de police Davaud, lui aussi vêtu de noir.

— Oui ? répondit-elle, tout de suite apeurée.

— Je vous demande d'ouvrir l'œil pendant la cérémonie. Certains assassins aiment à se repaître du malheur qu'ils ont semé et viennent rôder à l'église ou au cimetière. Je pourrais conclure à un crime isolé, fortuit en quelque sorte, la victime s'étant débattue, ce qui provoque en retour une réaction de violence bestiale, mais il existe aussi des bêtes à face humaine qui traquent leur proie, qui l'épient et qui se délectent de leur impunité. Si vous pensez reconnaître le saltimbanque parmi l'assistance, prévenez-moi discrètement. Mes hommes sont là. J'ai prié Odette Richaud d'agir de même.

La jeune fille promit tout bas d'être vigilante. Elle recula et se glissa entre Sophie des Montels et Armande Blanchard. Mais elle aperçut près d'un groupe de religieuses la frêle silhouette de Gersande de Besnac. Enveloppée d'un nuage de soieries gris perle, elle dépliait son ombrelle, tandis que son regard limpide comme l'eau de source parcourait la foule. Loin de la cité et de son cadre quotidien, elle parut à Angélina plus distinguée et aussi plus fragile. De la savoir si proche l'émut à un tel point qu'elle étouffa un sanglot. Vite, elle se précipita à sa rencontre.

— Mademoiselle, ma chère mademoiselle ! gémit-elle. Comme vous êtes gentille d'être là ! Je vous attendais.

Gersande lui étreignit les mains de ses doigts gantés d'une fine dentelle grise. Ses jolis traits, pâlis par la poudre de riz, semblèrent s'illuminer à la vue d'Angélina.

— Ma petite amie, je ne pouvais pas te laisser affronter seule cette tragédie. Que tu as mauvaise mine !

— Je dors mal et je ne peux plus rien avaler. Venez, il faut entrer dans l'église. Oh ! merci d'être là, à mes côtés ! Je n'avais plus de courage.

— J'en aurai pour deux, affirma la fière huguenote. Je suis navrée d'être en retard, mais, ce matin, j'ai acheté cette robe chez une modiste de la rue des Capucins et il y avait des retouches à y faire, si bien que je me suis changée dans sa boutique. Qu'en dis-tu ? Je ne voulais pas te faire honte !

— Vous êtes superbe.

Elles pénétrèrent dans la basilique, envahie par les parents, le personnel de l'hôtel-Dieu, les curieux et les gens du voisinage. Il faisait très frais dans le majestueux sanctuaire. Les vitraux, tous illuminés par la vive clarté du soleil, jetaient des reflets colorés sur les hautes colonnes de pierre supportant des chapiteaux abondamment sculptés de motifs de feuillages. Les grandes orgues jouaient le *Requiem* de Mozart. Cette musique d'une beauté céleste, mais d'une infinie tristesse s'accordait au parfum entêtant des nuées de fleurs blanches qui recouvraient le cercueil et jonchaient les dalles alentour, de même qu'une partie de l'autel.

Gersande de Besnac songeait. « Le prêtre officie dans sa parure de messe, du blanc, de l'or et du violet ; les enfants de chœur prennent un air grave. C'est la deuxième fois de ma vie que j'entre dans une église. La première, c'était pour le baptême d'Henri ; la dernière, ce sera à l'occasion du mariage d'Angélina, car j'espère qu'elle épousera ce médecin… »

Des sanglots résonnaient de temps en temps, ainsi que des quintes de toux. Les fidèles se mirent à chanter.

Angélina n'avait pas lâché la main de sa vieille amie. Malgré toute sa bonne volonté, elle ne parvenait ni à prier ni à suivre les cantiques. Elle pensait à Lucienne sans pouvoir accepter sa mort. Ce corps tendre aux formes charmantes était enfermé à jamais entre des planches de chêne.

« Est-ce Luigi qui l'a tuée ? s'interrogeait-elle, le cœur serré. Mon Dieu, comment en avoir la certitude ? Il leur a joué du violon, il a dû leur sourire et, à la faveur de la nuit, ce joyeux baladin se serait changé en fauve cruel ? Non, cela me paraît impossible. Quand même, s'il est innocent, pourquoi a-t-il dit des choses aussi bizarres ? »

Elle jeta un regard perplexe sur le profil de Gersande, qui étudiait les coupoles de la voûte surplombant le chœur. Son esprit continuait de l'emporter loin de la cérémonie. « Si seulement Odette ne m'avait pas parlé de cette tache de naissance ! Mais je serais bien sotte de croire, à cause d'un défaut de peau, que cet homme au teint brûlé puisse être le fils de ma chère mademoiselle ! Et même si c'était le cas, pourquoi moi, Angélina Loubet, l'aurais-je rencontré à Massat ? Encore une fois par le plus grand des hasards, diraient certains. Oui, peut-être, après tout. Ce sont des choses qui arrivent. C'est comme pour madame Bertin. Je ne pouvais pas penser une minute qu'elle avait eu maman comme élève. Les gens ont parfois bien des secrets, et moi aussi je ne suis pas en reste de cachotteries. Seigneur, ce serait terrible si par malheur Luigi était l'enfant de Gersande et qu'il soit un abominable criminel. Non, je suis folle, ce n'est pas son fils. Nous ne saurons jamais ce qu'est devenu le petit Joseph. »

13

Le temps de la peur

Toulouse, même jour

Sur le parvis de la basilique Saint-Sernin, madame Henriette Bertin et Gersande de Besnac s'étudiaient mutuellement. Seule Odette Richaud était autorisée à suivre le cortège funéraire jusqu'au cimetière. Les autres élèves devaient rentrer à l'hôtel-Dieu. Cela désolait la vieille demoiselle qui aurait souhaité passer un peu de temps avec Angélina, une faveur que la sage-femme en chef venait de lui refuser.

— Permettez-moi d'insister, madame. J'ai fait le déplacement afin de soutenir ma protégée, ma chère Angélina qui est très éprouvée par cette affreuse tragédie. Vraiment, ne peut-elle me raccompagner à mon hôtel et demeurer une heure auprès de moi ?

— Je n'ai aucune raison d'octroyer ce privilège à Angélina Loubet. La police m'ayant sommée de la garder dans mon service jusqu'à la fin de l'enquête, elle est toujours soumise au règlement en vigueur à la maternité.

Plus petite que madame Bertin, la fantasque aristocrate avait beau bomber le torse et se redresser, elle n'était pas de taille à s'imposer. Mais son regard clair, intrépide se planta dans celui de son interlocutrice.

— Est-elle de garde à la minute ? s'écria-t-elle. N'auriez-vous pas pitié, vu mon âge ? La chaleur est insupportable, aujourd'hui. Au pire, consentez à ce que je la ramène en fiacre à l'hôtel-Dieu. Nous pourrons discuter le temps du trajet.

Philippe Coste, qui guettait une occasion de parler à Angélina, s'approcha d'un pas vif. Il s'interrogeait depuis un moment sur l'identité de cette dame aux cheveux d'argent, aux allures mondaines et d'une rare élégance.

— Madame Bertin, que se passe-t-il encore ? s'enquit-il d'un ton net.

— Rien qui vous concerne, docteur Coste, rétorqua-t-elle. J'essaie de faire régner la discipline afin d'éviter un nouveau drame. Et j'expliquais à madame...

— Mademoiselle Gersande de Besnac, la grand-mère de cœur d'Angélina ! coupa l'intéressée en tendant sa main gantée au médecin.

D'une excellente éducation, il se pencha et effleura à peine ses doigts du bout des lèvres.

— Enchanté, mademoiselle, dit-il en souriant. Angélina m'a souvent parlé de vous, du moins quand nous avons eu le loisir de bavarder, ce qui est bien rare en milieu hospitalier. Je dois avouer que les enfants viennent au monde à un rythme constant, dans cette bonne ville de Toulouse, et dans le monde entier, sûrement. Désirez-vous profiter de mon fiacre pour regagner votre hôtel ? En compagnie d'Angélina, évidemment, qui n'est de garde qu'à dix-sept heures ce soir. Madame

Bertin n'y verra pas d'inconvénient, d'autant moins qu'elle est sous mes ordres, puisque je dirige le service d'obstétrique !

Furieuse, la sage-femme pinça les lèvres et s'éloigna en lançant un regard hargneux au docteur. Celui-ci hocha la tête avec désinvolture.

« Mais il est très bien, cet homme ! pensa Gersande. Pas vraiment beau, mais plaisant, séduisant, même. De bonnes manières, de l'autorité, de la prestance. Mon Dieu, j'avais raison : il ferait un mari parfait pour Angélina. »

Celle-ci n'avait pas dit un mot. Elle garda le silence, tandis qu'ils se dirigeaient tous les trois vers la voiture de louage. Bien qu'intriguée par l'attitude d'Angélina, Gersande fit celle qui ne remarquait rien.

— Je suis descendue à l'hôtel des Augustins, dit-elle au docteur.

Le médecin s'installa le dernier dans le fiacre. Une fois assis en face des deux femmes, il crut bon d'engager la conversation sur le sujet qui lui tenait tant à cœur.

— Mademoiselle de Besnac, Angélina vous a-t-elle annoncé nos prochaines fiançailles ? hasarda-t-il. Ce n'est guère le jour pour s'en réjouir, avec l'assassinat de cette malheureuse Lucienne, mais il faut bien un peu de douceur pour atténuer la tempête qui nous accable.

« Beau parleur, éloquent… » songea encore Gersande.

— Je ne pouvais pas annoncer une chose que j'ignorais, répliqua alors Angélina. Et, vous l'avez dit, le moment est mal choisi.

Sidéré, Philippe Coste ne protesta pas immédiatement. Il semblait préparer sa défense. Enfin, il ajouta :

— Pardonnez-moi, Angélina ! J'ai pris les devants afin de fléchir madame Bertin, une des femmes les plus intransigeantes que je connaisse. Et vous étiez d'accord, il me semble.

Les prunelles violettes furent assombries par la colère.

— Moi, j'étais d'accord ? Comment le saviez-vous ? Avez-vous fait votre demande à mon père ? Non, que je sache.

Gersande voulut couper court à leur querelle. Elle prit la main d'Angélina et l'étreignit.

— Allons, allons, mon enfant ! Ne tiens pas rigueur au docteur Coste d'avoir volé à ton secours. Cette dame qui me toisait sans amabilité aucune me paraît dure à amadouer. Sans doute s'est-elle montrée plus conciliante en te sachant bientôt fiancée.

— Chère mademoiselle, je réglerai ce problème moi-même. Pour l'instant, je préférerais être seule avec vous, dit Angélina sans craindre de vexer l'obstétricien.

— Ne vous inquiétez pas, ma chère, déclara-t-il. Après vous avoir déposées, je rentre directement à l'hôtel-Dieu.

Ce ne fut pas long. Gersande et Angélina virent bientôt le fiacre poursuivre son chemin sur les pavés, parmi d'autres voitures à cheval.

— Dieu tout-puissant, vite, une tasse de thé et l'ombre de ma chambre ! implora la vieille demoiselle. Et toi, petite, je vais te sermonner. Quelle idée de traiter ainsi ton futur époux !

— Je n'ai pas encore pris de décision. Venez au frais, le soleil tape dur.

L'hôtel des Augustins fit à Angélina l'effet d'un château. Elle n'avait jamais été confrontée à un tel luxe.

Du hall au grand salon, de l'escalier monumental dont chaque marche était couverte d'un tapis moelleux en laine chamarrée à la chambre de sa bienfaitrice, tout l'émerveillait. Ce qui la fascinait le plus, c'était l'abondance des lustres en cristal aux pendeloques translucides.

— Mais ce genre d'endroit doit être ruineux ! se récria-t-elle en admirant les meubles, les rideaux immenses, les tableaux ornant les murs tendus de toile moirée et tous les accessoires dont cet endroit se parait.

— Après moi le déluge ! plaisanta Gersande. J'ai bien le droit de grignoter un peu ma fortune. Angélina, si tu avais la bonté de m'aider à enlever cette robe !

Bientôt vêtue d'un peignoir en satin, la vieille dame s'allongea sur le lit colossal.

— On va nous monter le plateau avec le thé. J'ai aussi commandé des macarons.

Angélina resta debout, les bras croisés sur sa poitrine. Elle déplorait intérieurement de ne pas avoir pu assister à la mise en terre de son amie Lulu. Puis un nouveau souci l'accabla. « Jamais je ne m'accoutumerai aux manies des gens riches, se dit-elle. Ici, j'ai l'impression d'être en présence d'une étrangère, car mademoiselle Gersande est différente. Quand je suis chez elle, à Saint-Lizier, je n'éprouve pas ce malaise. A-t-elle vraiment vécu dans un chariot sur les routes de France ? »

— Qu'est-ce que tu as, petite ? questionna sa vieille amie d'un air chagriné. Viens t'asseoir au bord du lit.

Elle obtempéra sans un sourire, la mine grave.

— Comment se porte mon petit Henri ? demanda-t-elle enfin.

— Très bien, ne t'en fais pas. Octavie s'est proposée de venir avec lui, mais je l'en ai dissuadée. Maintenant, confie-moi ce qui te tracasse. Tu es contrariée par cette histoire de fiançailles ?

— S'il n'y avait que ça ! Je me sens coupable de la mort atroce de Lucienne. Je n'ai pas pu tout vous détailler dans ma lettre. Sans moi, elle serait peut-être en vie !

— Que me chantes-tu là ?

On frappa. C'était une jeune employée en tablier blanc qui apportait le plateau du thé. Après une légère courbette, elle s'esquiva aussitôt.

— Alors ? Parle donc, ma pauvre petite !

Angélina confessa sa rencontre avec le bohémien suspecté par la police, lors d'une de ses expéditions dans la vallée de Massat. Elle fut discrète sur les propos de Luigi à cette époque et omit de dire qu'il était orphelin et cherchait sa famille. Puis elle narra la suite.

— Je n'aurais jamais dû avouer à mes amies que je connaissais cet homme sur la péniche. Ce n'est pas ma façon d'être, mais peu à peu je me montrais moins réservée, influencée par la gaîté de certaines élèves.

— Mon Dieu ! Quand je pense que tu as laissé ce sale individu te servir d'escorte dans les gorges de Peyremale ! Si c'est lui le criminel, tu as eu une chance insensée de lui échapper, à cette époque.

Angélina approuva, gênée. Elle raconta ensuite ce qui lui avait valu son renvoi, à savoir sa sortie nocturne dans le parc. En apprenant qu'Angélina s'était retrouvée seule avec Luigi, la vieille demoiselle renversa sa tasse de thé.

— Cette fois, c'est trop ! Enfin, mon enfant ! C'était de la folie. Il aurait pu te tuer toi aussi. Pourquoi t'a-t-il épargnée, par quel miracle ? En plus, il a osé te narguer, te supplier de ne pas parler de lui à la police si un

malheur se produisait. Et il a dit ça au sujet de Lucienne…
Dieu du ciel, c'est un personnage abject, un pervers, un
sadique ! Ces gens qui peuvent cacher à ce point leurs
démons sont les pires criminels, car ils sont rusés, intelligents, et ils paraissent inoffensifs pour mieux frapper
ensuite. Il pourrait recommencer, Angélina, s'en prendre
à toi. Rentre à Saint-Lizier demain, je t'en conjure ! Tu
n'as pas besoin d'attendre la fin du mois.

— Je voudrais bien, mademoiselle Gersande, mais
l'officier de police m'a prié de ne pas quitter Toulouse.

— Quel âne, celui-là ! Tes amies peuvent très bien
identifier ce bohémien. Elles l'ont vu autant que toi. Il
faudrait pour cela qu'il soit arrêté. Hélas ! à mon avis,
il est déjà loin.

— Comment en être sûr ?

— Tout ça ne me dit rien qui vaille, affirma sa vieille
amie en épongeant le drap maculé de thé à l'aide d'une
serviette. J'en suis malade. Figure-toi que j'ai acheté
une gazette ce matin et que j'ai pu lire un article sur la
découverte de ton amie Lucienne. J'en avais des frissons. Ma petite Angélina, sois très prudente ce soir et
tous les soirs jusqu'à ton retour. Il te faudra aussi être
vigilante une fois à Saint-Lizier. Nous avons eu notre lot
de crimes là-bas, et le coupable court toujours.

— Je vous le promets, mademoiselle.

— Bien ! Maintenant, causons du docteur Coste. Cet
homme t'aime, je l'ai vu dans ses yeux à sa façon de te
regarder. Et il s'est battu pour toi contre la redoutable
madame Bertin…

— Mais, moi, je ne sais pas si je l'aime. Ne vous
fiez pas aux apparences, non plus. J'ai pu constater qu'il
était d'une nature très jalouse. Et j'ai une certitude : si je
l'épouse, je peux dire adieu à mon métier.

Angélina eut une expression désespérée qui fit sourciller sa vieille amie.

— Mais, petite, pourquoi t'empêcherait-il d'exercer ? se récria-t-elle.

— Cela me paraît évident, Gersande, puisque…

— Oh ! quel bonheur ! Tu m'as appelée Gersande. C'est si rare ! Pardon… continue, ma belle enfant.

— Si j'étais son épouse, le docteur Coste n'accepterait pas que je m'établisse dans la cité, ce qui est mon vœu le plus cher. J'ai promis à maman de lui succéder, ni à Toulouse ni à Tarbes, mais dans notre paroisse. Et puis, je ne veux pas être séparée de mon fils. J'ai tout prévu et je ne changerai pas d'avis. Je serai la costosida de Saint-Lizier et des villages voisins, et chaque jour je verrai mon pitchoun.

Gersande de Besnac aimait les causes perdues. Elle se redressa et se cala dans ses oreillers.

— Angélina, si ce mariage inespéré t'obligeait à résider ailleurs, je vendrais l'immeuble de la rue des Nobles. Octavie et moi, nous pouvons te suivre avec notre petit Henri. Quant à l'amour, il viendra au fil des nuits près de ton mari, sans souci d'argent, sans peur de le perdre, lui… Une union basée sur le respect mutuel et la tendresse perdure plus facilement que si elle est fondée sur la passion.

La jeune fille la fixa d'un air moqueur avant de répliquer :

— Est-ce que vous êtes la mieux placée pour me donner ce conseil-là ? Mademoiselle, par amour, vous avez quitté votre domaine et un fiancé du goût de vos parents. Vous avez tout laissé sans regret et vous avez suivi un comédien ambulant. Et moi, je devrais me lier à un homme qui ne m'inspire pas la moitié des sentiments que m'inspirait Guilhem ?

— Guilhem, toujours Guilhem ! Il ne te reviendra jamais et c'est tant mieux. Tu as suffisamment souffert à cause de lui. Et mon coup de folie pour William il y a plus de trente ans ne m'a valu que du chagrin, beaucoup de chagrin, et si peu de véritable joie, au fond. Tu vois où j'en suis, à présent ? Une vieille femme qui n'a pas eu le soutien d'un bon époux et qui se reprochera éternellement d'avoir perdu son fils.

Elles s'affrontèrent du regard un court instant. Angélina baissa ses yeux violets la première avec un soupir navré.

— Sans doute que ce mariage m'apporterait la sécurité et une vie agréable, avoua-t-elle. Mais une chose me retient, une chose assez grave. Dès que je croise Philippe, je ne cesse d'y penser. Admettons que je devienne sa femme, il va forcément découvrir que je ne suis plus vierge. Il saura même tout de suite que j'ai eu un enfant. Il ne me pardonnera pas de l'avoir dupé sur mon innocence et, si je lui dis la vérité avant nos noces, il me rejettera. Un docteur en obstétrique, vous me comprenez, je ne peux pas lui faire avaler des couleuvres…

Ces derniers mots eurent le don d'amuser la vieille dame. Un sourire malicieux plissa ses joues poudrées.

— Si, tu pourrais y parvenir. Excuse-moi si ce que je vais dire te choque, mais certaines femmes ne souffrent pas en perdant leur virginité. Octavie m'a confié du temps de notre jeunesse que son mari n'a eu aucun mal à la faire sienne. Pas une goutte de sang, rien !

Angélina se crispa tout entière ; elle songeait à Lucienne qui avait été violentée dans sa chair neuve.

— Quant à découvrir que tu as eu un enfant, tout docteur en obstétrique qu'il soit, dans le feu de l'action, ton Philippe ne va pas t'examiner en détail.

La jeune fille haussa les épaules. Cette conversation la gênait.

— S'il me prend la fantaisie d'épouser un jour le docteur Coste, je lui dirai toute la vérité. Ce sera bien plus honnête. Et s'il tient à m'épouser quand même, je saurai qu'il m'aime vraiment de toute son âme. Mais il ne saura rien tant que je n'aurai pas obtenu mon diplôme.

— Fais à ton idée, petite. Je vais dormir un peu, à présent. Je suis épuisée. Tiens, prends cette bourse. Il y a de l'argent pour un fiacre et aussi pour un billet de train. Je serai à la gare vers dix heures du matin, demain. Sait-on jamais ! La police peut appréhender le coupable d'ici ce soir. Tu reviendrais à Saint-Lizier avec moi.

— Peut-être, mais cela me semble improbable, dit Angélina tout bas. Surtout, ne parlez de rien à mon père. Il se tourmenterait.

— Oh ! ton père ! Je ne le vois guère et il n'adresse la parole qu'à Octavie. Monsieur Loubet a bien changé, ces derniers mois.

— Comment ça ?

— Il fréquenterait la veuve Marty, murmura Gersande d'un ton digne d'une conspiratrice. Il ne t'en a pas touché un mot dans ses lettres ?

— Mon Dieu, non ! Les lettres de papa ! Trois lignes tracées à la hâte, avec les mêmes recommandations ! Mon père et Germaine Marty... Je crois qu'elle avait des vues sur lui depuis longtemps. Oh ! que c'est drôle !

Angélina se mit à rire nerveusement juste avant de fondre en larmes. Gersande l'attira avec délicatesse dans ses bras menus et la consola en silence, la berçant sur son cœur comme l'aurait fait une mère.

Hôtel-Dieu Saint-Jacques, dortoir des élèves, le soir

De retour à la maternité, Angélina avait secondé le docteur Coste et madame Bertin auprès d'une femme d'une vingtaine d'années qui avait accouché rapidement et sans problème particulier. C'était si rare que l'obstétricien et la sage-femme en chef en avaient éprouvé de l'apaisement et s'étaient réconciliés. Une fois son service terminé, la jeune fille ne s'était pas attardée, malgré les œillades inquiètes que lui décochait le médecin. Elle avait hâte de se retrouver parmi ses compagnes d'études. Le dîner expédié, elles s'étaient rassemblées dans le dortoir. Il manquait Sophie des Montels, Armande et Marie, qui étaient de garde pour la nuit.

— Je suis bien contente d'être là avec vous, dit Odette, déjà en chemise de nuit. C'était affreux, au cimetière. La mère de Lulu s'est évanouie quand les fossoyeurs ont descendu le cercueil dans le caveau. Et son père sanglotait tout haut, le pauvre !

— Ils ont une autre fille, je crois ? demanda Janine.

— Oui, Aliette qui a treize ans, mais elle est pensionnaire. Monsieur et madame Gendron ne lui ont pas encore annoncé la mauvaise nouvelle, répondit Odette.

— C'est vraiment horrible, que Lulu soit morte assassinée, dit Désirée qui brossait ses longs cheveux couleur de miel. Dès que j'y pense, je me mets à pleurer. J'ai écrit à mes parents, hier. S'ils savent ce qui s'est passé, ils voudront sûrement que je rentre à la maison.

— Tu ne vas pas abandonner si près du but ? s'étonna Angélina. Il n'y a plus que cinq mois de formation.

— Et si le meurtrier rôde autour de l'hôpital, qu'il tue encore l'une de nous ! s'inquiéta la petite blonde. J'ai bien réfléchi. Nous nous promenons souvent le dimanche, depuis le mois d'avril. Peut-être que le tueur nous guettait !

Janine, qui se massait les mollets à pleines mains, fit la moue. Sans le foulard blanc obligatoire, elle paraissait très jeune, une masse de frisettes brunes auréolant son front, tandis que le reste de sa chevelure était presque lisse.

— Si le salaud qui a fait ça nous épie, ce n'est pas votre bohémien le coupable. D'après ce que vous m'avez dit, il est arrivé à Toulouse ce dimanche-là en péniche. Mon Dieu, ce que je regrette d'avoir été de garde ! Je vous assure que j'aurais ramené Lucienne à la raison, si j'étais venue au pique-nique, moi aussi.

— Bah, un type de ce genre n'est pas à un mensonge près, dit Odette. Il a pu monter sur la péniche n'importe où. Pour Lulu, tu te fais des illusions. On a eu beau lui reprocher sa conduite, elle s'en fichait.

— J'ai tellement espéré qu'elle se soit enfuie avec Luigi, que ce n'ait été qu'une escapade amoureuse ! intervint Angélina. Quand Désirée m'a appris sa mort et ce qu'elle avait subi, quel choc !

Les jeunes filles se turent, reprises par le sentiment de révolte et d'impuissance que suscitait ce crime odieux. Chacune s'imaginait à la place de Lucienne, en proie à la violence d'un homme changé en bête assoiffée de sang, totalement asservie à ses vices et ses instincts de luxure.

— Vous vous rendez compte ! Elle avait des griffures sur les seins, chuchota Odette d'une voix tremblante.

453

— Et une trace de morsure au cou, il paraît, ajouta Désirée en ouvrant des yeux terrifiés. Ce n'est pas naturel, ça. Celui qui l'a attaquée, il n'était peut-être plus tout à fait humain.

Ces mots semèrent une sorte de panique instinctive. Odette se rapprocha de Janine. Prise de frissons, Angélina resserra son châle sur ses épaules.

— Que veux-tu dire, Désirée ? interrogea-t-elle.

— Ma grand-mère du côté de mon père était de Dordogne. Là-bas, il y a d'étranges histoires qu'on se raconte à la veillée en cassant les noix ou en ébarbant les maïs. Mémé Lodie – je l'appelais comme ça –, elle parlait souvent du lébérou. Comme c'était triste ! Après, je n'arrivais plus à dormir, dans le grenier où j'avais une paillasse. J'entendais courir des rongeurs, et les chouettes criaient, dehors. Dieu que j'avais peur !

— Mais c'est quoi, ton lébérou ? demanda Janine. Un loup-garou ?

— Oh non, pas du tout, même si ça se ressemble, au fond. Le lébérou de la légende, il rôdait la nuit dans les campagnes sous la forme d'une chèvre blanche. En vérité, il s'agissait d'une belle jeune fille frappée d'une malédiction. Le jour, elle était humaine, mais le soir, elle devenait chèvre et devait parcourir sept paroisses avant l'aube. Si par malheur elle ne s'acquittait pas de cette obligation et que le soleil la surprenait, elle restait sa vie durant un animal.

Janine se glissa dans son lit, la mine réprobatrice.

— Tais-toi ! Je n'aime pas ces bêtises.

Angélina et Odette attendaient la suite et elles encouragèrent Désirée du regard.

— Un matin, la jeune fille, dont le père était un seigneur, rencontra un garçon. Ils tombèrent amoureux, mais un lébérou ne peut pas aimer ni songer au mariage. Je ne me souviens pas de tout, seulement de la fin. Une autre nuit, changé en chèvre, le lébérou, qui était poursuivi, je crois, s'approcha de la maison du jeune homme qui aperçut une bête blanche dans la pénombre. Comme il avait son fusil de chasse à la main, il fit feu. Quand il alla voir l'animal abattu, il reconnut la belle fille qu'il voulait épouser. Enfin, c'est à peu près ça.

— Je ne vois pas le rapport avec la mort de Lucienne, dit Janine, de plus en plus exaspérée.

— Ne te fâche pas, gronda Odette à voix basse. Elle est jolie, son histoire.

— Il y a un rapport, rétorqua Désirée. Peut-être que ça existe, les gens qui entrent dans le corps d'une bête. Si c'est dans celui d'une petite chèvre blanche, ce n'est guère dangereux, mais s'il s'agit d'un loup, ça devient un loup-garou qui peut tuer, griffer et mordre. J'ai même vu des images dans un livre. La transformation a lieu les nuits de pleine lune. Des poils poussent sur le visage de l'homme victime de ce sort funeste, ses dents s'allongent pour devenir des crocs, et ses mains se changent en pattes griffues. Personne ne peut lutter contre un loup-garou, mais on peut le tuer avec une balle bénite.

Angélina regarda autour d'elle, impressionnée par les propos de leur amie. Il n'y avait qu'une veilleuse pour éclairer le dortoir. Les lampes de chevet étaient éteintes. Bizarrement, cette aile du bâtiment de l'hôtel-Dieu réservée à la maternité était plongée dans un silence bien rare.

— On dirait que les patientes ont décidé d'accoucher sans un bruit, fit-elle remarquer. D'habitude, on entend au moins un bébé pleurer.

— C'est vrai, si l'hôpital était désert, cela ferait le même effet, renchérit Odette d'un ton anxieux. Peut-être qu'un loup-garou a tué tout le monde et qu'il ne reste plus que nous quatre…

Janine bondit de son lit, au bord des larmes. Elle tremblait de tout son corps.

— Vous êtes stupides, toutes, gémit-elle. C'est pas assez horrible, que Lulu ait été violée et tuée ? Vous avez besoin d'en rajouter ?

— Calme-toi, Janine, dit Angélina gentiment. Désirée ne pensait pas à mal.

— Oh ! que si ! Elle fait exprès de nous faire peur. Regarde-la ! Elle joue les spectres à présent !

Toute pâle, les cheveux défaits et en chemise blanche, Désirée avait l'air d'un fantôme. Odette se mit à crier et se jeta en travers d'un lit. Elle se mit à frapper le matelas de ses poings fermés.

— On va toutes y passer ! hurlait-elle. On va mourir !

Désirée éclata en sanglots, imitée par Janine. Seule Angélina se maîtrisait encore.

Madame Bertin fit irruption, escortée d'une religieuse. La sage-femme en chef considéra la scène d'un air navré.

— Il fallait s'y attendre, dit-elle sèchement. Hystérie collective à la suite du choc émotionnel ! Il leur faudrait du laudanum, ma sœur, mais votre présence suffira, du moins, je l'espère.

Incapable de se calmer, Odette poussait des plaintes rauques, tandis que Janine claquait des dents. Désirée ne valait guère mieux.

— Bon ! Reprenez-vous, mesdemoiselles, ordonna madame Bertin. Sœur Véronique va occuper un des lits vides et elle veillera sur vous chaque soir jusqu'au congé de juillet. Je vous conseille de prier avec elle pour votre amie Lucienne et sa famille.

Ces quelques mots eurent un effet magique. Odette se leva et adressa un sourire suppliant à la religieuse. Désirée se moucha et Janine se contenta de renifler, les traits crispés.

— Quant à vous, Angélina Loubet, vous êtes libre de quitter l'hôtel-Dieu à la première heure du jour. J'ai prié notre cocher de vous conduire à la gare, dans le fourgon qui nous sert d'ambulance.

— Mais, madame, et la police ? s'étonna la jeune fille.

— Je ne m'oppose en rien aux consignes de l'officier Davaud. Le docteur Coste et moi-même venons d'avoir une discussion avec lui. D'après le témoignage d'un marinier, le bohémien suspecté serait déjà à Bordeaux. Il a eu quatre jours pour voyager dans cette direction par le canal latéral à la Garonne. Il y a donc peu de chances que vous soyez appelée à l'identifier, d'autant moins qu'Odette Richaud et Désirée Leblanc peuvent le faire aussi bien que vous. Autre chose, mesdemoiselles, je souhaite que cette tragique affaire vous pousse à suivre scrupuleusement le règlement. Ce n'est pas dans l'unique but de vous contrarier que nous imposons une discipline très stricte, mais surtout pour vous protéger des mauvaises rencontres. Le quartier proche de l'hôpital n'est pas sûr, ni le faubourg voisin. Bien des meurtres demeurent impunis, si toutefois la police les découvre. Certaines victimes ne sont jamais retrouvées, emportées qu'elles sont par les eaux de la Garonne. Je vous recommande donc la plus grande prudence. Bonsoir !

Après avoir salué sœur Véronique, Henriette Bertin sortit. Angélina voulut en avoir le cœur net et suivit sa supérieure dans le couloir. Au cours de l'après-midi, elle avait eu envie de rentrer à Saint-Lizier en compagnie de Gersande. Maintenant, elle tenait à demeurer près de ses amies par solidarité. Une solide affection les unissait, et elle s'effrayait à l'idée de ne plus les revoir.

— Madame, je préférerais terminer le mois de juin ici, dit-elle d'un ton ferme.

— Il n'en est plus question, Angélina Loubet, répliqua méchamment la sage-femme. Votre présence me dérange. Je serai soulagée de ne plus avoir affaire à vous. Figurez-vous que je méprise les filles de votre espèce : les intrigantes. Vous avez séduit le docteur Coste afin d'avoir un protecteur ici, et cela me répugne. Retournez dans vos montagnes, mariez-vous vite et que je n'entende plus parler de vous. Déjà, vous n'auriez pas dû être admise à l'hôtel-Dieu de Tarbes ; j'ai écrit là-bas sous la menace d'un chantage déplorable.

— Mais quel chantage ?

— Le docteur Coste m'a menacée de quitter la maternité si vous n'obteniez pas votre diplôme en fin d'année. Mon Dieu ! cet homme naguère si sérieux était comme fou. Ne vous fatiguez donc pas à me supplier, Angélina. Je pense que jamais votre mère ne se serait abaissée comme vous le faites. Au début, j'ai eu foi en vous, en votre talent, en vos capacités. Je suis très déçue.

Touchée en plein cœur par la cruauté de ces paroles, Angélina recula, la gorge nouée.

— Je me serais volontiers dispensée du soutien de Philippe Coste. Vous pourrez lui dire que tout est fini entre nous, qu'il m'a beaucoup nui en croyant m'aider. Au revoir, madame. Je ne vous importunerai plus.

Elle se précipita dans le dortoir où régnait un grand calme, assorti de murmures monotones. La sœur priait à mi-voix ; Odette, Désirée et Janine également.

« Voilà, je dois partir tête basse, coupable de je ne sais quelle faute, songea-t-elle en se couchant à son tour. Mais je n'ai pas le droit de me plaindre ; je suis vivante et je vais retrouver mon pitchoun. Certes, madame Bertin n'a pas tout à fait tort. Si maman m'observe du ciel, elle ne doit pas être très fière de sa fille. Pardon, maman, pardon ! »

Elle se décida à prier elle aussi tout bas, sans pouvoir retenir ses larmes.

Gare Matabiau, le lendemain

Angélina était assise à une table du buffet de la gare. Elle venait de commander un café et observait le va-et-vient des voyageurs. Une grosse horloge murale affichait huit heures. « Mademoiselle Gersande aura la surprise de me trouver sur le quai, se disait-elle. J'aurais pu partir un peu plus tard de l'hôtel-Dieu, mais je n'avais pas le courage de voir les autres élèves prendre leur service. »

Elle soupira, attristée. Elle revivait les brefs adieux que lui avaient faits ses amies dans le dortoir. Désirée s'était jetée à son cou en pleurant.

— On s'écrira, Angélina. Dis, promets !

Odette et Janine l'avaient embrassée tour à tour en lui répétant qu'elle leur manquerait. Armande Blanchard l'avait serrée dans ses bras. Seule Marie s'était contentée d'un au revoir poli. Quant à Sophie des Montels, elle lui avait tendu une main froide, indifférente.

« C'est fini. Elles m'oublieront vite, se dit-elle encore. Par chance, j'ai pu échapper à Philippe. »

En pensée, elle le nommait ainsi dans une quête inconsciente d'intimité avec le médecin. Angélina se mentait à elle-même. Cet homme-là comptait. Elle se souvenait souvent du baiser qu'ils avaient échangé la nuit du drame. « Je l'ai désiré, à cet instant-là. Je me sentais bien ; j'étais prête à oublier Guilhem. Mais nos chemins se séparent ce matin et c'est mieux ainsi. »

L'apparition impromptue du docteur Coste la laissa sans voix. Elle évoquait sa silhouette et, tout à coup, il était en face d'elle, les joues un peu rouges d'avoir couru.

— Dieu merci, vous êtes encore là ! débita-t-il, essoufflé. Ma chérie, comment osez-vous quitter Toulouse sans même m'en avertir ?

— Mais, docteur, je…

— Taisez-vous, par pitié ! Madame Bertin m'a transmis votre message avec jubilation. Je sais que vous m'en voulez et je suis capable de le comprendre. Mais c'est un peu lâche, Angélina, de vous enfuir sans me dire ce que vous me reprochez. Si j'ai été maladroit, je vous en demande pardon. Il faut croire que l'amour rend idiot, aveugle et sourd. Tout ce que j'ai fait, c'était dans le but de vous protéger et de vous plaire. Ai-je reçu un misérable merci en retour ? Non ! Je vous permets de passer votre diplôme à Tarbes ? Peu importe, vous ne retenez qu'une chose : j'ai annoncé nos fiançailles sans votre accord. Seigneur, vous êtes bien une femme ! Ingrate, égoïste, orgueilleuse !

— Que de gentillesses ! ironisa Angélina. Si vous m'attribuez ces défauts-là, pourquoi m'aimez-vous ? Et comment faire la différence entre la soif de posséder un être et l'amour sincère qu'on prétend lui porter ?

Philippe Coste fut médusé. Il prit le temps de réfléchir.

— Vous êtes dure, ma chère. Je ne triche pas sur mes sentiments. Bien sûr, je rêve d'être votre époux dans tous les sens du terme, et je ne vais pas le nier ; cependant, j'ai tenté à maintes reprises de vous prouver l'intérêt que j'avais pour votre carrière et vos projets.

— Oui, je sais, jusqu'à menacer madame Bertin d'abandonner votre poste à Toulouse si je ne pouvais pas obtenir mon diplôme. Maintenant, elle me traite d'intrigante. Elle m'a accusée de vous avoir séduit par ambition. C'est très blessant d'être jugée sur des faux-semblants ! Je n'ai rien fait de tel.

Le médecin lui prit les mains. Il frémissait d'indignation. Exaspérée, Angélina fit le geste de se dégager.

— Ma chérie, laissez-moi vous réconforter, murmura-t-il. Je sais que vous êtes droite et honnête. Un jour, vous saurez à quel point mon amour est sincère. Je n'étais pas préparé à vivre une expérience aussi forte, je vous l'avoue. Ma vie a basculé quand je vous ai rapporté votre valise, à Boussens. J'ai su tout de suite que vous étiez mon destin.

Elle secoua la tête, refusant de l'écouter davantage. Le serveur s'approcha, vigilant :

— Ce monsieur vous importune, mademoiselle ? s'inquiéta-t-il.

— Non, non, je vous remercie, assura-t-elle d'une petite voix.

Bien embarrassé, le docteur Coste lâcha les doigts tièdes d'Angélina, mais c'était à regret. Il se leva en repoussant sa chaise.

— À quelle heure est votre train ? demanda-t-il.

— À dix heures trente. Pourquoi ?

— Je vous en prie, venez. Allons faire un tour en fiacre, dix minutes à peine, vous et moi, implora-t-il. J'ai suffisamment attiré l'attention avec mes discours. Nous pourrons parler en paix.

Elle accepta, consciente de la curiosité qu'ils provoquaient dans la salle comble. Philippe Coste se chargea de ses bagages, qu'il alla confier à la consigne. Angélina attendit dans le hall, comme dédoublée, privée de volonté. Des hommes l'admiraient avec un sourire narquois, car elle était belle, jeune et lumineuse en robe d'été, un petit chapeau de paille à voilette posé sur ses cheveux flamboyants. Le tissu clair d'un rose pastel moulait sa taille fine, ses seins et la chute de ses reins.

« Je peux lui accorder cette faveur, se répétait-elle. J'ai été injuste à son égard, et il m'aime, il m'aime tant ! »

Le docteur était de retour. Ils sortirent de la gare sans avoir échangé un mot et montèrent dans le fiacre le plus proche.

— Cocher, longez le canal vers l'est et faites demi-tour quand je vous le dirai, commanda le médecin.

La voiture s'ébranla ; les sabots du cheval tintèrent sur les pavés. L'intérieur était doublé de velours rouge.

— Je tire les rideaux afin de ne pas vous compromettre, chuchota Philippe Coste.

— Faites à votre idée, je ne tiens pas à revoir les berges du canal…

Il s'était assis à ses côtés. Au moindre cahot, leurs genoux se touchaient. Angélina sentit une délicieuse faiblesse l'envahir. Elle résistait mal à l'impétuosité de ses sens et, connaissant la griserie du plaisir, le paroxysme de l'extase charnelle, son corps était parcouru d'ondes voluptueuses, tandis que le désir cognait à ses tempes.

Presque timidement, elle le regarda et ne vit que sa bouche sous la moustache d'un blond cendré. Il avait des lèvres bien ourlées, un peu plates, mais rouges et tentantes.

— Philippe ! appela-t-elle.

— Oui, ma chérie ! Pardonnez-moi, c'est si charmant de vous dire « ma chérie ». Je n'en ai plus le droit, mais tant pis.

— Vous en avez le droit ! s'écria-t-elle. Je suis désolée de m'être montrée si ingrate, si orgueilleuse. Et je veux bien me marier avec vous, mais pas tout de suite, dans un an ou deux.

— Oh ! Seigneur ! Angélina, vous faites de moi le plus heureux des hommes. J'attendrai cinq ans s'il le faut ; jamais je ne vous brusquerai. Mon Dieu ! J'ai eu si peur de vous perdre et je souffrais déjà le martyre !

Il l'enlaça avec délicatesse, un peu maladroitement, comme s'il redoutait de l'effaroucher.

— Maintenant, je supporterai votre absence, puisque vous avez dit ces mots merveilleux, que nous serons mari et femme un jour. Oh ! chérie ! Nous nous écrirons et nous passerons du temps ensemble quand vous le déciderez.

Très ému, le médecin l'embrassa sur le front et sur les cheveux. Il recula pour mieux la contempler.

— Ce sera à moi, tous ces trésors ? s'étonna-t-il. Cette petite boucle d'or rouge, là, sur votre tempe, et ce nez si fin, si gracieux, ces joues veloutées, votre bouche adorable ?

Troublée, Angélina se laissait admirer. Elle découvrait soudain la véritable nature de Philippe Coste. C'était bel et bien un grand romantique, mais aussi un homme pétri de tendresse, qui n'aurait de cesse de la choyer, de la cajoler. Cela la poussa à se blottir contre lui en espérant un nouveau baiser.

— Ma petite Angélina ! balbutia-t-il. Comme c'est bon de vous tenir ainsi. Mais j'ai déjà abusé de votre confiance. Je saurai respecter votre innocence, même si c'est difficile.

Elle resta silencieuse, confrontée à un dilemme. Si elle faisait le premier pas, il pourrait en être choqué et concevoir des doutes sur sa prétendue innocence.

— Philippe, nous allons être séparés plusieurs jours, peut-être même des semaines, dit-elle d'un ton câlin. Je vous accorde volontiers un baiser d'au revoir.

Angélina tendit son visage vers lui et il succomba au feu étrange de ses prunelles d'améthyste. Avec une sorte de plainte rauque, il s'empara de ses lèvres. Malgré son expérience d'homme mûr, il éprouva une ivresse inconnue à pénétrer cette bouche chaude, suave, qui lui faisait présager les délices inouïes d'un autre acte de possession dont, bien souvent, il rêvait tout éveillé. Emporté par une fièvre amoureuse proche du délire, il laissait ses mains parcourir les formes sveltes à l'aveuglette. Il avait cependant vaguement conscience de caresser le galbe exquis d'un sein ou d'effleurer une cuisse enrobée de tissu.

Le fiacre roulait toujours, à une allure régulière. Parfois, un défaut de la chaussée faisait tressauter l'habitacle, mais ni Angélina ni Philippe ne s'en souciaient. Elle n'était plus qu'abandon, soumission. Elle aurait pu se donner sur l'heure, et des visions audacieuses lui traversaient l'esprit, nées du souvenir des folles étreintes partagées avec Guilhem. Ardente maîtresse, Angélina devait lutter pour ne pas guider les gestes affolés du docteur. Elle retenait aussi des gémissements lascifs afin de ne pas se trahir.

« Guilhem retroussait mes jupons, il plongeait sa tête entre mes cuisses et il m'embrassait là… longtemps. J'en perdais toute pudeur, je m'offrais davantage, et c'était bon, si bon ! Je voudrais qu'il le fasse, tout de suite », songeait-elle, toujours livrée à ce baiser dévorant qui n'en finissait plus.

— Arrêtez ! implora-t-elle soudain en lui échappant. Je vous en prie, arrêtez, Philippe !

— Oh oui, bien sûr ! articula-t-il péniblement. Excusez-moi, ma chérie ! Mon Dieu, qu'est-ce que j'ai fait ?

Ahuri, il aperçut son corsage dégrafé, un coin de dentelle voilant à peine la rondeur de sa poitrine et un mamelon grenat. Vite, Angélina remit de l'ordre dans sa toilette. Lui, le front moite de sueur et le ventre en feu, n'osait plus la regarder.

— Je ne suis qu'un rustre, soupira-t-il. Mais vous êtes si belle, si douce ! Je ne recommencerai pas, je vous le jure.

— Chut ! fit-elle en souriant. Ne jurez pas l'impossible. Je suis fautive aussi de ne pas vous avoir repoussé.

Un peu décoiffée, le teint rose et les yeux brillants, elle était irrésistible. Il en fut éperdu d'amour.

— Que vous êtes généreuse de m'avoir accordé autant de faveurs ! dit-il. Je crois qu'il faut retourner à la gare.

Il frappa deux petits coups à la vitre qui communiquait avec le siège du cocher en écartant le rideau.

— Faites demi-tour ! cria-t-il.

Aussitôt, le cheval se remit au pas. Angélina sortit sa montre de son sac.

— Déjà neuf heures et demie, constata-t-elle. Mademoiselle de Besnac va être ravie de me ramener en Ariège.

— Et de nous savoir réconciliés, ajouta Philippe Coste. Quelle délicieuse vieille dame !

— Je lui dois mon éducation et mon instruction. C'est ma bienfaitrice.

Apaisés, ils pouvaient discuter. Le docteur aborda un sujet qui le préoccupait.

— Angélina chérie, j'ai l'intention de venir chez vous au mois de juillet afin de faire la connaissance de votre père et de lui demander officiellement votre main. Nous pourrions fêter nos fiançailles à Saint-Lizier.

— Oh ! Philippe, je ne sais pas si vous êtes prêt à découvrir la maison où j'ai grandi, qui vous paraîtra bien modeste, pour ne pas dire pauvre, sombre et inconfortable. Je n'en ai pas honte du tout et jamais je ne renierai mes parents, mais cela me gêne de vous imaginer dans l'atelier de mon père, un vrai fouillis qui empeste le cuir et la graisse de bœuf. Quant à mon père, c'est un personnage. Renfrogné le plus souvent, méfiant et traditionaliste, toujours à jurer en patois dans ses vêtements de travail usagés.

— Cela ne me fait pas peur du tout. Voyons, dites-moi un de ces jurons de votre pays, la pria-t-il en riant.

— *Diou mé damné !* lança-t-elle avec un air de défi. Quand ce n'est pas *foc del cel* ou *boudiou* ! Et il méprise mademoiselle Gersande parce qu'elle est de religion protestante. Non, franchement, je serais très mal à l'aise de vous recevoir dans le logis des Loubet. J'appelais ainsi notre maison, petite fille, car nous disposons d'une cour fermée, derrière un mur flanqué d'un portail double et d'une petite porte. J'ai tant joué dans cette cour, que maman appelait notre jardin ! Il y a des rosiers, ainsi qu'un sureau, et un bout des remparts de la cité sert de parapet, avec vue sur la rivière et les montagnes.

La voix d'Angélina s'était faite rêveuse pour évoquer ces lieux qu'elle chérissait. Le médecin lui prit la main.

— Je ferai à votre idée, Angélina. S'il le faut, je logerai dans un hôtel et je rencontrerai votre père à la table d'une auberge.

— Mais vous viendrez, n'est-ce pas ? s'inquiéta-t-elle soudain. Je suis si heureuse, à présent ! Quelle chance j'ai de vous avoir, Philippe ! La mort atroce de Lucienne m'a désespérée, vous vous en doutez, et j'ai vu mon avenir tout en noir. Merci d'être venu à la gare ce matin. Je vais rentrer chez moi le cœur en fête.

Ce revirement acheva de bouleverser l'obstétricien. Il se prépara aux plus dures des épreuves : ne plus côtoyer Angélina au quotidien et patienter des années avant de l'épouser. Cela l'obligea à réfléchir très vite.

— Ma chérie, en fait, nous pourrions aussi nous marier dès que vous aurez obtenu votre diplôme. Ne craignez rien, vous serez libre d'exercer dans votre cité pour respecter la promesse faite à votre mère. Hélas ! je ne peux espérer un poste en dehors du cadre hospitalier, de par ma profession, mais, que je sois toujours à l'hôtel-Dieu Saint-Jacques ou dans une autre ville, je trouverai le moyen de vous rejoindre un jour ou deux. Cela durera le temps nécessaire. Et j'achèterai une maison de campagne où nous irons en villégiature passer des congés en amoureux. Angélina, pour vous, je suis prêt à tous les sacrifices.

C'était la plus belle déclaration qu'il pouvait faire. Elle le comprit et, cette fois, elle versa des larmes de joie.

— Vous êtes bien trop généreux ! Jamais je n'oublierai ce que vous venez de me dire, jamais. Et vous n'aurez pas d'épouse plus reconnaissante et dévouée que moi.

La voiture s'immobilisa. Au vacarme extérieur, ils surent qu'ils étaient arrivés devant la gare Matabiau.

— Je ne peux pas vous accompagner, Angélina, déclara Philippe. Je suis attendu à la maternité et j'aurai droit aux foudres de madame Bertin, vu mon escapade imprévue. Vous avez le ticket de la consigne ?

— Oui, ne vous faites pas de souci. Mon Dieu, comme j'aimerais rentrer avec vous et enfiler ma blouse !

Il l'embrassa sur les lèvres, puis il l'aida à descendre du fiacre qui ne tarda pas à se remettre en route. Angélina eut un peu pitié du cheval, trop maigre à son goût et qui avait transpiré. Mais cela ne l'empêcha pas de marcher d'un pas léger, en accord avec le sentiment d'euphorie qui l'exaltait.

« Et si je travaillais à ses côtés, ma vie durant ! se dit-elle. Je peux exercer un an à Saint-Lizier et le rejoindre ensuite. Merci, Dieu de bonté, merci ! J'ai repris espoir ; je me sens capable d'aimer à nouveau, et un homme plus méritant que Guilhem, ce lâche qui m'a trahie. »

Une fois dans le vaste hall envahi par une foule agitée, Angélina chercha des yeux sa vieille amie. Gersande de Besnac n'était ni au buffet ni sur le quai. Elle se rendit à la consigne retirer sa valise et un sac en toile.

— Angélina ! appela une voix familière. Oh ! petite, tu es là ! Quel bonheur !

Gersande de Besnac lui tapotait affectueusement l'avant-bras en riant de joie.

— Comme je suis contente ! Ce soir, nous dînerons avec notre pitchoun et Octavie.

— Oui, et j'en suis ravie. Allons vite sur le quai. J'ai hâte de revoir mes montagnes et d'être loin d'ici.

Saint-Lizier, *même jour*

Quelques heures plus tard, Angélina entrait chez son père, toute à son bonheur d'avoir pu cajoler son petit Henri, qui les avait accueillies, Gersande et elle, avec une joie débordante. L'enfant avait grandi. Il disait quelques mots de son invention, en rapport cependant avec son cadre de vie. La jeune mère le jugea magnifique, couronné de boucles brunes, le regard vif très sombre et de bonnes joues roses.

— Ma-aine ! avait-il crié en lui tendant les bras. Ma-aine !

Riche de ces doux instants, Angélina considéra d'un œil surpris la cuisine où Augustin Loubet épluchait des pommes de terre, assis près de l'âtre où vivotaient des braises rouges.

— Bonjour, papa, dit-elle, émue de le revoir.

Il tomba des nues en la découvrant sur le seuil de la pièce, sa valise à la main.

— Angélina ! Ça alors ! *Foc del cel !* Je ne t'attendais pas avant une quinzaine. Es-tu souffrante ? Non, je sais… Boudiou, tu as été renvoyée !

— Et si tu m'embrassais, papa ? implora-t-elle, la gorge nouée. Je n'ai pas pu te prévenir de mon arrivée. Tout s'est fait très vite, mais je suis bien heureuse d'être ici, au bercail.

Le cordonnier abandonna sa tâche, s'essuya les doigts au tablier de toile bleue qu'il portait et se leva enfin.

— Dans mes bras, petite ! dit-il, l'air gêné.

Angélina ne s'en soucia pas. Elle se réfugia contre la poitrine de son père, à l'affût de cette vague odeur de cuir et de métal que les vêtements d'Augustin dégageaient toujours. Il ne lui vint aux narines qu'un parfum d'eau de Cologne et de linge dûment savonné. Cet effort allait sans doute de pair avec la propreté de la cuisine, qui avait meilleur aspect que d'ordinaire. Le rideau bordant le manteau de la cheminée était neuf, de couleur jaune, et sur l'appui d'une fenêtre elle avait cru apercevoir un bouquet de roses.

— Tu prends bien soin du logis Loubet, plaisanta-t-elle. Et il y a du lard pendu aux poutres, ainsi que du jambon salé. Aurais-tu chaussé tout le pays pendant mon absence ?

— Non, non, répondit son père avec un air gêné. Et toi, qu'est-ce qui te ramène si tôt ?

— Ce sera long à t'expliquer, coupa-t-elle. Je vais me changer dans ma chambre. Nous causerons ensuite.

— Est-ce que tu dînes chez ta huguenote, ce soir ? interrogea Augustin avec un sourire engageant. Je parie que oui !

Elle traversa la cuisine pour se rendre à l'étage et ouvrit la porte du couloir, indécise.

— Si ça t'arrange, je suis toujours la bienvenue chez Gersande, ce qui n'est pas le cas sous mon propre toit, on dirait. Dis donc, papa, il n'y aurait pas anguille sous roche ? Tu n'aurais pas invité une certaine personne à partager ton repas ?

— *Diou mé damné !* s'écria-t-il. Que vas-tu inventer encore ? Ah ! j'ai compris. Tes amies de la rue des Nobles n'ont pas su tenir leur langue. Elles t'ont parlé de, de…

— De la veuve Marty, précisa Angélina. Ou bien disons Germaine Marty. Papa, je t'avais conseillé de te remarier, mais tu n'étais pas obligé de m'écouter...

Elle prenait un ton gai, mais au fond elle était peinée. Augustin le devina. Il s'approcha de sa fille et la regarda avec gravité.

— Personne ne remplacera Adrienne dans mon cœur, petite. Seulement, c'est agréable d'avoir de la compagnie, de voir une femme veiller au ménage, au repassage... Je ne suis pas encore sûr d'épouser Germaine, même si elle le souhaite. Pour le moment, nous nous consolons mutuellement. Elle vient le jour manier le balai ou faire des bouquets, et parfois je lui propose de rester dîner, comme ce soir. Je vais aussi chez elle, je répare des bricoles, un portillon, une étagère de placard... Prends-moi pour un vieil idiot, mais ça me force à faire un brin de toilette, à aérer l'atelier, à me promener le dimanche. Et nous allons à la messe tous les deux. C'est une personne très pieuse, très sérieuse...

Angélina lui fit signe de se taire, embarrassée. Elle eut un sourire attendri.

— Inutile de te justifier, papa. Je sais que tu as souffert de mon absence. J'aime bien madame Marty. Et ne t'inquiète pas, je préfère retourner chez ma chère amie Gersande. J'irai dès que j'aurai défait ma valise. Puisque tu es passé aux aveux, je dois t'annoncer quelque chose à mon tour. Nous aurons de la visite, au mois de juillet. Le docteur Philippe Coste. Il viendra te demander ma main.

— *Foc del cel !* Un docteur ! Celui de la Saint-Valentin. Oh ! ma petite Angélina, que je suis content ! Boudiou ! Ma fille va épouser un docteur. Alors, il n'avait que de bonnes intentions, cet homme-là !

Ébahi, Augustin Loubet demeurait bouche bée. Angélina renonça à gâcher sa joie. Demain, elle lui raconterait comment une des élèves avait été assassinée et pourquoi cela avait provoqué son départ anticipé de l'hôtel-Dieu.

— Je t'autorise un verre de vin, papa, lança-t-elle encore. Bois à nos amours.

Elle fut vite dans sa chambre. La fenêtre était ouverte sur la rue Maubec, et la senteur entêtante des roses flottait dans l'air tiède. Construite sur un plateau exposé au sud, l'antique cité abritait, au gré de ses ruelles et de ses venelles protégées du vent, une multitude de rosiers centenaires. Au mois de juin, c'était un enchantement. Paupières mi-closes, Angélina respira ce parfum capiteux.

— Nos amours ! répéta-t-elle tout bas. Que valent-elles ? Papa n'oubliera pas maman dans les bras de Germaine Marty et, dès que je suis ici, à Saint-Lizier, le souvenir de Guilhem me déchire l'âme. De plus, à peine étais-je place de la fontaine que je doutais de mes sentiments pour Philippe. Je devrais peut-être renoncer à m'établir ici, où tout me rappelle mon amant, mon bel amant.

Désemparée, elle ôta sa robe de satin et son chapeau. Elle avait le besoin instinctif d'endosser les habits le plus simples possible, afin de renouer le lien avec son passé d'enfant insouciante. « Où est-elle, la petite rousse intrépide qui courait en sabots sur les pavés de la rue, qui dégringolait la pente pour explorer les jardinets abandonnés entre les pans de rempart ? Qu'est devenue Angélina, celle qui aidait le vieux Jacques à traire ses chèvres, celle qui jouait les sages-femmes en veillant sur une chatte en train de faire ses petits au fond de l'écurie ? »

Angélina secoua la tête pour ne pas céder davantage à la nostalgie. Elle enfila une jupe de toile beige et une tunique blanche dont le col se resserrait par un lacet en coton. D'un geste rageur, elle défit ses cheveux.

— Voilà, je me sens mieux, déclara-t-elle à mi-voix.

Un coup de tonnerre ébranla le ciel. Angélina sursauta, impatiente d'entendre un second grondement. Elle aimait les orages, dont la violence fantasmagorique la ravissait. Pieds nus, elle marcha jusqu'à la fenêtre et se percha sur le rebord. Un éclair argenté stria la nuée grise en jetant une clarté étincelante sur les toits du palais des Évêques.

— Encore ! Encore…, supplia-t-elle.

Deux autres traînées sinueuses aveuglantes succédèrent à des détonations démentielles. La foudre avait dû frapper tout près de là. Quelques secondes plus tard, la pluie ruissela, drue et limpide. Angélina tendit ses mains sous l'averse et elle eut alors l'étrange impression de renaître, d'être libérée de la peur et des doutes, comme si son fier pays de montagnes et de ruisseaux impétueux saluait son retour.

14

Le feu de la Saint-Jean

Biert, Saint-Jean d'été, jeudi 24 juin 1880
Gersande de Besnac, Octavie et Angélina étaient attablées sous la tonnelle de l'auberge de Biert. Elles dormiraient là afin de monter le lendemain matin au hameau d'Encenou, où les attendaient Jean Bonzom et son épouse Ursule.

— Je voulais tant que vous assistiez au feu de la Saint-Jean ! dit Angélina. Et cela plaira aussi à Henri, même s'il est obligé de veiller un peu. Pour une fois, ce n'est pas grave, surtout qu'il a fait une bonne sieste.

Elle avait assis son fils sur ses genoux. L'enfant jouait avec un morceau de pain bis qu'il triturait ou mordillait selon son inspiration. Déjà habile à gambader et très bavard, même si son langage n'était pas toujours compréhensible, il faisait plus que ses dix-neuf mois. Angélina lui parlait beaucoup en affirmant à ses amies qu'il comprenait presque tout.

— Tout à l'heure, les gens du village vont allumer un grand feu dans le pré communal, lui dit-elle tout bas. Les flammes chasseront la nuit ; ce sera très beau.

— Feu, répéta le bambin. G'and feu.

— Oui, pitchoun, c'est bien, s'extasia-t-elle, sous le regard attendri de Gersande.

Toutes trois attendaient le dessert, une compote de rhubarbe sucrée au miel de montagne, selon la précision de la serveuse, une accorte fille de la vallée, brune et rieuse.

— C'était excellent, ce repas, nota Octavie. Je n'ai pas souvent l'occasion de me faire servir. Comment appelles-tu ça, déjà, Angélina ?

— La *mounjétado*. Maman en préparait. C'est très long à cuire, mais c'est un régal. La qualité de haricots blancs compte beaucoup ; ils doivent rester fermes et être de bonne taille. Ils cuisent avec du lard, de la couenne de cochon, de la saucisse de couenne, le *coudenous*, une spécialité de la région, de l'épaule d'agneau, mais aussi de l'ail, des tomates, des poireaux, des carottes et des oignons.

— Mademoiselle ne digère pas les légumes secs. Aussi je n'en fais jamais, déplora la domestique.

— J'ai été comblée par mon omelette aux truffes et la salade verte, intervint Gersande. Mais toi, Angélina, tu me surprends. Je t'ai rarement entendue causer recette ou cuisine. Comptes-tu satisfaire ton futur mari avec de délicieux petits plats ?

La jeune fille éclata de rire, heureuse d'être là, cernée par le dessin sombre des montagnes, son fils sur les genoux et en si douce compagnie.

— Mais enfin, Gersande, j'aurai une gouvernante, plaisanta-t-elle. Je ne toucherai pas aux casseroles.

Les joues roses de plaisir, Octavie pouffa. Elle observait un groupe de villageois assis sur le banc en bois qui ceinturait le tronc du tilleul planté au milieu de la place.

C'étaient des personnes d'un âge respectable, toutes vêtues de noir, les hommes coiffés d'un large béret, les femmes, d'un foulard blanc. Des enfants s'amusaient le long de l'église. L'un poussait un cerceau à l'aide d'une baguette, d'autres jouaient à chat perché.

— Quelle belle soirée, n'est-ce pas ! dit Angélina, ravie. J'ai l'intention de sauter au-dessus du feu de la Saint-Jean. Il paraît qu'ensuite le diable nous laisse tranquille une année entière[1].

— Il te faudra relever tes jupes, petite, recommanda sa vieille amie. La soie et le calicot s'enflamment vite. Et moi, je connais une autre version. Si deux fiancés sautent au-dessus du feu de la Saint-Jean, leur amour durera au moins un an.

— Comme Philippe n'est pas là, je me préserverai du diable, dit Angélina en souriant aux anges. Au fait, j'y pense, nous pouvons croiser Jeanne Sutra. Dans ce cas, que lui dirons-nous ? Vous vous souvenez ? Octavie a pris le rôle de la grand-mère d'Henri.

— Nous la saluerons froidement d'un signe de tête, suggéra Gersande. Si cette dame veut engager la conversation ou se montre trop curieuse, nous ferons mine d'être incommodées par sa présence. Aie confiance, Angélina, je sais décourager les intrus de tout poil.

La serveuse apporta un saladier de compote et trois ramequins. Les mains dans les poches de son tablier, elle s'attarda un peu.

— Vous n'êtes pas d'ici, mesdames ? questionna-t-elle.

1. Très ancienne coutume française, avec des variantes quant aux superstitions.

— Si ! répliqua Angélina, amusée. Mon oncle habite Encenou et, petite fille, je venais souvent au feu de la Saint-Jean, ici, à Biert.

La serveuse, qu'un autre client hélait, s'en alla. Angélina fit manger un peu de compote à son fils. Au même instant, de la musique résonna sur la route menant à Massat.

— Qu'est-ce que c'est ? s'étonna Gersande.

— Nous aurons droit aux danseurs de Biert, expliqua Angélina. C'est fête, ce soir. Et nous avons de la chance, il n'y a pas un nuage. Regardez ce ciel magnifique. Le soleil s'est couché, mais la lumière est toute dorée à l'ouest, tandis qu'alentour la nuit se fait.

Une joyeuse troupe arriva sur la place de l'église, escortée par un modeste orchestre ambulant. Une dizaine de personnes s'avancèrent près du tilleul, en toilette du dimanche. Les femmes portaient une longue jupe très ample, de couleur rouge ou bleue. Un corselet moulait leur buste, et un châle blanc bordé de dentelle couvrait leurs épaules. Chacune arborait une petite coiffe blanche amidonnée sur un chignon bas. Quant aux messieurs, ils avaient revêtu un costume noir en tissu moiré, une chemise blanche et un chapeau rond également noir.

— Ils vont danser un rondeau ! cria un gamin.

— Non, la réménille[1], le contredit un des dîneurs de l'auberge.

Angélina frissonna en distinguant parmi la fanfare des accordéons le son plus aigu d'un violon. Tout de suite, elle pensa à Luigi. Certes, ce n'était pas le seul violoniste

1. La réménille et le rondeau, avec la bourrée ariégeoise, étaient les danses pratiquées en Occitanie à l'époque.

au monde, mais elle ne put s'empêcher de chercher des yeux l'homme qui jouait de cet instrument. Mais la population de Biert s'était regroupée autour du tilleul, si bien qu'elle apercevait uniquement les larges couvre-chefs des musiciens.

— Je crois qu'ils vont bientôt allumer le feu, dit-elle en serrant son fils contre son cœur.

— Qu'ils se hâtent ! ronchonna Gersande. J'ai déjà sommeil ; ce doit être l'air des montagnes. Ce paysage m'impressionne un peu et il me rappelle la Lozère. Enfin, j'aurai vu le fameux roc de Ker.

L'allusion fit sourire la jeune mère, qui ne pourrait jamais oublier la grotte perchée à flanc de rocher où était né son petit Henri. Octavie, elle, battait la mesure d'un pied, tandis que ses doigts tapotaient le bois de la table. Pour la domestique, cette excursion en pays biertois prenait des allures de vacances. La date en avait été avancée, puisque Angélina était rentrée plus tôt que prévu de Toulouse.

— J'irais bien danser moi aussi, affirma la domestique. J'aimais ça, dans ma jeunesse.

— Nous ne voyons rien d'ici, protesta Angélina. Il faut essayer d'approcher.

— Moi, je ne bouge pas, trancha la vieille demoiselle. Je vais commander un café.

Jeanne Sutra passa à cet instant précis devant la terrasse de l'auberge. Elle tenait ses petits-enfants, Maria et Paul, par la main. En reconnaissant Angélina, l'ancienne nourrice poussa un cri de surprise.

— Mais c'est mademoiselle Loubet ! Est-ce que c'est le petit Henri ? Il a bien grandi, dites donc !

— Bonsoir, Jeanne. Mes amitiés à Eulalie, répondit Angélina en continuant à se glisser parmi les badauds.

Octavie accorda un signe de tête à la femme Sutra qui renonça à faire des politesses. Ce soir-là, chacun voulait profiter de la *festou*[1]. Dans le clair-obscur du crépuscule, les jupes colorées des danseuses jetaient des reflets mouvants. Leur châle blanc captait les premiers rayons de lune, mais, sans une nouvelle procession qui arrivait de la rue du Prat Bésial, les villageois n'auraient pas profité pleinement du spectacle. C'étaient des enfants de la paroisse, qui se répartirent çà et là en brandissant bien haut un lampion accroché au bout d'un bâton. L'un d'eux serait chargé de mettre le feu à l'énorme tas de branchages et de paille qui illuminerait bientôt la nuit du solstice d'été, dédiée à saint Jean-Baptiste. Jadis, avant même l'avènement du christianisme, c'était un rite païen, destiné à bénir les futures moissons. De grands brasiers s'allumeraient dans bien des communes de France, à la même heure, pour célébrer le triomphe de la belle saison et de la lumière sur les ombres de l'hiver.

— Je ne pensais pas qu'il y aurait tant de monde, dit Angélina à Octavie. Je ne veux pas poser Henri, il serait bousculé.

— Tu as raison. Passe-le-moi, si tu te fatigues.

— Oh non, je pourrais le tenir des heures dans mes bras sans être fatiguée. Hein, mon pitchoun ?

L'enfant eut un petit rire heureux. L'animation de la place lui plaisait et il ne savait pas où regarder.

— Ah ! c'est un air de bourrée, ça ! s'écria Octavie.

1. Fête, en occitan.

Maintenant, elles pouvaient admirer le groupe de danseurs qui, les bras en l'air, tapaient du pied sur le sol, en cadence. Leurs sabots faisaient un bruit sec, agréable à l'oreille. Angélina constata que le violon s'était tu. « Il est peu probable que ce soit Luigi, songea-t-elle. Je déraisonne. Et si c'était quand même lui ? Soit il m'a vue et il a pris la fuite de crainte que je le dénonce, soit il se cache afin de mieux m'atteindre à un moment ou un autre. »

— Octavie, dit-elle tout haut, prends le petit ! Je voudrais aller saluer quelqu'un. Surtout, garde-le bien !

La domestique accepta sans se poser de questions. À ses côtés, une femme racontait que le maire du village avait acheté une boîte de feux d'artifice, qui seraient tirés pendant la soirée. Angélina s'éloigna à regret, mais elle avait besoin de se rassurer ou de regarder le danger bien en face. La présence de deux gendarmes, campés près de la boulangerie, la réconforta. « Si je me trouve nez à nez avec ce maudit baladin, je verrai à son visage s'il est coupable ou non. Je peux aussi découvrir un honnête homme du pays, qui sait jouer du violon… »

Elle fit le tour de la place et s'aventura jusqu'à la porte cloutée de l'église, celle qui donnait dans une rue latérale. Des couples ronchonnaient, parce qu'elle les dérangeait en passant devant eux. Des célibataires de son âge, endimanchés, la taquinaient à coups de clins d'œil et de compliments. Sa quête était hasardeuse ; tous les individus de sexe masculin étaient vêtus de noir et avaient les traits ombragés par leur chapeau. De plus, les lampions n'éclairaient que les danseurs, laissant de vastes zones d'ombre.

« Est-ce que je deviens folle ? se demanda-t-elle après de longues minutes d'errance. Parfois, j'entends jouer

le violon, puis il s'arrête, selon l'endroit où je suis ! »
Elle abandonna ses recherches pour retourner auprès
d'Octavie. La foule se dirigeait lentement vers le pré
communal, sur les traces du curé et du vieux sacris-
tain, Basile. En chemin, elle croisa Gersande de Besnac
qui marchait près de sa domestique. Très excité, Henri
babillait en montrant les étoiles.

— Je vais le reprendre, dit Angélina. Mademoiselle,
avez-vous entendu un violoniste ? Et toi, Octavie ?

— Bien sûr, affirma Gersande. Il est même passé près
de la tonnelle. Un homme blond et bedonnant qui portait
un masque de carnaval. Mais talentueux…

— Blond et bedonnant…, répéta Angélina, infiniment
soulagée. Mais pourquoi avait-il un masque ?

— Si cela t'intéresse tant, petite, tu n'auras qu'à
interroger la serveuse, qui riait bien fort et semblait le
connaître. Je suppose que tu as peur à cause de ce bohémien qui jouait lui aussi du violon ?

— Oui, vous avez deviné. Mais n'y pensons plus.
Regardez, le feu est allumé.

Un véritable brasier s'élevait au centre d'une prairie
jouxtant les dernières maisons du village. Les flammes
qui dévoraient paille et branches avec un grondement
sourd assorti de crépitements répandaient alentour une
vive clarté. Des gerbes d'étincelles montaient vers le
ciel d'un bleu sombre.

Une fille se mit à chanter et tout de suite d'autres voix
retentirent, pour composer un chœur enthousiaste. Les
enfants frappaient dans leurs mains, ivres de joie.

Le meunier de la Ribérole,
Nous le trouvons très malheureux
Vraiment très malheureux.

Les demoiselles lui disent :
Nous t'embrasserions bien volontiers
Si tu étais moins barbouillé...

Le jour où je me marierai,
Je traverserai la place
Et tous les gens de la noce
Se mettront derrière moi.
Quel long cortège nous ferons[1] !

Angélina fredonnait aussi, mais tout bas. Elle ne pouvait se lasser d'admirer le profil de son fils, qui retroussait le nez et exhibait ses premières dents dans un large sourire ébloui. Si Octavie participait à la liesse générale, Gersande de Besnac s'impatientait.

— Je rentre à l'auberge, finit-elle par dire à l'oreille de la jeune fille. Je n'aurais pas dû boire ce vin trop sec. Ne tardez pas trop, Henri doit se coucher.

— Vous ne voulez pas me voir sauter au-dessus du feu ? protesta Angélina. Il y a déjà moins de flammes. Tous ces gens attendent pour rapporter un morceau de bois calciné chez eux, qui protégera leur maison de la foudre.

— Je sais, c'était la même chose du côté de Mende, la coupa Gersande. Les coutumes se ressemblent souvent, d'une région à l'autre. Ne m'en veux pas, petite, je préfère aller me reposer. Demain matin, il faut monter chez ton oncle et l'expédition m'inquiète un peu.

— Mais oncle Jean vient nous chercher avec sa charrette. Vous n'aurez pas à marcher.

1. Chant traditionnel des jours de fête dans la vallée de Massat.

— Nous verrons ; il se pourrait que je reste tranquillement dans ma chambre.

Sur ces mots, elle s'éloigna d'une démarche encore très alerte. Attristée, Angélina faillit la suivre.

— Laisse-la, murmura Octavie. Notre chère demoiselle a ses humeurs et ne prise pas les fêtes de village. Ce n'est pas du mépris, mais plutôt de la mélancolie. Elle ronchonne dans ces occasions-là.

Elles s'assirent sur un talus herbeux pour guetter l'instant où le feu de Saint-Jean ne serait plus qu'un lit de braises.

— Moi, je serai bien contente si tu sautes, Angélina, déclara la domestique. Le diable, faut s'en méfier. Chaque fois que je pense à cette malheureuse fille, ton amie Lucienne, je récite mes prières. Les hommes qui font ça, ce sont des démons sur la terre.

— Tu as raison, approuva Angélina. Oh ! regarde !

Un adolescent venait de faire un bond aérien au-dessus du cercle où dansaient encore de petites flammes. Un couple se présenta, main dans la main. Ils s'élancèrent avec des cris aigus et atterrirent de l'autre côté du brasier à l'agonie.

— J'y vais ! s'écria Angélina.

Mais un homme la cramponna par le bras, alors qu'elle venait de confier Henri à Octavie. C'était Prosper Fabre, le mari d'Eulalie.

— Boudiou ! Vous êtes bien là, mademoiselle Loubet ! Faut venir chez nous ; ma femme a été prise de douleurs terribles. Pourtant, elle est pas à son terme encore. J'ai d'abord prévenu ma belle-mère, et elle m'a dit que vous étiez ici, à Biert. Paraît que vous avez étudié en ville. Faut venir, vite !

— Mais il y a sûrement une matrone dans le village, une costosida ! répliqua Angélina.

— L'est fin saoule, ce soir, la mère Angèle. Et puis, Eulalie, elle veut que ce soit vous. C'est qu'elle pisse le sang, aussi. Même que j'ai conduit les gosses chez une voisine, qu'ils ne voient pas ça.

— Bon, je viens. Octavie, je suis désolée…

— Ne te tracasse pas ; Henri ne fait que bâiller. Je vais le mettre au lit et je suis le même chemin, moi aussi.

Elle embrassa son fils et emboîta le pas à Prosper. Elle n'avait aucun instrument et elle se demandait comment elle allait pouvoir aider Eulalie. « Son cas dépasse peut-être mes compétences, songeait-elle. Mais je pense m'en tirer un peu mieux qu'une matrone ivre morte. Mon Dieu, quelle misère ! »

Angélina fut encore plus désolée en entrant chez les Sutra où elle fut confrontée à une scène terrifiante. Eulalie hurlait, défigurée par la souffrance. Sa mère attisait le fourneau, sur lequel chauffait une énorme marmite d'eau.

— Ah ! mademoiselle Loubet, le ciel vous envoie ! s'écria-t-elle. Quelque chose se passe de travers. Ma fille n'a jamais eu mal comme ça pour les deux premiers. Et elle saigne beaucoup.

— Avez-vous un tablier propre à me prêter ? dit Angélina. Et un pain de savon ? Je dois me laver les mains avant l'examen. Je vous conseille aussi d'aller chercher le docteur.

— Il est en congé, déplora Prosper. Si je cours prévenir celui de Massat, ça sera ben trop tard.

La nouvelle accabla l'apprentie sage-femme. Dès qu'elle eut les mains propres, elle se pencha sur Eulalie, à moitié nue sous le drap. La future mère roulait des yeux affolés.

— J'endure le martyre, mademoiselle, gémit-elle. Mon ventre, j'suis sûre qu'il est tout déchiré. Le petit, y devait naître à la mi-juillet, pas maintenant… Oh ! J'ai mal, j'ai mal !

— Je dois pourtant vous examiner, dit Angélina d'un ton ferme et rassurant. Je suis navrée de ne pas pouvoir vous soulager, je ne dispose d'aucun médicament. Votre époux va courir à Massat ; le docteur a sans doute du laudanum. Et je voudrais son avis. Je ne suis pas encore diplômée, Eulalie.

— De ça, on s'en fiche ! s'écria Jeanne Sutra. On vous fait confiance. Je vais vous expliquer. Prosper tenait compagnie à Eulalie, parce que ce soir elle se sentait fié-vreuse et pas à son aise. Et puis, d'un coup, elle a perdu les eaux et elle a eu des douleurs terribles. Alors, mon gendre est venu me chercher sur la place.

— Bien, je vous remercie, Jeanne, répondit Angélina qui respira profondément afin de se détendre et de se concentrer.

Eulalie continuait à pousser des cris affreux en ges-ticulant.

— Je vous en prie, essayez de ne pas bouger durant quelques minutes, supplia Angélina. Je risque de vous faire souffrir davantage en inspectant le col de la matrice, mais il faut que vous demeuriez immobile.

C'était une épreuve, de voir les chairs sanglantes, d'enfoncer sa main jusqu'au fond du vagin. Cependant, une force étrange lui vint en aide, et la situation se des-sina dans son esprit, ainsi que ses funestes conséquences. « Oh non, Seigneur ! se dit-elle après un examen minutieux. L'enfant est hydrocéphale. Trois ou quatre cas pour mille, prétendait Philippe. La tête est très grosse, elle appuie sur le col et elle a dû provoquer la rupture d'une veine. Le bébé doit s'asphyxier. De toute façon, il ne sera pas viable. »

— Prosper, empruntez un cheval ou prenez vos jambes à votre cou, mais il faut que le docteur vienne très vite, dit-elle en se redressant.

— Demande son vélocipède[1] au maire, Prosper ! hurla Jeanne.

— Je ne sais point faire de cet engin, moi. Je vais prendre le cheval du forgeron.

Il sortit, totalement affolé. Angélina pensa, le cœur serré, qu'il ne reverrait peut-être pas son épouse vivante. « Non, pas de ça ! se reprocha-t-elle. La solution, je la connais. Il faut sortir le petit de n'importe quelle manière. »

Elle entraîna Jeanne Sutra près de la fenêtre et lui expliqua tout bas que le bébé était affligé d'une malformation et qu'il fallait l'extirper du ventre maternel.

— Je vous rappelle, chuchota encore Angélina, que l'Église recommande de sauver l'enfant et non la mère. Mais j'ai la certitude que cet enfant-là ne vivra qu'une poignée de minutes, s'il n'est pas déjà mort.

— Faut sauver ma fille, dit aussitôt Jeanne, alarmée. Elle a ses deux petits, Paul et Maria. Faites ce qu'il faut, mademoiselle.

— Je n'ai aucun instrument, déplora Angélina. Pourriez-vous prendre les siens à la matrone, celle qui

1. Nom donné aux premières bicyclettes, dont l'usage se répandit après la guerre de 1870. Cependant, cela restait un achat coûteux dans les campagnes.

cuve son vin ? Elle a forcément un crochet, à défaut de forceps.

Les paroles qu'elle prononçait l'horrifiaient. Sa mère lui avait confié comment on sortait certains bébés de la matrice, à l'aide d'un crochet qui laminait la tête ou les fesses du petit être condamné.

— J'y vais, dit Jeanne en se ruant dehors.

Restée seule, Angélina se signa. Elle ignorait si elle aurait le courage de procéder à un acte aussi barbare et répugnant. Les plaintes rauques de sa patiente qui endurait un calvaire la stimulèrent. « Si Eulalie meurt ce soir, elle laissera deux enfants qui ont besoin d'elle. Je n'ai pas le choix. Mon Dieu, que c'est dur ! »

— Mademoiselle, s'enquit Eulalie d'une voix faible, je saigne encore, là ? Dites, qu'est-ce que j'ai ? Et le bébé ? Vous avez causé à ma mère, parce que je suis en train de mourir ?

— Non, Eulalie, ne dites pas ça. Je ferai l'impossible pour vous sauver, mais le petit, lui, n'y survivra pas.

Fidèle aux enseignements d'Adrienne Loubet, elle avait cru bon de révéler la vérité. Cela n'eut pas l'effet souhaité. La nourrice se mit à hurler, folle de terreur.

— Allons, par pitié, calmez-vous, Eulalie. Vous perdez trop de sang. Pensez à Maria et à Paul. Implorez le Seigneur. Je vous tiens la main, vous le sentez, n'est-ce pas ? Nous pouvons prier ensemble.

Toutes deux récitèrent le *Je vous salue, Marie*, mais Eulalie geignait entre chaque phrase.

— Bravo ! Tenez bon, l'exhorta Angélina.

Jeanne Sutra réapparut, escortée d'une vieille en tablier noir, les cheveux raides et crasseux.

— C'est la matrone, dit la femme. Elle a voulu venir, soi-disant qu'elle n'a rien bu, qu'elle a eu un malaise…

— J'peux y faire, de tirer le petiot, ânonna la fameuse matrone. Une jeunesse de la ville, ça n'y arrivera pas. Et comment donc t'es sûre, toi, que l'enfant d'Eulalie, il a une tête trop grosse ? C'est-y que tu vois à travers la peau du ventre ?

Ce discours balbutiant s'adressait à Angélina, qui jeta des regards inquiets à la mère d'Eulalie et répliqua :

— Je n'ai jamais pratiqué cette triste intervention. Cependant, je m'en sens capable. Où est le crochet ? Il faut le stériliser à l'eau-de-vie ou dans le feu.

La vieille matrone brandit un redoutable crochet en fer, dont l'extrémité était oxydée. Au même instant, un hurlement strident, abominable, s'éleva du lit.

— Au secours, maman ! Sainte Vierge, ça vient ! J'ai pas pu me retenir et j'ai poussé. Il sort.

Elles se précipitèrent au chevet de la malheureuse, suivies par Jeanne. Eulalie disait vrai. L'enfant se présentait, mais dans un affreux flux de sang.

— Mon Dieu, non… Le périnée s'est déchiré, s'écria Angélina.

Tremblante et la bouche sèche, elle recueillit un nouveau-né bien vivant, mais au crâne gonflé, d'une taille anormale.

— Tenez, prenez-le, dit-elle à Jeanne. Votre fille s'est évanouie ; elle a trop souffert et elle a perdu beaucoup de sang.

Sous le regard perplexe de la matrone, Angélina ligatura le cordon et le coupa avec les ciseaux que Jeanne avait préparés. Puis elle examina de nouveau l'accouchée. Le constat était navrant.

« Seigneur Jésus, aidez-la ! pria-t-elle. Si Eulalie en réchappe, elle sera infirme de ce côté-là. Le col de l'utérus est abîmé et l'entrée du vagin est déchirée jusqu'à l'anus. »

Elle avait envie de pleurer de rage et d'impuissance. Prosper et le docteur Faure entrèrent à ce moment-là. Le médecin exerçait à Massat depuis une trentaine d'années. Il avait vu de tout dans sa carrière. L'état de la patiente ne parut pas l'alarmer outre mesure.

— Qu'est-ce qui s'est passé, au juste ? aboya-t-il en fixant Angélina d'un air méfiant.

— Cette jeune dame a cédé au besoin de pousser sans se contrôler et l'enfant a fait des dégâts, expliqua-t-elle. Ce qui m'inquiète, surtout, c'est le sang perdu et la faiblesse qui en découle.

Le praticien ôta son chapeau et ses gants en cuir fin. Il sortit ses lunettes et inspecta l'intimité de la pauvre Eulalie, toujours inconsciente.

— Eh bien, dit-il enfin, je vais profiter de sa syncope pour la recoudre. On ne peut pas la laisser ainsi. Je te préviens, mon brave Prosper, tu vas devoir faire abstinence un bon bout de temps. Une chance que je t'aie reconnu quand tu m'as réveillé ! Garnement, va, je t'ai soigné à l'âge où tu mouillais encore tes langes.

— Pour la chose, je patienterai, docteur, répliqua l'homme, gêné. Déjà, je suis bien content si elle s'en tire, ma femme. Et l'enfant, où est-il ?

Jeanne Sutra avait enveloppé son petit-fils dans un linge. Après une naissance fulgurante, le bébé ne pleurait pas. Il ne s'agitait pas non plus.

— Vaut mieux pas que tu le regardes, Prosper, marmonna-t-elle. Y te ferait peur !

Angélina se sentait de trop, à présent. Elle se lava les mains en songeant que le médecin ne l'avait pas fait. Il s'attaquait aux chairs intimes d'Eulalie avec une aiguille et du fil, sans même avoir suggéré de changer les draps souillés.

— Excusez-moi, docteur. Puis-je vous assister ? D'abord, j'apporte une cuvette, de l'eau chaude et du savon pour nettoyer madame, et je trouverais plus hygiénique de mettre du tissu propre sous son bassin. Pendant ce temps, lavez-vous aussi les mains et passez-les à l'eau-de-vie ou à l'alcool camphré, si vous en disposez.

— Non, mais, en voilà, des façons ! protesta-t-il. C'est vous, la prétendue sage-femme de Toulouse ?

— Tout à fait, docteur. Là-bas, la priorité est donnée à l'asepsie. Les ravages de la fièvre puerpérale sont encore beaucoup trop importants.

Il fit la moue, mais obtempéra. Angélina venait peut-être de sauver la vie d'Eulalie Sutra, épouse Fabre. Mais elle ne lui évita pas de reprendre conscience sous le choc d'une douleur aiguë, car le docteur Faure n'était pas un couturier très délicat.

Jeanne Sutra, survoltée et en sueur, posa l'enfant sur le lit voisin. Elle s'empressa de faire chauffer de la soupe et de tirer du vin au tonneau.

— Faut la requinquer, ma petite, dit-elle à Angélina. Le sang, ça se refait vite, à son âge, si on lui donne à boire et à manger.

— J'ai ben mérité un petit verre, moi itou, ricana la matrone en levant son crochet rouillé.

Prosper eut la bonne idée de la mettre dehors, ce qui soulagea Angélina. Ce genre de personnage la désespérait. « Il en faudrait, des écoles de sages-femmes, dans chaque petite ville, et surtout ici, dans les vallées de

490

montagne, se disait-elle en tenant doucement la main d'Eulalie. Dieu merci, je n'ai pas eu à utiliser sa saleté d'outil ! »

Lorsque le médecin eut terminé sa besogne, le bébé était mort après une convulsion dont l'unique témoin avait été le père, terrifié par l'aspect monstrueux de son troisième rejeton.

— Boudiou ! ronchonna-t-il. On aurait dû ramener le curé, aussi. Voilà que le petiot s'est éteint sans l'extrême-onction.

— Eh bien, vas-y quand même, Prosper, gronda Jeanne. L'enfant sera enterré au cimetière, avec une croix, son nom et sa date de naissance. Appelons-le Pierre. C'est beau, Pierre…

Angélina n'osait pas abandonner la famille en plein désarroi. Elle accepta un amer café réchauffé et se consacra à consoler Eulalie, qui sanglotait sans bruit.

— Moi qui voulais une belle pitchoune ! Le bon Dieu m'a donné un garçon qui n'a pas vécu une heure et qui avait une grosse tête. Dites, mademoiselle Loubet, ça va se réparer, ce que j'ai en bas ?

— Ce sera long et délicat, Eulalie. Il faudra bien vous laver et ne faire aucun effort.

Le docteur Faure s'attardait devant le cadavre du bébé. Il se gratta le menton, hocha la tête et s'approcha d'Angélina.

— Vous aviez deviné, mademoiselle, ce cas d'hydro-céphalie ? Et par un simple toucher du col ?

— Oui, à la palpation, j'ai perçu un crâne très volu-mineux, répondit-elle.

— Et sans juger utile de consulter le curé, vous étiez prête à sacrifier l'enfant ?

— Avec l'accord de madame Sutra, oui, répondit-elle, agacée. On peut sans doute envisager des progrès au cours des années à venir, mais, au regard de la médecine actuelle, un bébé atteint de cette anomalie n'est pas viable au-delà de quelques jours, voire de quelques heures, ce qui s'est produit.

— Quelle impudence ! s'exclama le praticien. Le propre de la jeunesse ! Ah ! La science détrônera bientôt Dieu et ses saints...

— La science sauvera surtout de plus en plus de gens, docteur, rétorqua Angélina. Dieu n'a jamais guéri la phtisie ni le choléra.

Elle le toisait, superbe dans la clarté tamisée de la lampe à pétrole, auréolée de sa chevelure rousse, avec ses prunelles violettes étincelantes de détermination. Augustin Loubet, dans un instant pareil, l'aurait sans aucun doute traitée encore une fois de graine d'hérétique, persuadé que sa fille avait hérité de l'esprit rebelle de ses lointains ancêtres cathares.

— Je rentre à l'auberge, annonça-t-elle en voyant le curé et Prosper sur le pas de la porte. Bonne nuit à tous. Je reviendrai après-demain, Eulalie, prendre de vos nouvelles.

Angélina salua et sortit de la maison avec un réel soulagement. Il faisait frais dans la rue, à cause du lavoir tout proche, alimenté par un petit ruisseau.

« Ai-je vraiment servi à quelque chose ? s'interrogea-t-elle. Peut-être. Eulalie s'affolait, elle souffrait trop et j'ai pu exiger la venue du médecin. Un drôle de personnage, ce docteur Faure... »

Le clocher de l'église sonna deux coups. Cela stupéfia Angélina qui n'avait pas pris garde au temps écoulé.

Elle croyait qu'il était à peine minuit, mais, en regardant à l'est, du côté du massif des Trois Seigneurs, elle devina une vague lueur rose. Le soleil se lèverait bientôt, après la nuit la plus courte de l'année[1].

Songeuse et très lasse, elle s'engagea dans la longue rue du Prat Bésial. Bordée de maisons souvent à deux étages, l'artère traversait tout le village et s'achevait derrière l'église, pareille à un cours d'eau dont les affluents auraient été un réseau de ruelles étroites. L'ombre et le silence régnaient là, même si au loin résonnaient encore des chants et la musique des accordéons. « Il y en a qui vont danser jusqu'à l'aube, pensa Angélina. Et d'autres rentrent chez eux, un peu éméchés. »

Deux fois déjà, elle avait entendu des bruits de pas, ce qui n'était guère surprenant dans ce gros bourg peuplé d'au moins cinq cents âmes. De plus, l'accouchement d'Eulalie lui laissait un goût amer. « La pauvre, se disait-elle. Elle est si jeune ! Je crains qu'elle ne soit handicapée par une déchirure aussi grave. Je devrais remercier Dieu ou la providence d'avoir eu un bébé normal, surtout dans les conditions où je l'ai mis au monde. »

Elle eut presque des sueurs froides en imaginant une issue fatale à la naissance clandestine de son petit Henri. Les battements de son cœur s'accélérèrent, d'autant plus qu'elle crut percevoir une respiration haletante, quelque part dans l'obscurité. Elle s'arrêta, inquiète. Sur sa droite s'ouvrait un passage étroit, d'où semblait venir ce souffle régulier.

— Qui est là ? demanda-t-elle tout en se jugeant ridicule.

---

1. À l'époque, les gens vivaient à l'heure solaire ; à cette date, le jour se levait donc vers 2 h 30.

Un frisson lui parcourut le dos, car elle se revoyait dans le parc de l'hôtel-Dieu, au moment où Luigi l'avait saisie par les épaules. La peur revenait, toute-puissante. Quel meilleur moyen existait-il, afin de posséder une femme à jamais, que de la tuer, après l'avoir violée ou avant de commettre cet acte odieux ? La vision du corps livide de Lucienne sur une civière la hantait, ainsi que le son mélodieux du violon. « Je dois courir, se dit-elle, cédant à l'affolement. Je peux atteindre l'auberge avant d'être attaquée, si je cours le plus vite possible. Mais non, je suis folle, personne ne me veut du mal… »

Les jambes tremblantes, elle regarda encore autour d'elle. Cette fois, elle devina une silhouette, non pas dans la ruelle, mais de l'autre côté, dans un recoin de porte. « Mon Dieu, pitié ! » implora-t-elle en silence.

Folle de terreur, elle s'élança dans la direction de l'église. Un grognement bestial fit écho à sa fuite, suivi d'un cri sourd. Angélina eut l'impression que deux monstres sanguinaires s'entretuaient dans son dos. Elle ne voulait pas chercher à comprendre ce qui se passait, seulement rester en vie, retrouver son fils. Mais on la poursuivait.

— Non ! hurla-t-elle. Non !

Un aboiement grave répondit à son appel désespéré, tandis qu'une masse blanche la dépassait, souple et rapide. Elle s'écroula sur les genoux, stoppée dans sa course.

— Sauveur ? gémit-elle. Oh ! mon chien !

Le pastour se mit à japper comme un chiot, la gueule ouverte. Il lui lécha le visage. Angélina noua ses bras autour du cou de l'animal, incrédule, encore sous le choc de la frayeur qu'elle avait éprouvée.

— C'était toi ? balbutia-t-elle. Sauveur…

Elle se cramponnait à lui sans parvenir à se rassurer tout à fait, certaine qu'il y avait une autre présence dans la rue du Prat Bésial quelques instants auparavant.

— Viens, Sauveur, dit-elle en se relevant. Viens, mon chien. Tu es là, tu as senti que j'étais de retour.

Le pastour marcha à ses côtés jusqu'à l'auberge. Angélina garda une main posée sur sa grosse tête poilue. Par chance, le patron veillait dans la salle, occupé à rincer des verres. Il l'accueillit peu aimablement.

— En voilà, des manières, de rentrer aussi tard, mademoiselle ! Je vous attendais pour monter me coucher et fermer la porte… Dites, ce cabot, il ne fiche pas les pattes dans la chambre.

— Je vous en prie, monsieur. Je vous paierai le double du prix ; ce n'est que pour cette nuit. J'ai dû assister Eulalie, la fille de Jeanne Sutra, qui accouchait. Et mon pastour ne fera aucun dégât.

— Votre pastour ? Ce serait pas celui de Jean Bonzom ?

— Non, je l'ai confié à mon oncle, pas donné. Je suis épuisée. Soyez gentil, je préfère que ce chien reste près de moi.

— Si vous payez le double, c'est d'accord, soupira l'homme.

Angélina eut la force de sourire. Elle monta l'escalier et entra sur la pointe des pieds dans la chambre où couchaient Octavie et Henri, Gersande de Besnac ayant tenu à dormir seule.

— C'est toi, petite ? interrogea la domestique, qui avait le sommeil léger. As-tu fait des miracles ?

— Non, hélas ! Je te raconterai demain. Sauveur est là. Henri sera content de le voir en se réveillant. J'ai mis le verrou. Bonne nuit, Octavie.

— Repose-toi bien, petite.

Le chien se coucha sur la carpette. Angélina s'endormit, apaisée, baignée dans un profond sentiment de sécurité ; son ange gardien était revenu.

Vallon de la Ribérole, le lendemain

Angélina avait un peu oublié la magnificence des vallées de montagne aux premiers jours de l'été. Assise dans la charrette de son oncle, Henri sur les genoux, elle contemplait, émerveillée, cette symphonie de verdure qui les entourait, où les teintes des différentes essences d'arbres tenaient lieu de gamme. Quant aux oiseaux, en pleine effervescence amoureuse, ils jouaient les chœurs en cette matinée radieuse de juin.

S'il y avait une fausse note, c'était bien l'humeur chagrine de Jean Bonzom, dont la voix de baryton troublait la discrète mélodie de la nature en fête.

— C'est pas correct, ça, de refuser une invitation, disait-il. Votre demoiselle Gersande, elle pète plus haut que son cul, oui, à pas vouloir monter chez nous et y dormir. Sans doute qu'elle a peur d'attraper des poux ou des puces ! Tu as pourtant fait ce que tu pouvais, Angélina, pour la convaincre. Boudiou, y avait deux bourriques à Biert, de si bonne heure : ton aristocrate et mon mulet.

— Oh ! monsieur, ce n'est pas gentil, ça, protesta Octavie qui voyageait sur la banquette avant, à côté de lui. Mademoiselle craignait le trajet et elle souffrait d'une migraine. Elle jugeait préférable de garder la chambre, à l'auberge.

— Ouais ! maugréa-t-il. Vous m'enlèverez pas de l'idée qu'on est pas assez bien pour cette dame, Ursule et moi.

— Mon oncle, tu te vexes pour bien peu, fit remarquer Angélina. Mademoiselle Gersande n'était pas à son aise, même hier soir. Que veux-tu, elle a ses habitudes à Saint-Lizier. Déjà, elle a fait l'effort de nous accompagner. Arrête donc de grogner ! Tu fais peur au petit.

— La bonne blague ! Y rigole tout le temps, ton filleul.

Angélina avait dû mentir à Jean Bonzom après s'être concertée avec la domestique et la vieille demoiselle dès leur lever.

— Comment faire ? avait-elle dit, très inquiète. Jeanne Sutra a revu Henri à la fête, hier, et elle croit qu'il est le petit-fils d'Octavie. Mon oncle est amené à la croiser assez souvent. Nous ne pouvons donc pas présenter mon pitchoun comme le neveu d'Octavie, ce que nous avons raconté dans la cité. Que dire à mon oncle ?

— Un nouveau mensonge, tant pis ! s'était récriée Octavie.

— C'est inutile. Le plus simple est de rester discrètes, avait déclaré Gersande de Besnac. Toi, Angélina, tu annonces que tu es devenue la marraine d'Henri, ce bébé qui était placé en nourrice à Biert il y a plus d'un an. Cela suffira. Tu as bien le droit de garder ton filleul pendant deux jours. S'il le faut, nous arrangerons une histoire valable pour tout le monde.

Les trois femmes étaient tombées d'accord sur cette solution, mais Angélina demeurait soucieuse. « Si papa et oncle Jean ont le malheur de parler ensemble d'Henri, il y aura un gros souci, songeait-elle, bercée par le grincement des roues de la charrette. Et cela risque de se produire très vite. » Le cordonnier avait prévu épouser

Germaine Marty à la fin du mois de juillet et il comptait inviter Jean Bonzom et sa femme à la cérémonie.

Angélina retint un soupir d'exaspération. Elle déplorait cette situation, qui l'obligerait à tricher durant des années. Mais Henri poussa un petit cri de joie en tendant la main vers le ciel. Un volatile de grande taille, noir à tête rouge, venait de s'envoler d'une branche.

— C'est un coq de bruyère, pitchoun, dit-elle à l'enfant. Regarde, il n'est pas très habile à voler.

— Mais très bon cuit à la cocotte, renchérit l'oncle Jean. Dites, mesdames, vous n'êtes pas bavardes ; faudrait aiguiser vos langues, on n'est pas encore arrivés.

Octavie eut un léger rire gêné. Elle était partagée entre le plaisir de l'expédition et une crainte viscérale de l'abîme vertigineux qui s'ouvrait sur leur gauche. La route empierrée serpentait entre ce gouffre hérissé de hêtres immenses et une pente abrupte, en surplomb, elle aussi envahie par une forêt de géants. D'un côté, on ne distinguait pas la souche des arbres qui avaient pris racine au fond du ravin et dont la cime dominait encore ce chemin perdu à flanc de montagne.

— Je ne suis pas très rassurée, monsieur. Je n'ose pas trop faire la causette.

— C'est là votre tort, madame, rétorqua Jean Bonzom. Parler de la pluie ou du beau temps, ça vous empêcherait d'avoir peur. Et peur de quoi, à la fin ? Le mulet connaît la route et il a le pied sûr. Il n'y a pas de danger. N'est-ce pas, Angélina ?

— Oui, il n'y a aucun risque, Octavie. Profite plutôt du paysage. Je ne suis pas venue ici depuis quatre ans, je crois. En automne, la forêt est toute rousse. Le sol est jonché de feuilles mortes de la couleur de mes cheveux, disait ma mère. La dernière fois où je suis montée à Encenou, tu te souviens, mon oncle, c'était avec maman.

— Je m'en souviens. Je n'ai pas revu Adrienne vivante après cette visite-là. Faut dire que je ne fiche jamais les pieds en ville. Et ta mère, avec son métier, elle n'avait pas l'occasion de se promener. On se voyait peu, mais on s'aimait beaucoup.

Octavie observa le profil de Jean Bonzom qui hochait la tête, l'air triste. Cet homme-là l'impressionnait. Il était grand, fort, et paraissait plus jeune que son âge. Depuis qu'il avait franchi la porte de l'auberge, au petit matin, elle éprouvait une fascination qui la troublait. « Mon Dieu, Angélina tient de lui, pensa-t-elle. Ils ont le même genre de visage, fin et plaisant. Mais il a les cheveux plus clairs que la petite, même s'il est roux lui aussi. Un beau et rude montagnard, voilà ce qui me vient à l'esprit. »

Bizarrement émue, elle se concentra sur la croupe du mulet qui ondulait au rythme de son allure régulière. L'animal agitait souvent les oreilles pour se débarrasser des mouches.

— Sauveur a disparu annonça Angélina. Il nous a suivis au départ du village, ensuite il a filé.

— Pardi, ton chien sera avant nous autres à Encenou. Il a dû prendre par les bois. Pas moyen de le tenir enfermé ou attaché, ton pastour.

— Eh bien, tant mieux. Quand je suis partie de chez Jeanne Sutra, il faisait encore très sombre. Les gens devaient rentrer du feu de la Saint-Jean. J'entendais des bruits derrière moi, un peu partout dans les ruelles, et j'ai pris peur. Heureusement, Sauveur m'a retrouvée.

Tout de suite, je me suis sentie en sécurité. Mais il a dû se battre avec un autre chien, ou un chat.

— Tu n'avais pas à prendre peur, ma nièce. Il n'y a pas de bandits dans la vallée. Bah, parfois, des jeunes gars de Massat viennent jouer du couteau avec ceux de Biert. Au pire, ils se blessent et, dès que le sang pisse, ils appellent leur mère.

Jean Bonzom éclata de rire, satisfait de sa petite tirade, mais Octavie fit grise mine, outrée de sa vulgarité. Peu après, trois chevreuils coupèrent la piste ombragée. Ils disparurent en quelques bonds gracieux, comme engloutis par l'abîme. Angélina constata à regret que son fils ne les avait pas vus.

— Quel dommage ! Henri jouait avec la lanière de mon sac.

— Il verra mes brebis et mes agneaux. J'ai aussi des lapins et des poules.

— Tu as entendu ça, pitchoun ? questionna la jeune mère en embrassant Henri sur le front.

— Dis, ma nièce, ce gamin, tu le bichonnes trop. On dirait que tu l'as mis au monde.

— J'aime les enfants, oncle Jean. J'espère en avoir un jour…

Octavie décida d'orienter la conversation sur un autre sujet. Elle désigna du doigt des maisons qu'on devinait à peine, dans le fouillis des arbres.

— Est-ce là-haut, Encenou, monsieur ? demanda-t-elle.

— Oh non, madame Octavie. Ce que vous me montrez, là-bas, c'est le hameau du Ramé, à peine construit. Les ardoises brillent tant qu'on dirait des sous neufs. Encenou, on y sera dans une heure environ.

— Encore une heure ? Et cette route n'arrête pas de monter ?

— Eh oui, ça vous paraît long, en charrette. Je l'ai prise pour vous épargner la marche. On va bien plus vite sur deux solides jambes, en coupant par la forêt.

— Des jambes comme les tiennes, mon oncle, dit Angélina en ricanant. Vante-toi, va !

— Ici, dans nos vallées, on grimpe où on veut et sans se plaindre jusqu'à quatre-vingts ans ou plus. Ah ! ma petite Angélina, je suis flatté que tu deviennes une costosida, mais tu n'es pas faite pour la ville, toi. Quand tu étais fillette, je t'emmenais au plateau des sorcières et je devais courir derrière toi. Tu étais plus leste qu'une chèvre.

— Le plateau des sorcières ? répéta Octavie. En voilà, un drôle de nom !

— Ce n'est qu'une grande prairie proche d'une crête, Octavie, précisa Angélina. Les gens ont imaginé que les sorcières se réunissaient là-haut pour leur sabbat. N'est-ce pas, mon oncle ?

— Ils n'ont rien imaginé du tout. Demande à monsieur le curé, il te dira que ceux de Campettes, qui habitent près du plateau, ils sont sorciers de père en fils.

Sur ces mots, il se mit à siffloter en riant sous cape. Octavie se signa discrètement, lançant des regards inquiets vers les pans de montagne qui les cernaient, plantés de hêtres, de chênes, d'érables et de châtaigniers. Le paysage lui parut soudain d'une sauvagerie primitive et austère, presque menaçant.

— Si tu chantais, petite ! suggéra-t-elle à Angélina. Ce serait plus gai.

— D'accord… Tu chantes avec moi, mon oncle ?

Elle fredonna à mi-voix, et Jean Bonzom l'accompagna aussitôt d'un timbre sonore, avec son accent rocailleux qui conféra à la balade un charme particulier.

Ariège, Ariège, ô mon pays,
Ô terre tant aimée,
Mère tant adorée,
De près, de loin, toujours,
Ton nom me réjouit,
Ariège, ô mon pays...
J'aime d'amour tes montagnes superbes
Dotées l'hiver d'un blanc habillement,
Mais en été parmi les hautes herbes
Les agnelets folâtrent en bondissant.
Ariège, Ariège, ô mon pays,
Ton nom me réjouit,
Ariège ô mon pays[1].

Le petit Henri les écouta bouche bée. Quand ils se turent, l'enfant frappa dans ses mains. Octavie l'imita, bouleversée par la beauté de la chanson. Elle ne songea plus du tout aux sorcières et s'accoutuma à cet interminable chemin bordé de ravines et de torrents. Une heure plus tard, après bien des bavardages et d'autres chansons, ils arrivaient à Encenou.

Biert, auberge du Tilleul, même jour
Gersande de Besnac était allongée sur son lit, dans l'espoir de lire jusqu'au repas de midi. Vêtue d'une

1. Chanson très populaire en Ariège, écrite par l'abbé Sabas Maury (1863-1923).

robe en mousseline bleue, ses pieds menus chaussés d'escarpins en cuir fin, elle posa brusquement l'ouvrage qu'elle avait commencé, *Une page d'amour*, du romancier Émile Zola.

— Décidément, quel écrivain de talent ! murmurat-elle. Mais, aujourd'hui, tout va de travers et je ne parviens pas à suivre le fil de l'histoire.

Au fond, elle se reprochait d'avoir refusé de monter chez l'oncle d'Angélina. À son réveil, l'excursion ne la tentait plus. Elle n'avait pas menti, un début de migraine la fatiguait, ainsi que la chaleur. « Tant pis, ce sera pour une autre fois, en automne, pensa-t-elle. Ce Jean Bonzom m'a déplu… Enfin, ses manières, son arrogance… »

L'antipathie avait été réciproque et immédiate. Dès qu'elle avait vu ce grand gaillard d'une cinquantaine d'années au regard perçant et inquisiteur, coiffé d'un béret noir sur des boucles couleur carotte, Gersande s'était jugée incapable de passer une journée entière en sa compagnie, ainsi qu'une nuit dans une maison d'un hameau de montagne. Déjà, le confort tout relatif de l'auberge la dépitait ; elle préférait ne pas découvrir le mode de vie de la famille Bonzom.

« J'espère qu'Angélina ne m'en voudra pas trop, songea-t-elle encore. Quant à Octavie, elle semblait soulagée que je reste ici. »

Agacée par ces tergiversations, inutiles à présent, elle se leva et alla tirer les rideaux pour tamiser la clarté éblouissante du soleil. Cela ne suffisant pas à son goût, elle décida d'accrocher les volets. Au même instant, l'écho d'une galopade l'intrigua. Trois cavaliers en uniforme arrivaient sur la place.

— Tiens, des gendarmes ! Qu'est-ce qui se passe ?

Elle les vit descendre de cheval. Celui qui arborait le plus de galons pénétra dans la salle de l'auberge. Logée au premier étage, Gersande perçut des exclamations et des cris. De plus en plus curieuse, elle prit son éventail et quitta sa chambre. Au milieu de l'escalier, des sanglots lui parvinrent. C'était la patronne qui pleurait bruyamment.

— Mon Dieu ! Pauvre femme ! soupira-t-elle tout bas. On lui aura annoncé une mauvaise nouvelle.

Immobile sur le palier, elle n'osait pas descendre. Les paroles du brigadier, doté d'une voix puissante et grave, la glacèrent.

— Eh oui, son père l'a retrouvée au bord de la rivière, sur le chemin des diligences, disait-il. Les jambes dans l'eau, le reste du corps sur les galets.

— Si c'est pas malheureux, grogna le patron. Le gars qui l'a tuée, faudrait lui trancher le cou, et sans procès. Pourtant, brigadier, je peux vous l'assurer, quand elle finissait tard, Marthe, je lui proposais de dormir ici. Mais non, il n'y avait rien à faire, fallait qu'elle rentre à Massat.

Gersande n'y tint plus et s'aventura jusqu'au rez-de-chaussée. Elle refusait d'admettre ce qu'elle venait de comprendre. En la voyant, la patronne leva les bras au ciel. Deux clients accoudés au zinc hochaient la tête avec une régularité de métronome, l'air hébété.

— C'est la première fois qu'il arrive une chose comme ça dans la vallée, déclara l'un en patois.

— Mais non, y a soixante ans, paraît qu'une fille avait subi des outrages au hameau de Liers, ajouta l'autre en français.

— Madame, il s'agit de votre serveuse ? hasarda Gersande. Cette pauvre petite est morte ?

— Eh oui, Seigneur Dieu ! se lamenta la femme.

Des villageois entraient à leur tour, alertés par la présence de la gendarmerie. Chacun voulait savoir ce qui s'était passé, et les questions fusaient.

— Du calme, messieurs, ordonna le brigadier. Un crime a été commis durant la nuit. Il s'agit de Marthe Piquard, que vous connaissez tous. Assassinée, mutilée et violée. L'enquête sera longue et difficile, car, à Massat et à Biert, on fêtait la Saint-Jean. Et dans les autres villages aussi.

Gersande ferma les yeux, accablée. Elle se représentait très bien ce que voulait dire le gendarme : des feux de joie allumés d'un bout à l'autre de la vallée, des hommes ivres et, parmi la foule des gens du pays, peut-être des étrangers de passage. Le coupable devait être loin. Autour d'elle, les discussions allaient bon train, pareilles au bourdonnement d'un essaim d'abeilles en folie.

« Pourquoi ? Mais pourquoi ? s'interrogeait-elle. Lucienne à Toulouse et, maintenant, cette aimable petite serveuse ! »

Dans la salle, l'agitation était à son comble. Les esprits s'échauffaient. On réclamait une chasse à l'homme. L'heure était aux soupçons, à la calomnie, aussi. Des noms jetés en pâture à la vindicte générale résonnaient de-ci de-là, histoire de régler un ancien conflit à propos d'une parcelle de terrain ou d'un hectare de bois prêtant à querelle. Gersande décida de regagner sa chambre à l'étage, afin d'échapper à la cohue.

« Une chose est sûre, le coupable ne peut pas être ce saltimbanque dont m'a parlé Angélina, puisqu'il se serait enfui à Bordeaux, pensait-elle en montant l'escalier. Hélas ! les meurtres sur de jeunes et jolies filles ne sont pas rares. Depuis que l'humanité existe, certains mâles ont besoin d'assouvir leur odieux penchant par la force et en achevant leur proie. »

La pièce plongée dans la pénombre était fraîche et accueillante. Gersande marcha jusqu'à la fenêtre et jeta un coup d'œil sur la place de l'église, envahie par les villageois et villageoises qui palabraient, quand ils n'interrogeaient pas les deux gendarmes en faction près des chevaux. Elle vit alors un jeune homme dont les traits la troublèrent. Il était habillé à la façon des gens du pays, d'un pantalon noir et d'une ample chemise rayée. Il avait les cheveux courts, mais bouclés, et le teint hâlé des paysans. C'était quelqu'un d'assez séduisant, comme bien des individus d'une trentaine d'années. Il montrait un visage régulier, dépourvu de tares ou de cicatrices. Enfin, il s'éloigna après avoir croisé les bras sur sa poitrine, la tête un peu inclinée du côté droit.

« J'ai l'impression de l'avoir déjà vu quelque part, se dit Gersande. Mais non, je dois confondre. Pourtant, il a une allure particulière et ce cou massif, ces épaules… On dirait un peu, à cause de sa stature, de son front aussi, ses sourcils… On dirait… Oh oui, je sais, il me fait penser à William. Que je suis sotte ! J'en ai le cœur qui s'affole, même après tant d'années. Je me souviens si bien de lui, mon seul amour, mon seul amant. Mort la joue sur mon sein, le sein gauche… »

Ramenée brusquement à cet instant crucial de son passé, elle ferma les yeux, une main sur sa poitrine menue.

— Willy, je t'appelais Willy quand nous étions couchés l'un près de l'autre dans le chariot, au milieu d'un fouillis de costumes et de perruques ; un vrai bazar.

Notre bazar. Tu riais, parce que nous nous enfoncions dans la paillasse à chaque mouvement.

La vieille demoiselle avait balbutié ces mots à voix basse, la respiration altérée par l'émotion. Revenue au temps présent, elle entrouvrit les paupières pour observer à nouveau l'homme qui avait su réveiller ce précieux souvenir. Elle eut beau scruter la place et l'assemblée des badauds, il avait disparu.

Une chape de chagrin et de solitude pesa sur ses épaules. Elle pleura sans bruit sur le sort tragique de la jeune serveuse, mais aussi sur ses erreurs de jadis, qui lui valaient bien des remords et des nuits d'insomnie.

— Je n'ai été toute ma vie que vanité et égoïsme, sanglota-t-elle en s'allongeant de nouveau sur le lit. Mon Dieu, je n'ai pu me confesser qu'à vous[1] et ce sera à vous de me juger à mon heure dernière. Et c'est mieux ainsi. Sur cette terre, personne ne me pardonnerait ce que j'ai fait, ni ma fidèle Octavie ni ma chère Angélina, encore moins mon enfant perdu, mon enfant que j'ai osé sacrifier.

Elle se mit à prier avec une ferveur nouvelle, implorant le pardon de ses fautes, dont la plus grave. Gersande avait menti à sa domestique, dès le soir où elle l'avait engagée comme chambrière, et à Angélina également. Comment aurait-elle pu avouer à quiconque l'odieux chantage auquel elle avait cédé trente ans auparavant ?

« Je traîne cette fable depuis trop longtemps et, parfois, j'y crois, songea-t-elle. J'ai l'impression d'avoir vécu ce que je raconte et cela me torture autant que si

---

1. Dans la religion protestante, les croyants se confessent directement à Dieu.

c'était la vérité. Une poignante histoire où j'ai le rôle de la martyre. Mais tout est faux, mon Dieu, et vous le savez. Je n'ai pas confié mon fils de deux semaines à des religieuses, non, non, et jamais mes parents ne m'ont proposé de l'adopter, de l'élever sous le toit de notre domaine. J'ai gardé mon petit un an en travaillant comme servante et, à bout de courage, j'ai écrit à ma mère pour la supplier de nous accueillir. La réponse a été à la hauteur de la dureté de mes parents, de leur intransigeance. Moi, Gersande de Besnac, je pouvais rentrer au bercail et y expier ma faute, mais ils n'accepteraient jamais mon bâtard. Et cet innocent, ce bel enfant qui dormait la nuit contre moi, je l'ai sacrifié à ma soif aveugle de sécurité, de richesse, de confort, après avoir été une mendiante, une épave. Et je n'ai pas changé... Je ne supporte plus la misère ni la crasse, je veux toujours de jolies choses, des tissus de prix, des objets de choix. Pour hériter de la fortune familiale, j'ai abandonné le seul vrai trésor que j'aie possédé, mon Joseph. Dieu, pitié, je n'en peux plus. Je ne mérite que la mort. Rendez donc la vie à la jeune serveuse et emportez-moi à sa place... »

Livide et le front constellé de gouttes de sueur, la vieille dame suffoquait, cédant à un désespoir incommensurable.

— J'ai abandonné mon fils, dit-elle, laissant ses pensées franchir ses lèvres. Et quand, après le décès de mes parents, j'ai voulu le retrouver, parce que j'étais enfin libre et riche, j'ai appris qu'il s'était enfui du monastère où il avait grandi. Je ne le reverrai jamais et, lui, il doit haïr cette mère qui l'a rejeté dans les ténèbres. Oh ! mon Dieu !

Affamée et assoiffée, Gersande se crut à l'agonie, tant elle était faible. Mais on frappa à sa porte.

— Madame, qu'avez-vous ? cria la patronne de l'auberge. Je vous entends parler d'en bas. Ouvrez donc. Je vous ai monté un repas froid et de l'eau fraîche, vu qu'il est plus de midi.

La vieille demoiselle reprit ses esprits. Elle se leva avec peine et tourna la clef.

— Je me suis dit que la nouvelle, rapport à la pauvre Marthe, vous avait rendue malade. Moi, j'en ai la colique. Tenez, il y a des œufs durs, de la salade du jardin, du rôti de porc, et un peu de vin, quand même…

La vie continuait. La vue de ce plateau bien garni donna un regain d'énergie et de courage à Gersande.

— Merci beaucoup ! Vous avez raison, j'ai eu une terrible crise de nerfs. Il me fallait un remontant. Quelle affreuse journée, n'est-ce pas !

— Vous pouvez le dire, madame. Mon mari et moi, on n'en a pas connu de pire. C'est la panique dans tout le village. Pensez un peu ! L'assassin court toujours.

15

Jean Bonzom

Hameau d'Encenou, même jour

Debout sur le seuil de sa maison, Ursule Bonzom guettait l'arrivée de la charrette. C'était une petite femme très mince, âgée de quarante-deux ans. Elle avait croisé un large foulard blanc sur sa robe de cotonnade d'un brun-gris. Ses cheveux châtains étaient tirés en chignon bas sur la nuque. Depuis le départ de son mari à l'aube, elle avait balayé, astiqué ses casseroles et passé un chiffon sur le manteau de la cheminée.

Elle était très impressionnée de recevoir la visite de mademoiselle Gersande de Besnac, sa domestique et Angélina qui avait dû bien changer. Anxieuse, elle vérifia la terrasse couverte d'une herbe tendre afin de s'assurer que les poules ne l'avaient pas trop souillée.

— Tu es arrivé le premier, toi, dit-elle à Sauveur, étalé de tout son long sur une large pierre plate, à l'ombre.

Le chien haletait, les yeux mi-clos. Soudain, il bondit sur ses pattes et partit en aboyant.

— Les voilà sûrement, dit tout bas Ursule.

Elle se composa une attitude humble, mais souriante, les mains jointes sur son ventre, la tête un peu baissée.

Ce fut ainsi qu'elle aperçut la charrette qui approchait, tirée par le mulet qui avait bien transpiré.

— Ma tante ! criait une voix fraîche et familière. Tante Ursule !

Angélina sauta de son siège sans attendre l'arrêt complet du véhicule. Elle avait confié Henri à Octavie quelques minutes plus tôt pour pouvoir courir embrasser Ursule le plus vite possible. La femme regarda avec stupeur la radieuse jeune fille qui se ruait vers la maison, habillée très simplement d'une jupe en toile bleue et d'un corsage blanc. Deux nattes d'un roux sombre dansaient sur ses épaules. Et ce fut comme si le temps s'était aboli, qu'une joyeuse enfant, la petite Angélina d'autrefois, déboulait dans le hameau, avide de liberté.

— Toujours aussi jolie, ma tante ! Je suis si contente de te revoir ! Allez, on s'embrasse.

Ursule reçut sur les joues des baisers légers et elle ne put que rire de bonheur et de soulagement. Jean Bonzom héla son épouse tout en aidant Octavie à descendre de la banquette.

— Ne te fais pas de mouron, Ursule, l'aristocrate est restée au village. Elle avait peur de se salir, sûrement ! Boudiou, on sera aussi ben sans cette dame.

— Viens que je te présente mon amie Octavie et mon filleul Henri de Besnac, dit Angélina en prenant le bras de sa tante.

La domestique salua gentiment Ursule Bonzom en notant qu'elle avait un beau regard vert et or, ainsi que des traits délicats.

— Bonjour, madame, lui dit-elle. Dites, je croyais qu'on n'en viendrait pas à bout de cette route. Et ça monte, ça monte, et ça tourne ! Je suis bien aise d'être arrivée. Vous ne devez pas voir beaucoup de monde, par ici ?

— J'ai de bons voisins, répondit Ursule en s'appliquant, car elle parlait mieux le patois que le français. Oh ! Quel beau pitchoun !

Ursule fixait l'enfant avec une sorte d'avidité qui brisa le cœur d'Angélina. La nature avait refusé à cette femme la joie d'être mère, et tous les bons conseils d'Adrienne Loubet s'étaient avérés inefficaces.

— Prends-le donc, ma tante ! s'exclama-t-elle. Henri n'est pas farouche, il a même très bon caractère.

Le petit garçon se retrouva dans les bras d'une parfaite étrangère. Il lui toucha le bout du nez, puis l'oreille gauche, avant de rire aux éclats.

— Je lui ai promis qu'il verrait des poules, des canards et des moutons ! dit Angélina. Il est impatient.

— Tu crois qu'il comprend ce que vous lui dites, si petit ? ironisa Jean Bonzom.

— Oui, il comprend et cela lui apprend les mots. Ne joue pas les ronchons, mon oncle. Rentre plutôt ton pauvre mulet dans l'étable, il est assailli par les mouches et les taons. Il faut aussi le sécher avec de la paille.

— *Cada bestio qu'a soun séns*[1], répliqua-t-il. Faraud se roulera dans sa litière s'il en ressent le besoin. Serais-tu venue chez moi me donner des ordres ? Tu l'entends, Ursule ?

— Eh oui, et je suis bien heureuse, répondit sa femme. Angélina, si on montrait les moutons au pitchounet maintenant ?

1. Chaque bête a sa propre intelligence : proverbe du pays biertois.

Octavie se sentait un peu délaissée. Aussi, elle se hasarda sur la terrasse, délimitée par une rambarde en planches. La vue lui coupa le souffle. Entre deux pans de montagne boisés et teintés d'un vert intense, une ligne de sommets encore blancs de neige se dessinait sur l'azur limpide. Des buses tournoyaient au-dessus de la cime des arbres avec des cris suraigus. « Celui qui a la forme d'un chapeau, au milieu, c'est le mont Valier, se dit-elle. Hélas ! on ne le voit pas de Saint-Lizier. »

Elle avisa un banc rudimentaire, composé de plaques de schiste empilées. Elle s'assit là et admira le paysage. Jean Bonzom ne tarda pas à la rejoindre. Il prit place à ses côtés et, de ses larges mains calleuses, se roula une cigarette.

— Je ne pourrais pas vivre ailleurs, déclara-t-il. Sentez-moi l'air, comme il est vif ! Il est aussi pur que l'eau des sources. Là-bas, derrière ces crêtes, commence la terre d'Espagne. Il suffirait de voler pendant une heure pour franchir la frontière. Bah, les frontières, elles n'existent qu'en pointillé sur les cartes… Les montagnes s'en fichent bien. Moi qui suis bon marcheur, je peux changer de pays en moins d'une nuit.

Satisfait de ses propres paroles, il eut un grand rire viril. Gênée d'être seule avec cet homme, Octavie ne sut que dire.

— Venez voir mon troupeau, proposa-t-il. J'entends le petiot crier de surprise.

— Eh bien, d'accord ! Je vous suis.

Ils longèrent un passage entre la maison et un bâtiment d'où se dégageait une odeur de fumier. Le sol était encore humide du dernier orage, mais pavé et propre. Au-delà s'étendait une prairie en pente, parsemée de fleurs sauvages. Des brebis déambulaient, ainsi que des agneaux aussi ravissants que des jouets en peluche.

— Coucou, Octavie, appela Angélina qui marchait le long de la clôture, Henri à son cou. Notre pitchoun a vu des lapins, mais je dois le tenir, il veut attraper une poule noire.

Elle souriait, enthousiaste et très gaie. Ursule était à ses côtés, son doux visage tendu vers le garçonnet.

— Ah ! ma femme a bien du chagrin de ne pas avoir eu de petit à cajoler, confessa Jean Bonzom. Dès qu'elle voit un gosse, on dirait qu'elle est au paradis.

— C'est bien triste, oui.

— Et vous, madame Octavie, avez-vous des enfants ?

— Une fillette... Dans ma jeunesse. Elle est morte du choléra.

— Ah ! Désolé. Ici aussi, y en a eu, des morts. Ma pauvre mère a rendu l'âme en trois jours. Un fléau de Dieu, disait le curé. Plutôt un cadeau du diable...

Blessée par ces mots, Octavie se signa. Ils se turent, traversés par les visions d'horreur qu'ils avaient en commun, même si le lieu et l'identité des victimes différaient. Ursule et Angélina les rejoignirent.

— Si on cassait la croûte, proposa le montagnard. Mon épouse a mis les petits plats dans les grands. Il a fallu que je tue deux canards, hier. Attention, ce midi, c'est festin, mais, ce soir, ce sera notre ordinaire.

— Il y aura du millas, Angélina, ajouta Ursule d'un air timide.

— Oh ! ma tante, du millas, c'est trop gentil ! Je n'en ai pas mangé depuis si longtemps ! Est-ce que tu connais ça, Octavie ? Du flan fait avec de la farine de maïs, que l'on cuit ensuite à la poêle avec du sucre.

— Peut-être ! Le nom me dit quelque chose, mais je ne crois pas en avoir goûté. Mademoiselle Gersande n'aime que les plats raffinés…

Angélina et la domestique échangèrent un regard peiné. La défection de la vieille demoiselle les affectait un peu. Pourtant, elles ne l'imaginaient pas dans ce décor grandiose, dans ces solitudes superbes. L'oncle Jean haussa les épaules, moqueur.

— Venez, entrez, madame, dit Ursule à Octavie. Le couvert est déjà mis, et tout est prêt.

Ils pénétrèrent dans une pièce carrée de taille moyenne. Les murs étaient plâtrés, et le plancher était fait de très larges planches mal équarries. Angélina jeta un coup d'œil amical à ce cadre qui lui était cher, car lié à ses souvenirs d'enfance. Elle revit la modeste table construite par son oncle et le buffet imposant surmonté d'un vaisselier. Un maigre feu brûlait dans la grande cheminée qui semblait prendre toute la place. On pouvait y tenir debout, sous le manteau arrondi. Sur le mur voisin s'ouvrait une minuscule porte en fer qui laissait deviner une cavité en briques. Dans un angle se dressait un lit fermé d'un rideau.

— J'ai allumé le four à pain, hier, dit Ursule. En votre honneur.

Octavie faillit verser une larme, tant cet humble logement évoquait celui où elle avait vécu deux ans auprès de son époux, en Lozère. C'était la même austérité, propre à une existence humble, même pauvre. La maîtresse de maison avait cueilli un bouquet de marguerites, qui ornait le rebord de la fenêtre, ouverte sur les profondeurs du vallon.

Ils s'assirent autour de la table. Angélina garda Henri sur ses genoux, car il manquait un siège. Son oncle émit un juron et alla chercher un tabouret dans le cellier voisin.

— Installe le petit sur ma chaise ; tu lui donneras la becquée. Un coup de rouge, mesdames ?

Il leur servit du vin et leva son verre.

— Je bois à votre santé. C'est bien gentil de venir chez nous. Angélina, à tes amours !

Jean Bonzom prit un air malicieux. Angélina profita de l'occasion.

— Au fait, mon oncle, j'ai une grande nouvelle à vous annoncer. Je me marie l'an prochain, et avec un docteur, le docteur Philippe Coste.

— Boudiou ! Un docteur, toi, ma nièce ? *Foc del cel !* l'Augustin doit être fier comme un coq ! Tu ne blagues pas, au moins ?

— Non, je t'assure. Nous comptons nous fiancer cet été.

— Hum ! grogna-t-il. *Qu'ès cal malfisa dès qu'an éstudiat lé lati.*

— Il faut se méfier des gens instruits, traduisit Angélina devant la mine intriguée d'Octavie. Je connais le dicton, mon oncle, mais Philippe Coste est sérieux, très gentil, galant… Un peu plus âgé que moi. Disons que nous avons presque vingt ans d'écart. Je préfère ça.

— Je te félicite, Angélina ! s'écria Ursule, émue aux larmes. Tu ne manqueras de rien, au moins.

— Et cet homme, est-ce que tu l'aimes ? interrogea Jean. C'est bien beau de dégoter un docteur, riche sans doute, faut encore que tu l'aimes. Qu'il soit riche, sérieux et galant, on s'en fiche. Dans un mariage, l'amour, faut pas le négliger.

Ce petit discours troubla Angélina. Elle était consciente de ne pas éprouver pour Philippe les sentiments passionnés qu'elle avait eus à l'égard de Guilhem. Mais elle aspirait désormais à autre chose : de la tendresse partagée et la sécurité d'un foyer aisé.

— Oncle Jean, j'aime le docteur Coste, répondit-elle. Il ne pense qu'à mon bonheur. Sais-tu ce qu'il m'écrit dans sa dernière lettre ? Il voudrait ouvrir une clinique d'obstétrique à Saint-Gaudens ou à Foix. Nous pourrions travailler ensemble ; ce serait merveilleux.

— Merveilleux, merveilleux, tu as de ces mots ! Et ton pauvre père, tu l'abandonnes ?

Angélina eut un sourire amusé. Elle déclara aussitôt :

— Ne te tracasse pas pour lui, oncle Jean. Papa se remarie à la fin du mois de juillet ; les bans seront publiés bientôt. Et vous êtes invités. Nous mangerons tous à l'auberge, place de la fontaine. Il épouse Germaine Marty, une veuve de la cité.

Jean Bonzom resta d'abord bouche bée. Soudain, il frappa du poing sur la table, si fort que le petit Henri hurla de peur.

— Quoi ? Augustin se remarie ? Ça, je ne le lui pardonnerai jamais, Angélina ! Et tu lui diras que je foutrai pas les pieds à sa noce. Plutôt crever tout de suite ! Ma sœur ne mérite pas ça, boudiou. Une femme comme Adrienne, on l'oublie pas du jour au lendemain !

Furibond, il se leva et fit les cent pas autour de la table, le teint cramoisi, en lançant des imprécations en patois. Effrayé, Henri pleura de plus belle.

— Mais enfin, Jean, calme-toi ! protesta Ursule. Tu fais peur à ce pitchoun. Augustin a le droit de se remarier.

517

— Non, il n'a pas le droit, haleta son époux. Non et non ! À l'enterrement de ma sœur, combien de fois a-t-il répété qu'il lui serait fidèle jusqu'à sa propre mort ! Du vent, du boniment ! Deux ans et des poussières, il a tenu serment, et encore, peut-être bien qu'il couchait avec la veuve depuis un moment.

Ce fut au tour d'Angélina de se mettre en colère. Elle confia Henri à Octavie et bondit de sa chaise pour rejoindre son oncle, qui attisait le feu d'un geste rageur.

— Ne gâche pas cette journée, ordonna-t-elle. As-tu perdu l'esprit pour t'emporter ainsi ? J'étais si contente d'être là, avec vous ! Tu n'as pas à juger mon père. Toi, tu vis près d'Ursule, la meilleure épouse qu'on puisse avoir. Vous n'êtes jamais seuls ni l'un ni l'autre. Moi, je suis contente que papa puisse couler des jours tranquilles en compagnie d'une personne comme Germaine Marty, qui lui fera la cuisine, repassera son linge et, surtout, et ça, c'est le plus important, le consolera de cet affreux chagrin dont il ne guérit pas. Maman, qui était la bonté même, doit se réjouir de ce remariage, crois-moi. Maintenant, il vaudrait mieux manger, nous sommes affamées. Et si tu continues à être aussi désagréable, je pense que nous rentrerons à Biert ce soir.

L'oncle et la nièce se dévisagèrent, tous deux intransigeants, droits et furieux. Les prunelles d'améthyste d'Angélina eurent raison du regard brun de Jean Bonzom. Il ricana, gêné, et dit :

— C'est bon, je me tais. Ton père agit à sa guise, après tout. Mais je ne viendrai pas dans votre cité de bourgeois et de bigotes. Une dernière chose, Angélina, si je perdais Ursule, jamais une autre femme ne la remplacerait. Jamais ! Ni dans mon cœur ni dans mon lit. Et ne monte pas sur tes grands chevaux, ça me fait trop plaisir que tu dormes ici, avec le petit et madame Octavie. Tiens, au fait, madame Octavie, vous êtes veuve, vous aussi ? Avez-vous eu l'idée de convoler à nouveau ?

— Non, monsieur. Mais peut-être parce que je n'ai pas rencontré la bonne personne.

Sa voix trembla un peu. Depuis plusieurs heures, elle subissait, impuissante, l'emprise du charme viril qui émanait de Jean Bonzom. Elle se croyait à l'abri de ce genre de bouleversements et elle avait honte tout en étant fascinée.

— Allons, tout ça, ce n'est pas bien gai, dit Ursule. Tu me fais de la peine, Jeannot. Pour une fois que j'ai de la visite !

Elle haussa les épaules, l'air contrarié, et coupa des tranches du pain qu'elle avait pétri et cuit la veille. Angélina et Jean se rassirent.

— Vous avez de la chance, ajouta Ursule. Je fais le pain une fois par mois et vous êtes venue le bon jour pour en manger du bien frais. La voisine vient m'aider. Il faut pétrir, mettre à lever et, pendant ce temps, je remplis le four de petit bois pour qu'il soit chaud à point. Les briques doivent devenir blanches et c'est à ce moment-là qu'on peut enfourner. L'hiver, ce n'est pas trop dur, mais par ces chaleurs...

Angélina eut pitié de sa tante qui s'était sûrement donné beaucoup de mal pour les recevoir. Elle goûta le pain moelleux à la croûte très brune et au goût prononcé de feu de bois.

— Il y a des fèves du jardin, fit remarquer Jean. Les premières ! Elles sont fameuses.

Henri s'était apaisé. Il mangea de bon appétit en reniflant encore de temps en temps. Mais, en dépit des efforts de chacun pour bavarder de tout et de rien, l'ambiance demeurait tendue. Ursule servit les canards, cuits à la cocotte sur les braises. Les volailles étaient fondantes à point et juteuses.

— Des cèpes en garniture ! s'exclama Octavie. Mon Dieu, c'est mon péché mignon, ces champignons !

— Prenez aussi des pommes de terre, proposa Ursule. Elles poussent bien sur ce versant de la vallée. Le sol est sablonneux, il y a du soleil du matin au soir quand il ne pleut pas.

Ils avaient presque terminé le repas quand le ciel s'assombrit avec une rapidité stupéfiante. Un vent chaud poussait des nuages couleur de plomb qui voilèrent l'azur en quelques minutes. L'instant suivant, trois coups de tonnerre à la suite firent trembler la maison.

— Voilà un bel orage, dit sobrement Jean Bonzom. Je l'aurais parié.

Des éclairs zébrèrent les nuées obscurcies. Henri tendit les bras vers Angélina qui le prit sur ses genoux.

— Et alors, mon pitchoun, tu te demandes ce qui se passe ? Tu as déjà entendu le tonnerre, à Saint-Lizier. Mais c'est vrai, ici, ça résonne dans toute la vallée. Ne crains rien !

Elle le berça contre son cœur. Ursule l'observait, la tête penchée de côté, une de ses manies.

— C'est l'heure de sa sieste, commenta Octavie. Et il a mangé beaucoup de canard, ce coquin. Il va devoir digérer tout ça.

— J'ai préparé un lit dans le grenier, expliqua Ursule. Il y fait meilleur que dans cette pièce. Je pourrais essayer de l'endormir ; je connais de jolies chansons.

C'était plus qu'une offre, une véritable supplique. Angélina accepta tout de suite, mais Octavie demanda à monter également.

— Je suis un peu fatiguée ; ça me fera du bien de m'allonger. Je vous écouterai chanter avec joie, si cela ne vous dérange pas. Et le petit se sentira plus en confiance.

— Oh oui, bien sûr ! répliqua Ursule.

L'orage se déchaînait. Une pluie drue ne tarda pas à s'abattre, en écho à des roulements de tambour assourdissants. Jean jeta un regard mélancolique par la fenêtre.

— Notre vie est à cette image, Angélina, murmurat-il. Du soleil, la nature en fête, ensuite l'ombre, le chaos, l'eau qui peut tout dévaster. L'an dernier, il a tant plu qu'un pan de roches a coupé la route. Même qu'une grange s'est effondrée, au hameau du Ramé. Viens donc avec moi, je vais mettre de la paille dans la bergerie. Le soir, je rentre mes bêtes.

— Les loups te font encore des dommages ? La jeune serveuse de l'auberge m'a dit que Sauveur en a tué un.

— Oui, mais il est cabochard, ce chien. Parfois, il disparaît, et je ne peux plus compter sur lui. Il y a une vieille louve aussi rusée que le diable, dans la forêt. Je me méfie.

Angélina et son oncle se retrouvèrent dans un bâtiment aux murs chaulés et à la fenêtre fermée de barreaux. Le mulet était logé dans une stalle d'angle. Jean Bonzom nettoya la litière avec sa fourche et étala de la paille propre. Accoudée à une barrière intérieure, sa nièce le regardait.

— Tu ne changeras jamais, lui dit-elle enfin, moqueuse. Tu piques des colères en une seconde. Mais je t'aime beaucoup.

— Ah ! fit-il. Si tu as de l'estime pour ton vieux ron-chon d'oncle, dis-lui la vérité, à propos du gamin. Il sort d'où, ce petiot ? À peine montées dans la charrette, vous m'avez brouillé l'esprit, madame Octavie et toi, avec vos sornettes. Si c'est le neveu de sa domestique, pourquoi ta demoiselle Gersande l'a adopté ? Et toi, pourquoi tu es sa marraine ?

— Excuse-moi, le pria-t-elle, résignée à arranger de son mieux les mensonges débités le matin même. C'est une histoire compliquée. En fait, cet enfant, tu l'as déjà vu chez Jeanne Sutra. Octavie m'avait demandé de le mettre en nourrice à Biert. Elle craignait qu'il tombe malade s'il n'était pas nourri au sein. À cette époque, Octavie ne s'était pas convertie, si bien que j'ai prétendu qu'elle était sa grand-mère, parce qu'Eulalie et Jeanne se posaient des questions. De fil en aiguille, nous avons ramené l'enfant à Saint-Lizier et mademoiselle Gersande l'a pris en affection, au point d'en faire son héritier, elle qui ne se connaît plus aucun parent. Tu sais la suite. Octavie s'est convertie pour que je devienne marraine. Que veux-tu ! Cela les rassure. Je suis jeune et je veille-rai toujours sur Henri.

Jean Bonzom se roula une cigarette, les paupières plissées sur un regard inquisiteur. Il considéra Angélina avec insistance.

— Quel charabia, ma pauvre petite ! Dis, entre nous, ce ne serait pas plus simple de me cracher la vérité ? Ce gamin, tu l'aurais mis au monde en cachette que ça ne m'étonnerait pas. Maligne comme tu es, tu lui as trouvé une bonne famille et une fortune assurée. Tout ça au nez et à la barbe d'Augustin ! Et tu as bien eu raison, parce que je connais pas plus borné que ce fichu cordonnier.

— N'insulte pas mon père ! s'écria Angélina. Et tu racontes des sottises. Penses-tu vraiment que j'aurais pu dissimuler une grossesse, accoucher je ne sais où ?

Mais il y avait des larmes dans sa voix, Jean le sentit. Il s'approcha de sa nièce et lui releva le menton d'un geste sec.

— Quand tu as ce pitchoun dans les bras, que tu le couves des yeux, n'importe quel crétin devinerait que c'est le tien. Tu empêcheras pas les gens de causer dans ce pays.

— Qui a parlé de ça ? demanda-t-elle, prête à nier de toute son âme.

— La voisine, pardi ! Coralie, qui est cousine de Blaise Seguin, bourrelier à Saint-Girons. Son mari et elle se sont installés là depuis quelques mois. Lui, il exploite une coupe de bois. Eh ben, la Coralie, elle prétend que son cousin sait des choses sur toi et un beau gars, le plus jeune des fils Lesage. Ce salaud t'aurait mise enceinte avant de quitter la France pour les colonies. Je suis pas un imbécile, Angélina. J'ai réfléchi. Une fois, je te trouve chez les femmes Sutra, en extase devant un nourrisson, et, passé un an, te revoilà ici avec un bambin que tu cajoles et que tu bécotes. Je sais bien que tu n'as pas eu le choix, pauvrette. Augustin, il est tellement rigide sur les convenances et l'honneur des Loubet qu'il t'aurait mise dehors.

Angélina n'eut pas le courage de mentir davantage. Elle appuya son front contre l'épaule de son oncle.

— Pardonne-moi, c'est vrai, Henri est mon fils. Je t'en prie, garde le secret.

— Mais, pitchoune, si je t'ai cuisinée, c'était pas pour te livrer à la justice divine, bon sang ! J'ai mes principes, moi. Et je suis fier de ma nièce. Si tu avais abandonné ce petit, là, tu m'aurais bien déçu. Tu t'es arrangée à ta manière, en bonne mère. Angélina, écoute-moi. Ton fils, il héritera de mon bien, des terres, et de la maison. Seulement, si tu avais eu confiance en moi, nous aurions pu l'adopter, Ursule et moi, l'élever aussi. Boudiou ! il aurait porté le nom des Bonzom, plus glorieux à mon sens qu'un patronyme à particule.

Angélina retenait ses larmes. Elle tendit son ravissant visage vers l'oncle Jean.

— Merci de ne pas me juger. Je t'assure que j'aurais préféré qu'il s'appelle comme toi, mais c'est trop tard.

— Dommage ! Bon, t'inquiète pas, petite, ton secret, je l'emporterai dans ma tombe. Vaut mieux pas que ma femme soit au courant. Elle aurait le même regret que moi. Si je revois la sale trogne de Seguin, un de ces quatre, il n'aura pas intérêt à salir ma nièce avec ses commérages. Je l'ai vu, un dimanche du mois de mai. Il se promenait dans le hameau avec son épouse.

— Blaise Seguin s'est marié ? s'étonna Angélina.

— Ben oui, à ce qu'il paraît. L'heureuse élue n'est pas plus gracieuse que lui, mais bien en chair.

« Au moins, s'il a une femme dans son lit tous les soirs, il ne s'en prendra plus à moi, pensa-t-elle. Tant pis s'il raconte partout que j'ai eu un enfant de Guilhem Lesage ! Je dirai que c'est faux, qu'il se venge parce que je l'ai repoussé. » Elle en conçut cependant une sourde angoisse. Pour se rassurer, elle songea à la proposition de Philippe. « Je n'aurai pas le choix : un jour ou l'autre je ne pourrai plus habiter la cité. Puisque, le cas échéant, Gersande est disposée à déménager, je ferais mieux de vivre à Foix ou à Luchon. La ville est très plaisante, disait Marie-Pierre Coste. »

— Qu'est-ce que tu rumines, mon agnelle ? interrogea Jean. Fais-moi un sourire.

— J'ai vécu des moments difficiles depuis le début du mois. Je tente d'oublier, d'être heureuse envers et contre tout, mais ce n'est pas facile.

D'un signe de tête, il approuva en silence. Soudain, il tendit l'index en l'air avec une grimace réjouie :

— Il ne pleut plus, tiens ! L'orage est parti du côté d'Aulus, et le soleil revient. Respire ce parfum de la terre chaude qui a reçu de la belle eau fraîche.

Ils sortirent de la bergerie. Sauveur les guettait, assis sur la terrasse. Le chien était trempé.

— Ne te ronge pas, pitchoune, dit encore Jean Bonzom. Tu es de bonne race et tu surmonteras tout. Et ton docteur, mène-le à la baguette. Il a trop de chance, ce gars-là, de t'épouser.

Réconfortée, elle éclata d'un rire plein d'espoir. Elle ne regrettait pas d'être venue chez son oncle, et cela la soulageait de lui avoir dit la vérité. Ils discutèrent plus d'une heure, assis sur le banc en plaques de schiste. Angélina n'hésitait plus à se confier. Jean Bonzom apprit ainsi les circonstances de l'assassinat de Lucienne et ce qu'il en avait résulté.

— Tu vas terminer ton année d'études à Tarbes ? conclut-il. C'est fâcheux, ton histoire. Les hommes qui se rendent coupables de crimes pareils, faudrait les châtrer et, après, les pendre haut et court. Vois-tu, Angélina, des filles qui subissent cet outrage, il y en a plus qu'on imagine. Preuve en est les victimes qu'il y a eues dans le pays. Oh ! pas ici… ou c'était dans l'ancien temps. Mais du côté de Saint-Girons, ça commence à faire beaucoup. Je lis le journal. En deux ans, la petite du quincaillier de

Castillon et la gamine, à Taurignan. Le plus triste, quand elles en réchappent, c'est que bien souvent elles n'osent pas s'en plaindre. Si, par bonheur, elles n'ont pas été engrossées, elles reprennent leur vie habituelle, mais la honte au cœur, le corps sali. Mais là, être forcée par un fumier et mourir de sa main, c'est la pire des choses. Dis, ma nièce, le fils Lesage, il ne t'a pas prise contre ton gré ? Parce que, si c'était le cas, je le retrouverais tôt ou tard et je lui ferais la peau.

Cela embarrassait Angélina d'aborder ce sujet avec son oncle. Elle le voyait rarement, surtout depuis le décès de sa mère.

— Non, j'étais consentante, avoua-t-elle. J'étais folle de lui. N'en parlons plus, je t'en prie.

La conversation en resta là, car Ursule sortit de la maison, Henri serré dans ses bras. Octavie suivait, les joues roses d'avoir dormi, ce qu'elle ne s'autorisait jamais chez sa patronne et amie. Elle ne portait plus sa coiffe blanche, ce qui surprit Angélina. Elle exhibait des cheveux encore très bruns, légèrement ébouriffés.

Jean Bonzom se précipita vers sa femme et tendit les mains vers l'enfant.

— Donne-le-moi un peu, ce beau pitchoun. Il n'aura pas peur de moi longtemps. Hé ! petit, je vais t'emmener revoir la lapine grise et tu pourras caresser ses bébés.

Le garçonnet eut un sourire timide, mais il se laissa attraper et se retrouva perché sur les épaules du montagnard.

— Oh ! Qu'il est grand, ce bout d'homme ! Allez, en route !

L'oncle Jean imita un cheval au trot, ce qui fit rire le petit aux éclats. Amusées, les trois femmes prirent la même direction pour surveiller ces deux lascars, selon le commentaire d'Octavie.

La fin de l'après-midi se déroula dans une douce ambiance. Vers dix-huit heures, Jean Bonzom conduisit tout son monde sur un chemin forestier. Il promit à Angélina qu'ils ramasseraient des girolles avant le coucher du soleil. La promenade fut des plus agréables. Les sous-bois exhalaient un délicieux parfum de terre humide, mêlé à des senteurs balsamiques dès qu'ils passaient près d'un bosquet de sapins à la ramure vert bleuté. Les oiseaux chantaient inlassablement, célébrant l'été en une multitude de trilles variés, étourdissants, et dont les harmonies confondues composaient un concert fantastique.

Sauveur les précédait, sa fourrure blanche irisée du moindre éclat de lumière. Il marchait d'un pas pesant, mais sans faire aucun bruit. Parvenu aux abords d'un ruisseau, il poussa un aboiement grave.

— Oh ! Regardez ! cria Octavie.

Un grand cerf détalait, se frayant un passage dans une mer de hautes fougères, sa tête surmontée de bois arrogants.

— Je le connais, dit Jean Bonzom. Un vieux dix-cors qui a toujours échappé aux chasseurs du coin, et j'en suis bien content. Cette bête a sept ans. Sept ans de liberté, de solitude aussi. Mais, à l'automne, ce sera l'époque du rut et nous les entendrons bramer depuis la maison, lui et les autres. Le plus fort couvrira les femelles.

Ces mots assez crus firent rougir Octavie. Accoutumée au franc-parler de son oncle, Angélina était surtout sensible à la beauté de l'animal, qui avait presque la taille d'un cheval. Alanguie par la tiédeur suave du crépuscule, elle eut envie, tout à coup, de revoir Philippe Coste. « J'aimerais bien être là, avec lui. Il me tiendrait la main et je me sentirais jolie et désirable. Nous pourrions nous embrasser, comme dans le fiacre. »

Mais en apercevant une souche d'arbre entourée d'un parterre de mousse, elle se souvint du couple qu'elle avait formé avec Guilhem, sous le couvert des chênes, en haut de la colline surplombant la cité. « Il m'a prise tant de fois, à même le sol, sur les feuilles mortes ou sur un tapis de mousse ! J'avais l'étrange impression d'être la terre elle-même qu'il pénétrait et voulait féconder, se remémora-t-elle, la gorge nouée sur un chant d'amour sans cesse refoulé. Non, je ne dois plus jamais penser à Guilhem, plus jamais. »

De retour au hameau, Ursule se lança dans la préparation du millas. Elle remit des bûches dans le feu réduit à quelques braises et le ranima à l'aide d'un soufflet. Assis sur la pierre de l'âtre, Henri observait tous ses gestes.

— Ce mignon a faim, ce mignon est fatigué, disait-elle à mi-voix.

Escorté par le pastour, Jean Bonzom rentrait brebis et agneaux.

— Que c'est paisible, chez vous ! dit Octavie. Mais dites donc, l'air est vif ! J'irais me coucher maintenant, si je pouvais. Ah ! ça, j'avais oublié mademoiselle. J'espère qu'elle ne s'est pas trop ennuyée, toute la journée seule à l'auberge.

— Je pense qu'elle aura terminé ce roman de Zola qu'elle avait emporté, avança Angélina.

Ursule jeta un coup d'œil navré à sa nièce.

— Quelle chance, de savoir lire ! Moi, je n'ai pas pu apprendre, mes parents ne m'ont pas envoyée en classe.

C'était le curé qui donnait des leçons, dans la salle du restaurant de Massat. J'en suis bien honteuse et triste. Mais Jean est instruit, lui. Le soir il me fait la lecture.

— Ce n'est pas votre faute ! s'exclama Octavie. Sans Gersande de Besnac, ma patronne, je serais comme vous. Elle y a mis le temps, mais j'ai fini par savoir lire et écrire.

— Mon mari a voulu me montrer les lettres, mais je m'affolais et il s'impatientait, ajouta Ursule. Je ne lui en veux pas, il n'y a pas meilleur homme que Jean. Garder une bréhaigne, c'est de la bonté, ça.

Angélina rejoignit sa tante et lui tapota gentiment l'épaule. Elle percevait tant de souffrances enfouies chez cette femme qui était d'une infinie douceur !

— Je t'en prie, ne sois pas malheureuse, lui dit-elle. Oncle Jean t'aime si fort ! C'est un cadeau du ciel, un époux toujours aussi amoureux après tant d'années.

— Tu as raison. Et je vais gâcher le millas.

Sur ce, elle sortit du buffet un plat garni de quatre carrés d'une matière jaune pâle, une pâte aux allures de flan, épaisse de deux bons centimètres.

— Dès que Jean sera là, je ferai frire le millas. Angélina, j'ai du lait de brebis au frais dans le cellier. Tu peux en faire boire au pitchoun. Madame Octavie, voulez-vous un verre de vin coupé d'eau ?

Ursule se dévoua pour ses invitées. Enfin, le maître des lieux arriva, une bouteille bouchée à la main.

— Le cidre de mes pommiers, mesdames ! Nous le goûterons ensemble.

Bientôt, le saindoux fondit dans la poêle calée sur un trépied au-dessus des flammes. Au premier grésillement, Ursule disposa le millas avec une fourchette. Octavie et Angélina, debout près de la cheminée, assistaient à la cuisson, ainsi que le petit Henri qui n'arrêtait pas de bâiller.

— Fais-le bien griller, recommanda Jean à son épouse. Je m'occuperai de le sucrer avec du miel. J'en ai récolté six pots. Du miel d'acacia.

— Vous avez tout ce qu'il faut sur place pour vous nourrir, fit remarquer Octavie.

— Boudiou, je répugne à dépenser mes maigres sous, rétorqua-t-il. J'achète seulement du tabac et du vin. Quand le colporteur passe par ici, je dis à ma femme de s'offrir des bricoles ou des rubans, mais elle ne prend que des aiguilles et du fil.

— Tais-toi donc, Jeannot, intervint Ursule. L'an dernier, tu m'as offert un collier... Tout le monde à table, c'est prêt !

Jean arrosa les parts de millas d'un filet de miel d'une belle couleur dorée. Il déboucha le cidre. Le crépuscule répandait des ombres bleues sur le paysage que la fenêtre encore ouverte encadrait comme un tableau de choix. La cime des arbres se dessinait en noir sur le ciel rose piqueté d'étoiles. Les oiseaux s'étaient enfin tus, mais une chouette hululait, tandis que, sur le toit, des loirs poussaient des cris aigus. Ils dégustèrent le millas en silence, presque religieusement. C'était chaud, fondant et consistant.

— J'adore ça, déclara Angélina. Merci, ma tante. Je retrouve mon enfance.

— Le petit a apprécié, lui aussi, renchérit Jean Bonzom. Mais, le pauvre, il dort sur sa chaise. Mets-le au lit, Angélina. Le lit dans le grenier, on le prendra, Ursule et moi. Ce soir, vous dormirez en bas. Allez, couche-le.

Elle souleva l'enfant en le berçant. À peine allongé entre les draps, il s'endormit.

— Il en a vu, des choses, aujourd'hui ! nota-t-elle en tirant le rideau. Des moutons, des lapins, un cerf et un mulet.

— Dis, ce ne serait pas de ton oncle que tu causes, là ? dit Jean en s'esclaffant. Un peu de respect, ma nièce ! On ne traite pas les Bonzom de mulets.

Égayée par le cidre, Angélina pouffa.

— Mais, mon oncle, je parlais de Faraud, le vrai mulet, pas de toi !

— Elle recommence ! Ah ! ma petite rouquine, tu étais tellement malicieuse, fillette ! Tiens, ça me fait chaud au cœur de te voir rire.

— Ce nom de Bonzom, il n'est pas commun, dit Octavie. Je crois avoir entendu Angélina en expliquer l'origine à mademoiselle Gersande, mais je n'avais pas tout écouté.

— Ah ! Eh bien, je me ferai un honneur de vous raconter qui étaient ces bons hommes dont je suis un descendant, par mon père, Antoine Bonzom. Jadis, il y a plus de six cents ans, on appelait ainsi les prêtres cathares, et ce mot de cathare vient du grec et signifie pur. Les bons hommes, dans ce pays, c'était les purs, les parfaits. Leur religion a disparu, emportée par les bûchers, madame Octavie. Les cathares essayaient de mener une existence terrestre le plus pure possible, en se détachant des biens matériels et des exigences de la chair. Il y avait une autre raison à ça. Les plus érudits s'étaient attelés à une belle et rude tâche, traduire le Nouveau Testament en français et en langue d'oc, la langue fleurie de chez nous. Ils ont répandu la parole de Jésus-Christ, la véritable parole. Les curés, qui abreuvaient leurs ouailles de menaces en latin et brandissaient leur purgatoire et leur enfer, terrorisaient le peuple pour mieux l'asservir. Mais les nobles seigneurs cathares ne trichaient pas, eux. Ils se sont séparés de leurs richesses au profit des pauvres. Ils ont abandonné châteaux et chevaux, bijoux et vignes, pour prêcher un enseignement différent, celui de l'amour et du partage.

Tandis qu'il évoquait ces temps anciens de sa belle voix grave, Jean Bonzom semblait grandir. Les flammes jetaient des reflets sur ses cheveux déjà couleur de feu, et ses yeux bruns étincelaient. Angélina et Octavie l'écoutaient, subjuguées.

— Mais le roi de France commença à s'inquiéter de cette religion qui se répandait dans tout le sud de son royaume. Il y voyait même un manquement à son autorité suprême. Le pape Innocent III, qui portait mal son nom, celui-là, décida d'une lutte armée contre les albigeois. C'était ainsi qu'on désignait les cathares. Il fallait vaincre l'hérésie, et surtout récupérer les richesses du Languedoc. Ah ! les bons sentiments de l'Église catholique ! Elle disait chasser le diable et ses suppôts, mais elle voulait comme le roi faire main basse sur les domaines, les fiefs et l'argent. Je ne veux pas entrer dans les détails, mais cette croisade a été sanglante, horrible. Des massacres, des crimes sordides, des viols, des procès expédiés ! Les cathares qui n'abjuraient pas leur foi étaient condamnés au bûcher, un chapeau de toile enduite de poix sur le crâne, ou à être emmurés vivants. Pour ma part, j'aurais préféré le feu ! J'ai souvent imaginé ce que ressentaient ces malheureux, seulement coupables de vouloir bien se conduire en respectant les enseignements de Jésus, et qui se retrouvaient enfermés dans une niche de pierre. Ils s'y tenaient assis, ou recroquevillés sur eux-mêmes et ils crevaient là de faim, de soif et du manque d'air.

— Mon Dieu, quel sort atroce ! gémit Octavie. Comment des hommes d'Église osaient-ils imposer ça à d'autres hommes ?

— Seriez-vous ignare ou naïve ? Votre patronne qui est protestante, et instruite je suppose, a dû vous raconter la nuit de la Saint-Barthélemy, pendant laquelle les protestants ont été massacrés dans les rues de Paris, alors que les bébés ont été jetés par les fenêtres sur les piques que tendaient les soldats catholiques, les dragons du roi !

— Oncle Jean, pitié, c'est épouvantable ! protesta Angélina. Ces histoires me glacent le sang.

— Sans doute, ma nièce, mais on ne peut pas oublier les horreurs commises au nom d'un Dieu qui se fiche bien de nous, souvent.

— Seigneur, seriez-vous un mécréant ? s'alarma Octavie.

— Non, ma petite dame. Je pense comme le philosophe Voltaire. « Que cette horloge existe et n'ait pas d'horloger », ça serait bien surprenant. Je crois en un Dieu créateur, une sorte de génie qui nous a offert la nature et ses ressources. En cela, je n'aurais pas pu adopter la foi des cathares, qui voyaient l'œuvre de Satan dans le monde terrestre. Moi, quand je contemple le lever du soleil sur les crêtes neigeuses, quand un agneau gambade dans l'herbe verte, que les narcisses fleurissent et embaument la montagne, j'ai envie de prier et de remercier.

Remplie d'admiration et d'amour, Ursule buvait les discours de son époux. À l'instar de sa sœur Adrienne, Jean Bonzom était allé au collège de Saint-Girons. Tous deux avaient beaucoup étudié, mais le montagnard s'était plongé très jeune dans la lecture de nombreux ouvrages qu'il achetait en ville. Tout en sachant son oncle féru d'histoire, Angélina découvrait son éloquence, ainsi que l'étendue de ses connaissances. Elle en avait des frissons.

— Mais si je devais choisir de nos jours une profession de foi, oui, je me proclamerais cathare, ajouta Jean. Ils ont été martyrisés alors qu'ils se conduisaient en gens de bien, sans user de violence. Les parfaits, les bons hommes, se nourrissaient exclusivement de lait d'amande et d'un peu de pain noir. Ils n'étaient que bonté et pardon. Je suis fier de songer à ce très lointain ancêtre qui m'a transmis son nom. Parfois, je me dis qu'il faisait peut-être partie des irréductibles réfugiés sur le *pog*[1] de Montségur, la dernière place forte, une citadelle perchée sur un rocher, dont les ruines se dressent toujours là-bas, en pays d'Olmes[2]. Un lieu saint, je vous assure, madame Octavie ! Cinq cents cathares s'étaient abrités là-haut, sous le ciel, afin d'échapper aux persécutions. Ce n'était pas le premier siège, loin de là. Quand la ville de Béziers fut mise à sac par les troupes du pape et du roi de France, certains soldats firent une requête honorable. Ils demandèrent au légat du pape, Arnaud Amaury, comment

1. Rocher, promontoire en occitan.
2. Ces ruines existent toujours et sont l'objet d'un lieu de culte tout en attirant les touristes. Elles se situent près de la ville de Lavelanet, en Ariège.

épargner les catholiques mêlés aux cathares. « Tuez-les tous, Dieu reconnaîtra les siens ! » aurait répondu celui-ci[1].

— Oh non, je ne peux pas le croire, fit la domestique, les yeux écarquillés de stupeur. Et toi, Angélina, étais-tu au courant ?

— Grand-père Antoine me l'avait raconté. Le jeudi suivant, j'ai refusé d'aller au catéchisme. Petit à petit, je me suis raisonnée, mais je comprends pourquoi oncle Jean n'est pas pratiquant.

— Dieu tout-puissant ! se lamenta Octavie. Moi qui me suis convertie au catholicisme ! Ce n'était pas sur un coup de tête. J'en rêvais depuis des années. Maintenant, je me dis que les protestants n'ont pas tant de morts sur la conscience.

— Bah, ils en ont aussi, reprit Jean. Beaucoup moins, je vous l'accorde, et ils ont été persécutés également, obligés de s'exiler. Ursule, sers-moi donc une petite goutte. Causer autant, ça me donne soif.

Sa femme sortit du buffet une bouteille à haut col, à moitié pleine d'une eau-de-vie translucide.

— J'en prendrais bien, dit Octavie. J'ai le cœur à l'envers.

Angélina l'observa discrètement. Elle lui paraissait différente. Elle avait l'air plus jeune sans sa coiffe. Son teint était coloré et ses yeux brillaient. « Elle est jolie, songea-t-elle. Je ne l'avais jamais remarqué. Si mademoiselle Gersande la voyait en ce moment, elle serait sidérée. »

---

1. Paroles attribuées à ce légat du pape Innocent III, parfois mises en doute par les historiens.

Jean Bonzom vida son verre d'un trait. Ursule avait remis une bûche dans la cheminée, car il faisait sombre dans la pièce. Elle entreprit même d'allumer une chandelle, qu'elle posa au milieu de la table.

— Non, dit son mari en soufflant la mèche. Les papillons de nuit vont venir se griller les ailes ; tu sais que je n'aime pas ça, Ursule. Il faut avoir grimpé jusqu'au Prat dels Crémats à Montségur pour exécrer l'idée d'une créature vivante livrée au feu. Le château a été assiégé pendant plusieurs mois par les croisés et finalement les parfaits se sont rendus, trop affaiblis par les rigueurs de l'hiver. C'était le 16 mars 1244. Les cathares qui refusèrent d'abjurer furent brûlés. Il y eut deux cents suppliciés, des femmes aussi. On les a enfermés dans un enclos au pied de la montagne, un enclos rempli de fagots. Il y avait des soldats de la garnison de Montségur. Ils brûlèrent eux aussi, pour ne pas abandonner leurs seigneurs et leurs amis. J'avais trente ans quand je suis allé là-bas et j'ai ressenti une émotion étrange. Je n'étais pas seul ; des âmes pures m'entouraient. J'ai dormi dans les ruines de la forteresse.

Un profond silence suivit ces derniers mots. Angélina avait les larmes aux yeux, alors qu'Octavie était toute pâle. Ursule chuchota :

— Et le trésor, Jean ? Parle-leur du trésor !

— Oh ! ça, c'est une légende ! On dit tant de choses sur les ruines de Montségur ! Certains écrits prétendent que les parfaits avaient caché de l'or et de l'argent dans les grottes qui s'ouvrent à flanc de rocher. D'autres affirment que le château abriterait le Graal, cette coupe sacrée ayant recueilli le sang du Christ. Quand nous étions gamins, Adrienne et moi, nous rêvions de partir à l'aventure et de dénicher ce fameux trésor.

— Ah ! ça, c'est vrai ! s'écria Angélina. Maman m'avait dit que vous étiez en chemin, un dimanche matin, sur la route du col de Port, mais que grand-père Antoine vous avait rattrapés à dos de mule et qu'il vous avait flanqué une bonne fessée.

L'anecdote détendit l'atmosphère. Octavie eut un faible rire, ainsi qu'Ursule. Mais Jean Bonzom plissa les paupières, l'air grave.

— Un jour, j'espère que les hommes rendront hommage aux cathares, reprit-il. Leurs forteresses ne sont plus que des tas de pierres livrés au vent, au soleil, à la pluie. Des pans de murs ou des tours se dressent encore. Là règnent les vipères, les corbeaux, les sauvagines[1]. Je connais les noms des châteaux qui n'ont pas tout à fait disparu : Roquefixade, près de Foix, Puyvert, en pays d'Aude, Quéribus, Puylaurens...

L'oncle Jean se tut, les mains jointes sur la table. Les trois femmes osaient à peine respirer afin de respecter son attitude recueillie.

— Je ne crois pas que Dieu ait approuvé tous ces massacres, déclara soudain Octavie. Pas le Dieu d'amour que je prie matin et soir.

— Ah ! peut-être bien, grogna Jean. Pourtant, votre Dieu d'amour n'a pas épargné votre pays à vous. Angélina m'a dit que votre patronne et vous-même étiez de la Lozère.

— Si vous faites allusion au choléra, le fléau a ravagé une partie de l'Europe, pas seulement la France, murmura la domestique.

— Et la Bête ? interrogea-t-il d'un ton dur.

---

1. Sauvagine : terme méridional désignant les bêtes des bois, fouines, belettes, martres, etc.

— La Bête ! Il ne faut pas en causer, je vous en prie. C'était l'œuvre du diable, sûrement.

Angélina frissonna. Ursule se signa, l'air terrifié. Toutes deux ignoraient de quoi il s'agissait.

— De quelle bête parlez-vous ? demanda la jeune mère.

— Celle qui a ravagé le Gévaudan et la Margeride pendant presque trois ans, Angélina, répondit Octavie. Il ne faisait pas bon habiter les monts de la Lozère ou de la Haute-Loire, à l'époque. La Bête attaquait les enfants et les femmes, elle les tuait et leur dévorait les entrailles après avoir broyé leur crâne. Au début, les paysans ont cru que c'était un loup d'une force et d'une taille peu communes. Mais, ils en voyaient, des loups, à chaque coin de bois ou de prairie, et ceux qui pouvaient échapper à la Bête la décrivaient comme énorme, avec une sorte de crinière, c'est-à-dire une raie sombre sur le dos. Elle n'avait rien d'un loup… Il paraît que, le soir, elle se dressait sur ses pattes de derrière et s'appuyait ainsi au rebord des fenêtres. Le roi de France, Louis XV, a envoyé ses louvetiers, ils ont organisé des battues, mais la Bête était si habile qu'elle frappait à l'autre bout du pays. Il y a eu une centaine de victimes, mortes ou blessées[1].

Angélina s'assura que le pastour était bien couché à ses pieds et jeta un regard soucieux vers le lit où dormait son fils. La porte de la maison et la fenêtre étaient restées ouvertes sur la nuit noire et elle en conçut une peur

1. La Bête du Gévaudan serait un animal à l'origine d'une série d'attaques contre des humains survenue entre 1764 et 1767. Ces attaques, le plus souvent mortelles, entre 88 à 124 recensées selon les sources, eurent lieu principalement dans le nord de l'ancien pays du Gévaudan, en Lozère.

larvée, encore sourde, mais oppressante. Jean Bonzom lui tapota l'épaule.

— Allons, ma nièce, ces événements datent d'un siècle, dit-il.

— Mais il y a des loups, ici. Octavie, c'était un loup, cette bête ?

— Personne ne l'a jamais su, petite, affirma la domestique. Ma grand-mère nous racontait les méfaits de la Bête, à la veillée, et elle les tenait de sa grand-mère qui était fillette en ce temps-là. C'était la terreur. Les gens n'osaient plus envoyer les enfants garder les troupeaux, ou bien ils partaient à plusieurs, armés de bâtons munis d'une pointe. Un jour, la Bête rôdait, habile à ramper sous les buissons. Elle a foncé sur de petits bergers, mais les vaches se sont vite mises en cercle pour les protéger. Une autre fois, on se tourmentait dans un hameau pour une jeune fille qui n'était pas rentrée de la nuit et qui gardait ses moutons. On se précipite dans le pré et, de loin, on la croit endormie. Non, elle était morte, la tête coupée du corps, le ventre dépecé. Mais, bizarrement, ses vêtements avaient été placés au bon endroit sur son cadavre nu[1].

— Oh ! Assez ! s'insurgea Angélina. Ce sont des abominations. Tais-toi, je t'en supplie !

— Le diable s'en était mêlé, dit Ursule, elle aussi horrifiée.

— Un diable tout ce qu'il y a d'humain, à mon avis, précisa Jean Bonzom. Une bête ne ferait pas tant de dégâts de son propre chef. J'ai souvent pensé qu'un homme la commandait.

---

1. Faits constatés à l'époque et relatés dans les chroniques.

— Pourtant, tout s'est arrêté quand un gros loup a été abattu avec une balle bénite, conclut Octavie. Mais, petite fille, je n'aimais pas sortir le soir de la ferme. Je regardais autour de moi, dans les coins sombres, et je tremblais de terreur.

Angélina se leva, exaspérée. Ce tragique récit lui faisait songer à Lucienne, qui avait été la proie d'une bête humaine. Elle écarta un peu le rideau du lit pour contempler son fils endormi. « Dieu merci, mon pitchoun, tu ne seras jamais un de ces pauvres petits bergers qu'on envoie sur les estives et qui n'ont même pas de sabots, le plus souvent, songea-t-elle. Je veillerai sur ton bonheur ma vie durant, mon enfant bien-aimé. »

— Je crois que je vais me coucher, annonça-t-elle tout haut. Dis, mon oncle, tu fermeras la porte ?

— Boudiou, je la ferme chaque soir, Angélina. De quoi as-tu peur ? Le chien sera dehors et y a pas meilleur pour la garde, quand il est là, bien sûr…

— Sauveur ne s'éloignera pas de moi, oncle Jean.

Comme pour la détromper, le chien se mit à gronder, le poil hérissé. L'instant d'après, il bondit et se rua dehors en aboyant.

— Encore un renard qui traîne autour du poulailler, supposa Ursule. Ne te fais pas de souci, Angélina, les voisins aussi ont un chien.

— Mais oncle Jean a dit qu'une louve rôdait.

— Oui, c'est vrai et je ne suis pas tranquille, maintenant, renchérit Octavie.

— Je vais voir de quoi il retourne, annonça le montagnard.

— Tu n'as pas un fusil de chasse ? insista Angélina, anxieuse. Toutes vos histoires m'ont mis les nerfs à vif.

— Un fusil, moi ? dit Jean Bonzom. Je n'ai pas besoin d'arme à feu. Un bâton suffit.

Il sortit et disparut à son tour dans l'obscurité. Ursule ferma la fenêtre et la porte, désolée du climat d'angoisse qui s'était installé.

— Nous aurions dû parler de choses plus gaies ! déplora-t-elle. Moi, ça m'aurait plu de veiller au coin de la cheminée et de chanter un peu. Jean a une si belle voix !

— Une autre fois, ma tante, répondit Angélina. Je pourrai revenir au mois de juillet avec Henri.

— Je t'accompagnerai, s'empressa de dire Octavie. Je n'ai pas si souvent l'occasion de me promener ! Et je suis navrée, petite, de t'avoir effrayée avec la Bête du Gévaudan. Si monsieur Jean n'avait pas lancé la conversation sur le sujet, je n'aurais rien dit, mais une fois que je suis partie, je ne peux plus m'arrêter.

Angélina s'apprêtait à répliquer lorsque son oncle réapparut, le pastour sur ses talons.

— C'était Valentin Nazet, un voisin du hameau d'Auragnou, dit-il d'un ton lugubre. Il remontait de Biert. Y a eu du vilain dans la vallée. *Foc del cel !* ce que je viens d'entendre !

Jean Bonzom regarda Angélina avec une expression effarée. Ursule se signa, certaine qu'il y avait eu un grave accident. Mais Octavie songeait à sa chère mademoiselle, redoutant le pire. « Je l'ai laissée seule, elle qui déteste ça ! » se reprocha-t-elle. N'y tenant plus, elle marcha sur le montagnard.

— Dites ce qu'il y a. Vous nous faites peur…

— Une fille de dix-huit ans a été violée et étranglée, leur asséna-t-il.

Tout de suite, Angélina porta les mains à sa bouche pour ne pas crier. Le charme enchanteur de cette belle journée en montagne cédait la place au malheur, à la mort, et elle n'en fut pas très surprise après les évocations de la bête assassine et des cathares sacrifiés.

— C'est bien ce que tu prétendais, mon oncle, dans la bergerie. Du ciel bleu suivi de l'orage dévastateur, des moments de douceur qu'on doit payer ensuite le prix fort. Oh ! mon Dieu ! j'aurais dû le savoir !

Le son d'un violon lui vrillait l'âme. Elle insista auprès de son oncle.

— Qui est-ce ? Je t'en prie, dis-le-moi !

— Marthe, la serveuse de l'auberge de Biert. Elle avait coutume de rentrer à Massat, après son travail, par le chemin des diligences au pied du roc de Ker. Son père venait à sa rencontre, même tard le soir. Il l'a attendue en vain, le pauvre homme, et finalement c'est lui qui l'a trouvée au bord de la rivière.

Octavie fondit en larmes, car elle avait bavardé avec la jeune serveuse la veille, et son décès brutal l'épouvantait. Quant à Angélina, le cœur brisé, elle revoyait cette jolie fille brune si gracieuse, à l'accent prononcé du pays massatois.

— Mon Dieu, ça ne s'arrêtera jamais. Après Lucienne, Marthe. Mademoiselle Gersande est sûrement au courant. Oncle Jean, il faut redescendre au village dès l'aube. Tu sais ce que je t'ai confié cet après-midi, dehors, sur le banc. Je suis persuadée que le criminel était au feu de la Saint-Jean, hier soir. Ce maudit violoniste ! Il a encore rusé. Il n'était pas à Bordeaux, mais ici. Il me suit ; tout est ma faute.

Incrédule, Jean Bonzom fronça les sourcils. Terrassée par la nouvelle, Ursule n'osait pas prononcer un mot. Cependant, elle s'opposa à la décision de sa nièce.

— Nous partirons au lever du soleil, promit Jean.

Octavie sanglotait sans bruit, bouleversée. Elle saisit Angélina par le bras.

— Ton oncle et ta tante parlent d'or ; ne prends pas de risques inutiles. Quelques heures de plus ou de moins, ça ne changera rien. La petite Marthe est morte. Dieu l'ait en sa sainte garde !

— Dire que j'ai entendu un violon hier soir à la fête, mais sans croiser le musicien. Quand j'ai demandé à Gersande si elle l'avait vu, elle m'a décrit un homme masqué, bedonnant et aux cheveux blonds ! Il s'était peut-être déguisé pour ne pas être reconnu, ce Luigi, celui qui a sans doute tué mon amie, à Toulouse. Je dois le dénoncer aux gendarmes. Je sais qu'il a une cachette au hameau de Bernedo, chez les petchets. J'aurais dû y penser bien avant.

Ursule, qui ignorait tout de cette affaire, se signa plusieurs fois en récitant le *Notre Père* à voix basse. Si son mari se disait mécréant, elle était demeurée très pieuse.

Jean perçut la détresse immense de sa nièce. Il prit les choses en main.

— Tu vas tout nous expliquer depuis le commencement, dit-il en ajoutant une grosse bûche de chêne dans le feu. Ursule, sors le pain et le saucisson. Il est tard ; autant casser une petite croûte en causant. Et tire un pichet de vin. Je n'aime pas voir mon Angélina claquer des dents et trembler.

La jeune fille s'apaisa un peu. La porte était bien close, la fenêtre aussi. Assise sur la pierre de l'âtre, une main sur la tête de son pastour couché à ses pieds, elle fixait les hautes flammes dorées dont l'éclat et la chaleur réconfortaient l'humanité depuis des millénaires. Mais elle pensait en fait à tous les prétendus hérétiques qui, au nom d'une foi nouvelle, avaient péri brûlés. Octavie et Ursule avaient pris place sur un banc. Jean, lui, occupait le tabouret bas qui lui servait à traire ses brebis. D'un geste solennel, il distribua aux femmes une tranche de pain et des morceaux d'un saucisson très sec à la chair brune et à la peau cendrée. Il servit quatre verres de vin.

— Nous t'écoutons, ma nièce. La famille, les amis, ça doit partager les peines et les soucis. Vas-y, raconte !

Et Angélina fit le récit de tous les événements liés à Luigi, ce mystérieux saltimbanque, violoniste, voleur, menteur et sans aucun doute meurtrier.

— Maintenant, j'ai la certitude que cet homme me traque. La nuit dernière, quand je rentrais de chez Jeanne Sutra, quelqu'un me suivait. Et Sauveur est arrivé juste à temps, sinon je ne serais pas là, avec vous.

Cette sinistre déclaration consterna son auditoire. Cependant, son oncle posa une question judicieuse :

— Il y a quelque chose qui cloche, Angélina. Pourquoi ce type t'a-t-il laissée en vie, dans le parc de l'hôtel-Dieu ? S'il venait de tuer ton amie Lucienne, là, il aurait dû s'en prendre à toi. Tu étais à sa merci ; or, il ne t'a rien fait.

Exaspérée, Angélina chercha un argument. Elle se souvenait très bien du regard inquiétant du bohémien et de ses paroles ambiguës.

— Peut-être qu'il préférait attendre encore. Gersande, à qui j'ai tout raconté, m'a affirmé que certains criminels aiment dissimuler leur perversité pour mieux frapper ensuite, que ces gens étaient plus dangereux qu'une brute suivant son instinct.

Jean Bonzom eut une moue perplexe. Il roula une cigarette et l'alluma, les yeux mi-clos, songeur.

— Réfléchis bien, petite, déclara-t-il enfin. Si tu dénonces cet homme et qu'il est innocent, son sort sera vite réglé. Tu auras sa mort sur la conscience.

— De jeunes filles ont été violentées et tuées, mon oncle. Je trouverai la preuve que c'est lui le coupable. Je ne veux plus avoir peur, plus jamais.

16

Dénonciation

Village de Biert, le lendemain, 26 juin 1880

Le soleil se levait sur Biert, jetant des rayons d'or pâle sur les toitures d'ardoises. Jean Bonzom arrêta son mulet le long du mur de l'église. Angélina sauta du siège avant, Octavie ayant fait le trajet à l'arrière, Henri sur ses genoux. L'enfant somnolait.

— Nous allons vite prendre des nouvelles de mademoiselle Gersande, dit Angélina. Ensuite, mon oncle, tu me conduiras à la gendarmerie comme convenu.

— Mais oui, petite. File, j'arrive bientôt.

— Il faudrait surtout recoucher ce chérubin qui n'a pas eu sa nuitée de sommeil, ronchonna Octavie qui était de fort mauvaise humeur depuis qu'ils avaient quitté le hameau. Quand même, le sortir d'un lit bien chaud pour le trimballer comme ça !

Angélina n'entendit pas. Elle avait couru jusqu'à l'auberge et entrait déjà dans la salle. Les paupières rougies, la patronne nettoyait son comptoir sans entrain.

— Bonjour, mademoiselle, dit-elle. Vous êtes de retour ? Faut excuser la mine que j'ai, j'fais que pleurer.

— Ne soyez pas désolée ; je comprends. Je suis au courant pour Marthe. Un voisin de mon oncle lui a appris la nouvelle. Mon Dieu, quelle horrible tragédie !

— Oh oui, c'est épouvantable ! Votre amie, la vieille dame, en a été très touchée. Hier soir, je lui ai monté une tisane de camomille, mais je ne sais pas si elle a pu dormir. En plus, y avait foule chez nous à cause du crime. Vous vous rendez compte ! Celui qui a fait ça à Marthe, il court toujours. Les gendarmes ont arpenté la vallée et visité les ruines, les granges… Comme dit mon mari, ce fumier a dû passer en Espagne par le col d'Agnes.

Après avoir salué l'aubergiste d'un signe de tête, Octavie était montée à l'étage. Angélina commanda deux cafés en précisant :

— Pour mon oncle et moi. Je craignais que vous n'ayez pas encore ouvert.

— Mais si, voyons ! Mon mari prépare des omelettes. C'est la foire, à Massat, aujourd'hui. Certains marchands font halte chez nous, après les gorges de Peyremale. Ils ne vont pas tarder. Et, à la vitesse où les gens causent, je vous parie que je vais avoir la visite d'un journaliste ou du préfet de police de Foix. Pensez donc, une affaire pareille, ici ! Les esprits s'échauffent de plus en plus, tout le monde soupçonne tout le monde. Hier, mon mari est allé présenter ses condoléances à la famille et il a vu le corps de la petite Marthe. Boudiou, le soir, quand il est revenu, il n'avait plus de couleur au visage. Paraît qu'il a vomi deux fois. Dites, ça secoue, ces choses-là. Le père de Marthe, il a juré de tuer le saligaud de ses mains. Mais, un soir de fête, comment savoir, avec tous les gars qui traînent dans la vallée, fin saouls ! Il en vient de Tarascon, de l'autre côté du col de Portel, et de Saint-Girons, parfois.

Angélina approuva d'un air grave. Elle se sentait dans un état étrange, entre exaltation et appréhension.

— J'ai eu du mal à trouver le sommeil quand j'ai su, dit-elle. Cette malheureuse jeune fille, si gentille ! Madame, ma question va peut-être vous étonner, mais il y avait bien un violoniste le soir de la Saint-Jean, ici, sur la place de l'église et près de votre terrasse ? Mademoiselle de Besnac l'aurait vu.

La femme, qui préparait du café, s'immobilisa pour mieux réfléchir.

— Ben oui ! Même que j'ai rigolé à cause de son déguisement. Je lui ai dit que ce n'était pas carnaval et que c'était dommage pour un joli garçon de porter un masque.

Le cœur d'Angélina se mit à cogner follement. Ainsi, elle avait raison : Luigi rôdait dans le village le soir de la fête. Au même instant, Jean entra dans la salle. Il souleva son béret d'un doigt avant de s'attabler à bonne distance du zinc.

— Je vous apporte une tasse de caoua, monsieur Jean ! lui cria la patronne.

— Merci, Huguette.

Angélina tremblait nerveusement. Elle insista à voix basse.

— Madame, ce violoniste, il a de longs cheveux noirs bouclés et le teint sombre des bohémiens, n'est-ce pas ? Des vêtements bizarres aussi ?

— Non, du tout, mademoiselle. Celui dont je vous cause, il ne ressemble pas à ça. Il a le cheveu court et brun. Il a le teint des gens du pays qui travaillent en plein air toute l'année. Et il s'habille comme tout un chacun. Je peux même vous dire que la pauvre Marthe en avait le béguin.

— Ah bon, je fais erreur, alors…

Désemparée, elle décida de rendre visite à Gersande. Elle en oublia de boire son café. Sa vieille amie était réveillée et lui ouvrit aussitôt la porte.

— Ma chère petite, enfin ! Dieu que je me suis tourmentée, seule dans cette chambre ! Entre vite.

Gersande l'étreignit dans ses bras frêles. Angélina, qui était un peu plus grande, reçut deux baisers sur les joues, et cet élan d'affection la bouleversa.

— Mademoiselle, je suis désolée. Si j'avais pu prévoir ce qui arriverait ! Nous sommes partis avant l'aube d'Encenou, car un voisin avait tout raconté à mon oncle hier soir, très tard, expliqua-t-elle de nouveau. Je crois qu'Octavie s'est recouchée avec Henri.

— Mon Dieu ! Mon Dieu ! Si tu savais comme j'ai prié, petite ! Je ne pouvais pas lire, il fallait que je prie pour cette pauvre Marthe. Et je pensais à toi, à ce que tu avais enduré à Toulouse en apprenant la mort de Lucienne Gendron. Quelle cruelle coïncidence, Angélina ! Nous étions venues à Biert pour nous distraire, et il se produit un acte du même genre, le plus abject, le plus odieux. Je n'ai qu'une hâte, me retrouver à Saint-Lizier.

Angélina s'était assise au bord du lit défait. Elle observa d'un œil absent le roman de Zola, ouvert sur la table de chevet.

— *Une page d'amour*, dit-elle après avoir lu le titre sur la tranche du livre. Pour certains, l'amour n'existe pas ; seule règne la barbarie. Gersande, j'ai des doutes terribles. En entrant dans l'auberge, j'avais la certitude que c'était encore Luigi l'assassin. Vous souvenez-vous du violoniste, celui qui portait une perruque blonde et un masque ?

— Qui t'a dit que c'était une perruque ?

— La patronne, à l'instant. Hier soir, dès que j'ai appris pour Marthe, j'ai confié à mon oncle et à tante Ursule tout ce que je savais sur ce qui s'est passé à Toulouse. Et j'avais la conviction d'être traquée par ce fou, ce Luigi, ce pervers ! Pourtant, c'est un violoniste si habile ! Avant que les villageois allument le feu de la Saint-Jean, j'ai cherché dans la foule qui jouait ainsi, sans réussir à l'apercevoir. Après, vous m'avez décrit le musicien, et cela m'a rassurée, puisqu'il n'avait aucun point commun avec le bohémien. Et puis il y a eu l'accouchement d'Eulalie et ma frayeur en rentrant par la rue du Prat Bésial, car j'avais l'impression d'être suivie. Mais Sauveur m'a retrouvée et il a fait fuir quelqu'un.

Ce fut au tour de Gersande de s'asseoir. Elle tremblait de tout son corps.

— En effet, tu m'avais brièvement raconté l'irruption de ton chien et ta peur. Néanmoins, à ton réveil, tu prétendais que tu t'étais affolée pour rien, qu'il devait s'agir d'un autre chien ou d'un chat. Tu as sans doute échappé à une mort atroce et peut-être à pire encore. C'était peut-être l'assassin qui te suivait.

— Peut-être, admit Angélina. J'avais l'intention d'aller témoigner à la gendarmerie ce matin, mais j'hésite. La patronne m'a dépeint le musicien qui s'était déguisé, celui qui jouait du violon, donc, et cela ne correspond pas à la physionomie de Luigi. Seigneur, prononcer ce nom me hérisse.

Gersande de Besnac lui prit la main dans l'espoir de la réconforter.

— Et comment est-il, l'autre violoniste ?

— Brun, les cheveux courts, des traits plaisants, quelqu'un du coin, sûrement.

— J'ai remarqué un jeune homme à l'air triste, hier, sur la place de l'église. C'était peut-être lui ? Quelle vieille sotte je suis ! J'ai eu une sorte de malaise, car ce garçon me faisait un peu penser à Willy, enfin à William. Quelque chose d'indéfinissable, une stature, l'attache du cou. Après ça, les bons et les mauvais souvenirs me sont revenus, et j'ai sangloté et prié tout le reste de la journée.

Les paroles de Gersande alarmèrent Angélina. Elle qui estimait faire erreur deux minutes plus tôt était à nouveau taraudée par le doute. « Seigneur, aidez-moi, implora-t-elle. Je commençais à croire que Luigi n'était pour rien dans ce meurtre-là, que je n'avais pas à me rendre à la gendarmerie. Mais c'est peut-être bien lui que Gersande a vu, puisqu'il ressemble à William. Mon Dieu, si par malheur c'est son fils Joseph ! Quoi qu'il arrive, elle ne doit jamais savoir qu'elle a engendré un criminel. » Accablée, elle secoua la tête, une main sur ses yeux.

— Ma pauvre petite, tu es à bout de nerfs ! la plaignit sa vieille amie. Viens, descendons boire un café. Je prends mon châle.

— Non, je vais demander à la patronne de vous monter un petit déjeuner. Oncle Jean m'attend. Je juge utile de témoigner quand même. Je reviens vite, mademoiselle. Octavie est dans la chambre voisine ; n'hésitez pas à la réveiller au besoin.

— Fais à ton idée, mon enfant. Mais ne tarde pas. Mon cocher vient nous chercher en début d'après-midi.

— Ne vous inquiétez pas.

Angélina sortit précipitamment de la pièce. Elle dévala l'escalier et rejoignit son oncle, en grande discussion avec un berger à la barbe blanche. La salle était comble. Les aubergistes, privés de leur serveuse, avaient du mal à servir tous ces clients, affamés après des heures de trajet à pied ou à dos de mule, quand ils ne menaient pas une charrette lourdement chargée. Les marchands venaient souvent de loin, par le col du Sarraillé ou les gorges de Peyremale. Les vendeurs de bétail voyageaient toute la nuit depuis la vallée d'Ustou.

— Alors, ma nièce, s'écria Jean Bonzom, comment va ta noble dame ?

— Pas mieux que moi. Mon oncle, si j'allais seule à la caserne de Lirbat ? Prête-moi la charrette, je ne serai pas longue.

— Es-tu folle, Angélina ? Non, je t'accompagne. Personne ne laisse une fille se déplacer seule en ce moment.

— Mais il fait jour, et j'emmène le pastour, insista-t-elle. Je ne risque rien. Regarde sur la route, les gens vont tous à la foire de Massat. Je préfère que tu restes ici et que tu veilles sur Henri et mes amies.

Jean Bonzom céda, surtout parce qu'il lisait une volonté farouche dans les prunelles violettes de sa nièce. Il en déduisit qu'elle avait ses raisons et cela le tracassa.

— Toi, tu me caches quelque chose, gronda-t-il. Boudiou, je devrais te conduire. Le petit est en sécurité ici ; ne me conte pas de sornettes.

— D'accord, tu me conduiras. Mais j'avais promis à Eulalie de lui rendre visite ce matin. Il n'est que huit heures ; j'ai le temps de passer par là. Ensuite, nous partirons tous les deux.

— À la bonne heure ! Là, tu me fais plaisir, Angélina.

Elle s'éloigna, attendrie. Son oncle et le berger avaient déjà repris leur conversation en patois. C'était une de plus qui s'ajoutait aux autres palabres, le tout dans une atmosphère enfumée où flottait une odeur de graisse chaude.

« Cela me donnera l'occasion de réfléchir encore un peu », songea Angélina en traversant la place de l'église. Elle salua gentiment les vieillards assis sur le banc entourant le tilleul, des hommes chenus, courbés par l'âge, et des femmes desséchées, le visage flétri sous leur coiffe d'un blanc jauni. Des enfants jouaient à la marelle près de la boulangerie, le long d'un mur frappé par le soleil. C'était une belle matinée d'été, en apparence très paisible, et Angélina en fut davantage affligée. Marthe, si douce et aimable, ne verrait plus jamais la ronde des saisons colorer sa vallée natale.

Sauveur était couché sous la charrette. Il se leva dès qu'il vit sa maîtresse approcher.

— Mon bon chien, mon ange gardien ! chuchotat-t-elle en le caressant. Viens, j'ai une visite à faire.

Par superstition, Angélina décida de ne pas emprunter la longue rue du Prat Bésial. Elle contourna l'église pour prendre un sentier tracé entre les jardins potagers, qui rejoignait le lavoir. Cela lui éviterait de suivre le dédale ombragé des ruelles tout en jouissant du soleil et de la première floraison des rosiers qui ornaient la plupart des palissades en planches. Sur sa gauche, une esplanade bordée de platanes servait de foirail une fois par mois seulement, surplombée par la route montant vers Encenou et le col de la Crouzette. De la volaille déambulait en liberté, des oies, des poules et des canards.

— Sage, Sauveur ! ordonna-t-elle. Ne va pas croquer une de ces bestioles. Oh !

Elle s'arrêta, saisie. À une vingtaine de mètres, un homme bâtait un petit âne gris, qu'il avait attaché à la croix en fer érigée lors de la création de la commune, en 1851. Et cet homme, elle l'aurait juré, c'était Luigi. Elle le voyait de profil. Il était penché en avant et il arrimait l'étui en bois contenant assurément son violon. Baignée dans la lumière vive du matin, la scène avait quelque chose de paisible, de poétique même, mais Angélina prit le pastour par son collier, comme pour s'assurer de sa présence. L'esprit subitement vide, elle n'osait plus ni avancer ni reculer.

« Est-ce qu'un assassin aurait l'air aussi tranquille ? se demanda-t-elle. Mon Dieu, que dois-je faire ? »

Le bohémien se redressa et tourna la tête. Il la découvrit ainsi, auréolée de sa chevelure rousse, les traits tendus, immobile, une main sur le cou du grand chien. Il eut alors un geste de lassitude : il leva un bras et le laissa retomber. Puis il marcha droit sur elle en s'exclamant :

— Angélina ! Moi qui voulais vous éviter !

Il se tenait maintenant à quelques pas. L'aubergiste l'avait fidèlement dépeint. Il avait les cheveux courts ainsi que le teint hâlé, et il était vêtu à la façon des gens du pays.

— Ne m'approchez pas ! lui intima-t-elle l'ordre. Après Lucienne, vous avez tué Marthe. Je suis la seule à savoir la vérité. Quand viendra mon tour, puisque vous me traquez ?

Le visage du jeune homme se défit, tandis qu'il la fixait de ses yeux noirs.

— Vous êtes folle, ma parole ! De quel droit m'accusez-vous ? Bon sang, je ne suis pas un assassin !

— Pourtant, vous ne semblez pas surpris d'apprendre la mort de mon amie Lucienne, rétorqua-t-elle, soudain envahie par un courage désespéré.

Elle comprenait que cela ne servirait à rien de fuir, qu'il fallait lutter, le pousser à se trahir. Aussi faisait-elle face sans trembler à un individu pervers, capable de duper tout le monde, de ruser, de se montrer en plein jour après avoir tué et violé la nuit.

— Vous êtes un monstre, ajouta-t-elle, grisée par la rage comme dans le parc de l'hôtel-Dieu.

— J'ai su, pour Lucienne. Par un marinier qui m'a conduit jusqu'à Montauban. Je m'enfuyais. Je n'avais pas le choix : vous étiez prête à me dénoncer à la police. Angélina, je suis désolé, il faut me croire. Comment pouvez-vous me soupçonner ? Là encore, vous pensez que j'ai pu faire du mal à la petite Marthe. Une fille si gentille !

Angélina ne le quittait pas des yeux, ébranlée par son ton qui semblait sincère. « Il essaie de me tromper, de jouer les innocents, pensait-elle. Gersande avait raison, il appartient à la catégorie la plus dangereuse, celle des manipulateurs, capables de feindre pour s'en tirer et recommencer à frapper en toute impunité. »

— Dans les jardins de l'hôpital, vous n'aviez pas cet air-là, avança-t-elle. J'ai eu peur de vous et, oui, j'ai tout raconté à un agent de police. Vous êtes sûrement recherché.

— Je m'en doutais, dit-il dans un soupir. Et cela m'a amené ici où j'ai un ami, mais je suis en route pour l'Espagne. Angélina, laissez-moi partir, je ne reviendrai jamais en France. Je vous jure que je ne suis ni un monstre ni le meurtrier de ces filles.

Luigi parlait calmement. Il semblait triste, affligé. Elle le toisa avec hargne.

— Quel comédien ! Vous n'avouerez jamais. Et je devrais vous accorder ma confiance, peut-être ? Mais je ne suis pas idiote. Lucienne disparaît après vous avoir donné rendez-vous et on la retrouve morte. La patronne de l'auberge m'a dit que Marthe vous aimait bien, enfin, vous, ce violoniste qui s'est déguisé le soir du feu de la Saint-Jean. Pourquoi ce masque, cette perruque, ce faux ventre ? Pourquoi ?

— C'était à cause de vous, répondit Luigi avec une grimace dépitée. Je vous avais vue descendre de la diligence avec deux femmes et un petit enfant. Comme je vous l'ai dit à l'instant, je supposais que vous me soupçonniez et je ne tenais pas à vous croiser. Par chance, je trimballe toujours dans mon baluchon de quoi me déguiser. Cela amuse les enfants sur les champs de foire. J'étais bien ennuyé, moi qui croyais profiter de la fête pour gagner quelques sous. Angélina, pouvez-vous réfléchir un instant ? Ai-je vraiment la tête d'un salaud, d'un meurtrier assoiffé de sang ? Je suis aussi révolté que vous par la mort de Marthe. Et je ne me cache plus ; cela devrait vous rassurer. Hier, j'étais sur la place du village, quitte à vous rencontrer. Enfin, pour être plus précis, j'espérais vous revoir. L'idée que vous me jugiez coupable d'un acte de barbarie m'était insupportable. Je suis même soulagé de pouvoir me défendre, vous dire que je n'ai rien fait de mal. Si c'était le cas, je me serais déjà enfui, non ?

Angélina était troublée. Elle se souvint des avertissements de son oncle au sujet du danger d'accuser quelqu'un sans aucune preuve. Des preuves, elle n'en avait pas, mais qui en avait ?

— Et si vraiment vous me jugez coupable de ces abominations, pourquoi ne tremblez-vous pas d'horreur et de frayeur devant moi ? Vous n'avez pas pris la fuite en hurlant au secours…

Angélina nota la justesse de sa remarque. Furieuse, elle se sentait mal à l'aise sans être terrifiée.

— Je suppose que vous me répugnez tant que j'en oublie toute prudence, répliqua-t-elle. Et si vous êtes innocent, par quel hasard vous trouvez-vous toujours sur les lieux du crime, autant pour Marthe que pour Lucienne ? Toutes les deux ont été séduites par vos flatteries et toutes les deux en sont mortes.

— Je vous répondrai que, vous aussi, ma chère Violetta, vous êtes chaque fois présente sur le lieu du crime, lui asséna-t-il avec un rire moqueur.

— Et alors ? s'indigna-t-elle. Je ne vois pas le rapport. Et je vous ai déjà dit de ne pas m'appeler comme ça.

— Vous aussi, vous pourriez être l'assassin, Violetta, ricana Luigi qui paraissait s'échauffer. J'en ai vu, des choses, tout au long de mes errances. Les femmes ne sont pas toutes de blanches colombes au cœur pur. Certaines se montrent plus perverses encore que les hommes. N'est-ce pas un peu trop facile, de me désigner comme le coupable ? Bon sang, vous êtes pourtant une fille intelligente ! Le jour de notre première rencontre, je me suis confié à vous avec sincérité et cela ne m'arrive pas souvent. J'ai cru à tort que vous étiez moins bornée que vos contemporains. Enfin, ayez le courage de me regarder en face, vous comprendrez votre erreur.

Il plongea le feu de ses prunelles noires dans les yeux d'Angélina et elle soutint cet échange vaillamment, tout en éprouvant bientôt un malaise indéfinissable.

— Que faites-vous ? s'écria-t-elle tout à coup en reculant. Vous essayez de me séduire comme les autres ? Vous êtes un démon, le diable en personne. Et en plus, vous osez m'accuser.

— Si je raisonne à votre manière, pourquoi me priver de ce plaisir ? Vous étiez dans le parc, à Toulouse, la nuit où Lucienne a été tuée et, le soir de la Saint-Jean, vous étiez là vous aussi.

L'absurdité de ces propos qui, de plus, l'offensaient réveilla toute la méfiance d'Angélina. Elle eut la conviction que cet homme était fou à lier et d'une sournoiserie infâme. Il dut s'en apercevoir, car il crispa les mâchoires et bondit en arrière.

— Je n'ai pas envie de prendre une autre gifle, dit-il. Et je perds mon temps, on dirait, à vouloir vous convaincre.

Le destin vint alors à la rescousse. Depuis la veille, les gendarmes de Massat patrouillaient à cheval. Trois d'entre eux déboulèrent au trot d'une ruelle voisine. Dès qu'il les aperçut, Luigi changea de figure. Livide, il courut vers le chemin bordé de palissades qui menait au lavoir communal, abandonnant l'âne et son chargement, dont le violon. Angélina y vit un aveu, la preuve ultime de sa culpabilité. Comme dans un mauvais rêve, elle s'entendit crier :

— C'est lui, l'assassin de la serveuse, lui, là-bas !

Deux des gendarmes lancèrent leurs montures au galop, mais le troisième, qui n'était autre que le brigadier, prit le temps d'interroger Angélina.

— Comment le savez-vous, mademoiselle ?

— J'ai déjà témoigné contre cet homme à Toulouse, auprès de l'officier de police Davaud. Il a pris ma déposition il y a une quinzaine de jours. J'étais élève sage-femme à l'hôtel-Dieu, et une de mes amies, élève aussi, a été tuée et violée dans des circonstances identiques à celles qui ont coûté la vie à Marthe. Cet homme était le seul suspect.

— *Diou mé damné* ! hurla le brigadier en éperonnant son cheval.

Des gens du village accouraient, alertés par l'écho de la galopade. D'autres sortaient des quelques maisons faisant face à l'esplanade. Angélina ne bougea pas. Son cœur cognait si fort qu'il résonnait dans tout son être. Pâle et les jambes molles, elle aurait voulu retourner à l'auberge, se réfugier dans les bras de son oncle, mais elle demeurait là dans l'attente de ce qui allait suivre. Un homme la secoua :

— Qu'est-ce qui se passe ? On l'a trouvé, le fumier ? brailla-t-il en patois.

Elle fit oui de la tête, tandis que le villageois répandait la rumeur en hurlant. D'autres cris s'élevèrent, haineux ou affolés, si bien que la foule ne tarda pas à déferler depuis la place de l'église et les rues latérales. Une clameur féroce retentit bientôt de bouche en bouche : « À mort ! À mort ! »

Deux femmes questionnèrent encore Angélina qui ne pouvait plus desserrer les lèvres et se contentait d'approuver d'un signe. Inquiet, Sauveur commença à montrer les dents et à grogner. Angélina cramponna plus fort son collier, de crainte de le laisser échapper.

— Sage, mon chien, sage ! parvint-elle à articuler.

Elle espérait le retour des gendarmes, susceptible de calmer l'agitation générale. Cela virait au cauchemar. Elle voyait quelqu'un brandir une fourche, un autre arriver armé d'une faucille, un troisième accourir, un lourd bâton à bout de bras.

— Oh non ! gémit-elle tout à coup.

Un grand gaillard s'en prenait au petit âne, le bourrant de coups de pied. Affolé, le pauvre animal tirait sur sa corde. Une femme lui cingla le nez à l'aide d'une branche. Un vieillard attrapa la boîte contenant le violon et la jeta au sol, en pâture à la vindicte de son épouse.

« C'est ma faute ! Quelle horreur ! C'est ma faute ! » songea Angélina, ulcérée. J'ai dû leur faire comprendre que c'était son âne.

Après avoir bousculé un groupe d'adolescents excités qui ramassaient des pierres, Jean Bonzom la rejoignit. Il saisit sa nièce par les épaules.

— Angélina, c'est quoi, ce bordel ? Ne reste pas là, malheureuse ! Qu'est-ce qu'ils ont tous ? Il paraît que les gendarmes ont arrêté l'assassin.

— Je ne sais pas encore, dit-elle. Je t'en prie, sauve cette pauvre bête. L'âne, là-bas, attaché à la croix.

— *Foc del cel !* C'est pas le moment de t'occuper d'un âne, gronda Jean. Ils ne vont pas le tuer, il vaut quelques sous. Viens donc, je te ramène à l'auberge. S'ils ont le type, ça ne va pas être beau à voir. Je te parie qu'il sera lapidé avant d'être derrière les barreaux.

— Mais non, il va être jugé, protesta Angélina faiblement. Oncle Jean, je l'ai dénoncé. Luigi, le violoniste, je l'ai vu, il m'a parlé. Je suis sûre que c'est lui.

Le montagnard devint blême de colère. Il l'entraîna par le poignet, dans la direction opposée à l'église, vers la rue du Lavoir.

— S'il est innocent, Angélina, tu auras sa mort sur la conscience toute ta vie. Tu entends ? Toute ta vie !

Penses-y. Matin et soir, la nuit dans ton sommeil, tu te souviendras de ce jour d'été où tu as voulu jouer les justicières. Je n'aurais pas dû te laisser filer seule. Tu les as vus, tous ? Des pères de famille, des gosses, qui ne feraient pas de mal à un chien et, d'un coup, ils se changent en charognards, avides de participer à la curée. Même si cet homme est coupable, il a droit à un procès équitable.

— Je suis désolée, gémit-elle. Je ne savais pas.

Son oncle eut un geste de colère, mais il ne prit pas la peine de lui répondre. Tous les deux, ils suivirent la centaine de personnes qui se ruaient sur les traces des gendarmes. Angélina jeta un dernier regard à l'âne, que l'on avait cessé de tourmenter ; cela la réconforta un peu. Dans sa panique, l'animal avait répandu une diarrhée fétide. Les débris du violon en étaient souillés. Elle crut alors percevoir au fond de son esprit les notes pures et mélodieuses de l'instrument, manié avec talent par Luigi le jour de la foire, des mois auparavant.

Elle se débattit brusquement, mais son oncle ne lâcha pas prise.

— Tu dois voir comment on traite les brebis galeuses, les réprouvés, les nouveaux cathares ! s'écria-t-il en la tirant rudement par le poignet.

— Tais-toi ! hurla-t-elle à son tour. Tu mélanges tout. Pitié, oncle Jean, je veux rentrer à l'auberge.

Il ne l'écouta pas. Quelques minutes plus tard, Angélina fut au premier rang. Jeanne Sutra s'époumonait à ses côtés, jetant des insultes à l'homme que les gendarmes venaient d'attacher à un des chevaux. Luigi vacillait, le visage en sang et les bras zébrés de longues estafilades. Sa chemise était déchirée et dévoilait son torse marqué d'ecchymoses.

— Arrière, arrière ! s'égosillait le brigadier en faisant tournoyer son sabre. Laissez passer, ça suffit. On doit l'emmener à la prison.

Les gens vociféraient, la plupart en patois, quand ils ne crachaient pas de toutes leurs forces. Des cailloux volaient. Un des projectiles atteignit la jument du brigadier qui, effrayée par le vacarme, se cabra.

— Arrière ! brailla encore un gendarme.

Luigi redressa la tête à cet instant précis. Il planta son regard sombre dans celui d'Angélina, comme s'il n'y avait qu'elle dans la rue. Elle y lut une telle détresse, une telle terreur qu'elle ferma les yeux. Tout se brouilla, tout devint cotonneux et confus. Sans son oncle, elle s'effondrait sur le sol. Il la retint de justesse. Elle s'était évanouie.

Chez Jeanne Sutra, même jour

Angélina reprit connaissance alors qu'un alcool fort se répandait dans sa gorge. Elle voulut recracher, mais elle ne put que tousser. Une poigne solide l'aida à se redresser.

— Et voilà, elle revient avec nous, fit la voix de Jeanne Sutra. Boudiou, elle nous a fait peur, votre nièce. Moi, j'ai failli tourner de l'œil quand j'ai vu ma fille dans une flaque de sang, le soir de la naissance, mais ça va pas me soulever le cœur de voir un salaud pareil aux mains des gendarmes.

Toujours alitée, Eulalie considéra avec intérêt la jeune fille qui battait des paupières, assise sur une chaise près de la cheminée. Depuis son accouchement, elle ne tarissait pas d'éloges sur Angélina, qui lui avait évité le pire, à savoir les doigts sales de la matrone locale, ainsi que son crochet rouillé.

— Peut-être ben qu'elle a pris un mauvais coup dans la foule, maman, hasarda-t-elle. Redonne-lui donc de l'eau-de-vie et du sucre.

— Non, merci, ça ira, réussit à dire Angélina. Je suis désolée de vous causer du dérangement.

Elle voulut se lever, mais elle tituba. Son oncle la soutint par la taille.

— Je dois t'emmener à la gendarmerie, lui confia-t-il tout bas.

— D'abord, je voudrais examiner Eulalie, puisque je suis là. Si tu peux m'attendre dehors…

Jean Bonzom haussa les épaules, salua d'un grognement peu aimable et sortit.

— Mon gendre et mon mari sont partis à Massat avec les autres, dit Jeanne Sutra d'un air envieux. Quand le père de Marthe va voir arriver l'assassin de sa petite, y aura du grabuge.

— Sans doute, répondit Angélina à mi-voix, d'un air absent. Comment allez-vous, Eulalie ?

Elle se sentait faible, comme ivre de fatigue. Elle n'avait surtout aucune envie de parler de l'arrestation de Luigi. La flambée de haine, la violence et la cruauté dont elle avait été la spectatrice impuissante la rendaient encore malade. Il lui fallait se concentrer sur autre chose et, à ce moment-là, elle aurait donné cher pour être à cent lieues de la vallée.

— Vous acceptez que je vous examine ? insista-t-elle en approchant du lit.

— Oh oui ! Vous m'aviez promis de venir ce matin et je vous guettais. Vrai, je ne suis pas à mon aise. Je ne peux pas m'asseoir et, dès que j'urine, ça me brûle partout. Pour le reste, j'ai rien fait. La mère m'a aidée à m'asseoir sur le seau, là, près du lit. J'ai eu des douleurs affreuses.

— Il vous faudrait un bassin comme nous avons à l'hôpital, dit Angélina en soulevant les draps. Jeanne, au pire, il faudrait utiliser une cuvette en la soulevant un peu, vous et votre gendre.

— Ah ça ! non, protesta Eulalie. Je pourrai pas faire si Prosper me tient. J'ai ma pudeur, moi !

La malheureuse fondit en larmes. Angélina procéda à l'examen et fut tout de suite incommodée par des relents de sang et d'urine.

— Jeanne, il faut la laver à l'eau tiède et au savon, sinon les chairs vont s'infecter et les points du docteur ne tiendront pas. Je vous en supplie, c'est important pour la cicatrisation. Il faudrait entre chaque toilette bien l'enduire d'une pommade à base de consoude[1].

— On n'en a pas, mademoiselle, déplora la mère.

— Eh bien, il faut en préparer. Vous cueillez de la consoude ; il y en a plein les talus en ce moment. Vous la pilez et vous mélangez la mixture avec du saindoux. Et l'enfant ?

Les deux femmes se signèrent. Les yeux pleins de larmes, Eulalie murmura :

— Il a été enterré hier. J'ai pas pu assister à la cérémonie, hélas ! Mon mari dit que ça vaut mieux comme ça, vu qu'il était pas normal.

Angélina approuva en silence. Elle recouvrit sa patiente d'un soir et, pleine de compassion pour ce qu'elle endurait, lui étreignit la main.

1. Plante commune à fleurs jaunes dont les feuilles pilées sont un très bon cicatrisant.

— Courage, Eulalie ! De l'hygiène, pas d'efforts, surtout, et vous vous remettrez. Je vous laisse. Merci beaucoup de votre accueil.

— On ne pouvait pas vous allonger par terre ! répliqua Jeanne Sutra. Dès que vous êtes tombée en arrière dans les bras de votre oncle, je lui ai dit de vous porter ici, que c'était la porte à côté. On vous devait bien ça !

Angélina prit congé. Elle sortit à son tour en se disant que ce serait au-dessus de ses forces de se rendre à Massat, de revoir la foule assoiffée de vengeance. Mais elle savait aussi qu'elle n'avait pas le choix. « Je suis la seule qui peut témoigner contre Luigi, songea-t-elle une fois dans la rue. Mon Dieu, je devrais être soulagée et rassurée. Cet homme ne fera plus de mal ; il n'y aura plus de victimes. » Mais elle avait beau se raisonner, elle craignait d'avoir commis une terrible erreur. Cela l'oppressait et la torturait. « Et s'il était innocent ? Il sera peut-être exécuté par ma faute. Le procès n'aura pas lieu ici, plutôt au tribunal de Toulouse. Mon Dieu, tout ce sang sur lui et ce regard qu'il m'a adressé ! C'est étrange, je n'y ai pas vu de haine ni de rancœur. »

— Alors, ma nièce ? interrogea Jean Bonzom, qui se tenait au soleil, une cigarette au coin des lèvres. Tu as l'air bouleversée…

— Et toi, tu me fais l'effet d'un juge suprême prêt à me clouer au pilori, répliqua-t-elle. Où est Sauveur ?

— Ton chien va où il veut quand il veut, je te l'ai déjà dit. Toi, ce n'est pas pareil. Fichtre ! Retournons à la charrette, que je t'emmène à la gendarmerie. Tu dois faire une déposition.

— Je sais. Je le ferai, mais d'abord je voudrais repasser par l'esplanade et détacher ce pauvre âne. Pourrais-tu me prendre là-bas, oncle Jean ?

— Ouais ! C'est dommage que tu aies autant pitié d'une bête et pas de son maître.

— Son maître ! Il a dû voler cet animal.

Elle lui jeta un regard plein de rancune et s'engagea d'un pas rapide sur le chemin qui traversait les potagers. Le tableau coloré et charmant des plantations verdoyantes et des fleurs de saison irradiées de soleil réveilla sa contrariété. C'était un si tendre matin d'été, chaud, lumineux, parfumé, sous un ciel d'une pureté absolue ! Alentour, les montagnes resplendissaient, parées de jeunes feuillages aux teintes vives, dominées par les crêtes neigeuses du massif des Trois Seigneurs, à l'est.

« J'aurais pu emprunter la rue du Prat Bésial pour aller chez Jeanne Sutra et je n'aurais pas vu Luigi, se disait Angélina. Il serait en route pour l'Espagne, maintenant, coupable ou innocent. Coupable ou innocent… »

Plongée dans ses pensées, elle se retrouva très vite près de la croix fichée dans un socle en pierre. L'âne avait disparu, ainsi que son chargement. Elle supposa avec justesse qu'on avait conduit l'animal à Massat pour fouiller le baluchon du musicien. Mais personne n'avait ramassé les débris du violon. Elle les observa avec perplexité. Un peu plus loin, elle aperçut le boîtier de l'instrument, brisé en quatre morceaux. L'intérieur était tapissé d'un tissu noir. « C'était son unique bien de valeur ! » songea-t-elle avec une pointe d'apitoiement.

Un bruit de sabots lui fit relever la tête. Jean Bonzom avait fait vite. Il menait son mulet au trot en longeant les platanes. Elle avança un peu, ce qui l'obligea à enjamber un des pans du boîtier. Un éclat doré attira son regard. C'était une petite médaille accrochée au velours par une épingle. Prestement, elle se pencha, la décrocha et l'enfouit dans la poche de sa jupe. Son oncle s'arrêta à sa hauteur :

— Qu'est-ce que tu cherchais, par terre ? demanda-t-il.

— Rien du tout !

— Ah ! je me disais que tu aimais remuer le crottin, ironisa-t-il.

— Oncle Jean, aie un peu pitié de moi, implora-t-elle en se perchant sur le siège à ses côtés. J'ai bien compris que ça te déplaît, ce qui s'est passé, et je n'ai pas apprécié la réaction des gens. Mais si tu te mettais à ma place, tu serais peut-être moins sévère. Ce Luigi, il a quand même tenu des propos obscènes à mes amies et il cachait une dague sur lui le jour où j'ai fait sa connaissance. Tu ne lui as pas parlé, toi, tu ignores l'air étrange qu'il peut avoir et les discours immoraux qu'il tient aux filles. Je n'oublierai jamais la vision de Lucienne, son corps nu et blafard, de même que les griffures sur sa gorge. Et Marthe a été tuée. Moi, je peux très bien concevoir ce qu'elle a enduré, si le viol a eu lieu pendant qu'elle était encore vivante. Mon Dieu, les hommes ne peuvent pas comprendre ce que c'est que d'être forcée, souillée. Mais roule donc, à la fin.

Jean Bonzom agita les rênes et fit claquer sa langue. Le mulet repartit au trot.

— Bon, je te demande pardon, Angélina, marmonna-t-il. Tu suis ton instinct, et, oui, tu as plus d'éléments que moi pour juger de l'affaire. On se ressemble, ma nièce. Je réagis de la même façon, sauf que, moi, quelque chose me dit que ce type-là n'est pas l'assassin. Pas plus qu'il n'est bohémien.

— Je crois qu'il a surtout l'habitude de changer d'apparence afin d'échapper aux gendarmes, rétorqua Angélina.

Elle glissa discrètement sa main au fond de la poche de sa jupe ; ses doigts s'emparèrent de la médaille et la palpèrent. Elle estima que chaque revers était gravé. Dès qu'ils débouchèrent sur la route reliant Biert à Massat, Jean Bonzom dut se montrer vigilant. Il y avait d'autres attelages, un char à bœufs devant eux, une calèche sur leur gauche. Des paysans circulaient à pied, un outil sur l'épaule. Le temps de la fenaison était venu et, dans l'un des vastes prés longeant la rivière, une famille commençait à faucher ; parents et enfants étaient coiffés d'un chapeau de paille. Les lames des faux étincelaient, tandis qu'une senteur délicieuse montait des hautes herbes qui jonchaient le sol.

— Ils se sont mis à l'œuvre au lever du jour, déclara l'oncle Jean. D'abord, les gamins ont pour tâche de battre l'herbe avec des bâtons, ce qui élimine la rosée. Le foin sèche d'autant mieux. Il ne faut pas chômer. C'est aussi la saison des orages. *Jungnh nou gout, lé pagès qu'a dé tout !* Juin sans eau fait le paysan riche !

— J'avais compris, laissa tomber Angélina. J'ai toujours compris le patois de mon pays.

— Oh ! *Foc del cel !* Angélina est en colère ! Garde ta rogne pour le brigadier.

Sur ces mots, l'oncle Jean se mit à siffloter, sans daigner prêter attention à sa nièce qui en profita et extirpa la médaille de sa cachette en la gardant au creux de la main. Cela lui suffit pour étudier ses deux faces alternativement. La petite plaque ovale en or fin représentait Jésus-Christ, auréolé de rayons de gloire. Mais sur l'envers elle déchiffra les initiales G. B., entremêlées dans une sobre calligraphie.

« Mon Dieu ! Gersande de Besnac, la médaille qu'elle avait accrochée au ruban du bonnet…, s'effara-t-elle, plongée en plein cauchemar. Mais alors, c'est bien lui, son fils, Joseph, lui qui aurait hérité de la fortune de ma pauvre amie. Oh non ! C'est impossible. Ou bien il l'a volée, cette médaille. Par quel affreux coup du sort l'enfant de Gersande traînerait-il dans la vallée de Massat ? Et à Toulouse. Oh ! je suis sotte, Lyon n'est pas si loin, quand même ! S'il était né à Paris, encore ! Et pourtant, mademoiselle a été troublée hier, en voyant un jeune homme dont la description concorde avec celle de Luigi tel qu'il est à présent. »

Elle faillit jeter sa trouvaille dans le fossé, mais se ravisa, prise de scrupules. Un jour, il lui faudrait peut-être avouer ce qu'elle avait découvert à la vieille dame, et la médaille constituerait une preuve presque rréfutable.

— Dis donc, tu n'es pas bavarde, nota son oncle. Voilà la caserne. Veux-tu que je t'accompagne à l'intérieur ?

Les abords de la bâtisse longue et haute, flanquée d'une écurie sur l'arrière, grouillaient de monde. Les hommes de tous âges affichaient une mine grave, quand ils ne criaient pas des insultes en montrant le poing. Des enfants étaient assis sur le talus voisin, surveillés par les mères dont les coiffes blanches s'agitaient au rythme de leurs discussions enfiévrées.

Angélina se sentit toute froide à l'intérieur, l'esprit ralenti par une sourde angoisse. Elle refusait de réfléchir et, en descendant de la charrette, elle se répéta obstinément que le coupable était hors d'état de nuire. Une femme se précipita soudain vers elle et lui saisit les mains. Le visage noyé de larmes et les yeux hagards, la malheureuse hoqueta :

— Dieu vous bénisse, mademoiselle ! Grâce à vous, ma petite Marthe trouvera le repos en paradis. Merci, merci !

— Vous êtes sa mère ? demanda Angélina.

— Oui, oui ! Dieu vous bénisse, vous avez pu faire arrêter ce criminel.

Jean Bonzom confia son mulet à un adolescent. Il entoura ensuite sa nièce d'un bras protecteur et la poussa vers la porte de la gendarmerie. Elle fut tout de suite conduite dans une pièce où le brigadier siégeait derrière une table. Son oncle retourna l'attendre dehors.

— Ah ! Mademoiselle Loubet, c'est ça ? dit-il de sa voix basse, à l'accent rocailleux. Asseyez-vous. Je vous ai déjà vue, n'est-ce pas ?

— Oui, en effet, il y a un peu moins de deux ans, à Massat.

— J'ai bonne mémoire. Et il me semble à moi que vous avez défendu un bohémien qui avait libéré votre mule. Enfin, selon monsieur Prosper Fabre, il s'agissait d'un vol, ce que vous avez nié. Il me semble aussi que le prétendu voleur était l'homme que nous avons appréhendé ce matin, à la suite de votre témoignage.

— Oui, il s'agit du même homme, brigadier.

La bouche sèche, Angélina peinait à parler. Elle rêvait d'un grand verre d'eau fraîche, ce qui la poussa à se représenter un ruisseau, puis une cascade. Ses tempes cognaient. « Je ne vais pas encore m'évanouir, se reprocha-t-elle. Du cran, je ne peux plus reculer ! »

— Vous êtes bien d'accord avec moi, reprit le gendarme. Et vu que j'ai bonne mémoire, j'ai aussi de la facilité à me souvenir des visages. En conséquence, si vous nous aviez laissé jeter ce saltimbanque en prison il y a un peu moins de deux ans, Marthe Piquard serait sûrement toujours en vie.

— Sûrement, concéda-t-elle, livide.

— Bien ! À présent, il faudrait m'expliquer pourquoi vous accusez le dénommé Luigi, sans patronyme selon ses aveux. Vous prétendez également qu'il est recherché par la police de Toulouse ?

— Mais oui, s'impatienta Angélina, agacée par le ton sentencieux de son interlocuteur.

Elle se lança à nouveau dans le récit détaillé des événements ayant abouti à la découverte du corps de Lucienne Gendron. Le brigadier ponctuait certaines de ses phrases d'un « hum » qui se voulait perspicace. Cependant, quand elle eut terminé, il lui posa la même question que son oncle, la veille.

— Dans ce cas, pourquoi vous a-t-il épargnée, vous ? Dans le parc de l'hôtel-Dieu, vous étiez une victime facile. Et, de plus, la seule personne capable de l'identifier.

— Je l'admets, mais, hélas ! je n'ai pas d'explication. Ou bien je n'étais pas à son goût.

« Là, je dis n'importe quoi, pensa-t-elle. Luigi m'a laissé entendre qu'il avait sauté de la péniche pour me revoir. »

— On peut le supposer, oui, grogna le brigadier. D'après vos deux dépositions, il choisit des filles brunes et accortes, ceci dit sans manquer de respect à Lucienne Gendron. C'est vous-même qui la décrivez ainsi. Du genre engageant.

Angélina était à bout de nerfs. Elle vit entrer un jeune gendarme, un cahier à la main.

— Nous allons consigner tout ceci par écrit, mademoiselle Loubet, annonça le policier. Veuillez reprendre, je vous prie.

C'était inutile de protester. Elle s'exécuta sur un ton las, de plus en plus mal à l'aise. Une heure s'écoula.

— Que va-t-il se passer, à présent ? s'enquit-elle, pressée de se retrouver à l'air libre.

— Le dénommé Luigi sans patronyme va être transféré à la prison de Saint-Girons à bord de notre fourgon. On attelle les chevaux. Mais il sera jugé et guillotiné à Toulouse en place publique, pieds nus au pied du bois de justice, un voile noir sur la tête, après lecture de la sentence. Vous serez appelée au procès en qualité de témoin.

— Oui, évidemment…

Elle se leva. Les mots du brigadier l'obsédaient. Elle imagina les derniers instants de Luigi, la lame mortelle qui le tuerait, sa tête séparée de son corps. Il était prisonnier, le fils du vent, le baladin ; prisonnier et bientôt réduit à l'état de cadavre.

« J'aurais dû écouter oncle Jean, pensait-elle. Si vraiment il est innocent, ce que j'ai fait est abominable. Et je ne peux pas revenir en arrière : on croirait que je suis folle, que je tiens à le protéger. »

Le doute la minait. Jean Bonzom la vit sortir de la caserne dans une attitude de pénitente, tête basse et les lèvres pincées. Le calme régnait alentour. Les curieux rassemblés devant la gendarmerie faisaient silence, ce qui était plus inquiétant encore.

— Viens vite, Angélina, lui dit-il. Je te ramène à l'auberge. Vous feriez mieux de rentrer à Saint-Lizier. Moi, je remonte à Encenou et je n'en bouge pas pendant deux semaines. L'air de la vallée ne me réussit guère.

— Je suis tellement désolée, chuchota-t-elle en se blottissant contre lui. J'ai mal agi.

Il la hissa sur le siège et grimpa à son tour. D'un claquement de langue, il lança le mulet au trot.

— C'est un peu tard pour être désolée, petite, déclara-t-il après une centaine de mètres. Mais je me suis mis à ta place, pendant que tu étais chez le brigadier. Confronté à la mort de ces filles et en présence d'un possible suspect, qu'est-ce que j'aurais fait à ton âge, avec les éléments que tu possédais ? Je n'en sais fichtre rien. Mais répète-toi cette phrase de mon maître à penser, Voltaire : « Il vaut mieux hasarder de sauver un coupable que de condamner un innocent. »

— Je crois que je ne l'oublierai jamais.

Ses doigts étreignirent la médaille en or enfouie dans la poche de sa jupe. Elle en frissonna, à peu près certaine d'avoir envoyé à l'échafaud ce fils que sa vieille amie désirait tant retrouver.

— Enfin, espérons que les juges seront moins aveugles que toi, ajouta son oncle. Si cet homme clame son innocence, il peut être entendu, du moins s'il arrive vivant à Toulouse.

— Pourquoi dis-tu ça ? interrogea Angélina. Les gendarmes y veilleront.

— Bah ! grogna le montagnard. Ce pauvre gars était en mauvais état tout à l'heure, malgré ces messieurs de la police et, en t'attendant, j'ai appris que le père de Marthe lui avait tiré dessus. Les nouvelles vont plus vite que la rivière, dans cette vallée. Jules Piquard s'était planqué en face de la caserne et, dès qu'il a aperçu le présumé assassin de sa fille, il a fait feu. D'où la hâte du brigadier de conduire son prisonnier loin de Massat. Il faudra qu'il séjourne à l'hôpital sous bonne garde.

— Est-ce grave ?

— Une balle dans l'épaule. Peut-être bien qu'il ne jouera plus du violon.

Angélina sentit ses yeux se remplir de larmes, qu'elle ne put contenir plus longtemps. Jean Bonzom la laissa pleurer à son aise. Quand ils s'arrêtèrent sur la place de l'église, à Biert, il lui caressa la joue.

— Puisque tu as encore foi en la justice divine, prie pour que la vérité soit faite. Tiens, regarde ! Ton chien est revenu. Brave bête ! Il s'est couché à l'endroit où j'avais laissé la charrette ce matin.

— Je vais le ramener à la maison. Au revoir, oncle Jean. Tu as rendez-vous ici dans un mois. Je reviendrai te confier Sauveur.

Sur ces mots, elle descendit du siège et s'éloigna. Il n'y avait plus une once de joie en elle. Mais elle eut le courage d'accorder un sourire à Gersande de Besnac et à Octavie qui, attablées à la terrasse de l'auberge, guettaient son retour. Henri trônait sur une chaise et grignotait un bout de pain.

— Mon pitchoun, dit-elle, je ne t'ai pas encore embrassé aujourd'hui. Oh ! Tu me tends les bras…

Elle souleva l'enfant et l'installa sur ses genoux. De le tenir contre elle fut une véritable panacée.

— Nous avons commandé à déjeuner, annonça Gersande. Mon cocher sera là vers quatorze heures. Ainsi, le coupable a été pris grâce à toi, paraît-il. Tous les clients en ont parlé. Dis-nous ce qui s'est passé exactement.

— Pas maintenant, plus tard, ce soir ! implora-t-elle. C'était vraiment éprouvant. Je ne pourrai rien avaler, je vous assure, mais prenez votre repas, je ferai manger Henri.

— Tu peux nous en dire deux mots, au moins, protesta Octavie. Et tu aurais dû demander à ton oncle de casser la croûte avec nous avant de se remettre en chemin.

À peine avait-elle prononcé cette dernière phrase qu'elle piqua un fard. Angélina le constata sans envisager une seconde ce qui causait cette rougeur subite. Malgré la présence bénéfique de son fils, elle ne pensait qu'au sort funeste dont était menacé Luigi. « Coupable ou innocent…, se disait-elle, le regard dans le vague. Innocent ? Non, coupable, c'est lui le meurtrier et j'ai eu raison. Mais il nie avec sincérité ! »

Au bout de quelques minutes, le pastour approcha de la terrasse de son pas lent et tranquille. Parvenu près des tables, il s'allongea de nouveau, ses yeux bruns posés sur Angélina. Un détail s'imposa à son esprit. « Sauveur ! Sur le moment, je n'ai pas fait attention, mais Sauveur n'a manifesté aucune animosité à l'égard de Luigi pendant notre querelle. Je crois qu'il a reniflé le bas de son pantalon et une de ses mains, presque avec amitié. D'ordinaire, il est moins familier. De plus, hier matin, oncle Jean m'assurait que les chiens se fient à leur instinct bien plus que nous. »

Ils en avaient discuté durant l'interminable trajet de Biert au hameau d'Encenou, après qu'Angélina eut raconté comment le pastour avait surgi dans la nuit, rue du Prat Bésial, comme pour voler à son secours.

— Tu m'inquiètes, petite ! s'exclama soudain Gersande. Tu as un drôle d'air et les traits tirés. En outre, je vois bien que tu as pleuré. Cela te ferait sans doute du bien de te confier. Voyons, à quoi pensais-tu, là ?

— Je réfléchissais à quelque chose, répondit Angélina, qui avait eu l'impression de mettre le doigt sur un détail important. Au même instant, la patronne de l'auberge apporta deux assiettes fumantes. Son mari disposa une carafe d'eau et un pichet de vin sur la table. Le couple avait fort à faire, et la préoccupation du jour était l'embauche immédiate d'une autre serveuse. Ce souci ne les empêcha pas de féliciter Angélina.

— On vous doit une fière chandelle, mademoiselle, déclara la femme. Les gens vont pouvoir dormir sur leurs deux oreilles, à présent. Mais jamais, vous m'entendez, jamais je n'aurais cru que c'était ce gars-là, le violoniste. Marthe, elle avait le béguin pour lui, depuis trois jours qu'il traînait par chez nous.

— Pardi, il faisait le joli cœur par-devant, histoire de préparer ses mauvais coups, rétorqua son mari.

— Mon Dieu, je ne parviens pas à croire que cet homme ait pu si bien dissimuler sa nature perverse, ses épouvantables penchants, commenta Gersande. Ciel, j'en ai des frissons.

La conversation se poursuivit, mais Angélina écoutait à peine. Les propos peinés de sa vieille amie la navraient. « Si elle savait que j'ai trouvé cette médaille dans la boîte du violon, si elle savait pour la tache de naissance dont m'a parlé Odette, à Toulouse ! Je dois laisser la justice décider, maintenant. Quand même, ce saltimbanque a souvent eu un comportement bizarre et fait des déclarations équivoques. Il est dangereux, j'en suis sûre. »

Elle finit par s'en convaincre. Après le repas, elle monta dans la chambre récupérer ses affaires, secondée par Octavie. Cela lui évita de voir passer sur la route allant de Massat à Biert le fourgon noir de la gendarmerie, tiré par deux chevaux également noirs, de petite taille, mais au corps massif. C'était des poneys ariégeois, d'excellentes bêtes d'attelage.

Un peu plus tard, les trois femmes quittaient Biert dans la calèche de mademoiselle Gersande, son cocher étant arrivé à l'heure convenue. La voiture n'aurait pas pu accueillir un autre passager, car le pastour était du voyage. Ils firent halte au village de Castet-d'Aleu afin de ménager la jument. Enfin, la belle cité de Saint-Lizier se découpa sur le bleu pâle du ciel, ses toitures et ses façades colorées d'or par le soleil à son déclin.

Saint-Lizier, autour de minuit

Octavie s'était couchée tôt, fatiguée par ces deux journées qui l'avaient sortie d'un quotidien sans grand heurt ni surprise, rythmé depuis des années par les volontés, les caprices et les humeurs chagrines de mademoiselle Gersande. Il faisait chaud dans la chambre, et la fenêtre était entrebâillée. Un vent doux agitait le rideau de lin qui protégeait la pièce de l'intrusion des moustiques. Après un sommeil agité, elle venait de se réveiller. Elle couchait dans un lit assez étroit aux montants de cuivre, tout proche de celui d'Henri. Le bébé, lui, dormait profondément.

« Le chérubin n'en pouvait plus, ce soir, songea-t-elle. Les enfants n'aiment pas trop les changements et moi non plus, il faut croire. » Nerveuse, elle retint un soupir. Un malaise indéfinissable l'empêchait de reprendre le cours ordinaire d'une existence qui lui était si précieuse avant leur court séjour dans la vallée de Massat. « L'air de la montagne ne doit pas me convenir ! se dit-elle encore. Et il y a eu ce crime affreux, de quoi être tourneboulée. Oh ! Quelle vieille bique je fais, à montrer les cornes à tout ce qui me gêne ! Es-tu maligne, ma pauvre Octavie ? Tu sais bien où le bât blesse. »

Le visage de Jean Bonzom s'imposa à elle, lumineux dans la pénombre de la chambre, tandis que sa voix grave résonnait dans son cœur. « Je vais devoir aller à confesse, maintenant que je suis convertie. En voilà, une manie ! Ce que je ressens là, avant je l'aurais simplement avoué à Dieu et personne n'en aurait rien su. Comment raconter ça au curé ? »

Le front constellé de sueur, Octavie joignit les mains et récita un *Je vous salue, Marie*. Elle s'imagina le lendemain, se glissant derrière la grille du confessionnal. « Mon père, je crois que j'ai péché... Non, je n'ai rien fait de mal, au fond. Mon père, est-ce un péché de penser à un homme marié ? Vous savez, je ne le lui ai pas fait comprendre, et sans doute que je ne le reverrai pas de sitôt. Je n'ai pas eu d'idées contraires à la morale, ça non. Ce serait plus de l'admiration, du respect. Oh ! c'est quelqu'un d'instruit et, quand il parle, on n'a qu'une envie : écouter. »

Elle se redressa et s'assit sans bruit. « Non, je ne raconterai rien de tout ça ! » se dit-elle.

Ses cheveux collaient à son dos moite. Elle les avait brossés longuement, après sa toilette, et ce geste banal, familier, l'avait ramenée en arrière, à l'époque où elle était une solide jeunesse aux nattes brunes, droite et dure au travail, les seins bien ronds, la taille souple. Son mari, le soir de leur noce, avait découvert ce corps dru et chaud à la peau dorée.

« Trois ans de bonheur, ce n'est pas beaucoup, constata-t-elle en son for intérieur. Je l'aimais, mon homme, et on se donnait du plaisir, même quand la petite était dans mon ventre. Mais voilà, il y a eu le choléra. Et petit à petit je me suis fanée, oui, toujours occupée.

Le linge à laver, à repasser et à raccommoder, des dentelles à coudre ou à découdre, et ces veillées toutes seules, mademoiselle et moi ! Seigneur, on en a lu, des livres, et on a usé nos langues à se lamenter. Elle pleurait son William, de même que son petit Joseph, et je faisais pareil. Peut-être que j'aurais dû regarder autour de moi et me remarier. Il a fallu ce grand rouquin, avec son regard et sa voix, pour que je regrette d'être restée veuve. Jean, Jean Bonzom… »

Henri poussa un soupir dans son sommeil. Il se tourna, se retourna et commença à pleurer. Octavie se précipita à son chevet et lui caressa le front.

— Eh quoi, mon trésor ? Oh ! tu es en sueur, toi aussi ! Viens au cou d'Octavie. Viens, mon mignon !

Elle le porta jusqu'à son lit et s'allongea, l'enfant niché contre son épaule.

— Dors, mon ange, dors, chuchota-t-elle. Heureusement que tu es là, toi ! Demain, je te ferai des biscuits au beurre, et on ira se promener le long des remparts. Demain, j'aurai oublié, mais oui, mais oui…

Octavie essuya une larme. La cinquantaine bien sonnée, elle ne se faisait plus d'illusions. « Ce Jean Bonzom, il a une jolie femme plus jeune que moi et, même s'il était veuf ou célibataire, il ne voudrait pas d'une grande gigue de mon genre, ça non ! »

Dans la chambre voisine, Gersande de Besnac terminait le roman de Zola qui lui avait tenu compagnie à l'auberge. Elle lisait à la clarté d'une lampe à pétrole, mais la flamme baissait et crachotait. Agacée, elle posa son livre et éteignit. Elle avait retrouvé son logement avec satisfaction en se promettant de ne plus en sortir pendant plusieurs jours. Là, les objets, les meubles et les couleurs la réconfortaient. Ce cadre bien-aimé était une sorte de refuge contre la mélancolie dont elle souffrait.

— Mon Dieu, comme je me suis ennuyée dans cette auberge ! marmonna-t-elle.

Incommodée par un moustique qui volait près de sa joue, Gersande tenta de tuer l'insecte en claquant des mains au hasard. Résignée à se faire piquer, elle renonça très vite. « Il y a bien pire qu'un bouton qui démange au réveil, se dit-elle, hantée par la mort violente de la serveuse. Pour une fois que j'accepte de suivre Angélina jusqu'à Biert, nous sommes aux premières loges d'un drame atroce. Je n'étais vraiment pas à mon aise, en plus. Tous ces gens qui parlent fort en patois, et aussi les draps rêches… Je suis enfin chez moi. »

Au fond, la vieille dame n'éprouvait aucun soulagement. Elle se voilait la face tout en s'attachant à des détails matériels. Les soieries, les bibelots, les riches toilettes, rien n'effacerait la mine désespérée et le silence d'Angélina pendant le trajet du retour. La jeune fille dormait chez son père et elle avait refusé de dîner en sa compagnie. Il y avait autre chose qui oppressait Gersande : le violoniste assassin. Elle le désignait ainsi en pensée, et l'association de ces deux mots lui donnait le vertige.

« Qui peut sonder les secrets d'une âme malade ? s'interrogea-t-elle. Moi qui disais à Angélina, après la mort de Lucienne, que les pires criminels étaient ceux dotés d'une vive intelligence et de l'art de la dissimulation, capables de duper le commun des mortels par la ruse, les sourires, un visage avenant ! Et ce violoniste en est le parfait exemple. »

Gersande de Besnac continua à réfléchir, et les idées noires qui la harcelaient vrillaient ses nerfs avec autant d'insistance que le moustique dont elle n'avait pas pu se débarrasser.

Rue Maubec, Angélina dormait depuis dix heures du soir. Elle avait dîné avec son père. Le cordonnier, d'abord joyeux et de fort bonne humeur, s'était vite renfrogné en apprenant que l'oncle Jean refusait d'assister à son mariage. Mais lorsque sa fille lui avait raconté les sinistres événements survenus dans la vallée de Massat, il avait essayé de la consoler. Bizarrement, Augustin Loubet s'était montré habile à la rassurer.

— Tu as bien agi en dénonçant cet homme, avait-il insisté. Et ne te rends pas malade à ressasser les discours philosophiques de ton oncle, qui a toujours joué les libres penseurs. Boudiou, deux innocentes créatures de Dieu tuées et déshonorées en quinze jours, avec toujours sur les lieux ce Luigi insolent ; il y a de quoi tirer des conclusions alarmantes. Tu as bien agi en mettant ce dangereux personnage hors d'état de nuire.

Angélina avait fini par se ranger à l'avis de son père. Elle était montée très tôt dans sa chambre et, fait exceptionnel, le pastour avait eu le droit de coucher au pied de son lit. La présence de l'animal était le meilleur remède à sa détresse, le cordonnier le savait.

Maintenant, elle reposait à demi nue dans un fouillis de draps, car elle avait eu trop chaud et s'était beaucoup agitée avant de plonger dans un profond sommeil. Elle rêvait et c'était un songe délicieux. Des lèvres douces et charnues avaient pris possession des siennes pour un savoureux baiser dont l'ivresse atteignait des sommets inouïs. Elle ignorait qui pouvait bien l'embrasser avec autant de fougue et de tendresse, mais son corps s'embrasait. C'était sûrement grâce aux caresses de ces mains savantes et audacieuses. L'une excitait la pointe d'un sein, l'autre s'aventurait entre ses cuisses, pour mieux investir la fleur de chair de son intimité. Le plaisir montait, subtil, grisant, à la mesure du baiser interminable. Angélina haletait dans cette scène née de son inconscient, elle s'abandonnait, avide de jouir du sexe de l'homme, sans même chercher à le voir, cet homme-là. Déjà, elle le saisissait aux épaules et le suppliait de la faire sienne. Il paraissait hésiter ; alors, elle nouait ses bras autour de sa taille et se tendait vers lui, entièrement offerte. La scène se déroulait dans la pénombre, mais tout à coup une clarté dorée dispersa les ténèbres et elle devina un visage, un regard insistant, des cheveux qui lui semblaient très bruns. Du fond de son être monta un cri : Guilhem ! Et ce prénom rendait chaque geste, chaque soupir encore plus précieux. Il était revenu, son bel amant, et lui seul pouvait lui prodiguer une telle ivresse. Enfin, il la pénétra, et ses mouvements de reins, d'abord lents et précautionneux, la rendirent à demi folle de joie. En réponse à ses plaintes langoureuses, il s'enfonça plus encore en elle, avec audace et délicatesse. Elle fut prise d'une sorte de frénésie amoureuse qui la transportait dans ce paradis sensuel au parfum de volupté, où se rejoignaient les hommes et les femmes depuis l'aube des temps.

La clarté dorée se répandait et chassait les ténèbres complices. Au bord de l'extase, Angélina voulut contempler à nouveau les traits de Guilhem, qu'elle avait si souvent craint d'oublier. Le ventre en feu, le corps irradié par une jouissance infinie, elle s'obstina à détailler son nez, sa bouche, son front et, là, en un instant, elle reconnut Luigi. C'était le violoniste qui lui faisait l'amour. Et il souriait d'un air heureux, penché sur elle.

— Toi, toi ! balbutiait-elle.

— J'ai su attendre que tu viennes à moi, Violetta, mon tendre amour.

Elle le regardait, stupéfaite, indécise. Des gouttes tièdes coulèrent sur ses seins. Des larmes… Elle les essuya d'un doigt et, en relevant sa main, elle vit du sang, rouge et visqueux dans la lumière étincelante. La tête de Luigi bascula en arrière et roula sur le lit. Pourtant, il la fixait encore, et ses lèvres articulèrent ces mots :

— Pourquoi as-tu fait ça, Violetta ? Moi qui t'aimais tant !

Augustin Loubet fut réveillé par un hurlement strident, suivi d'un second cri, rauque, terrifié, puis de gros sanglots. Il ne prit pas le temps de réfléchir. Il se leva et se rua dans le couloir. Sans même frapper à la porte, il fit irruption dans la chambre de sa fille. Assise et le drap maintenu sur sa poitrine, Angélina pleurait à chaudes larmes.

— Qu'est-ce que tu as ? demanda le cordonnier. Tu as fait un cauchemar ? *Diou mé damné*, la peur que j'ai eue !

— Oh ! papa, oui, j'ai rêvé et c'était affreux, épouvantable ! Papa…

Il aurait voulu la cajoler comme quand elle était enfant, mais il n'osait pas. Elle lui parut singulièrement impudique, avec ses épaules de nacre dénudées et sa chevelure répandue dans son dos.

Un réflexe instinctif lui fit regarder du côté de la fenêtre grande ouverte. D'un pas lourd, il alla s'assurer que personne ne dégringolait le mur.

— Boudiou, *qué* crétin je suis, à m'assurer que tu n'étais pas attaquée ! Ton chien est inquiet, lui aussi.

Le pastour avait posé sa grosse tête blanche sur le bord du lit. Il gémissait en remuant la queue.

— Oh ! je suis soulagée ! avoua Angélina. Comment peut-on voir des choses aussi abominables, une fois endormi ?

Elle se souvenait de chaque détail, tout comme son corps, qui vibrait encore du plaisir ressenti.

— C'est fini, papa. Va te recoucher. Est-ce que j'ai crié très fort ?

— J'ai cru qu'on t'égorgeait, ouais, grogna Augustin. De quoi as-tu rêvé, bon sang ?

— De cette bête dont nous a parlé Octavie à la veillée, chez oncle Jean. Une bête qui a tué une centaine de personnes et qui rôdait la nuit dans les villages. Une histoire horrible.

Le cordonnier fit la moue. Angélina s'allongea, le drap remonté jusqu'au menton.

— Ne t'inquiète pas, je suis rassurée. Tu es là, à côté, dans ta chambre, et j'ai mon chien, dit-elle gentiment.

— Ma pauvre petite ! Tu avais bien besoin d'être mêlée à tout ce bazar, à ces crimes honteux, à l'arrestation de ce type… Bientôt, tu devras aller témoigner à Toulouse. Je vais te donner un conseil : pense très fort à ton docteur Coste. Tu seras une jolie mariée, Angélina. Pense à ça, à ta robe blanche, à tes futurs enfants, hein ?

— Oui, papa, tu as raison. Bonne nuit !

— Bonne nuit, petite !

Elle se retrouva seule, livrée au souvenir tenace de son rêve, et ce fut pour constater qu'un homme était absent de ce songe à la fois merveilleux et atroce. Il s'agissait de Philippe Coste, son futur époux. « J'ai cru me donner à Guilhem, mais c'était Luigi. Qu'est-ce que ça signifie ? Mon Dieu, va-t-on vraiment le guillotiner ? Ce sang si rouge sur mes seins, c'était le sien. Mais pourquoi ? Pourquoi ai-je fait ce rêve ? »

Elle fut longue à se calmer. Elle s'acharna à reconsidérer tout ce qu'elle savait de l'étrange musicien, se remémorant ses paroles, ses sourires et ses expressions. Petit à petit, ses soupçons fondaient et se dispersaient.

« Il a pu se couper les cheveux parce que l'été arrivait et il s'était habillé de façon plus ordinaire pour ne pas attirer l'attention des gendarmes, vu qu'il craignait d'être mis en cause dans la disparition de Lucienne. Et il m'avait suppliée de le croire, d'éviter de le mêler à ça. Je n'ai pas tenu compte de ce qu'il est, au fond : un artiste, un comédien, un baladin. Oui, ces gens-là suscitent la méfiance et, même s'ils divertissent le temps d'un spectacle, ensuite on préfère les voir s'éloigner. J'ai réagi comme une idiote, je suis restée sourde à ce qu'il tentait de m'expliquer. Et moi, je m'obstinais à le juger, peut-être par peur, oui, par peur de céder à son charme. Il faut reconnaître que c'est un homme instruit, intelligent et différent des autres, mais oncle Jean aussi. Mon Dieu, pardonnez-moi, je sens que j'ai eu tort. »

Elle se remit à pleurer sans bruit, avec l'amer regret des baisers imaginaires de Luigi, de la chaleur de son corps.

« Non, non, je deviens folle, se reprocha-t-elle. S'il est vraiment innocent et s'il meurt par ma faute, je m'en voudrai toute ma vie. Luigi, ou bien Joseph de Besnac... » Elle s'endormit après bien des larmes et des prières. Une heure plus tard, les coqs de la cité chantèrent, saluant une nouvelle aube aux reflets d'or et de pourpre.

17

Vers l'automne

Saint-Lizier, 28 juin 1880

Angélina venait d'entrer chez Gersande de Besnac, au surlendemain de ce fameux rêve qui la tourmentait encore. Henri gambadait autour des jupons d'Octavie, déjà en plein travail, qui épluchait des carottes, la taille sanglée d'un tablier fraîchement repassé, les cheveux rangés sous sa coiffe blanche.

— Bonjour, Angélina, lui dit-elle. J'avais laissé la porte ouverte à ton intention. Mademoiselle n'est pas très contente. Tu nous as boudés hier ? Une journée entière sans ta visite ! Je te préviens que la patronne est de mauvaise humeur.

— J'ai consacré du temps à mon père. Nous avions beaucoup de choses à mettre au point. Son mariage autant que mes fiançailles.

— Oh ! moi, je ne te reproche rien ! protesta Octavie.

— Eh bien, je vais affronter mademoiselle. J'ai monté la gazette d'Ariège, que le facteur avait déposée en bas, sur la première marche.

— Ah ! merci. Porte-la-lui, ça l'amadouera peut-être… Et toi, Henri, tu ne fais pas une bise à marraine ?

L'enfant jouait avec les pelures de carottes. Il fit non de la tête et, avec un grand éclat de rire, se jeta à quatre pattes sous la table.

— Quel coquin ! s'écria Angélina. Mon pitchoun, mon câlin, tu ne veux pas me donner une bise, aujourd'hui ? Toi aussi, tu me boudes ?

Elle se pencha et le chatouilla sans l'obliger à sortir de sa cachette. Henri se mit à rire encore plus fort.

— A-ête, maman, gémit-il.

— Tu as entendu ça, Octavie ? s'étonna Angélina. Il m'a dit d'arrêter ; j'ai bien compris, même s'il ne prononce pas les r. Et il a dit maman, aussi. Seigneur, il m'a appelée maman !

— On lui rabâche pourtant que tu es sa marraine. Enfin, tant que ça ne sort pas de la maison ! Quand tu seras mariée à ton docteur, faudra faire attention.

Cet avertissement contraria Angélina. Elle quitta la pièce et se dirigea vers le grand salon. Confortablement installée dans sa bergère, Gersande lisait près d'une fenêtre.

— Tiens, Angélina ! As-tu vu mes bouquets de roses ? C'est mon cocher qui me les a donnés hier.

— Les fleurs sont magnifiques et elles embaument. J'espère que vous avez pu vous reposer après ce séjour à Biert.

— Et toi ? Où étais-tu passée ?

— Je n'ai pas bougé de chez moi. Mon père était ravi. Nous avons même déjeuné dans la cour, à l'ombre du prunier. Je vous en prie, ne m'en veuillez pas, j'avais besoin de réfléchir.

Angélina tendit distraitement le journal à Gersande. Friande de nouvelles sur la vie locale, la vieille femme s'était abonnée à cette parution distribuée dans toute la région de Saint-Girons.

— Je ne t'en veux pas, assura-t-elle. Seulement, je n'étais pas bien du tout. Je dors mal à cause des moustiques et de ces crimes affreux.

Angélina s'accouda au rebord de la fenêtre. Elle observa le manège d'un chat noir et blanc qui chassait un moineau sur le toit voisin.

— Moi aussi, j'ai des nuits agitées, avoua-t-elle. Enfin, j'ai pris le temps en soirée d'écrire une longue lettre à Philippe Coste. Je lui ai conseillé de venir à la mi-juillet. Papa est d'accord. Nous mangerons au restaurant de la Tour, au bord de la rivière.

— Vous auriez pu organiser le repas ici ; Octavie est fine cuisinière.

— Mon père n'aurait pas accepté, mais je viendrai boire le thé avec Philippe, c'est promis, affirma Angélina.

Sa vieille amie acquiesça d'un signe sans desserrer les lèvres. Elle se plongea sans attendre dans la lecture de la gazette. À peine avait-elle déplié le journal qu'un cri sourd lui échappa.

— Mon Dieu ! Écoute un peu ce gros titre en première page : « Mystérieuse évasion de l'hôtel-Dieu de Saint-Lizier. » Et en plus petit, voilà ce qui suit : « Un prisonnier blessé fausse compagnie au gendarme chargé de le surveiller, après avoir feint d'être à l'agonie. Suspecté dans une sombre affaire de meurtres doublés de viols, le dénommé Luigi, saltimbanque de son état, s'est fait la belle… »

Le cœur d'Angélina se mit à battre à toute vitesse. Elle fixa Gersande d'un air hébété.

— Continuez ! Que disent-ils encore ?

— Le style est bien léger ! On dirait que cela amusait l'auteur de l'article. Attends, où en étais-je ? Ah oui, il s'est fait la belle. Et donc : « On se demande encore, sous le toit séculaire de l'hôtel-Dieu de la cité, par quel tour de passe-passe ce redoutable criminel a pu disparaître au milieu de la nuit. Une religieuse, sœur Sainte-Antoinette, a découvert le représentant de la loi assommé, gisant dans le couloir. Quant au lit du prévenu, il était vide. Avis à la population : ce dangereux individu est activement recherché par les brigades de Castillon, Saint-Girons et Saint-Lizier. » Vois-tu, Angélina, cet homme a signé des aveux en s'enfuyant. Il n'ira pas loin.

— En même temps, s'il était innocent, il avait tout intérêt à s'évader. Et, le meilleur moment pour ça, c'était avant d'être derrière les barreaux !

— Vas-tu plaider sa cause après l'avoir dénoncé ? s'étonna Gersande.

— Non, mais je regrettais d'être mêlée à son arrestation. Mon oncle m'a fait comprendre, ce jour-là, que j'avais eu tort. Au fond, je n'avais aucune preuve contre Luigi. Il a toujours clamé son innocence.

— Dans ce cas, il avait ses chances au procès, répliqua la vieille demoiselle. Mais il faut s'attendre à une nouvelle victime.

— Le pensez-vous vraiment ? interrogea Angélina doucement. Le tenez-vous pour coupable ? Moi, je ne sais plus. À la lecture de cet article, je vous confierai mon sentiment ; je préfère qu'il soit libre. Ainsi, je n'aurai pas sa mort sur la conscience.

— Eh bien, on peut dire que tu es versatile, petite. Reste à souhaiter que tu ne changeras pas d'opinion quant à ton futur mari. Te rends-tu compte ? L'assassin…, enfin, le présumé assassin de ces deux malheureuses filles, était soigné dans la cité, à l'hôtel-Dieu. Il se peut donc qu'il rôde encore dans les bois des environs. On aurait dû y songer ; ce vieil hôpital accueille surtout les indigents et les rebuts de la société.

« Oui, j'aurais dû y songer, se dit Angélina en approuvant d'un signe de tête. Dieu merci, Luigi ignore où j'habite. Qu'il aille au diable, maintenant ! Et, surtout, qu'il ne revienne jamais m'embrasser en rêve. »

Octavie les rejoignit, le petit Henri dans les bras, et s'enquit :

— Déjeunes-tu avec nous, Angélina ? J'ai préparé des carottes à la crème et une épaule d'agneau au four.

— Oui, volontiers. Mais, pour l'instant, je vais jouer un peu avec notre pitchoun.

Elle se leva et prit l'enfant. Il posa sa joue contre la sienne et lui donna un baiser.

— Mon trésor ! chuchota-t-elle.

La vie avait retrouvé ses couleurs et ses joies toutes simples. Qu'elle le veuille ou non, Angélina éprouvait un immense soulagement. Le fils du vent était de nouveau libre.

Saint-Lizier, le 16 juillet 1880

Philippe Coste descendit du train en gare de Saint-Lizier dans un état d'euphorie indescriptible. Ses rêves les plus doux prenaient corps ce jour d'été, et il avait l'impression d'avoir quinze ans et non la quarantaine. Dès qu'il eut posé les pieds sur le quai, il vit Angélina. Elle lui souriait, radieuse, dans une toilette qui lui seyait à ravir. Avant même de lui adresser la parole, il l'admira, bouche bée. Gênée par l'expression extasiée de son futur fiancé, elle baissa les yeux.

— Angélina, que vous êtes belle ! dit-il enfin en s'approchant de quelques pas. Les mots me font défaut. Je suis ébloui. Est-ce encore une de vos créations à base de doublure de malle ?

— Vous n'avez pas oublié ce détail que je vous avais confié ? déclara-t-elle, émue. Non, je dois cette merveilleuse toilette à la générosité de mademoiselle Gersande, qui m'a traînée dans la meilleure boutique de confection pour dames de Saint-Girons et m'a offert tout ça, le chapeau, les gants, et cette robe dans laquelle j'ose à peine respirer de peur de la froisser.

Ils rirent ensemble, heureux d'être réunis. Philippe prit la main d'Angélina et la fit tourner sur elle-même. Gersande de Besnac avait orienté le choix de sa protégée sur un modèle en soie parme, dont le corsage à plis serrés moulait le buste. Chaque bouton se cachait sous une minuscule fleur en tissu. Quant à la jupe, droite, mais d'une certaine ampleur, elle dévoilait les chevilles gainées de bas blancs assortis à des escarpins en cuir fin.

— Cette couleur ravive l'éclat de vos sublimes prunelles, dit le médecin, toujours lyrique.

— Sans doute, admit-elle, mais c'est une teinte réservée au deuil, disons au demi-deuil. Cela m'a fait hésiter.

— Il ne fallait pas, votre amie vous a bien conseillée. Angélina, je garderai cette vision enchanteresse dans mon cœur, et pour des années.

Philippe caressa ses cheveux, qu'elle avait soigneusement lavés et brossés. Ils croulaient dans son dos, masse souple et comme animée d'une vie propre.

— Ma chérie ! murmura-t-il. Alors, quel est le programme des réjouissances ?

— Vu qu'il est presque midi, nous rejoignons mon père au restaurant que vous apercevez là-bas, au bord de la rivière. Nous avons une table en terrasse. Le souci, c'est le bruit de l'eau, mais la cuisine est excellente. Je vous conseille de prendre une chambre à l'hôtel voisin, qui est très confortable, puisque vous avez décidé de passer deux ou trois jours ici, comme vous me le disiez dans votre lettre.

— Cela ne vous dérange pas ? s'inquiéta-t-il.

— Mais non, j'étais très contente.

Le docteur Coste lui adressa un nouveau sourire ébloui. Il prit le temps d'observer le paysage qui l'entourait. Son regard se porta tout de suite sur les remparts de la cité, édifiés en surplomb du Salat au courant impétueux. Il parcourut d'un œil surpris les masses de rochers sur lesquelles les hommes des siècles passés avaient bâti la ville. Une tour de guet se dressait à mi-hauteur des enceintes. Consciente de l'intérêt qu'il manifestait, Angélina crut bon de préciser :

— Jadis, la cité était entièrement ceinturée par les remparts, mais, depuis, une partie des fortifications a été détruite et on a construit des maisons sur les pentes voisines. Je vous ferai visiter. Vous verrez, en cette saison, Saint-Lizier a beaucoup de charme.

— Déjà, cette architecture aérienne me séduit ! répliqua-t-il. Je suis sûr que cela aurait plu à ma sœur. Mais j'ai respecté votre demande. Je ne lui ai pas proposé de se joindre à nous aujourd'hui.

— Je sais, vous me l'avez répété dans votre dernière lettre. Papa trouve cela étrange. Il estime qu'un repas de fiançailles se déroule en présence des deux familles.

De mon côté, il n'y a pourtant que mon père. Du vôtre, personne !

Philippe saisit son sac de voyage et désigna le restaurant.

— Ne faisons pas attendre monsieur Loubet, dit-il en souriant. Je lui expliquerai la situation. La santé de ma mère ne lui permet pas de se déplacer. Quant à Marie-Pierre, telle que je la connais, elle se serait arrangée pour venir à tout prix, mais elle accueille durant l'été ses nièces et neveux, les enfants du frère de son époux. En bonne hôtesse, elle est débordée.

— Je m'en moque, moi ! avoua Angélina. Tant que vous êtes là... Sincèrement, j'aurais été trop anxieuse à l'idée d'une confrontation entre votre sœur et mon père.

— Je l'ai bien compris, Angélina chérie. Nous nous rattraperons. J'ai prévu un dîner de fête quelques jours avant Noël en l'honneur de nos fiançailles. Nous arroserons par la même occasion votre diplôme, qui vous sera remis vers la mi-décembre. Vous ferez connaissance de tout mon petit monde et de ma maison natale.

— Je suis intimidée à l'avance. Mais, Philippe, pourquoi ne pas nous fiancer à cette date-là ? Rien ne presse.

— Je vais demander votre main à votre père. Je désire qu'il me prenne au sérieux, qu'il ne doute pas une seconde de mes intentions, aussi je préfère que, dès ce soir, nous soyons fiancés. Je suis si content ! Ayez confiance, nous n'allons pas nous préoccuper des traditions ni des convenances. C'est une telle joie pour moi de vous découvrir dans ce cadre superbe ! Les montagnes alentour, l'air pur et ces vieux murs chargés d'histoire, où nous nous promènerons cet après-midi, main dans la main !

Elle eut un sourire attendri. Philippe Coste était vraiment un grand romantique. Ils traversèrent le pont en bavardant gaiement. Selon son habitude, elle jeta un regard sur le rocher qui avait brisé le corps de sa mère, mais vite elle s'efforça de chasser toute pensée triste. De même, elle patienterait jusqu'au soir avant d'évoquer ce second crime commis dans la vallée de Massat.

Augustin Loubet faisait les cent pas devant l'entrée du restaurant. Le cordonnier avait fière allure, en costume de toile grise, un canotier sur ses cheveux pommadés. Il s'était rasé et avait sorti de la commode une cravate en satin noir.

— Ah ! Vous voilà ! Bonjour, docteur ! s'exclamat-il en tendant une main tannée par le travail du cuir.

— Bonjour, monsieur, répondit Philippe Coste. Je suis très heureux de vous rencontrer.

— Pas autant que moi. Alors, Angélina, tu es aux anges, hein ? ajouta Augustin qui s'était retenu de jurer et ne savait déjà plus quoi dire au médecin. Eh bien, passons à table.

Il paraissait si mal à l'aise qu'Angélina en fut touchée. Elle lui prit le bras pour le réconforter.

— Papa, tu es très chic, chuchota-t-elle à son oreille.

— Toi aussi, ma fille, mais tu n'es plus en deuil de ta mère. Pourquoi cette couleur, des pieds à la tête ?

— Parce qu'elle me va bien, répondit-elle tout bas.

Philippe les entendit. Néanmoins, il ne donna pas son avis. L'ambiance se détendit dès qu'ils furent attablés.

— Vous êtes donc natif de Luchon, docteur ? s'enquit le cordonnier.

— Oui, une agréable station thermale dont le renom s'étend dans toute la France, jusqu'à Paris ! La ville change, ces derniers temps. On y construit un casino et, depuis l'arrivée du train il y a sept ans, des noms célèbres viennent prendre les eaux : des auteurs, des peintres, des hommes politiques et des têtes couronnées, cela en partie grâce à l'impératrice Eugénie, qui prisait les lieux.

Augustin hocha la tête. Durant tout le repas, la discussion s'orienta sur la géographie des Pyrénées et sur son histoire. Philippe parlait le plus souvent, fort éloquent et intarissable. Après la matelote d'anguilles et le civet de lièvre à l'armagnac, ils dégustèrent une tarte aux fraises nappée de crème. Angélina avait bu du vin blanc sans trop faire honneur aux victuailles qu'on leur avait servies en abondance. Elle se sentait flotter, comblée, épanouie, détachée de tous soucis. De plus, suivant ses recommandations, son père demeurait sobre et il avait réussi l'exploit de ne pas laisser échapper un seul juron local.

— Monsieur Loubet, déclara enfin le médecin à l'heure du café, vous savez pourquoi je suis là. J'ai le grand honneur de vous demander la main de votre fille Angélina, pour qui j'éprouve un immense respect et un amour encore plus immense. Je peux vous assurer de ma bonne foi, de mon désir de la rendre heureuse et de la choyer ma vie durant.

La voix de Philippe tremblait un peu sur les derniers mots. Il guettait la réponse du cordonnier avec un air inquiet :

— *Foc del cel !* Je suis bien d'accord, docteur. Parole de Loubet, vous n'aurez pas une meilleure épouse que ma petite Angélina. C'est une perle, un ange. Mais attention, elle a son caractère…

— Oh ! papa ! s'offusqua-t-elle, partagée entre le rire et les larmes.

— Merci, monsieur ! dit sobrement Philippe Coste. Merci !

La mine grave, il sortit de sa poche un écrin en cuir rehaussé de dorures. De plus en plus sérieux, il ouvrit la petite boîte et présenta à Angélina une bague d'une grande beauté. C'était une superbe améthyste montée sur de l'argent et sertie dans une corolle de fleur incrustée de brillants.

— Ma chérie, je l'ai commandée à un bijoutier réputé de Toulouse, mais il ne me croyait pas quand je lui ai dit que j'avais rencontré une délicieuse jeune personne dont le regard avait cet éclat unique.

Angélina était stupéfaite. Elle ne pensait pas que Philippe lui offrirait une bague ce jour-là. Bouleversée, elle resta d'abord muette de saisissement.

— Oh ! Elle est magnifique ! dit-elle enfin. Il ne fallait pas, pas déjà...

— Pourquoi ? protesta-t-il. J'étais si impatient de vous la donner ! C'est le symbole de notre engagement.

Religieusement, le médecin lui passa la bague au doigt. Augustin exultait. Il n'espérait pas un aussi brillant mariage pour sa fille unique. « Ma petite deviendra une dame, quelqu'un de respectable, se disait-il. Une bourgeoise ! Bon sang, si Adrienne voit ça, elle doit se réjouir autant que moi. »

— Je vous souhaite tout le bonheur possible, mes enfants ! s'écria-t-il. *Diou mé damné*, je bois à votre avenir. Angélina, je te félicite, et je parie que maman, là-haut, est fière de toi.

Ces propos firent rougir la jeune fille, qui eut la pénible impression d'avoir accompli un exploit en s'attirant l'amour d'un docteur renommé. Elle avait souffert d'être traitée d'intrigante par madame Bertin, et son père ravivait cette blessure encore fraîche.

— C'est mon fiancé qui mérite des félicitations, papa, rectifia-t-elle. Il m'a toujours apporté son soutien et s'est montré un professeur patient et avisé. Et, si maman est fière de moi, je préfère que ce soit pour mon travail de sage-femme, en tant qu'élève.

— Oh ! chérie, ne prenez pas la mouche. Votre père n'a pas pensé à mal, murmura gentiment Philippe.

— Boudiou, qu'est-ce que j'ai encore fait ? gémit le cordonnier en riant.

— Rien du tout, cher monsieur. Je crois que notre Angélina est trop émue. Si nous trinquions à l'avenir ?

Les deux hommes entrechoquèrent leur verre. Rose de confusion, Angélina contempla sa bague, puis son fiancé. Elle aimait cet homme, ses cheveux soyeux, blonds parsemés de gris, son sourire tendre, ses yeux clairs derrière ses lunettes qui lui conféraient un air de savant. « Mon Dieu qu'il me plaît ! songea-t-elle. Quelle chance j'ai ! »

C'était un jour de fête. Elle décida d'oublier les paroles maladroites de son père et souleva son verre à son tour.

— À notre avenir ! dit-elle d'une voix exaltée.

Une demi-heure plus tard, Philippe Coste montait déposer son bagage dans sa chambre d'hôtel. Pendant ce temps, Angélina et son père firent quelques pas sur la route de Gajan, au bord de la rivière.

— Je ne t'ai pas fait honte, petite ? interrogea le cordonnier. Tu m'as eu l'air fâchée quand j'ai parlé de ta mère.

— Ce n'est rien, papa. Mais je veux que tu saches une chose : je n'épouse pas Philippe pour son argent ou son rang dans la bonne société. Voilà ! Je l'aime de tout mon cœur.

— L'un n'empêche pas l'autre, coupa Augustin. L'aimerais-tu autant s'il était un simple ouvrier, un paysan ?

— Papa ! Vraiment, ta question est injurieuse pour moi.

— Tu as de ces mots ! Je n'ai pas voulu t'insulter. Ton docteur a de l'allure, il m'a paru brave et, ça oui, très amoureux de toi. Mais il a le double de ton âge ou peu s'en faut ; vaut mieux qu'il soit riche et qu'il t'assure une vie facile. Au moins, tu n'auras pas besoin de travailler.

— Là, tu te trompes ! s'insurgea-t-elle. J'ai prévenu Philippe : je compte bien exercer mon métier. Et il est d'accord. Peut-être même qu'il va fonder une clinique d'obstétrique où nous pourrons pratiquer ensemble.

— *Foc del cel !* Je ne m'en mêle plus. Allons, petite, fais-moi donc une risette au lieu de me foudroyer du regard ! Dis, vous viendrez à la maison ? Germaine a fait un grand ménage dans l'atelier hier, et toi tu as briqué la cuisine, et même la cour. Je compte sur vous.

— Bien sûr, papa. J'ai l'intention de faire visiter la cité à Philippe. Et Gersande nous attend pour le thé.

— Fichtre, ta huguenote doit jubiler, grommela Augustin.

Le médecin se dirigeait vers eux, la mine affable. Angélina courut à sa rencontre.

— Prêt pour notre balade ?

— Je vous suivrai au bout du monde, ma chérie, répliqua-t-il tout bas, si je peux vous tenir le bras.

599

— Alors, en route !

— Eh bien, à plus tard ! leur cria le cordonnier. Je rentre chez moi par un raccourci.

Les fiancés le suivirent des yeux tandis qu'il s'engageait dans un sentier étroit partant du pied de la falaise et serpentant entre les anciens remparts. Ils se retrouvèrent enfin seuls.

— Où m'emmenez-vous, Angélina ? demanda Philippe.

— Nous allons remonter la rue Neuve qui nous fait face, pour déboucher sur le foirail, en contrebas du couvent. J'ai prévu de vous montrer la cathédrale et, aussi, si vous ne jugez pas cela ridicule, de marcher jusqu'au cimetière, de l'autre côté de la cité. Je suis peut-être sotte, mais c'est une façon de vous présenter à maman, ma chère maman qui m'a tant appris.

— Mon Dieu, ma chérie, vous n'êtes pas sotte du tout. Je vous l'aurais proposé, sachant à quel point vous vénérez le souvenir de votre mère. Mais j'espère avoir droit à un baiser en cours de promenade.

— Cela me paraît compromis, Philippe. Nous ne pouvons pas nous embrasser en public, déplora-t-elle.

— Et si jamais nous dénichons un endroit tranquille ?

— Nous verrons, dit Angélina avec un adorable sourire. Bien, maintenant, soyez honnête ! Quelle impression vous a faite mon père ? Il a juré, évidemment, mais moins que je le craignais.

— C'est un homme fort sympathique, jovial, qui a son franc-parler, je vous le concède, déclara le médecin. On sent qu'il vous aime de tout son cœur et qu'il vous admire. Mais qui ne vous admirerait pas ?

Philippe lui jeta un coup d'œil passionné. Cependant, il trichait un peu, car le cordonnier lui avait paru assez rude de manières et de langage. « Augustin Loubet a fait des efforts, songea-t-il. Hélas ! il mange bruyamment, et son rire ressemble à un hennissement. Angélina avait raison : il valait mieux éviter une confrontation avec ma sœur. Même à l'avenir, je n'imagine pas cet homme dans ma famille... »

Si la jeune fille avait pu lire dans les pensées de son fiancé, elle aurait été vexée, humiliée même. Mais, toute à sa joie, elle gravissait d'un pas alerte les pavés de la rue Neuve. Elle était soulagée par la réponse de Philippe. Habitué à des excursions en montagne, il la suivait sans peine. Comme le soleil tapait dur en ce début d'après-midi, ils firent halte sur une place plantée de tilleuls afin de profiter de leur tiède ombrage.

— Regardez, sur votre gauche, le clocher de la cathé-drale en briques rouges et crénelé. C'est curieux, n'est-ce pas ? fit-elle remarquer. Voici la façade du couvent, le jardin et ses palmiers, qui résistent à nos hivers pourtant bien froids.

— Tout là-haut, je suppose qu'il s'agit du palais des Évêques que vous citez souvent...

— Oui, la résidence des prélats de jadis. Une partie des bâtiments abritait un séminaire. À présent, c'est un hôpital pour les indigents. J'aurais bien aimé faire mon année d'études ici, mais il n'y avait pas de sage-femme attitrée.

— Surtout, ne regrettez rien, chérie, nous ne nous serions pas connus.

Il entoura ses épaules d'un bras protecteur. Angélina savoura ce contact en résistant à l'envie de se blottir davantage contre lui.

— Je vous en prie, chuchota-t-elle aussitôt. Il y aura du monde sur la place de la fontaine ; vous ne pouvez pas me tenir ainsi.

— Je vous prie de m'excuser. Mais il n'y a personne en vue. Par cette chaleur, les gens font la sieste.

Soucieuse de sa réputation, Angélina se dégagea. Ils passèrent devant la pharmacie du couvent où régnait le frère Eudes, brillant apothicaire, qui sortit au même instant, vêtu d'une bure marron et en sandales de cuir.

— Ma chère Angélina ! s'étonna-t-il. J'ai su que tu étais de retour dans la cité, mais je n'avais pas eu le plaisir de te croiser. Il faut dire qu'à cette saison je bats la campagne en quête de nos simples si précieux.

— Bonjour, frère Eudes. Je vous présente mon fiancé, le docteur Philippe Coste.

— J'avais entendu une rumeur à ce sujet, reconnut le religieux avec un bon sourire. Je vous félicite tous les deux et je vous souhaite une longue et heureuse vie au service de vos patients. Et je suis ravi d'avoir fait votre connaissance, docteur.

Le frère apothicaire rentra dans son officine. Émue, Angélina désigna la fontaine dont le jet d'eau étincelait au soleil.

— Et voici la place où tous les paroissiens se rassemblent avant ou après la messe et où ils discutent une bonne heure, exception faite des messieurs qui s'installent à la terrasse de l'auberge. Voyez là-bas, sous les arcades. Le patron sert à boire du matin au soir et il prépare des repas réservés aux estomacs solides. Il y a toujours un grand feu dans la cheminée, même l'été, et ils font rôtir des pièces de viande, de la saucisse et des coudenous.

— Seigneur, qu'est-ce donc ? s'esclaffa Philippe.

— Une saucisse à base de couenne de cochon, très appréciée dans la région et très grasse. Quand j'étais petite, j'en ai goûté une fois, et j'ai été malade.

Ils approchèrent desdites arcades qui dispensaient aux quelques clients une fraîcheur agréable. Ils flânèrent autour du bassin de la fontaine sous l'œil curieux d'un couple qui discutait sur le parvis de la cathédrale.

— Ces maisons à colombages sont superbes ! commenta le médecin. Mais on nous épie !

— Venez, dit Angélina. Il y a un chemin qui contourne la ville et rejoint le cimetière.

Elle lui montra encore un des murs de fortification, ainsi que les tours au toit pointu du palais des Évêques. Mais bientôt, à la grande satisfaction du docteur Coste, ils furent seuls, sans témoin, au creux d'un sentier bordé de chênes gigantesques. Des pans de rocher couverts de mousse parsemaient le sous-bois, ainsi que de modestes fleurs blanches.

— Quel lieu enchanteur ! s'extasia Philippe. Il me semble idéal pour un baiser. Angélina, ma chérie…

Il la prit par la taille, troublé de sentir la chaleur de sa chair à travers le tissu aérien de sa robe. Elle n'osait plus bouger, dans l'attente de l'instant délicieux où leurs lèvres s'uniraient.

— Ma petite fiancée adorée ! dit-il encore. Ce cadre vous sied à merveille. Mon Dieu, si les fées existaient, vous en seriez la reine, aujourd'hui. Votre bouche est d'un rose exquis, vos joues aussi.

Il l'enlaça brusquement, la plaqua contre lui et l'embrassa avec fébrilité. Angélina voulut s'abandonner, accepter le jeu subtil de leurs langues mêlées, mais elle crut entendre une autre voix, grave et suave : « Angélina, ma beauté, ma déesse, je te veux nue, toute nue sur la terre de notre pays. »

Trois ans auparavant, Guilhem avait chuchoté ces mots à son oreille dans ce même bois, un après-midi de juillet. Elle se débattit, affolée.

— Excusez-moi ! murmura-t-elle. Je ne sais pas ce que j'ai.

— Oh ! Quel rustre je fais ! déplora son fiancé. Angélina, si je vous ai offusquée, je vous présente toutes mes excuses. Mais, dans le fiacre, à Toulouse, vous étiez moins farouche. J'ai cru…

— Je crois que j'ai peur qu'on nous surprenne, Philippe, argua-t-elle. On ne peut pas comparer l'intérieur d'un fiacre avec cet endroit où bien des gens se promènent, surtout l'été. Je suis désolée. Et vous m'avez semblé bien audacieux.

— Vraiment, vous redoutez que je perde la tête ? Que j'abuse de la situation ? Jamais je ne ferai une chose pareille, ma chérie. Je l'admets, je me suis laissé emporter par la passion que vous m'inspirez. Seigneur, c'est le vin blanc, ce paysage et vous qui êtes si belle, si tendre ! Allons, rassurez-vous, tant que nous ne serons pas mariés, je n'irai pas plus loin que des baisers. Vous êtes pure, innocente, et je conçois que mon expérience dans le domaine amoureux vous inquiète.

Comme pour donner raison à Angélina, un vieil homme surgit de l'angle d'une grange à demi effondrée qui se dressait non loin de là. Il agita sa canne pour les saluer.

— Bien le bonjour, les amoureux, cria-t-il en patois. Je cherche des champignons.

— Bonjour, père Baptiste, répliqua la jeune fille. Bonne cueillette !

Le vieillard finit par disparaître au détour du chemin. Angélina était navrée d'avoir réagi aussi violemment au souvenir de Guilhem. Soucieuse de se faire pardonner, elle prit la main de son fiancé. Bientôt, ils entraient dans la grange.

— Maintenant, vous pouvez m'embrasser, Philippe.

— En êtes-vous sûre ? insista-t-il, échaudé.

— Mais oui ! Même qu'il fait meilleur entre ces murs qu'en plein air. Je veux vous montrer à quel point je vous aime.

— Ma chérie, gémit-il en l'étreignant. Mon petit cœur sensible, ma beauté…

Cette fois, il fut beaucoup plus attentionné, et le baiser qu'ils échangèrent eut raison de Guilhem Lesage. Angélina put savourer le contact des mains de Philippe qui s'aventuraient sur ses hanches, son dos ou sa nuque. Elle noua ses bras autour de lui, câline et soumise. Mais il se dégagea, haletant.

— Sortons, vous me rendez fou. Ciel, quelle étrange jeune personne ! Capable de me repousser, tout entière sur la défensive, et ensuite…

— Ensuite ?

— Rien, je ne peux pas exprimer ce que je ressens. Vous n'êtes pas apte à le comprendre, ma petite Angélina.

Elle se mordilla la lèvre inférieure à la façon d'une enfant prise en faute et se précipita dehors, au bord des larmes. « A-t-il deviné que je ne suis pas vierge, parce que mon corps répond au sien et que ses caresses me font trembler de désir ? » songeait-elle, effarée.

De son côté, le médecin se posait des questions lui aussi. En homme mûr qui comptait de nombreuses conquêtes féminines, il avait eu l'impression de tenir contre lui une femme prête à se donner, à consentir à l'acte charnel, à le souhaiter. Chacun des gestes d'Angélina, sa respiration et sa manière d'embrasser l'amenaient à douter de sa prétendue innocence. « Elle doit seulement être très sensuelle, se dit-il en la rejoignant à l'extérieur de la grange. Et elle ne mesure pas les dangers de son attitude. »

Ils se regardèrent, tous deux gênés. Angélina baissa la tête la première, l'air attristé. Elle était si jolie et si touchante que les soupçons de Philippe s'envolèrent.

— Je vous ai blessée ? demanda-t-il.

— C'est un peu vexant, d'être considérée comme une idiote ! Nous avons travaillé ensemble, vous m'avez souvent accordé votre confiance, et là vous prétendez que je ne peux pas comprendre ce que vous éprouvez ? Qu'est-ce qui vous dérange à ce point ? J'ai eu tort de vous conduire dans cette bâtisse en ruine, alors que c'était uniquement pour vous complaire, tout en préservant ma réputation. J'aurais dû me montrer froide à vos baisers et à vos caresses ?

— Mais, chérie…

— C'est vous que je ne comprends plus, à présent. Vous me reprochez de jouer les effarouchées et, si je me laisse aller à mes sentiments, ça ne vous convient pas non plus.

Flamboyante dans un rayon de soleil, Angélina le toisait. Son regard violet, assombri par la colère, révélait sa véritable nature, rebelle et volontaire.

— Seigneur, quel tempérament ! s'écria le médecin. Je saisis mieux la mise en garde de votre père. Ma chérie, pourquoi nous quereller le jour de nos fiançailles ?

— Je n'en sais rien, mais j'ai envie de vous restituer cette bague. J'étais si contente !

Sur ces mots, elle éclata en sanglots. Elle venait de penser à leur nuit de noces, échéance fatale où Philippe la démasquerait obligatoirement. « Et si je lui disais la vérité ici, maintenant ? s'interrogea-t-elle. Ce serait plus simple. Soit il rompt immédiatement, soit il me pardonne. »

Mais elle n'eut pas le loisir de réfléchir davantage. Philippe Coste s'était rué vers elle pour la consoler. Il la tenait bien serrée en couvrant ses cheveux de légers baisers et en lui débitant mille mots d'excuse.

— Ne pleurez pas, mon ange. Je ne suis qu'un crétin, un fier crétin ! J'ai promis à votre père de vous choyer ma vie durant et je fais couler vos larmes dès aujourd'hui. Angélina, ma chérie, oubliez toutes mes bêtises. Je vous aime comme un fou, c'est mon unique souci, et je suis d'une jalousie extrême. Voilà ! Autant être franc. Tout à l'heure, dans la grange, je vous ai imaginée dans les bras d'un autre homme… Enfin, ce n'est pas tout à fait ça. Je vous ai trouvée si docile et si ardente en même temps que j'ai eu la stupide idée que vous n'étiez pas novice en la matière.

Angélina lui échappa et s'éloigna en lui tournant le dos pour se donner une contenance. Une petite voix intérieure lui répétait : « Mais dis-le-lui, c'est le moment ou jamais. S'il t'aime autant qu'il le prétend, il te sera reconnaissant d'avoir été sincère et loyale. » Mais il la rattrapa et la reprit contre lui.

— C'était absurde, injustifié, mon amour ! s'écria-t-il. Cela me prouve tout simplement que vous me comblerez plus tard en tant qu'épouse, car vous êtes généreuse, d'oser vous en remettre à moi sans crainte. Angélina, ne me rejetez pas, je serais trop malheureux. Déjà, vous avez la bonté de lier votre vie à la mienne, malgré notre différence d'âge.

— Philippe, je vous en prie ! Je me moque bien de votre âge. Si j'ai consenti à ces fiançailles et à ce mariage, c'est par amour. Je me sens en sécurité près de vous. J'admire aussi le médecin, l'homme de cœur que vous êtes.

— Alors, effaçons cette petite dispute de nos mémoires et continuons notre balade. Je veux tout partager avec vous.

— C'est d'accord, n'en parlons plus, concéda-t-elle. Allons au cimetière. Ensuite, nous irons rue Maubec, chez moi ; nous devons être chez mademoiselle Gersande vers dix-sept heures.

— Entendu !

Angélina lui dédia un sourire radieux. Elle n'avait pas eu le courage de parler de son passé, persuadée qu'il y aurait d'autres occasions avant leurs noces, dont la date était loin d'être fixée. Dix minutes plus tard, ils franchissaient main dans la main le portail du cimetière, qui s'étendait en pente douce vers la plaine du Salat. De grands cyprès d'un vert sombre bordaient l'allée principale.

— Il règne un calme particulier dans ces lieux, dit-elle tout bas. Souvent, je viens là, sur la tombe de maman, et je rêve. Ou bien j'écoute les oiseaux qui sont toujours nombreux ici et qui chantent si joliment ; peut-être qu'ils chantent pour l'âme de nos défunts ?

— Peut-être ! répondit le docteur Coste d'une voix très douce.

— Oh ! je n'ai même pas un bouquet ! déplora Angélina. J'avais pourtant l'intention d'en faire un, en chemin. Regardez la croix en bois peinte en blanc. Ma mère repose là. Papa a gravé lui-même l'inscription : « Adrienne Loubet, 1832-1877 ». Elle aurait eu quarante-huit ans cette année. C'était une femme d'exception, Philippe. Le jour de ses obsèques, il y avait une foule immense dans la cité.

— Ma chérie, vous l'aimiez beaucoup… Nous reviendrons demain, cette fois avec un magnifique bouquet.

— Elle était un modèle pour moi. Elle était d'une gentillesse inouïe et d'une grande intelligence. Je voudrais tant être digne d'elle !

— Vous l'êtes déjà, affirma-t-il.

Elle secoua la tête, mal à l'aise.

— Non, Philippe, non ! Venez, partons.

Une brise tiède s'était levée. Les fiancés empruntèrent une route sablonneuse que soutenait un gigantesque pan de rempart édifié au-dessus d'un ravin broussailleux.

— Nous longeons l'arrière de la ville, expliqua Angélina. Mais nous retournons dans la partie la plus ancienne de la cité. Voyez, là-bas, on aperçoit la demeure des chanoines et les premiers jardins. Il y a tant de rosiers à Saint-Lizier que, de juin à septembre, les rues exhalent différents parfums tous plus subtils les uns que les autres. Suivez-moi, nous allons prendre une ruelle très étroite où le vent ne souffle jamais. Mes voisines ont planté des roses trémières ; c'est une fleur très haute aux couleurs pastel.

Vive et gracieuse dans sa robe mauve, Angélina parlait sans cesse, agitant ses petites mains où scintillait la bague de fiançailles. Philippe écoutait et approuvait, enthousiasmé et un peu dérouté par la configuration complexe des venelles médiévales.

— Nous voici arrivés devant le logis des Loubet, annonça enfin la jeune fille. Mon père n'est qu'un modeste cordonnier, certes, mais nous possédons cette maison qu'on nous envie. Une grande cour fermée et une écurie, c'est un luxe !

Elle riait pour cacher sa nervosité. « Peut-être que Philippe m'aime, mais je crois qu'il fera en sorte de me couper de mes racines, de mes origines, se disait-elle. Lorsque je serai madame Coste, je devrai me conformer à son mode de vie, me plier aux volontés de sa famille. Mon Dieu, heureusement que sa sœur n'est pas venue ! Que va-t-il penser de notre pauvre maison ? »

— Il faudrait entrer, chérie, plaisanta-t-il. Qu'attendez-vous ?

Au même instant, des aboiements furieux, sourds et profonds, résonnèrent derrière le portail en bois.

— Qu'est-ce que c'est ? Un chien ? s'étonna le médecin en reculant.

— Oui, mon chien, un pastour. Je l'ai appelé Sauveur. N'ayez pas peur. Sauveur, sage !

Angélina ouvrit et prit aussitôt l'animal par son collier. Elle eut beau le caresser et le gronder, il grogna et aboya de plus belle. Augustin sortit de son atelier.

— *Foc del cel !* j'ai oublié d'attacher ta bête ! Bon sang, fais-toi obéir un peu !

— Mais il faut qu'il fasse la connaissance de Philippe, papa. Ils sont destinés à se fréquenter, eux aussi.

— Je n'y tiens pas du tout ! se récria le médecin. Angélina, je suis navré, je n'ai aucune affinité avec les chiens. Et ils le sentent.

610

Sauveur paraissait de plus en plus menaçant. Le poil hérissé, il montrait les crocs.

— Mon pastour n'apprécie pas les docteurs, dit-elle, amusée. Il a failli attaquer le praticien de la cité, le docteur Buffardaud. Tant pis, je vais l'enfermer dans l'écurie.

Philippe Coste put avancer dans la cour abondamment fleurie. Il remarqua un laurier rose trônant au centre d'un bac en bois, ainsi que des rosiers jaunes qui grimpaient sur les murs alentour.

— Et alors ? interrogea le cordonnier. Avez-vous fait une belle balade ?

— Tout à fait, monsieur. Et je suis prêt à visiter votre atelier.

Angélina revenait vers eux, songeuse. Elle se demandait sur quels critères Sauveur jaugeait les hommes. Jamais il ne s'était comporté ainsi avec la gent féminine ni avec son père. « Il s'en est pris au docteur Buffardaud, à Blaise Seguin et maintenant à Philippe, tandis qu'il manifestait de l'affection à oncle Jean… et à Luigi. Allez savoir pourquoi ! »

Son père, également ennuyé par l'incident, lui fournit d'emblée une explication.

— Sauveur nous causera toujours du souci, ma fille. Les bêtes se fient à des détails, une odeur ou une attitude que nous ne décelons pas. Mais je sais une chose, les chiens perçoivent la peur qu'ils inspirent, parce qu'ils ne sont qu'instinct. Si quelqu'un a peur, ils croient à un danger, à une menace, et se font agressifs.

— Vous avez raison, monsieur, approuva le médecin. Pour ma part, j'ai souvent des problèmes avec les chiens, car je ne les aime pas. Si un de ces animaux m'approche, je suis sur la défensive, j'éprouve une sorte de malaise et, dans la plupart des cas, je prends vite la fuite.

— Mon Dieu, c'est à ce point ? s'effara Angélina. Moi, les chiens viennent me trouver et me font des amitiés. Et autant vous le dire tout de suite, je n'ai aucunement l'intention de me séparer de mon pastour.

Philippe Coste leva les yeux au ciel. Il jugeait la déclaration de sa fiancée un peu puérile.

— Nous verrons cela plus tard, ma chérie.

Augustin, qui avait fait dans son atelier un grand rangement assorti d'un sérieux nettoyage, coupa court à la discussion.

— Voilà mon lieu de travail. J'en ai passé, des années, sur l'établi, le dos courbé sur les cuirs et mes outils.

Les deux hommes firent une rapide inspection. Le docteur ne tarda pas à tomber en extase devant une paire de bottes cavalières en cuir rouge.

— Ciel, quel bel ouvrage ! Monsieur Loubet, j'ai bien envie de vous commander la même chose à ma pointure.

— Dans ce cas, ce sera mon cadeau de noces. *Foc del cel !* je ne ferai pas payer mon futur gendre !

— Ah non ! Tout travail mérite salaire.

— *Diou mé damné*, je n'accepterai pas un sou de vous.

— Je paie au moins le cuir.

— Non, ça non ! Un cadeau, je vous dis ! Quel entêté !

Angélina assistait à la scène en se gardant bien d'intervenir. Elle savait d'expérience que son père aurait le dernier mot. « Cela ne se passe pas si mal entre Philippe et papa, se disait-elle, vaguement amusée. Mais ils font tous les deux des efforts. »

Elle observa sa bague. C'était vraiment un très beau bijou. Elle avait ôté ses gants en dentelle pour la porter, mais cela ne lui procurait pas la joie escomptée. « Je me sens coupable, j'ai l'impression de ne pas mériter un cadeau aussi précieux. Et cela m'empêche d'être tout à fait heureuse. »

Elle quitta l'atelier et se posta près du rosier grimpant à petites fleurs jaunes, planté jadis par Adrienne Loubet. « Maman, si seulement tu étais encore là pour me conseiller ! Gersande m'encourage au mensonge, elle dit que je dois me prétendre vierge lors de ma nuit de noces, mais je n'y parviendrai pas. »

Sauveur aboyait derrière la porte de l'écurie. Angélina lui cria de se taire. Elle cueillit une rose et la respira les yeux fermés.

« Je dirai la vérité à Philippe avant la publication de nos bans. Ce sera dans un an ou deux. En attendant, je n'ai qu'à oublier ce souci-là. À ne plus y penser. »

Forte de cette décision, elle se promit de savourer chaque instant auprès de son fiancé. Cela commença par la visite de la maison. Angélina avait tout astiqué. Les rideaux étaient propres, le plancher, lavé au savon noir, et des bouquets champêtres ornaient l'appui de la fenêtre, le buffet et le dessus du manteau de la cheminée. Elle avait également exposé les objets les plus jolis rapportés par sa mère, après des accouchements dans les familles aisées. Elle les montra à Philippe, toute fière, mais aussi très émue. Tout ce qui avait un lien avec Adrienne Loubet réveillait la cruauté de ce deuil, et ce fut d'une voix tremblante qu'elle s'exprima.

— Regardez ce plat en porcelaine ; il est magnifique. Je ne l'utilise jamais, de crainte de le casser. Mais je l'emporterai dans notre maison, n'est-ce pas ? Et voici la théière en argent. Je vous raconterai une autre fois son histoire. Si je le faisais maintenant, je me mettrais à pleurer et il ne faut pas, pas aujourd'hui.

— Autant que vous sachiez ce qui bouleverse ma fille, docteur Coste, coupa le cordonnier. Ma pauvre femme tenait encore cette théière entre les mains quand on a trouvé son corps brisé sur les rochers, dans la rivière. Mais Angélina a dû vous expliquer comment Adrienne est morte ?

— Eh bien, non, dut reconnaître le médecin.

— Un épouvantable accident... Un notaire de Saint-Girons raccompagnait mon épouse en calèche. On n'a jamais bien su pourquoi, mais les chevaux se sont emballés et ils ont sauté le parapet du pont. Bêtes et voiture se sont fracassés dix mètres plus bas, sur les grosses pierres du Salat. Par la grâce du ciel, nous avons pu nous dire adieu. Elle s'est éteinte dans mes bras, contre moi, la malheureuse. Et elle a remis cette théière à Angélina qui était à côté de nous.

— Oui, je comprends, admit Philippe, mal à l'aise. C'est bien triste !

— Cela fera bientôt trois ans, mais je n'aime pas en parler, dit sa fiancée tout bas. Bon, qu'est-ce que je ne vous ai pas montré ? Cette statuette de Bouddha. Elle vient de Chine. Maman répétait qu'elle ferait partie de ma dot. Ma dot... Je n'ai même pas préparé de trousseau, rien.

— Cela n'a pas d'importance, voyons, protesta Philippe. Ma chérie, vous aurez tout le nécessaire. Les Coste ont accumulé tant de linge de maison d'excellente qualité, de services de table... Ne vous souciez pas de cette tradition un peu désuète. Votre dot, c'est votre beauté, votre intelligence et l'amour que vous m'offrez.

— Eh ben, ça, c'est une déclaration qui a de la valeur ! s'écria Augustin. Dites, j'ai mis une bouteille de cidre à rafraîchir dans un seau d'eau. On ferait mieux de boire un coup.

— D'accord, papa ! Nous finirons par être en retard chez mademoiselle Gersande.

— Oh ! ta huguenote doit faire la sieste ou se poudrer le nez ! Elle patientera.

Philippe Coste s'attabla en évitant de regarder autour de lui. La bonne éducation d'Angélina, son langage soigné et l'élégance de ses toilettes avaient occulté la modestie de ses véritables origines. Devant ce cadre des plus modestes, il en faisait le constat. « De pauvres gens, se dit-il. Sans doute moins pauvres que d'autres ici, mais quel dénuement ! Et Angélina qui s'enorgueillit de ce plat en porcelaine dont je ne donnerais pas un franc ! »

Il eut conscience également du rôle qu'avait dû jouer la vieille dame aristocrate, dont il gardait un excellent souvenir. « J'imagine qu'elle a enseigné à sa protégée tout ce qu'il faut pour paraître dans le monde sans être maladroite ou ridicule. »

Angélina s'inquiéta de son mutisme. Elle lui prit la main d'un geste spontané et affectueux. Philippe la remercia d'un sourire.

— Eh bien, à votre santé, les fiancés, fit le cordonnier. Faut que vous le sachiez, docteur Coste, cette maison reviendra à ma fille, vu que j'ai perdu deux garçons en bas âge. Je n'ai plus qu'Angélina. Elle héritera aussi de son oncle Jean Bonzom qui n'a pas eu d'enfants.

— Papa ! Je doute que cela intéresse Philippe.

— Eh quoi ! Tu n'es pas sans rien, je tenais à le préciser. En fait, pour être franc, docteur, passé la première joie à l'idée de voir ma fille épouser un notable, j'ai réfléchi. Quand même, elle est beaucoup plus jeune que vous et pas de votre milieu. Aussi, je me répète : elle a du bien au soleil, parce que, dans notre pays, posséder de la terre et des bâtiments, ça compte.

— Tout à fait, monsieur. Mais je vais être franc moi aussi. Ma famille est très fortunée, et Angélina en bénéficiera. J'ai prévu un contrat de mariage qui la mettra à l'abri du besoin, car j'ai de fortes chances de partir avant elle.

Agacée, Angélina se leva de table. Elle détestait ce genre de conversation. Cependant, elle était assez lucide pour savoir que toute union en passait par là. « Si Guilhem m'avait épousée contre l'avis de ses parents, il aurait peut-être été déshérité. Cela a pu le pousser à renier les sentiments que nous éprouvions, notre amour, notre si bel amour ! » pensa-t-elle, envahie par une pénible amertume.

— Je vais libérer le chien, annonça-t-elle. Mais n'ayez pas peur, Philippe, je l'attacherai. Papa a fixé une chaîne au prunier pour les jours où je n'ai pas l'occasion de le promener. Et Sauveur est mal vu dans la cité. Les gendarmes ont promis de l'abattre, s'il rôde.

— Fichtre, la maréchaussée a d'autres chats à fouetter ces temps-ci, s'esclaffa Augustin. Trois brigades recherchent ce type qui s'est échappé de l'hôpital. Vous savez, docteur, l'assassin de Lucienne Gendron, l'amie de ma fille. Il a remis ça la nuit de la Saint-Jean, à Biert. Angélina a pu le faire arrêter, mais ce salaud s'est fait la belle. Moi, je crois qu'il n'était pas blessé, qu'il a simulé une plaie pour ne pas se retrouver en prison. Celui-là, c'est la guillotine qui l'attend dès qu'on l'aura repris.

Livide, Philippe bondit de sa chaise. Il s'approcha de sa fiancée et lui saisit le poignet.

— Pourquoi ne m'avez-vous rien dit, Angélina ? Bon sang ! La nouvelle était importante, il me semble !

— J'allais vous raconter tout ça ce soir, puisque nous devions dîner ensemble, en tête-à-tête. Je ne voulais pas gâcher votre joie.

Après un regard de reproche adressé à son père, elle résuma toute l'affaire au médecin.

— Seigneur, cet homme aurait pu vous tuer ! s'exclama-t-il quand elle eut terminé son récit. Quelle folie de l'aborder dans ce village, alors qu'il n'y avait personne à proximité !

— Il y avait mon pastour. Et, même si ce Luigi est le meurtrier, il n'allait pas m'étrangler sur la place publique en pleine matinée. En plus, je regrette d'avoir agi inconsidérément, car au fond je n'avais aucune preuve contre lui et je l'ai livré à la vindicte populaire. C'était affreux, ces gens qui hurlaient « à mort », qui lui jetaient des pierres et qui brandissaient des faucilles ou des fourches… De ça aussi, je préfère ne plus discuter ; pas aujourd'hui ! Je vous en prie, Philippe, changeons de sujet. Ce sont nos fiançailles et je n'ai pas envie de remuer toute cette boue.

Le cordonnier haussa les épaules. Philippe faillit l'imiter.

— Excusez-moi, Angélina, mais là, je suis bouleversé, se contenta-t-il de dire. J'apprends que vous avez couru un danger abominable. Je ne peux pas tirer un trait sur ce que je viens d'entendre. Ce genre d'homme ne mérite que la corde pour le pendre ou la guillotine, en effet. Je vous interdis d'avoir un quelconque regret, d'autant plus que ce criminel court toujours.

— Vous ne pouvez pas m'interdire d'avoir une conscience, un sens moral, se défendit-elle. Maintenant, je vais libérer mon chien.

— Petite, sois un peu plus aimable, la gronda son père. Je m'en occuperai, de ta bête. C'est l'heure de votre rendez-vous chez ta demoiselle de Besnac. Je ne vous mets pas à la porte, mais tu as bien besoin de te détendre un peu.

Angélina approuva, la mine contrariée. Elle était exaspérée et ne parvenait plus à éprouver la moindre joie.

— Tu as raison, papa, dit-elle en l'embrassant sur la joue. À ce soir !

— Au revoir, monsieur, dit Philippe Coste. J'ai été ravi de faire votre connaissance.

— Pas tant que moi, renchérit le cordonnier.

Après cet échange de politesses, le couple quitta le logis des Loubet. Angélina devança tout de suite son fiancé qui la rattrapa, intrigué. Elle se retenait de pleurer.

— Angélina, enfin ! Qu'avez-vous ? chuchota Philippe à son oreille.

— J'espère que vous ne serez pas un mari trop autoritaire, qui décide de ma façon de vivre, fit-elle tout bas.

— Un bon époux se doit de guider sa femme en toutes choses, ma chérie. Il en est ainsi depuis des siècles… J'ai dit guider, et non se faire obéir.

— Décidément, rien ne se déroule comme je l'avais rêvé, se plaignit-elle. À peine fiancés, nous nous sommes déjà querellés deux fois. Mon père a tout gâché, lui aussi. Et vous n'aimez pas mon chien.

Sa voix tremblait. Elle fondit brusquement en larmes.

— Seigneur, quelle enfant vous faites ! dit-il en riant. Je m'en accommoderai, de votre ours blanc, si vous y tenez ! Quant à nos disputes, ce sont des broutilles. Nous devons être trop nerveux, vous et moi. Ma chérie, tout ira bien à l'avenir. Vous avez raison, concentrons-nous sur des choses agréables. Où loge donc votre amie Gersande ?

— Venez, il faut passer le clocher-porche qui est juste devant nous, là-bas, et descendre la rue des Nobles.

Ils marchèrent en silence. Une vingtaine de mètres plus loin, Angélina désigna les halles couvertes qui barraient la pente pavée.

— Vous voyez ces fenêtres, là-haut ! Elles ouvrent sur le salon de mon amie. Cette maison est une des plus anciennes de la cité. On y accède par un escalier en pierre dont les marches sont usées en leur centre.

Le médecin aperçut en contrebas de hautes façades des portes surmontées d'un fronton sculpté.

— La rue des Nobles, remarqua-t-il. Je suppose que la bonne société réside ici. Cela se devine aux immeubles fort cossus.

— Il n'y a plus de nobles dans la ville, excepté Gersande de Besnac. Mais nous avons nos bourgeois, même si le plus souvent ils ont acheté des propriétés dans la plaine ou sur les collines, avec des parcs et des jardins. Notre logis à nous, les pauvres Loubet, était une ferme cent ans plus tôt. Voilà ! Êtes-vous satisfait ?

— Mais, Angélina, quelle mouche vous pique ? Je m'intéresse, rien d'autre.

Ils entrèrent chez Gersande sans être vraiment réconci-liés. La vieille dame n'en pouvait plus de patienter. Elle les accueillit confortablement installée dans sa bergère et parée d'un collier de perles avec les boucles d'oreilles assorties. Elle était vêtue de la superbe robe grise en mousseline qu'elle avait achetée à Toulouse, la veille des obsèques de Lucienne.

Fidèle à son rôle domestique, Octavie les avait introduits avec une jovialité discrète, sa taille fine sanglée d'un tablier blanc impeccable.

— Angélina, enfin ! s'écria Gersande. Monsieur, je suis comblée de vous recevoir.

En femme du monde, elle resta assise et tendit sa main diaphane au docteur qui y déposa un très léger baiser.

— Vite, prenez place, ajouta-t-elle. Je vous ai réservé une surprise. Angélina, aurais-tu pleuré ?

Philippe croyait que sa fiancée inventerait un moucheron ou un petit mensonge du même style, mais il n'était pas au bout de ses désillusions.

— Oui, j'ai pleuré ; tout va mal. Mademoiselle, je suis désolée, je ne sais pas ce que j'ai. Pardonnez-moi, je ne voudrais pas gâcher votre plaisir.

— Allons, allons, petite ! Regarde donc derrière le fauteuil, tu oublieras tes déconvenues. Henri joue avec un nouvel ami.

Vite, Angélina contourna le meuble et découvrit le garçonnet qui serrait un chaton sur son cœur.

— Oh ! mon pitchoun, tu as un chat, un adorable petit chat… Philippe, supportez-vous les chats ? Venez, que je vous présente mon filleul, Henri de Besnac, le plus bel enfant de la terre.

L'entrée en matière inquiéta Octavie et Gersande. Mais le docteur Coste s'empressa de plaisanter.

— Ma fiancée me boude parce que je n'ai pas eu le coup de foudre pour son pastour. Je dois avouer que cette bête ne m'a pas apprécié non plus. Alors, où est ce chat ? J'aime les chats, Angélina, je vous assure.

Bientôt, le couple fut en contemplation devant Henri, dont les boucles brunes étaient soigneusement brossées. Il était digne d'un petit prince dans son costume de velours bleu marine à col de dentelle.

— Chat à moi ! serinait-il. Chat à moi, moi... Donné maman.

— Comme je l'ai adopté, il m'appelle maman, précisa la vieille demoiselle.

— Je vous comprends, madame, s'enthousiasma Philippe. C'est un très bel enfant, et éveillé, précoce. Le neveu de votre bonne, n'est-ce pas ?

— Oui, le neveu d'une amie très chère qui s'obstine à me servir, rectifia Gersande. Mais je suis affamée, et le thé est presque prêt. Venez à mes côtés.

Angélina s'exécuta, Henri pendu à son cou. Assis sur le tapis d'Orient, le chaton poussait des miaulements lamentables.

— Eh bien, Philippe, prenez ce pauvre bébé chat sur vos genoux, le taquina-t-elle. Il se plaisait dans les bras de mon filleul et, à présent, il se sent abandonné.

Le docteur Coste n'eut pas le choix et obéit. La vieille demoiselle éclata de rire.

— Monsieur, un jour, votre fiancée vous fera marcher sur les mains. Angélina a son caractère et, pour s'en faire aimer, il faut montrer patte blanche avec les animaux, les enfants et les miséreux. Un grand cœur, notre petite amie ! Savez-vous comment je l'ai rencontrée ?

Gersande raconta encore une fois ce matin d'été où Angélina venait d'obtenir son certificat d'études. Pendant ce temps, Octavie s'affairait à la cuisine.

— Je devrais parfois évoquer d'autres souvenirs, ajouta la maîtresse des lieux, mais je la revois sans cesse, en pleine lumière, avec ses longues nattes d'un roux si particulier et ses yeux d'améthyste. Les mois suivants, elle montait chez moi, timide, mais déterminée. Je lui prêtais des livres, ou elle les lisait à mes côtés. Elle était passionnée par la géographie, l'histoire et les sciences. Angélina m'a surprise si souvent par sa facilité à apprendre ! J'ai corrigé certaines de ses paroles, surtout celles en patois, mais je n'ai pas eu besoin de recommencer.

— Mademoiselle, je vous en prie, gémit la jeune fille. Déjà, mon père a cru bon de vanter ce dont j'hériterai, après avoir dit à Philippe au restaurant que j'avais un sale caractère.

— Non, Angélina, il n'a pas dit ça, protesta le docteur. Il m'a mis en garde sur le fait que vous avez du caractère.

— Cela revient au même.

— Voici des fiançailles hautes en couleur, se moqua Gersande. Octavie, dépêche-toi, sinon nous n'aurons plus rien à fêter.

Les mines malicieuses de leur hôtesse eurent raison de la nervosité des amoureux. Angélina se détendit et montra sa bague à sa vieille amie.

— Oh ! une merveille ! Quel choix exquis, monsieur !

— Attention ! claironna alors Octavie. Si je trébuche, tout est fichu.

Elle avait renoncé à jouer les employées parfaites. Elle s'approcha de la table nappée de blanc, toute fière de présenter une magnifique pièce montée, savant échafaudage de choux à la crème vernis de caramel. Des fleurs en sucre de teintes pastel décoraient le socle et le sommet. Ravie, Gersande frappa dans ses mains.

— N'est-elle pas sublime ? demanda-t-elle. Angélina, ma petite, je l'ai commandée au meilleur pâtissier de Saint-Girons. Je suis d'une telle gourmandise ! Monsieur, j'ai pensé que de goûter ce gâteau entre nous soulignerait un moment exquis.

Le médecin remercia et s'extasia à son tour. Tout le charmait dans cet intérieur harmonieux et luxueux, bien que plus sobre dans ses ornements et son mobilier que celui de sa famille. Il y vit le signe d'une différence sociale incontournable, celle qui existait entre les aristocrates et les bourgeois.

Angélina savourait le contact de son fils qui était blotti contre sa poitrine. Elle se berçait de ses discours gazouillés et de ses rires. Elle lui fit manger un chou à l'aide d'une cuillère en argent et lui donna à boire de la citronnade.

— Vous ferez une jolie maman, tendre et attentionnée, soupira Philippe qui l'observait.

Elle ne répondit pas, trop gênée pour oser se rengorger du compliment.

— Monsieur, vous êtes au courant qu'à ma mort Angélina sera la tutrice légale d'Henri ? demanda la vieille demoiselle. Elle est très attachée à ce petit.

— Qui ne le serait pas ? répliqua-t-il. Je vous ai comprise, madame. Henri sera le bienvenu sous mon toit.

Ces mots résonnèrent dans l'esprit de la jeune mère à l'égal de la supercherie qu'elle et ses amies avaient mise en place. Cela l'amena à pardonner les fausses notes commises par son fiancé. Elle se radoucit et lui jeta des œillades ferventes. Ils connurent deux heures de sérénité auprès de Gersande et d'Octavie.

Ils prirent congé au crépuscule et, d'un commun accord, ils décidèrent de se promener encore, de marcher jusqu'au foirail. L'air était d'une tiédeur parfumée, et le ciel se drapait de nuages roses.

— Il fera beau demain, annonça Angélina.

Philippe admirait le dessin des cimes enneigées, arrogantes et sombres sur le couchant.

— Si nous marchions un peu plus loin ? proposa-t-il. Jusqu'à ce pré en contrebas, celui qui borde la rivière.

Elle accepta sa main chaude sur sa hanche et posa même un instant sa joue contre son épaule.

— Le calme revient avec le soir, commenta-t-elle. Je vous demande pardon, mon chéri, j'ai été insupportable aujourd'hui.

— Seigneur Dieu, merci, Angélina, vous m'avez appelé « mon chéri » ! C'est le plus beau des cadeaux.

Il lui prit la main et l'entraîna dans la prairie. Ils coururent, soudain joyeux comme des enfants. Ils s'arrêtèrent près de la berge, sous le feuillage frémissant d'un saule pleureur. Un vol de canards sauvages s'abattit sur l'eau sombre à grand renfort de coups d'ailes et de cris rauques.

— Regardez-les, dit Angélina. Ils ont de la chance, de barboter dans l'eau fraîche. Mais nous sommes si bien, ici ! Philippe, mon chéri, je suis tellement heureuse ! Cette journée était une épreuve, mais elle s'achève et je n'ai plus qu'une envie : rester avec vous. Je n'arrive même plus à comprendre pourquoi nous nous sommes querellés.

— Sûrement un trop-plein d'émotion, de nervosité, hasarda-t-il. Cela ne se reproduira pas, vous verrez.

Sur ces mots dits avec une infinie tendresse, il l'embrassa à pleine bouche en l'enlaçant délicatement. Elle se livra sans réserve à ce baiser qui fut suivi de beaucoup d'autres. Ils s'exaltaient tous les deux, terrassés par le désir. Philippe entreprit enfin de déboutonner le corsage d'Angélina, adossée au tronc de l'arbre. Il découvrit, haletant, la naissance de ses seins menus, puis, ayant abaissé le bord de sa chemisette en dentelle, il put caresser ses mamelons à la pointe brune, durcie par le plaisir.

— Oh ! Angélina ! Angélina chérie ! Penser que vous serez mienne un jour, que je pourrai célébrer les trésors de votre corps adorable ! Votre peau est si douce, si blanche !

Le docteur se pencha pour laisser courir ses lèvres le long du cou d'Angélina. Mais il s'arrêta brusquement et recula.

— Restons-en là, sinon je vais perdre la tête pour de bon. Je saurai vous attendre, car je suis l'homme le plus heureux du monde.

Elle lui adressa un sourire radieux, plein de gratitude. Elle le rejoignit, noua ses mains autour de sa nuque et l'embrassa encore et encore, plus contrariée que lui à la perspective de devoir repousser leur union.

— Quand je serai à Tarbes, vous viendrez ? souffla-t-elle entre deux baisers. Et nous prendrons un fiacre ?

— Oui, je viendrai, et quelle bonne idée, pour le fiacre ! Je voudrais déjà y être. Nous deux enfermés dans la voiture, les rideaux baissés, loin des curieux. Je vous promets de savoir me contenir comme je l'ai fait ce soir, mais déjà, du seul fait de goûter à votre chair et de jouir du parfum de votre peau, je serai comblé. Maintenant, c'est à mon tour d'implorer votre pardon. Je me suis conduit en imbécile aujourd'hui.

— Mais non, c'est moi, protesta-t-elle.

— Non, pas du tout, je vous dis que c'est moi !

Ils éclatèrent de rire, complices, égayés, certains d'être au seuil d'une vie commune à l'image de ces minutes où plus rien ne les opposait. Le clocher de la cathédrale se mit à sonner.

— Allons dîner ; il est tard, décida Philippe. Ensuite, je vous raccompagnerai rue Maubec. Je reprends le train demain après-midi, mais nous avons encore toute la matinée.

Angélina reboutonna son corsage. Elle fixait les nuages d'un rouge liseré d'or pur, toute rêveuse. « Adieu, mon passé ! se dit-elle. Adieu… »

18

Les mains d'Angélina

Tarbes, samedi 20 novembre 1880

Épuisée par une dure journée, Angélina s'était assise à la petite table qui lui servait de bureau. Elle jeta un coup d'œil désabusé par la fenêtre, mais ne vit que des rideaux de pluie.

« Tout est si différent de Toulouse, ici, pensa-t-elle. Enfin, au moins je me sens utile. Et on me considère déjà comme une sage-femme expérimentée. »

La mère supérieure qui dirigeait l'hôtel-Dieu de la ville avait mis à sa disposition une chambre particulière, bien que très exiguë. Mais c'était un confort appréciable, d'être seule pendant les heures de repos, réduites au minimum.

— Je dois absolument écrire à mademoiselle Gersande ce soir, se dit Angélina à mi-voix. Je n'ai envoyé aucune lettre à Saint-Lizier depuis deux semaines.

Elle s'assit au bord de son lit et se déchaussa pour masser ses pieds douloureux. Debout du matin au soir et souvent une partie de la nuit, elle était sollicitée au chevet de très nombreuses patientes. La maternité manquait de personnel, et les sœurs infirmières, même si elles faisaient de leur mieux, ne savaient plus où donner de la tête. Tarbes, ville industrielle et ouvrière depuis une dizaine d'années, voyait sa population augmenter à grande vitesse, d'autant qu'on y construisait des quartiers militaires.

Les femmes qui accouchaient à l'hôtel-Dieu étaient pour la plupart des citadines en provenance d'autres villes ayant emménagé là, au cœur d'une vaste plaine baignée par l'Adour. Il y avait peu de paysannes parmi les parturientes, celles-ci confiant leur sort aux matrones de leur village.

« Seigneur, quand je suis arrivée ici, au mois d'août, je n'étais pas préparée à tant de travail et de responsabilités, songeait-elle. Je dois tout ça à Philippe, qui a cru bon de vanter mes talents et, bien sûr, de me recommander chaudement à la supérieure. »

Attendrie par le souvenir de son fiancé, Angélina regarda autour d'elle. Sa chambre lui plaisait. Elle avait acheté une paire de rideaux en dentelle qui pouvaient coulisser sur une tringle en cuivre. Ainsi, selon son humeur, elle les tirait ou les fermait. Une commode en bois sombre accueillait trois cadres dorés qui mettaient en évidence des daguerréotypes sous verre. Il y avait un joli portrait de son fils, pris chez le photographe de Saint-Girons. L'enfant posait assis sur un tabouret, devant un faux paysage de campagne et près d'une stèle en carton peint. Il tenait son jouet favori, un chien en tissu. « Quand je pense que mon petit Henri aura deux ans le mois prochain ! Il parle de mieux en mieux. Mon Dieu, que j'ai hâte de le revoir ! »

Le second cliché, un peu plus grand, représentait Augustin Loubet et son épouse Germaine. Le couple arborait cet air figé des gens impressionnés par l'étrange appareil protégé par un voile noir, sous lequel se dissimulait monsieur Genat après maintes recommandations.

— Ne bougez pas, attention, là, pas un geste, disait-il d'un ton sévère.

Angélina eut un sourire ému en revoyant son père au sortir de la cathédrale. Le cordonnier paraissait stupéfait d'avoir convolé et de s'être engagé auprès de l'imposante veuve Marty, vêtue d'une robe mauve à parements noirs, ce qui n'était pas très gai pour un mariage.

« Pauvre papa ! Il avait si chaud sur la place de la fontaine ! J'ai dû lui conseiller de desserrer son col de chemise et son nœud de cravate, se souvint-elle. En plus, il s'est installé chez sa femme, mais il ouvre quand même son atelier rue Maubec. Elle est gentille, Germaine ; je l'aime bien. Quel dommage que je n'aie aucun portrait de maman ! Si seulement elle avait pu être prise en photographie, comme on dit maintenant ! Mais, à l'époque, ce n'était pas du tout au point, du moins pas chez nous, au fin fond de la France. »

Elle se concentra pour revoir le ravissant visage de sa mère dont elle avait les traits, selon Augustin et l'oncle Jean. Mais Adrienne Loubet arborait de longs cheveux châtains plus raides qu'ondulés et des yeux très sombres. Et elle était bien faite, menue, énergique et dotée d'un caractère angélique.

— Enfin, moi, je suis fiancée ; pas encore mariée, mais cela viendra ! se dit-elle dans un soupir.

Comme si elle devait s'en assurer, elle ouvrit un des tiroirs de la commode et en sortit un écrin en cuir. Elle ne portait pas sa bague, craignant de la perdre ou d'endommager la pierre.

— Cher Philippe ! Il reviendra dimanche et j'ai hâte de le revoir. Mon Dieu, qu'il fait froid !

Elle s'enveloppa d'un châle en laine et mit des chaussons fourrés. La chambre était équipée d'un poêle en fonte émaillée ; cependant, par souci d'économie, la mère supérieure retardait la distribution du charbon. L'hiver serait long, répétait-elle. Angélina enfila sa bague de fiançailles et entreprit d'écrire à Gersande. Assise à la table, elle se munit d'un carnet de correspondance, déboucha un flacon d'encre noire et vérifia l'état de sa plume, un modèle récent en fer que l'on fichait dans un support en bois.

— Par quoi commencer ? s'interrogea-t-elle tout bas. Ah oui, ce sale temps, des pluies ininterrompues.

Elle se lança, heureuse de communiquer par le papier avec sa vieille amie qu'elle n'avait pas vue depuis plus de deux mois.

Très chère mademoiselle, chère Octavie, et tout de suite un doux baiser à notre pitchoun,

Je vous écris enfin, profitant de quelques heures de repos. Comme je vous l'ai dit dans ma précédente lettre, malgré un rythme de travail harassant, je me plais davantage ici qu'à l'hôtel-Dieu Saint-Jacques. Est-ce le fruit du hasard, ou un cadeau de la providence, je ne peux que constater moins de cas de fièvre puerpérale, moins de décès aussi parmi les nouveau-nés. Pourtant, il n'y a toujours pas d'obstétricien et c'est regrettable. Philippe a postulé, mais sans obtenir de réponse définitive, en raison de problèmes de budget.

Mais je ne veux pas vous ennuyer avec la gestion de la maternité. Je préfère évoquer encore tous ces bons moments que nous avons passés au mois de juillet.

Je peux vous assurer que Philippe garde un excellent souvenir de votre accueil et de votre délicieux logement. Ce sont ses mots.

À ce propos, depuis mon installation ici, mon cher fiancé me rend visite tous les quinze jours, quand il va dans sa famille à Luchon. Nous dînons dans le meilleur restaurant de Tarbes, après une promenade en ville. J'apprends à mieux le connaître et je me réjouis d'avoir eu la chance de rencontrer un homme aussi galant, aussi doux et patient, et dont le romantisme s'accorde à son instruction et à sa nature pleine de tendresse.

Et de votre côté ? Donnez-moi vite des nouvelles de la cité. Comment va le petit chat que vous avez baptisé Mistigri ? C'est un nom difficile à prononcer pour Henri et je pense qu'il va le changer en quelque chose de plus simple. Papa n'a sans doute pas le temps de prendre la plume : il ne m'a envoyé qu'une carte postale, et avec seulement quelques lignes tracées à la hâte. Enfin, c'est un jeune marié, si on peut dire, et je suppose qu'entre son atelier et son nouveau foyer, il m'oublie un peu. Je ne lui en veux pas.

D'après votre dernière lettre, il n'y a toujours eu aucun autre fait navrant dans notre région ; j'ose à peine écrire le mot crime. Cela me rassure, même si je me perds en conjectures à ce sujet. Est-ce la preuve que Luigi était le coupable et qu'il est allé au-delà de nos frontières commettre de nouveaux meurtres, ou bien s'agit-il de quelqu'un d'autre, qui se tient caché,

effrayé par la chasse à l'homme qui a suivi l'évasion
du violoniste à la fin du mois de juin ?

Nous n'allons pas nous plaindre du calme revenu et
du fait qu'il n'y ait pas eu de nouvelles victimes. Dieu
merci ! Je prie chaque soir pour ne pas être confron-
tée à ce genre de tragédie.

Bientôt, je rentrerai à Saint-Lizier en possession de
mon diplôme. Quel merveilleux Noël ce sera !

Je vous embrasse de tout mon cœur. Mes yeux cli-
gnotent de fatigue ; je vais vite dormir, car je dois me
lever à quatre heures du matin.

Faites de grosses bises à mon petit Henri chéri,
Votre Angélina

Songeuse, Angélina posa son porte-plume et sécha les
dernières lignes à l'aide d'un buvard. Elle évoqua avec
un sourire rêveur ce beau matin d'été, un samedi, où elle
était allée au marché de Saint-Girons en compagnie de
Philippe Coste.

Les commerçants dressaient leurs étalages sur une
longue esplanade en bordure de la rivière, à l'ombre de
platanes centenaires. Le spectacle était des plus pittoresques. Les badauds affluaient par centaines. On y
vendait de tout, avec une surabondance de nourriture :
salaisons du pays, poissons frits, beignets brûlants et
pâtisseries aux graines d'anis. Certains proposaient
de la volaille, des lapins ou des plants de légumes et
d'aromates : du thym, de la sarriette, du persil ; quand
ce n'était pas des fruits présentés dans des corbeilles en
osier, mais aussi des foulards, des châles ou des tabliers.
Il se dégageait de ces diverses marchandises un étrange
mélange d'odeurs des plus alléchants.

La famille Seguin proposait sa production ce jour-là, à savoir des harnais, des selles, des licols, et aussi des colliers pour le bétail et les chiens. Angélina avait revu le bourrelier à cette occasion. « Il en faisait, une tête, Blaise, lorsque je me suis arrêtée devant son étal au bras du docteur Coste ! Son vieux père m'a saluée bien bas, et le jeune Michel également. Blaise, lui, a baissé le nez. Je lui ai annoncé mes fiançailles et il m'a présenté son épouse, Céleste, très ronde, comme disait oncle Jean, brune, mignonne, mais d'une timidité… Je lui souhaite du courage, mariée à une brute pareille. Il l'a prise par la nuque, comme si c'était une jeune bête qu'il avait achetée et qu'il tenait ferme. Je suis surprise qu'il ait déniché une femme, celui-là. Elle n'est pas laide, en plus, et m'a paru gentille. »

Un frisson la parcourut, de froid, mais aussi d'angoisse rétrospective. Même si elle n'y avait pas fait allusion dans sa lettre, Angélina gardait l'empreinte de ces jours d'été où, malgré toute sa bonne volonté, elle redoutait sans cesse d'apprendre la mort et le viol d'une fille du pays, quand elle ne craignait pas d'être elle-même agressée. « Mais il n'est rien arrivé du tout, pensa-t-elle. Et cela correspond bien avec la disparition de Luigi. Peut-être qu'il est mort à son tour, puisqu'il était blessé… Il aura agonisé au fond des bois ! »

Elle se leva, transie, impatiente de se coucher, son lit étant garni de deux épaisses couvertures. On frappa à sa porte alors qu'elle ôtait ses chaussons.

— Oui ?

— C'est sœur Gisèle, mademoiselle Angélina. Madame Garcia vous demande.

Elle remit sa blouse, sa coiffe et ses bottines. Il n'y avait pas à discuter, l'unique priorité demeurant l'accueil et la prise en charge des femmes en couches. Elle se contenta d'espérer qu'il s'agirait d'une naissance facile, sans complications. Mais, en ouvrant la porte, elle constata que sœur Gisèle l'avait attendue. C'était une aimable personne de quarante-deux ans, aux joues rondes et couperosées. Elle posa sur elle ses yeux bruns pleins de douceur.

— Madame Garcia tient seulement à vous parler, mademoiselle Angélina.

— Ah ! Je pensais qu'il s'agissait d'un accouchement.

— Non, Dieu soit loué ! Le calme est revenu après cette longue journée.

— Je vais de ce pas dans le bureau de madame Garcia, répondit-elle doucement, un peu contrariée cependant. J'espère que ce n'est pas grave.

— Ne vous tracassez pas, recommanda la religieuse, toute souriante.

Elle resserra le châle sur ses épaules. Malgré la mine affable de sœur Gisèle, elle s'inquiétait un peu. Lorsqu'elle pénétra dans la pièce de belles dimensions, une chaleur agréable l'accueillit. Sa supérieure disposait d'un gros poêle en fonte dont la lucarne rougeoyait.

— Bonjour, madame, dit la jeune femme en inclinant la tête.

— Bonjour, Angélina. Asseyez-vous, je vous en prie. Voulez-vous une tasse de café et un biscuit à la cannelle ?

— Volontiers, mais…

— Cela vous fera du bien ; ne vous privez pas. Je sais que les conditions de travail ici sont pénibles et que vous n'avez guère de confort. Allons, servez-vous ! dit-elle en lui désignant une cafetière en émail jaune et une assiette garnie de petits gâteaux secs.

Angélina put enfin se réchauffer les doigts autour d'une tasse en faïence.

— Mademoiselle, je tenais à vous dire que votre départ me peinera beaucoup, commença la sage-femme avec bonhomie. J'ai reçu une lettre ce matin du directeur de la maternité de l'hôtel-Dieu Saint-Jacques. Ce message vous concernait, figurez-vous. Il y est fait état de vos excellents résultats à l'examen de probation, de votre sens de l'initiative et de vos compétences innées en obstétrique. On me précise d'autre part que vous avez assisté votre mère, Adrienne Loubet, durant deux ans. Je ne sais ni pourquoi ni comment, mais une commission spéciale s'est réunie pour traiter votre cas un peu particulier et, à la suite de cela, j'ai la joie de vous annoncer que vous recevrez votre diplôme bien plus tôt que prévu. On a sollicité mon accord et, bien évidemment, je l'ai donné, car je n'ai eu qu'à me féliciter de vous accueillir ici. Vous avez été méritante, dévouée, sans jamais vous plaindre ou si peu.

— Merci, madame, je suis très touchée. Et très surprise ! Je serai franche, la sage-femme en chef qui nous instruisait à Toulouse ne m'appréciait pas.

— J'ai cru comprendre que vous avez le soutien de votre futur époux, le docteur Coste. C'est un praticien renommé et il vous tient en haute estime. Ma chère Angélina, j'ai foi en votre avenir. Et j'ajouterai que vous êtes vraiment aimée par le personnel et l'ensemble des religieuses. Buvez donc votre café, il va être froid !

Madame Garcia eut un bon rire maternel. C'était une femme directe, aux façons cordiales, sévère au besoin, mais juste et loyale.

— Je vous regretterai, madame, dit Angélina. Vous et tout le monde ici.

— C'est gentil…, mais je me vois contrainte de vous donner une précision d'importance. Si vous aviez terminé l'année sous mon autorité, votre congé de Noël aurait débuté le samedi 11 décembre, mais vous pourrez rentrer chez vous plus tôt que prévu et vous n'avez pas à discuter : votre santé nous préoccupe. J'ai donc pris les devants. Demain après-midi, une petite fête est organisée en votre honneur. Et c'est à ce moment-là que, en présence d'un membre de l'évêché, de notre directeur et du docteur Coste, je vous remettrai votre diplôme.

Cette fois, Angélina en resta bouche bée. Philippe serait auprès d'elle le lendemain.

— Madame, c'est trop d'honneur, trop de bonheur. Et quelle merveilleuse surprise, mon Dieu !

Avec un clin d'œil complice, madame Garcia sortit une bouteille d'armagnac de son placard, ainsi qu'un verre à pied.

— Rien qu'une gorgée ou deux, histoire de célébrer tout ça, affirma-t-elle.

Elles s'apprêtaient à trinquer quand on frappa.

— Je parie qu'une future mère a besoin de mes services, Angélina. Retournez vous reposer.

— Non, madame Garcia, je veux vous assister encore une fois. Acceptez, je vous en prie !

— C'est d'accord ! Dépêchons-nous.

Rien ne plaisait plus à Angélina que d'endosser son rôle de costosida. Ce terme occitan lui était cher. Le temps d'enfiler sa longue blouse grise, de cacher ses cheveux sous sa coiffe et de se laver les mains au savon et à grande eau, elle était prête à officier.

La sœur infirmière les attendait, madame Garcia et elle, au chevet d'une jeune femme dont la couleur de peau trahissait des origines étrangères. Sans être tout à fait noire, la patiente avait un teint de pain brûlé, des boucles drues et serrées, de fortes lèvres et un nez épaté. Son front était constellé de gouttes de sueur et sa respiration était saccadée.

— Bonjour, murmura-t-elle en détournant les yeux.

— Bonjour, répondit Angélina, étonnée par sa physionomie. Comment vous sentez-vous ? Les douleurs durent depuis quand ?

— Depuis ce matin, précisa la parturiente avec un accent prononcé et insolite.

— Nous allons vous examiner pour mesurer la dilatation du col de la matrice, intervint madame Garcia. Cette demoiselle va s'en occuper. Avec elle, vous êtes en de bonnes mains. Les mains d'Angélina Loubet, toute la maternité en fait l'éloge !

Angélina se retrouva en face du ventre énorme de la jeune femme, qui gardait les cuisses bien fermées. La vue de cette chair comme façonnée dans le bronze la fascinait, elle qui était si blanche.

— Il faut ouvrir vos jambes, sinon je ne peux rien faire, dit-elle doucement. N'ayez pas peur, je serai délicate.

La sœur infirmière s'éloigna, tandis que madame Garcia tirait les rideaux. Elles étaient dans la salle commune, où se dressaient douze lits séparés par des voilages coulissant sur des tringles. Ainsi, pendant la durée du travail, les patientes étaient isolées les unes des autres et leur pudeur était préservée.

— Je ne voulais pas venir à l'hôpital, déclara la créole. Je peux mettre mon enfant au monde toute seule. Mais ma madame a dit que je devais obéir. Elle a jeté mes tisanes…

— Ayez confiance, insista Angélina, tout se passera bien si vous consentez à l'examen.

— Vous ne seriez pas la domestique des Renaudin ? hasarda madame Garcia.

— Si, ce sont mes patrons ! reconnut-elle.

La sage-femme en chef renseigna Angélina à voix basse sur un ton ironique.

— Ce sont de riches marchands de produits exotiques. Ils habitaient Fort-de-France en Martinique[1] et maintenant ils tiennent une grande boutique assez extraordinaire. On y achète un café délicieux, des fruits confits, du rhum, mais aussi des bibelots, des soieries, des étoffes chamarrées… Ils ont ouvert leur commerce récemment, et toute la ville s'y précipite. Et je viens de me souvenir qu'ils ont ramené dans leurs malles un couple de domestiques de race noire. Enfin, il paraît que l'homme a la teinte du bois d'ébène, mais les cheveux blancs.

Angélina était très gênée, car la patiente écoutait, l'air offensé.

— Madame, avez-vous des spasmes rapprochés ? s'enquit-elle sur un ton respectueux pour lui montrer sa considération. Selon vous, le bébé s'annonce-t-il ?

— Oui, mademoiselle. J'ai perdu les eaux, et mon enfant sera né avant le coucher du soleil. Mais je voudrais m'asseoir, s'il vous plaît.

— Il n'en est pas question ! trancha madame Garcia. Restez allongée.

La jolie créole leva les yeux au ciel. Elle semblait furieuse de ne pas mener les choses à son idée.

---

1. L'île de la Martinique est devenue française en 1635, et ses habitants de race noire, descendants des anciens esclaves africains, sont souvent surnommés des créoles.

— Pourquoi l'empêcher de choisir la position qui lui convient ? interrogea Angélina. Dans le passé, les costosida et les matrones elles-mêmes laissaient les femmes accoucher debout, ou bien accroupies.

— Ce n'est plus conseillé. Maintenant, on préconise la position dorsale, vous le savez autant que moi !

— Madame Garcia, nous devons respecter ses coutumes. Je suis persuadée que notre patiente se montrera plus conciliante, ensuite.

— Faites à votre idée, Angélina. Je vous la confie. Après tout, c'est votre dernier jour. Je vais en profiter pour inspecter la pouponnière et mes parturientes d'hier. Bon courage !

La jeune fille se retrouva seule avec la créole, qui s'empressa de chuchoter :

— Merci, mademoiselle, d'avoir écarté tout le monde. Je peux m'asseoir ?

— Mais oui. Et moi, est-ce que je peux vous examiner ?

— C'est d'accord, mademoiselle Angélina. J'ai entendu qu'on vous appelle comme ça. Vous avez l'air bien gentille, vous.

— Et vous, quel est votre prénom ? Nous allons passer du temps toutes les deux ; cela me fera plaisir de ne pas vous dire madame à tout bout de champ.

— Fidélia.

— C'est très joli ! Bien, restez encore étendue quelques minutes, je procède à la palpation du col. Oh ! vous êtes presque dilatée au maximum. Votre bébé ne va pas tarder.

— J'ai eu deux enfants, déjà, confia Fidélia, mais ils n'ont pas survécu. Deux garçons que j'ai dû enterrer,

Sainte Vierge Marie ! Si c'était une fille, là, peut-être que je la garderais.

Angélina avait rabattu le drap sur le bas du corps de sa patiente. Elle la dévisagea avec un sourire rassurant.

— Pourquoi dites-vous une chose pareille ? Bien sûr que vous la garderez ! N'ayez pas peur, nous allons œuvrer ensemble, Fidélia.

La sœur infirmière réapparut pour annoncer que la salle d'accouchement, en fait une pièce assez exiguë, était préparée.

— Venez, Fidélia, je vais vous conduire ; cela vous fera du bien de marcher un peu. C'est une chance, l'hôtel-Dieu dispose d'un lieu à part pour les femmes en couches. Mais ce n'est pas le cas partout.

— Et quand il y a trop de parturientes, nous les laissons en salle commune, renchérit la sœur.

La créole se leva sans aide. Elle était grande, sculpturale, avec un port de tête royal. La chemise blanche qu'elle portait faisait ressortir sa chair d'or sombre. Angélina en fut subjuguée. « Quelle magnifique jeune femme ! se dit-elle. Quel âge peut-elle avoir ? »

Dans le couloir, Fidélia retrouva la parole.

— Moi, je ne suis pas contente d'être en France, déclara-t-elle. Mais ma madame voulait que je la suive. Et mon mari m'a fait des remontrances. Il dit que je me plains toujours, mais, ici, il fait froid, beaucoup trop froid.

L'accent pittoresque de la Martiniquaise amusait Angélina.

— Marchez encore un peu, si cela vous soulage, lui dit-elle. Ma sœur, vérifiez les instruments, passez-les à l'alcool et posez-les sur la sellette.

Angélina se relava les mains soigneusement, tout en observant du coin de l'œil les déambulations de Fidélia qui se massait le ventre en chantonnant.

« La pauvre, elle a perdu deux enfants ! Pourvu que celui-ci soit plus robuste et qu'elle puisse connaître la joie d'être mère ! » pensait-elle.

Tout à coup, la grande créole lança un cri aigu. Elle se mit à tourner sur elle-même, tandis que du sang ruisselait le long de ses jambes, marbrant de pourpre sa peau brune.

— Il vient, mademoiselle, il vient, je le sens ! Je veux rester debout.

— Oh non, c'est dangereux pour le bébé ! protesta la sœur infirmière. Allons, madame, étendez-vous vite.

Angélina se précipita vers sa patiente et la prit par la taille. D'une voix persuasive, elle la guida vers l'étroite couchette au pied de laquelle se trouvait un seau en émail.

— Faites au mieux, Fidélia, je suis là. Restez debout si cela vous convient. Appuyez-vous au bord du lit, prenez appui sur vos mains. Je vous ausculte à nouveau. Voilà, ouvrez vos cuisses. Ayez confiance, votre petit arrive.

À la stupéfaction de la religieuse, Angélina se mit à genoux, son front calé contre le ventre distendu de la femme dont les halètements s'accéléraient. Elle put constater que le bébé franchissait le col de l'utérus.

— Poussez, Fidélia, poussez, mais pas trop fort. Allez, allez, je sens son crâne, poussez… Ah ! ça y est, la tête est dégagée. Faites une pause, je vous dirai quand il faudra recommencer… Bien, maintenant, poussez encore. N'ayez pas peur, je suis prête à accueillir ce petit.

Fidélia hurla, tétanisée, en écartant davantage les cuisses. Angélina reçut entre ses mains un superbe poupon qui devait peser au moins quatre kilos. L'enfant s'égosillait ; c'était un gage de vitalité.

— Bravo ! C'est une belle petite fille ! s'exclama Angélina.

Mais la créole avait fermé les yeux, tout entière agitée de tremblements nerveux.

— Est-ce qu'elle est bien noire ? demanda-t-elle. Dites-moi, mademoiselle ? Dites-le vite !

La sœur haussa les épaules comme si la question était stupide. Quant à Angélina, elle pesait sa réponse.

— Je crois que oui, murmura-t-elle enfin en se redressant, le nouveau-né dans les bras. Regardez-la ! Je la trouve magnifique. Et tous ces cheveux, bien drus.

La description parut rassurer la jeune mère qui cligna des paupières et considéra son bébé avec un reste d'angoisse. Elle vit cependant une peau colorée semblable à du cuivre et une toison crépue sur le crâne très rond. De grosses larmes roulèrent alors sur ses joues.

— Je veux m'allonger, balbutia-t-elle. Il faut que je la mette au sein tout de suite. Dans mon pays, on fait comme ça.

— Vous ai-je empêchée d'agir à votre guise ? plaisanta Angélina, ravie de cet accouchement facile et fort rapide.

Elle ligatura et coupa le cordon. Elle prit plaisir à voir ensuite Fidélia couchée, sa fille nichée entre ses seins volumineux.

— Dès que vous sentirez une nouvelle douleur, dites-le ! Ce sera l'expulsion du placenta.

— Oh ! je sais, je sais…

Angélina commença à la nettoyer avec une infinie délicatesse. Le flux de sang qui avait précédé la naissance l'inquiétait un peu. Il ne pouvait pas être confondu avec les écoulements peu conséquents se produisant avant et après l'enfantement.

« C'est peut-être dû au fait qu'elle a tenu à rester debout », se disait-elle, sur le qui-vive, redoutant comme chaque fois une hémorragie. Pour elle, c'était un vrai fléau, avec la fièvre puerpérale qui emportait tant d'accouchées.

— Comment vous sentez-vous, Fidélia ? demanda-t-elle. Fatiguée, je suppose ?

— Non, je suis à mon aise. La petite a trouvé le téton tout de suite.

— Votre mari sera content d'avoir une si jolie enfant, ajouta la sœur infirmière. Mais il faudrait me la donner, que je la lave et que je l'emmaillote.

— Jamais de la vie ! protesta la mère. Mon enfant aura les jambes libres ; je veux qu'elle puisse gigoter. Vous autres, en France, vous bandez trop serré les nouveau-nés, ça déforme leurs membres.

Ces mots étaient débités rapidement, avec l'accent martiniquais propre aux créoles. Angélina jugea la remarque judicieuse. En fait, Fidélia partageait ses idées. « Je n'aimais pas voir Henri prisonnier de ses bandelettes qui l'empêchaient de bouger, se rappela-t-elle. Si j'ai un autre enfant, je suivrai mon instinct. Je ne serai pas obligée de le mettre en nourrice, je m'en occuperai moi-même. Un enfant de Philippe... »

Elle achevait de mettre en place une épaisse bande de cotonnade entre les cuisses de sa patiente quand du sang coula en abondance.

« Mon Dieu, non ! implora-t-elle. Fidélia ne doit pas mourir ! »

— Fidélia, confiez votre petite à la religieuse, elle va en prendre soin. Et vous, ma sœur, allez vite chercher madame Garcia. Vous lui dites que j'ai besoin de ses lumières. Ensuite, vous pourrez laver le bébé. Sans l'emmailloter, n'oubliez pas ! La volonté d'une patiente est primordiale, pour moi.

— Bien, mademoiselle Angélina !

— Qu'est-ce que j'ai ? interrogea Fidélia quand elles furent seules.

— Vous saignez beaucoup ! Ne soyez pas surprise, je vais donner des coups sur votre ventre du bout des doigts, assez fort, mais c'est pour stimuler votre matrice. Cet organe interne est un muscle, en quelque sorte. S'il se rétracte, vous saignerez moins. Cela devrait même s'arrêter.

Dès qu'Angélina commença, la créole se plaignit.

— Vous me faites mal !

— J'en suis désolée, mais je n'ai pas le choix. Soyez courageuse, Fidélia.

Malgré ses efforts, le sang coulait toujours. Affolée, elle redoubla d'énergie, tandis que sa patiente essayait de lui bloquer les mains.

— Arrêtez, j'ai sommeil et ça fait mal. Et puis, si la petite est en bonne santé, moi, je peux mourir !

La grande créole ferma les yeux subitement en cessant de lutter contre Angélina.

— Ne dites pas de sottises. Un enfant a besoin d'une maman, Fidélia. Ne me faites pas ça, par pitié ! s'écria Angélina qui espérait voir apparaître la sage-femme en chef. Ne vous endormez pas, Fidélia. Restez avec moi, parlez-moi. Ma supérieure va arriver, elle saura quoi faire. Fidélia !

— Mon bébé, ma madame le fera baptiser. Dites-lui qu'il faut l'appeler Anne-Marie, Anne-Marie Judelle, murmura la créole en entrouvrant les paupières.

Bouleversée et de plus en plus inquiète, Angélina toucha le front de sa patiente, certaine qu'elle délirait, terrassée par une montée de fièvre. Mais il n'en était rien. Fidélia avait la peau froide et un peu moite.

— Et madame Garcia qui n'arrive pas ! se dit-elle tout bas. Mon Dieu ! Aidez-moi !

Elle donna encore de légers coups, du poing cette fois, sous le nombril, avant de constater avec un immense soulagement que le flux de sang venait enfin de s'arrêter.

— Merci, Seigneur ! Merci !

Tremblante de fatigue et d'émotion, Angélina vit entrer madame Garcia qui l'interrogea du regard.

— Elle ne saigne plus, la paroi de l'utérus s'est raffermie.

— Je suis certaine que vous avez fait au mieux, déclara la sage-femme en chef en examinant soigneusement la créole. Cette dame peut se reposer encore une heure ici. Ensuite, il faudra la conduire en salle commune. La sœur a conduit le bébé à la pouponnière.

— Je veux ma petite fille ! s'écria Fidélia, tout à fait éveillée. Là, contre mon sein.

— Dans l'état où vous êtes, ce n'est pas conseillé, trancha madame Garcia. Vous avez perdu beaucoup de sang et, sans mademoiselle Loubet, vous auriez pu nous quitter. Allons, soyez raisonnable. On vous donnera votre bébé ce soir, si vous y tenez.

— Bien sûr que j'y tiens ! Et ma madame a dit qu'elle viendrait faire la visite avec un cadeau, affirma la jeune mère.

Une religieuse se présenta pour proposer ses services. Angélina la pria de descendre aux cuisines et de rapporter du bouillon et du vin coupé d'eau.

— Je vous confie cette patiente, Angélina, annonça la sage-femme. Ce n'est jamais calme bien longtemps, chez nous. Je retourne au second étage, où on m'attendait aussi. J'ai confié une nouvelle arrivante à une des élèves, mais qui n'est pas dégourdie. Alors, prudence !

Madame Garcia se fendit d'un bon sourire et sortit.

— Votre madame me semble très gentille avec vous, Fidélia ! dit Angélina. Votre petite grandira dans une bonne maison.

La jolie créole ne répondit pas tout de suite. Elle la fixa d'abord avec une expression soucieuse.

— Je l'espère, mademoiselle.

Intriguée par la personnalité déconcertante de Fidélia, Angélina s'installa à son chevet sur une chaise. Elle la regarda à son tour bien dans les yeux.

— Que craignez-vous donc, Fidélia ? demanda-t-elle tout bas. Qu'est-ce qui s'est passé ? Vous aviez peur que votre bébé soit blanc. Pourquoi ? Vous pouvez me le dire, j'ai prêté serment, je ne raconterai jamais ce que vous m'avouerez.

La créole poussa un profond soupir en se détournant. Elle paraissait hésiter. Cependant, pleine de gratitude envers cette demoiselle qui avait consenti à toutes ses exigences, elle soulagea son cœur tourmenté, renonçant du même coup à la vouvoyer.

— Tu t'es mise à genoux devant moi pour accueillir mon enfant. Tu es douce, tu es bonne. Mon monsieur, le mari de ma madame, il me prend quand il en a envie. J'avais peur que la petite soit blanche.

— Oh ! mon Dieu, ma pauvre Fidélia, cet homme, votre patron, il devrait avoir honte ! s'enflamma Angélina. Il fallait vous plaindre à votre mari.

— Mon mari, il est vieux ; il fait semblant de rien voir.

La religieuse entra au même instant, chargée d'un petit plateau sur lequel fumait un bol de soupe. Très vite, la créole mit un doigt sur sa bouche pour intimer à la jeune fille l'ordre de garder le secret.

— N'ayez pas peur, Fidélia, chuchota-t-elle. Il faut reprendre des forces ; la sœur va vous aider à manger. Moi, je vais rendre visite à votre petite Anne-Marie.

Luchon, le 8 décembre 1880

Le docteur Philippe Coste prit la main d'Angélina pour l'aider à descendre du marchepied du wagon. Tout joyeux, il désigna le cercle de montagnes enneigées qui dominait la gare, avant de tendre le bras vers les maisons alentour.

— Bienvenue à Luchon, ma chérie. Vous voici enfin chez moi, dans la reine des Pyrénées, comme le décréta un certain Chaussenque, illustre explorateur de nos sommets et vallées.

— Je suis enchantée, plaisanta-t-elle. Donnez-moi votre bras, très cher.

Ils éclatèrent de rire. Durant tout le trajet en train depuis Montréjeau, une petite ville voisine, ils avaient été d'excellente humeur malgré leurs appréhensions respectives. Angélina se demandait quel accueil lui réservait la famille de son fiancé. Lui, de son côté, redoutait un peu le tempérament épineux de sa mère et les blagues de son beau-frère Didier, l'époux de sa sœur Marie-Pierre.

— Eh bien, il ne nous reste plus qu'à attendre la voiture. Notre cocher se nomme Pierrot. Il est un peu sourd, mais il manie les chevaux avec science et douceur depuis ses quinze ans, l'âge auquel mes parents l'ont engagé.

— Philippe, je vous en prie, parlez-moi des personnes que je vais rencontrer !

— Cela ne servirait à rien et vous ôterait de la spontanéité. Vous avez déjà une alliée dans la place : ma sœur. Elle me parle souvent de vous. Oh ! Angélina, je suis si content ! Ce soir, nous boirons du champagne en votre honneur. La petite fête que les sœurs de l'hôtel-Dieu avaient organisée, à Tarbes, était très sympathique, mais cela manquait de panache.

Angélina ne répondit pas. Madame Garcia et les religieuses, qui pourtant déploraient son départ, s'étaient montrées bien gentilles. Mais il y avait très peu de biscuits dans les plats et, comme boissons, on n'avait servi que de l'eau au sirop et du thé. Cette réception demeurait cependant un très bon souvenir pour elle. Elle avait passé ces dernières semaines à préparer son séjour à Luchon. Entre Gersande et Octavie, au milieu d'un fouillis de toilettes et de lingeries, elle avait passé des heures charmantes, profitant pleinement de son petit Henri dont le moindre rire et les baisers maladroits l'enchantaient.

« Nous avons fêté ses deux ans, avec Gersande et Octavie ! se remémora-t-elle. Il a soufflé ses bougies. Tout fier, il frappait dans ses menottes. »

— Angélina, à quoi pensez-vous ? interrogea Philippe.

— Je songe à ce qui m'attend et, je vous l'avoue, je suis très anxieuse.

— Je vous assure qu'il n'y a pas de quoi. Voilà notre Pierrot ! Là, à droite. Regardez le cheval. Superbe, n'est-ce pas ? Un hongre andalou. Mère l'a acheté l'année dernière.

Le dénommé Pierrot, la face sillonnée de rides profondes, les cheveux raides et grisonnants, souleva son chapeau. Il chargea les bagages après avoir salué le médecin.

— Montez ! Montez ! leur cria-t-il. Madame s'impatiente.

— Mère s'impatiente toujours, fit remarquer Philippe. Installez-vous, Angélina. Désirez-vous que je relève la capote ? Vous aurez moins de vent.

— Mais j'y verrai moins bien, répliqua-t-elle. Je tiens à admirer votre fameuse reine des Pyrénées.

La calèche se mit en route, remontant d'abord une rue étroite bordée de petites boutiques. Ils passèrent bientôt devant une église de taille imposante en pierres très blanches, au clocher carré et crénelé.

— Nous allons suivre les allées d'Étigny, qui traversent la ville dans sa longueur jusqu'au parc des Thermes, surnommé le jardin des Quinconces, annonça Philippe. Les aménagements ne sont pas vraiment achevés, mais c'est déjà le lieu favori de promenade des curistes. Notre ville doit ces allées plantées de quatre rangs de tilleuls au baron Antoine Mégret d'Étigny, intendant de Gascogne, qui fut envoyé à Luchon en 1759. Deux ans plus tard, il avait restauré et embelli nos Thermes, dont les sources font merveille sur bien des maladies. Il a invité ici des gens de la noblesse, et très vite le beau monde a été conquis ; il fallait venir prendre les eaux à Luchon. Notre siècle a vu défiler ici de grands noms : le poète Lamartine, le prince Louis Napoléon Bonaparte, et la très gracieuse impératrice Eugénie, sans oublier des membres de l'aristocratie russe. Sachant cela, vous comprendrez mieux l'abondance de magnifiques demeures, de palaces, de villas luxueuses. D'ailleurs, des hôtels de luxe sont encore en construction.

Angélina écoutait sagement en jetant des coups d'œil curieux sur les vitrines des magasins et les éventaires dressés sur les trottoirs. Elle leva la tête vers le ciel d'un bleu intense, dont l'éclat se reflétait sur la neige fraîche des sommets.

— Les montagnes me semblent gigantesques, dit-elle. Et toutes proches.

— Vous avez raison, il suffit d'aller au bout d'une rue pour trouver un sentier qui grimpe vers les hauteurs. Et voyez là-bas, à l'est, le port du Venasque, sur la frontière franco-espagnole. Il culmine à deux mille quatre cent quarante-quatre mètres.

— Mais c'est bien moins élevé que notre mont Valier, à nous, les Ariégeois, plaisanta-t-elle.

— Seigneur, n'entraînez surtout pas mon beau-frère Didier sur les particularités de telle ou telle région. Il sera intarissable. Ah ! Nous sommes sur les allées !

Philippe l'attira contre lui jalousement. Émue, Angélina lui donna un léger baiser sur la joue. Blottie dans les bras de son futur époux, elle vit défiler de hautes façades claires aux balcons ouvragés, derrière les branches dénudées des tilleuls. De beaux magasins à la devanture sculptée avaient pignon sur l'avenue où déambulaient quelques Luchonnais.

— Dès le mois de mai, il y a foule, affirma le médecin. En cette saison, tout est très calme. Mais notre maire a des projets ambitieux : une station de ski que l'on rejoindrait par un train, et un casino qui a été inauguré au mois d'août, où se produiront des artistes de théâtre et d'opérette. En toute sincérité, Angélina, j'aimerais beaucoup habiter ici, là où je suis né et où j'ai grandi. Depuis le succès des Thermes et de l'hôpital, notre famille a donné des docteurs à ces deux établissements. Mon arrière-grand-père, mon grand-père et mon père, bien sûr, ont marqué les mémoires.

Angélina approuva en silence. Elle apercevait un immense bâtiment à l'architecture harmonieuse, orné en son centre d'un fronton triangulaire. Des colonnes en pierres blanches soutenaient une avancée couverte d'ardoises, pour protéger une longue galerie qui permettait aux curistes de s'abriter en cas de mauvais temps.

— Les Thermes ! précisa Philippe. Près du cèdre, le kiosque à musique. Nous sommes bientôt arrivés.

Angélina sentit les battements de son cœur s'accélérer. La calèche tourna dans une large rue perpendiculaire au jardin des Quinconces. Après une centaine de mètres, le cocher engagea la voiture dans un passage, à gauche d'une très belle maison qui avait tout d'un petit château.

— Le berceau des Coste, annonça Philippe.

— Vous habitez vraiment là ? Oh non, je serai trop mal à l'aise !

— Allons, du cran, ma chérie ! Vous aurez affaire à des gens d'une excellente éducation. De plus, votre amie Gersande a veillé sur votre garde-robe et vous êtes ravissante. Ils seront éblouis.

— Quand même, je suis terrifiée.

Des larmes d'angoisse perlèrent à ses yeux. Il tenta de la consoler.

— La villa est grande, il est vrai, mais pourquoi prendre peur ? Ce ne sont que des murs, du plâtre, des fenêtres… En fait, une grosse bâtisse. Et vous ne devez pas pleurer ainsi, car vous êtes la femme que j'aime, intelligente, belle, spirituelle. Venez !

— Peut-être que vous m'aimez ; cependant, je n'avais pas réalisé à quel point vous étiez riche. Et moi qui suis pauvre, tellement pauvre… Sans la bonté de mademoiselle Gersande, je n'aurais pas un sou en poche ni ce manteau qui a coûté une fortune.

Elle effleura de ses doigts gantés un pan d'une redingote en drap de laine brun, dont les manches et le col étaient bordés de fourrure. « De la martre ! » avait dit sa vieille amie.

Angélina avait le manchon assorti et une toque à voilette. C'était un modèle de *L'Illustration*, confectionné par la meilleure couturière de Saint-Girons. Elle avait également fait une robe de soirée en prévision du dîner de fiançailles.

— Chérie, on nous guette derrière les rideaux, dit Philippe. Ne soyez pas ridicule. Donnez-moi votre main pour monter les marches du perron.

Elle avança à ses côtés, prise d'une panique légitime. Il lui adressa un doux sourire d'encouragement.

« Qu'est-ce que je fais ici ? s'interrogeait Angélina. L'argent et le luxe ne m'intéressent pas. Je ne veux qu'être aimée et pouvoir exercer mon métier. Seigneur ! je voudrais bien me retrouver dans ma cité, en robe de laine et tablier, à dévaler la pente de la rue des Nobles, mon chien sur mes talons. Tout est faussé ; je ne suis pas sotte, jamais on n'invitera mon père dans cette famille, un humble cordonnier à l'accent ariégeois et aux ongles noirs. Le jour du mariage, je dois me résigner : seule Gersande de Besnac aura le droit de me conduire à l'autel. Même moi, je préfère tenir papa à l'écart de ce milieu pour lui éviter d'être humilié ou terriblement gêné. Pourtant, je l'aime, Philippe, et je sais qu'il me rendra heureuse. »

Ce tumulte de pensées lui fit un peu oublier ses craintes. En quelques minutes, elle fut dans le vestibule entièrement tapissé de miroirs. Elle se vit reflétée à l'infini par le jeu des glaces disposées face à face. « Est-ce bien moi ? Je suis blême, mes lèvres sont sans couleur et j'ai l'air d'une enfant coupable. »

Une bonne en robe noire, bonnet et tablier blancs vint l'aider à ôter son manteau. Il faisait très chaud à l'intérieur. Philippe quitta lui aussi son chapeau et son pardessus en astrakan. Une voix aiguë retentit alors, en provenance d'une pièce voisine.

— Que fabriquent-ils ? Je veux voir ma future belle-fille. Didier, amenez-les-moi. Allez, filez les chercher.

— C'est ma mère, annonça le médecin. Dépêchons-nous.

Ils pénétrèrent dans un immense salon richement meublé. Angélina vit tout de suite une vieille dame assise dans une méridienne, une de ses jambes posée sur un tabouret. Elle était très corpulente ; ses cheveux blancs étaient coiffés en chignon, et elle tenait un petit chien au poil frisé couleur miel contre sa poitrine.

— Nous sommes là, mère, dit Philippe en prenant la main tremblante de sa fiancée. J'ai la joie de te présenter Angélina.

— Ah ! Quand même ! Bonjour, mademoiselle. Ciel, quelle beauté ! Marie-Pierre n'a pas exagéré. J'ai une attaque de goutte, Philippe. Sinon, je vous aurais accueillis en haut du perron. Approche ! Vous aussi, Angélina ! Pas de cérémonie, je vous appellerai Angélina.

Elle se laissa examiner sans broncher, avec la déplaisante impression d'être le point de mire de tous les regards, car il y avait d'autres personnes dans la pièce. Elle portait une longue jupe de velours noir et un corsage en soie blanche à jabot qui mettait en valeur l'or rouge de ses cheveux.

— Tu as bon goût, Philippe, reprit la maîtresse des lieux sans accorder un sourire à la nouvelle venue. Je n'ai pas encore entendu le son de sa voix, mais je parie qu'elle a une langue comme tout le monde.

— Mère, pitié, ne commencez pas ! protesta-t-il.

Marie-Pierre, jusque-là assise près d'une cheminée monumentale en marbre noir, se leva avec un soupir amusé. Elle se précipita au secours de son frère. Un homme la rejoignit, chauve, mais qui exhibait une moustache et une barbe argentées.

— Angélina, tranquillisez-vous, dit la sœur du médecin. Maman aime taquiner ses invités. Alors, pensez donc, sa future belle-fille… Je suis très heureuse de vous revoir. Je vous présente mon époux, Didier Coste. Eh oui, c'est un nom courant dans la région. Cela m'a bien plu de garder mon nom de jeune fille tout en étant mariée.

Le regard brillant, le notaire s'inclina avec galanterie, car il était amateur de belles femmes.

— Je suis ravi de faire votre connaissance, mademoiselle, dit-il avec insistance.

— Didier, ne faites pas le joli cœur ! s'exclama la mère de Philippe. Sonnez plutôt Fanchon, qu'elle serve le thé. Il me faut une tasse de thé et de la brioche. Les émotions me donnent faim. Alors, Angélina ? Avez-vous été charmée par Luchon ? Bien sûr, qui n'aimerait pas Luchon ? Mais il paraît que vous habitez une curieuse petite cité fortifiée, à une cinquantaine de kilomètres de Saint-Gaudens !

— Oui, madame, je suis née là-bas, à Saint-Lizier, répondit Angélina, déterminée à vaincre sa timidité.

— Ah ! j'ai réussi à la faire parler ! s'esclaffa la vieille dame. Mais dis-moi, Philippe, ta fiancée n'a pas d'accent ! Bravo, cela m'aurait contrariée.

— Ma chère Camille, vous êtes incorrigible, déplora Didier Coste en riant.

— Vous, mon gendre, ne vous en mêlez pas. J'étudie l'oiseau rare qui a su persuader mon fils de se marier. Je le voyais finir vieux garçon, aigri, de plus en plus myope. Et il décroche le gros lot.

Malgré toutes ses bonnes résolutions, Angélina en eut assez des pointes ironiques de sa future belle-mère.

— Déjà, je n'ai pas persuadé votre fils de m'épouser ; l'idée est de lui. Et il ne m'a pas gagnée à une loterie. Vous avez peut-être une attaque de goutte et une grande maison, mais ce n'est pas une raison pour vous moquer de moi et me traiter comme une bête de foire.

— Es-tu satisfaite, maman ? demandèrent Marie-Pierre et Philippe en chœur. Tu l'as vexée avec tes sottises.

Après son coup d'éclat, Angélina eut envie de rentrer sous terre. Elle n'avait pas prêté attention à deux adolescentes qui venaient d'assister à la scène depuis le seuil d'une autre pièce. C'était les nièces de Philippe. Elles paraissaient beaucoup s'amuser.

— L'oiseau rare se change en tigresse, s'esclaffa Camille Coste. Tu as entendu ça, Capi ? Montre-lui ce que tu sais faire, à cette demoiselle, que je la voie enfin sourire.

Elle s'adressait au petit chien, qui sauta de la méridienne et vint se planter devant Angélina. Là, il fit le beau, assis sur son derrière, en agitant une patte.

— Qu'il est mignon ! J'adore les chiens. J'en ai un moi aussi, mais dix fois plus gros, un pastour.

Angélina ne regardait personne en particulier en disant cela, mais elle fit ainsi la conquête de la vieille dame.

— Un pastour ! s'extasia-t-elle. Nous en possédions trois du vivant de mon mari. Charles les laissait en liberté dans le parc, et gare aux intrus ! Il les nourrissait avec des carcasses de mouton. Mais, depuis que je suis veuve, je me contente de mon Capi, un croisé de caniche et de bichon. Nos pastours sont morts la même année que Charles. Angélina, asseyez-vous, que nous bavardions. Philippe, ta fiancée aime les chiens. Tu aurais pu me le dire ! Elle est adoptée.

La bonne apporta le plateau du thé, et tout le monde se rassembla autour de la table ronde, disposée près de la méridienne. Marie-Pierre présenta ses filles, l'une blonde, l'autre châtain clair.

— Ma chère Angélina, voici Éléonore et Eugénie. Elles seront internes l'an prochain, à Saint-Gaudens, où se trouve une excellente institution religieuse.

Âgées respectivement de quinze et treize ans, les adolescentes sourirent de concert. En robe beige à col blanc, la taille marquée par une ceinture, elles semblaient très complices.

— Est-ce vrai que vous êtes sage-femme, si jeune ? s'enquit Éléonore, l'aînée.

— Oui, j'ai obtenu mon diplôme à la fin du mois d'octobre, mais je ne suis pas si jeune ; j'ai vingt et un ans.

— Seigneur, si je pouvais revenir à cet âge ! soupira Camille Coste. Ce n'est pas gai de se faner, d'être moins alerte, de souffrir de mille maux. Et toi, Philippe, tu as eu quarante ans au printemps. Tu vieillis…

— Mère, je vous en prie, pourrions-nous parler d'autre chose que du temps qui passe, des chiens et de la maladie ?

Diplomate, Marie-Pierre orienta la conversation sur le mariage de son frère.

— Avez-vous choisi une date, Angélina ? En été, je suppose… Nous organiserons un repas dans le jardin. Et vous reviendrez tous les deux de l'église en calèche. Je m'occuperai de la décorer avec des fleurs fraîches, des roses, des lys… Nous sommes tous ravis que Philippe se marie enfin.

— Je ne sais pas, pour la date, murmura la jeune fille.

— Bien sûr qu'elle ne sait pas, trancha Camille Coste. Marie-Pierre, ne l'ennuie pas avec les détails de la noce. Ils célèbrent leurs fiançailles ce soir. Dans ma jeunesse, on restait fiancés parfois deux ou trois ans. Ils ont le temps.

— Mère, je suis d'accord sur ce point, nous avons bien le temps, renchérit Philippe. Mais, quant à moi, si je pouvais, j'épouserais Angélina le plus tôt possible.

— Qu'est-ce qui t'en empêche ? s'étonna son beau-frère.

— Rien de précis ; nous avons décidé d'un commun accord de patienter encore un an. Angélina souhaite exercer à Saint-Lizier et je respecte sa volonté.

— C'est admirable de ta part, nota sa sœur. Mais assez discuté.

Elle présenta à chacun une assiette garnie de tranches de brioche et de biscuits. L'ambiance se détendit.

« Finalement, ce sont des gens assez simples, plutôt chaleureux, songeait Angélina. Je crois que je m'accoutumerai à eux. »

Maintenant, elle avait hâte de visiter la maison et surtout de se réfugier dans sa chambre. Le plus dur était passé. Camille Coste lui lançait des regards affectueux, alors que Philippe et Didier causaient politique. Angélina eut soin de tout observer du décor cossu qui l'entourait. « J'ai promis à Gersande de lui écrire une longue lettre et de tout lui raconter, se dit-elle. Elle se plairait, ici, et je crois qu'elle s'entendrait à merveille avec la mère de Philippe. »

La cérémonie du thé terminée, Marie-Pierre chargea ses filles de conduire Angélina à l'étage.

— Montrez-lui bien la sonnette pour appeler Fanchon, recommanda-t-elle aussi. Notre invitée a sûrement envie de se reposer un peu, loin de nos bavardages.

— Venez, mademoiselle, dit Eugénie avec empressement. Vos fenêtres donnent sur la rivière, la Pique.

— Où est ma malle ? s'inquiéta Angélina.

— Martin l'a déjà montée. C'est notre majordome et le mari de notre cuisinière, expliqua Éléonore.

Angélina hocha la tête, stupéfaite. Les Coste employaient donc une bonne, un cocher, une cuisinière et un majordome.

— Leur fils est notre jardinier. On l'appelle Bébert, parce qu'il bégaie et que, son prénom, c'est Albert, pouffa Eugénie. Voici votre chambre. Ce matin, je vous ai cueilli des roses de Noël dans le parc. Vous connaissez ces fleurs ?

— Oui, ce sont des hellébores. J'en ai quelques pieds à Saint-Lizier, le long d'un mur protégé du vent. C'est très joli, ces corolles blanches. Et il y a si peu de fleurs au mois de décembre qu'elles méritent toute notre gratitude.

Les deux adolescentes échangèrent un regard surpris. Cette très belle jeune femme à la chevelure d'un roux sombre et aux yeux violets commençait à les fasciner.

— Nous vous laissons, mademoiselle, dit Eugénie. Le dîner sera servi à huit heures ce soir. Ah ! j'oubliais, ce cordon doré, là, près de la porte, sert à sonner Fanchon, la bonne.

— Je vous remercie.

— Pouvons-nous vous montrer quelque chose de très drôle ? demanda Éléonore. Regardez, là, près de l'armoire, ces traits qu'on devine à peine dans les dessins de la tapisserie. Une ancienne porte de service donnait dans cette pièce, et vous trouverez au fond d'un tiroir de la commode une clef qui permet de débloquer la serrure. Eugénie et moi, on adorait se sauver par là quand grand-mère nous punissait.

— Oui, il y a un escalier très étroit qui descend directement au sous-sol de la maison. Après, c'est facile de sortir dans le parc. Personne ne savait qu'on empruntait ce passage.

Elles en riaient encore. Angélina promit qu'elle tenterait l'aventure, puis elle referma la porte avec soulagement. Elle voulait admirer à son aise le cadre ravissant où elle séjournerait une semaine. Les murs s'ornaient d'une tapisserie en toile de Jouy, des motifs roses sur fond beige. De lourds rideaux roses encadraient les deux fenêtres munies de volets intérieurs qu'on dépliait ou repliait selon l'heure. Cette particularité inconnue en Ariège lui parut très judicieuse. « Chez nous, il n'y a des volets qu'en ville, et à l'extérieur des maisons. Mais, en montagne, la coutume est de mettre des barreaux pour décourager les voleurs et les ours... »

Elle effleura chaque meuble du bout des doigts, impressionnée par leur beauté et leur style rococo. Jusqu'à ce jour, elle ignorait le terme, mais Philippe l'avait prévenue que sa mère et sa sœur affectionnaient ce genre de mobilier.

— C'est joli, dit-elle tout bas avant de considérer le grand lit double, surmonté d'un baldaquin. La literie, d'une douceur de soie, était brodée.

Angélina était éblouie. L'instant suivant, elle ouvrait une porte, curieuse de savoir où elle menait. Pour la première fois de sa vie, elle se retrouva dans une salle de bains. La robinetterie était en bronze, alors que la baignoire colossale, ainsi que le lavabo, était en marbre rose veiné d'ocre.

— Oh ! Mais il ne peut pas y avoir d'eau chaude !

Après quelques essais, elle passa une main sous un jet tiède. Jamais elle n'avait eu droit à un tel confort, ni chez Gersande de Besnac, ni à l'hôtel-Dieu Saint-Jacques, et encore moins à Tarbes.

« Et il fait délicieusement bon dans toute la maison, pensa-t-elle. Ce doit être dû à un chauffage central. Il paraît que les Romains en jouissaient déjà, dans leurs villas et dans les thermes. Je vais prendre un bain... »

L'idée la surexcitait. Elle se déshabilla vite tout en se souvenant, égayée, que les femmes des campagnes ou des vallées isolées jugeaient le fait de se laver partout presque diabolique, ou bien que ce caprice était réservé aux filles de petite vertu. Mais Angélina avait été à bonne école avec sa mère, Adrienne préconisant une hygiène corporelle méticuleuse. « Maman, je ne sais pas si tu me vois. Je l'espère. Tu dois sourire, là-haut, toi qui es devenue un ange parmi les anges du ciel. Ton Angélina au bain… »

Peu habituée à cette pratique, elle fut cependant nue de la tête aux pieds sans avoir encore rempli la baignoire. Enfin, les robinets coulèrent dru. Elle patienta en éprouvant le moelleux des épaisses serviettes en coton tissé et en respirant le parfum subtil de la savonnette. Une chose la dérangeait et c'était le grand miroir rivé à l'une des cloisons. Si par malheur elle apercevait son reflet, vite elle détournait les yeux.

« Que je suis sotte ! Je peux bien me regarder, même si je suis toute nue ! »

Bercée par le bruit de l'eau, elle fit face au miroir. Elle avait relevé ses cheveux sur le sommet de sa tête à l'aide de longues épingles et cela dégageait la finesse de son cou, rond et laiteux comme tout le reste de son corps délié, d'une grâce infinie. Malgré son embarras et la rougeur de l'émotion qui gagnait son visage, elle observa ses seins, son ventre plat, ses cuisses, ses hanches.

— Comme c'est étrange de se voir en entier ! chuchota-t-elle en suivant le mouvement de ses lèvres sur la glace qui se couvrait de buée. Je crois que je suis assez belle…

Toute contente, elle se détourna. La baignoire était presque pleine. Angélina se glissa avec précaution dans l'eau chaude. C'était une sensation si nouvelle qu'elle éclata de rire. « Quand j'écrirai ça à mademoiselle Gersande ! Ma chère amie, j'ai découvert les délices du bain. Jamais de ma vie je n'ai été aussi propre qu'à Luchon. Propre comme un sou neuf ! »

Le bain la détendait. Elle se savonna, envahie d'une langueur exquise, puis elle ferma les yeux. Des souvenirs affluèrent, sombres ou lumineux, précieux ou pénibles, par le biais d'une suite d'images et de sons. Il y eut pêle-mêle le visage de sa mère bien-aimée, si pâle au moment de rendre son dernier soupir, puis Guilhem lui apparut, celui d'avant, souriant à belles dents, ce soir où il l'avait allongée sur la mousse du bois de chênes et l'avait faite femme. Il en tremblait ; elle avait pleuré, un peu. Il lui avait demandé pardon à l'oreille, et ils s'étaient embrassés… Heureusement, un tableau charmant s'imposa : Henri en costume de velours bleu, qui gambadait sur le chemin longeant la rivière. Octavie trottinait derrière lui… Cela lui fit penser que l'échéance se rapprochait. Bientôt, elle devrait révéler son passé à Philippe. Enfin, la musique d'un violon vrilla son âme, et le regard noir de Luigi prit une intensité inouïe. Aussitôt, les cris de haine résonnèrent dans son esprit, et elle se souvint du bohémien, le front en sang, attaché à un cheval de la gendarmerie.

Angélina se redressa brusquement, si bien qu'elle éclaboussa le carrelage de la salle de bains.

— Je ne dois plus rêvasser ainsi, se reprocha-t-elle. Quelle heure peut-il être ? Je n'ai même pas défait ma malle.

Elle sortit de l'eau et s'enroula d'une large serviette blanche. Elle courut dans la chambre pour jeter un coup d'œil inquiet à la pendulette qui trônait sur la cheminée en marbre blanc. Dehors, le ciel avait pris des teintes mordorées.

— Cinq heures. J'ai encore du temps, Dieu merci !

C'était sans compter avec Philippe Coste. Il avait frappé plusieurs fois à la porte sans entendre de bruit et il venait de céder à la panique. Excédé de ne pas obtenir de réponse, il entra et aperçut sa fiancée, à demi nue et ruisselante. Sa peau claire brillait dans la pénombre.

— Oh ! je suis navré ! s'écria-t-il. J'ai cru que vous aviez eu un malaise, ma chérie.

Il était néanmoins incapable de reculer, de s'éloigner de cette gracieuse naïade dont il était amoureux fou.

— Je vous en prie, Philippe, partez. Ce n'est pas correct de rester là, sur le seuil.

D'un geste vif, il referma la porte et donna un tour de clef, ce qu'avait oublié de faire Angélina.

— Excusez-moi encore, dit-il. Je m'ennuyais de vous. Je suis monté voir si vous étiez bien installée. Que vous êtes belle ainsi ! Un futur mari a le droit de contempler quelques instants sa future épouse. Je ne vous toucherai pas, vous le savez bien. Et ce sera au prix d'un effort surhumain.

Attendrie, elle remonta le tissu sur sa poitrine. Philippe était délicat, gentil, très respectueux. Angélina aurait voulu s'offrir à lui immédiatement, sans attendre leur nuit de noces, car elle se sentait coupable vis-à-vis de lui. « Après la remise de mon diplôme, il m'a raccompagnée jusqu'à la gare de Boussens ; lui devait reprendre son service à Toulouse. Je ne l'ai pas vu depuis des semaines et, hier, en le retrouvant, toujours à Boussens, notre petite gare, comme il l'appelle, je n'étais pas si émue que ça. J'avais passé plus d'un mois loin de lui, entre mon père, Octavie et Gersande, avec mon pitchoun. J'ai aimé être libre comme jadis, m'occuper de la mule et de Sauveur, promener mon fils le long des remparts. Mon Dieu, je suis une ingrate ! »

— Angélina, ma chérie, répétait le médecin pendant ce temps, il faudrait allumer une lampe, parce que cette pénombre complice, votre silence, vos épaules dénudées vont me faire perdre la tête. Angélina, ma princesse…

Il la caressait du regard, les bras le long du corps pour mieux résister à la tentation.

— Je ne suis pas une princesse, répondit-elle, mais bien plutôt une bergère qui a croisé un prince généreux et tendre.

— Que vous êtes enfant, encore ! Nous voici dans un conte de fées. Hélas ! non… Je ne suis qu'un homme de quarante ans, qui a eu la chance de naître dans une famille fortunée, d'une lignée d'augustes docteurs luchonnais. Et vous, chérie, toute neuve, toute belle, vous avez magnifié mon existence. Je vous suis donc redevable.

Elle se rapprocha de lui, par besoin de vaincre le passé, d'oublier la véritable Angélina, qui n'était ni pure ni innocente.

— Juste un baiser, dit-elle. Après, vous sortirez, j'allumerai les lampes et je me préparerai pour notre dîner de fiançailles… dans votre famille.

— Seigneur, cela vous a chagrinée, n'est-ce pas, de procéder ainsi ? se désola-t-il. Nous l'avions décidé ensemble. Un repas avec votre père, un dîner ici.

— Oui, à six mois d'écart ! Oh ! peu importe ! Il ne faut pas se leurrer, Philippe, ni tricher. Je n'imagine pas mon pauvre papa confronté à votre mère, dans votre salon luxueux. On dit qu'il n'y a pas de sot métier, mais un cordonnier, ici…

Elle songea, mortifiée, que les parents de Guilhem s'étaient montrés encore plus méprisants vis-à-vis des Loubet. « Mademoiselle Gersande m'a trop poussée à ce mariage. Elle agit par affection, je sais, mais c'est une obsession chez elle de me hisser vers la grande bourgeoisie, qu'elle critique tant, cependant. »

Lassée de s'interroger, de sonder le fond de son âme, elle se réfugia contre Philippe. Il prit ses lèvres avec une hardiesse qu'il n'avait jamais eue. La seule idée qu'elle était nue sous le linge lui brouillait la raison. Il la désirait de tout son être, et ses mains tremblaient en la saisissant par la taille. Son baiser se fit rude, impérieux. Des ondes de feu lui vrillaient le bas des reins, et son cœur cognait à grands coups. Soudain, il s'écarta d'elle.

— Ma chérie, il faut nous marier sans tarder. Je ne peux plus attendre. Chaque fois que je vous retrouverai, je souffrirai un martyre de ne pas vous posséder vraiment. Ces baisers que vous m'offrez sont un supplice, enfin…, un merveilleux supplice !

Elle eut un sourire très doux dans l'obscurité. Philippe Coste, obstétricien renommé, cultivait une éloquence un peu niaise, un romantisme facile. Il n'en était pas moins un homme ardent et sensuel, à l'appétit sexuel exigeant.

— Nous verrons bien ce que l'avenir nous réserve, chuchota Angélina. Maintenant, je crois qu'il serait plus sage que vous me laissiez m'habiller. Je veux vous faire honneur, ce soir.

— Oui, bien sûr ! Je viendrai vous chercher un peu avant huit heures.

Le médecin l'embrassa sur le front et battit en retraite.

665

Abbaye de Combelongue en Ariège, même soir

— Alors, c'est décidé ? Tu pars, Joseph ? demanda l'abbé Séverin au jeune homme qui lui faisait face de l'autre côté d'une longue table en bois noir patinée par le temps.

— Oui, je suis guéri. Je n'ai plus aucune raison de rester. Et je ne veux pas vous importuner davantage.

Le vieux religieux jeta un regard attristé au feu qui crépitait dans une colossale cheminée en pierre où l'on pouvait se tenir debout. La nuit était tombée sur ce vallon boisé du piémont pyrénéen, où se nichait l'abbaye de Combelongue, fondée en 1138. Des générations de moines avaient vécu là, entre les murs qui délimitaient un immense jardin potager, non loin du moulin du même nom.

— Tu ne m'as pas importuné, mon enfant. Je bénis le ciel d'avoir pu te secourir. Où iras-tu ? Je serais bien désolé s'il t'arrivait malheur.

— La frontière espagnole est toute proche ; je ne cours pas grand risque en la franchissant de nuit. Père Séverin, je ne sais pas comment vous remercier. Depuis ma petite enfance, vous avez veillé sur moi. Je crois à la providence. Ce n'est sûrement pas un hasard si je vous ai retrouvé ici, il y a trois ans.

— Les voies du Seigneur sont impénétrables, Joseph. Cela explique sans doute pourquoi je t'ai reconnu tout de suite. Disons que j'ai reconnu le brave garçon que j'avais élevé dans ce joyeux saltimbanque qui nous avait dérobé du poisson dans notre bassin, une belle carpe de trois livres.

— Le soir même, nous l'avons dégustée ensemble, cette carpe, à cette table. Je suis peiné de vous quitter, père Séverin, mais je n'ai pas le choix. Ma vie d'errance me manque, les grands vents, les siestes au sommet d'une colline, la liberté…

— Si tu demeurais ici encore quelques mois, tu serais en sécurité, affirma le religieux. Quel dommage que tu aies été suspecté de ces crimes épouvantables ! Te voici condamné à fuir ton pays. Sois très prudent, je ne pourrai plus rien pour toi dès que tu passeras le porche de l'abbaye.

Le dénommé Joseph eut un sourire mélancolique. Il se revoyait à la fin du mois de juin, blessé, souffrant dans sa chair et son âme. Cependant, il aurait enduré bien d'autres douleurs pour échapper à la guillotine.

— Ma gratitude éternelle vous est acquise, mon cher père, car vous m'avez accueilli à bras ouverts sans douter un instant de mon innocence. Je n'oublierai jamais ça, même si je vis cent ans.

— Ce que je te souhaite ! rétorqua l'abbé en riant. Comment t'aurais-je soupçonné, toi que j'avais vu grandir ? Si tu avais commis ces meurtres, je te connais si bien que j'aurais lu dans tes yeux l'aveu de ta noirceur. Tu as toujours été d'une telle sensibilité ! Il ne fallait pas écraser une araignée devant toi, ni saigner un lapin pour le repas dominical. Peu importe que, déguisé en bohémien, tu te fasses appeler Luigi dans les foires ; pour moi tu seras toujours le petit Joseph, d'une extrême douceur, dévoué, aimable, et dont le talent de musicien nous émerveillait, jadis. Ah ! quand j'ai quitté ce couvent, à Lyon, pour prendre la charge de l'abbaye de Combelongue, j'ai craint de ne jamais te revoir. Tu t'étais enfui au seuil de ta vie d'homme et j'avais tant prié pour ton salut ! Quel bonheur d'avoir pu t'aider, te soigner ! Ta plaie m'a donné du fil à retordre, malgré ma pharmacopée impressionnante. Le poumon était atteint. Chaque fois que tu toussais, je prenais mon chapelet.

Très ému, Luigi vida son verre de vin de noix. L'abbé l'imita. Ils venaient de partager leur dernier dîner en tête à tête et l'imminence de la séparation les affligeait tous les deux.

— Ne tarde pas, recommanda le religieux. Même s'il y a peu de chances que tu croises des gendarmes à cette heure-ci, je voudrais te savoir déjà en Espagne. Mais comment gagneras-tu ton pain, sans violon ? Je vais te donner une bourse avec de l'argent. Oh ! bien peu ! J'ai pris sur ma cassette.

— Non, père Séverin, je ne peux pas accepter, protesta Luigi. Vous avez tant fait pour moi ! J'ai passé les meilleurs mois de l'année sous ce toit, dans la petite chambre où j'étais alité. Et ce ne sont pas vos soins ou la bonne nourriture que vous me donniez qui m'ont guéri, mais votre confiance en moi, votre bonté à mon égard. Au début de l'été, j'ai tout perdu : mon précieux instrument, auquel je tenais infiniment, la médaille en or que ma mère avait accrochée à mes habits avant de m'abandonner… Je n'ai plus aucun lien avec la famille que je me suis obstiné à chercher durant des années. Je renonce à cette quête bien vaine, comme je renonce à mon pays et à votre protection. Si j'ai souvent eu l'allure d'un bohémien, c'était parce que je me sentais proche de ce peuple condamné à parcourir la terre sans se fixer, sans maison ni foyer. Mais eux, au moins, ils ne sont pas seuls.

— Mon pauvre Joseph ! Tu aurais pu entrer dans les ordres, consacrer ton existence à Dieu et à la musique.

Souviens-toi, j'avais comme projet de faire de toi un organiste. Tu étais si doué, déjà, à l'âge de douze ans !

— Cela ne sert à rien de regarder en arrière, cher père Séverin. J'ai été accusé à tort d'actes dont l'idée même me donne la nausée. Je peux comprendre que des montagnards en colère me lancent des pierres, qu'un brigadier borné nie en bloc mes protestations d'innocence, mais elle…

— Ah ! tu penses encore à cette fille. Joseph, prends garde, là est ta faiblesse. Je préfère ignorer tes fredaines et je t'invite à mener une existence moins dissolue. Tu n'as rien à espérer de celle qui t'a dénoncé, livré sans aucune preuve à la police.

— Et pourtant, je l'aime, avoua Luigi en baissant la tête. Je ne peux pas l'oublier. Malgré tout le mal qu'elle m'a fait, je l'aime…

Ce cri du cœur lui coûtait. S'il avait souvent parlé d'Angélina à son protecteur depuis son arrivée à l'abbaye, c'était sur un ton bien plus léger, comme s'il ne s'agissait que d'une toquade. Mais il se savait profondément épris. Dès qu'il avait croisé le magnifique regard de la jeune fille sur la place de Massat, son âme avait vibré avec autant de fougue que les cordes de son violon. Ensuite, quand elle s'était opposée aux gendarmes et qu'il avait été libéré grâce à son intervention inespérée, il avait cru reconnaître dans cette sublime créature l'incarnation de la bonté, de la justice.

« Et c'est pour cela que je l'ai attendue à la sortie de Biert, que je lui ai confié un peu de mon passé, de ma vie d'errant. Ciel ! Elle était si belle, ce jour d'hiver, avec ses cheveux d'or rouge, ses prunelles d'améthyste, ses lèvres roses si tentantes ! Je n'avais jamais éprouvé une telle attirance pour une femme. Jamais ! Violetta, je l'ai appelée Violetta. Et je lui trouvais tous les charmes, une voix douce, l'élégance de l'esprit... Sinon, je n'aurais pas passé la nuit dans l'écurie afin de la revoir une dernière fois. Ah ! Ce baiser, comme il m'a été précieux ! Son souvenir me brûle encore. J'étais un homme perdu, déjà, et il aurait mieux valu pour moi que le destin ne nous remette pas en présence, ce jour de juin, au bord du canal à Toulouse. J'étais amer. Elle me semblait froide, indifférente, et le destin s'est joué de nous. Elle m'a pris pour un odieux criminel, un pervers, un monstre. Mais puis-je lui en vouloir ? J'ai été stupide, maladroit, je l'ai provoquée, toujours par malice et par défi. Non, je ne pourrai pas l'oublier. »

— Joseph, à quoi songes-tu ? Il faut partir.

L'abbé Séverin avait su être un père pour lui, et Luigi vouait à ce saint homme une profonde tendresse et un immense respect. Il ne pouvait se résigner à lui en dire davantage sur l'amour qui le torturait. Il se contenta de lui prendre la main, les yeux soudain emplis de douceur.

— Ne craignez rien, je pars...

« Vous m'avez éduqué, appris à lire et à écrire, vous avez fait de moi un garçon instruit aussi bien que poli et, surtout, j'ai pu étudier le solfège, le violon et le clavecin, se remémora-t-il encore. Mes années de vagabondage ont forgé un personnage dont j'ai souvent honte, libre comme l'air, pauvre comme Job, et coureur de jupons. J'ai volé, j'ai menti, et quoi encore ? Près de vous, faible et malade, je me suis senti meilleur, j'ai eu l'impression d'être encore l'enfant que vous aimiez. Hélas ! je ne le suis plus, et mon cœur est aigri. Aigri et malade d'amour pour Angélina. »

— Joseph, regarde-moi, ordonna l'abbé. Je voudrais que tu me promettes de ne jamais chercher à revoir cette demoiselle. Tu as eu la chance d'être hospitalisé à Saint-Lizier, de pouvoir t'enfuir et parcourir sans t'évanouir les quelques kilomètres menant ici. Mais Angélina – elle se nomme ainsi, n'est-ce pas ? – oui, cette jolie Angélina dont tu m'as tant parlé, elle ne pourra pas croire en ton innocence. Je l'ai pu, moi, parce que tu es incapable d'une telle bassesse, d'une telle sauvagerie. Et je prie chaque matin Notre-Seigneur Jésus que le vrai coupable soit démasqué et arrêté.

— Je le souhaite de toute mon âme. Cela m'innocenterait aux yeux de tous.

— Surtout à ceux de cette belle Angélina. Ah ! je te plains… Mon enfant, mets-toi en chemin, à présent. Le frère convers a préparé un baluchon avec des provisions. Si tu refuses mon argent, accepte la nourriture.

Le vieil abbé se leva, le cœur lourd. Il posa une main tremblante sur l'épaule de son protégé.

— Personne ne te reconnaîtra sous la pelisse que je te donne ! Tu es barbu et moustachu maintenant, et ça ne me plaît guère, mais, au moins, tu ne ressembles pas à celui que tu étais au mois de juin.

Luigi se leva à son tour. Il s'inclina devant le père Séverin et le prit dans ses bras.

— Merci ! Si je pouvais un jour vous rendre la pareille ! Je sais combien vous manquez de moyens pour restaurer les bâtiments que le temps dégrade. Adieu, cher père !

— Adieu, Joseph. Que le Seigneur te guide et te vienne en aide !

Le jeune homme quitta l'enceinte de l'abbaye dix minutes plus tard, chaudement vêtu et bien chaussé. Le baluchon pesait sur son dos, et la terre humide chuintait sous ses pas. Il faisait un froid vif, mais le ciel était dégagé, et des myriades d'étoiles scintillaient.

« Libre, je suis libre ! » se répétait Luigi sans éprouver la joie escomptée.

Sa blessure était cicatrisée, et ses forces étaient revenues. Il n'avait pas peur de marcher jusqu'à l'aube, d'affronter la neige en altitude, au col d'Agnes, et le vent des sommets. Cependant, il manquait d'un sentiment qui l'avait toujours soutenu et rendu joyeux : l'espérance. Ce départ n'était qu'une fuite encore une fois et, dans la nuit noire, il croyait voir s'éloigner une silhouette légère à la chevelure d'or rouge et aux prunelles couleur d'améthyste.

« Angélina, si belle, Angélina, si cruelle ! se disait-il. Je voudrais tant que tu saches que je suis innocent ! Oui, innocent… Parce que je t'aime, oh ! que je t'aime ! »

À mesure qu'il progressait à travers les prés et le long des ruisseaux, une peur étrange l'envahissait, et c'était celle de ne jamais la revoir.

Luchon, villa des Coste, même soir

Angélina fit sensation en apparaissant dans la salle à manger de la famille Coste. Sous la lumière dispensée par deux grands lustres à pampilles de cristal, sa carnation laiteuse semblait nacrée, dotée de sa propre clarté. Sa robe du soir n'était pas étrangère à ce succès, et la mère de Philippe le clama haut et fort.

— Mais c'est une splendeur ! Quel chic !

La couturière de Saint-Girons s'était donné du mal pour confectionner cette toilette en mousseline parme, une couleur proche du mauve, mais encore plus pâle. Le décolleté était rehaussé d'une ligne de minuscules fleurs violettes. Gersande de Besnac avait veillé au moindre détail de cette création digne de la mode parisienne. Le modèle mettait en valeur la minceur d'Angélina tout en dévoilant la naissance de ses seins, le modelé de ses épaules et la finesse de sa taille. La jupe, composée de plusieurs volants, était fluide et mouvante.

Marie-Pierre Coste s'avança vers sa future belle-sœur pour mieux l'admirer.

— Angélina, vous êtes ravissante !

— Merci…

Philippe se rengorgeait, tel un coq fier de sa conquête. Il était lui-même fasciné par sa fiancée, qu'il n'avait encore jamais vue aussi élégante. Elle s'était coiffée d'un chignon haut natté, ce qui lui conférait un port de reine. Un magnifique collier de perles, prêté par Gersande, étincelait à son cou.

— Je l'ai porté à ton âge, avait dit la vieille aristocrate. Les perles sont le symbole de la jeunesse et de la pureté.

— C'est que je n'en suis pas digne…, avait répondu la jeune fille.

— Ne dis pas de bêtises. Ton cœur et ton âme sont purs, et cela seul est important.

Mais, sous les regards éblouis de la famille Coste, Angélina avait l'impression d'être une usurpatrice, une intrigante. Plus elle connaissait Philippe, plus elle le jugeait incapable de pardon, s'il découvrait qu'elle n'était pas vierge et qu'elle avait eu un enfant.

Dès le début du repas, elle se montra réservée, ce qui passa pour une extrême timidité. Camille Coste ne fut pas dupe. Après l'omelette aux truffes et le salmis de palombes, un plat typique de Gascogne, elle ne put s'empêcher de taquiner sa future belle-fille.

— Dites-moi, Angélina, avez-vous usé toute votre énergie à me reprocher mon esprit taquin, lors de votre entrée chez nous ? Après l'oiseau rare et la tigresse, nous n'avons plus à table qu'une carpe à l'air morose. Oui, on dit bien muet comme une carpe !

— Maman, laisse-la en paix ! s'insurgea Philippe. C'est un monde, quand même ! Si Angélina discutait sans cesse, tu la traiterais sûrement de pie. Tu deviens insupportable.

— Oh ! Le preux chevalier qui défend sa belle ! renchérit la terrible vieille dame. Je suis désolée de te dire, mon fils, que la première des politesses est de faire bonne figure lors d'un dîner. Nous sommes censés célébrer vos fiançailles, et on se croirait à un banquet funèbre. Ce cher Didier se contente de lorgner le décolleté de ta promise, mes petites-filles ne font qu'échanger des chuchotis en pouffant, et toi, Marie-Pierre, tu as ta mine boudeuse que je déteste.

— Pas du tout, maman, mais Philippe a raison, tu devrais arrêter de tourmenter Angélina. La politesse consiste aussi à respecter un invité, à le mettre à l'aise. Et ce n'est guère convenable de parler ainsi de Didier devant nos filles. Quant à ma mine boudeuse, tu sais très bien à quoi elle est due. Tu persistes à garder le chien sur tes genoux, même à table, un soir pareil.

— C'était pour tirer une risette à mademoiselle Angélina, jeta malicieusement Camille Coste.

Eugénie et sa sœur marmonnèrent de plus belle en se cachant derrière leur serviette. Didier Coste, lui, avait baissé le nez dans son assiette ; bien à regret, car il ne se rassasiait pas de contempler Angélina.

Escorté de Fanchon, qui se chargeait du vin et des carafes d'eau, le majordome apportait le plat suivant.

— Le gigot d'agneau aux pois verts, madame, annonça le domestique.

— Merci, Martin, dit sèchement la maîtresse de maison. Philippe, tu n'as pas oublié comment on découpe cette pièce de viande !

— Non, mère.

— C'est vrai, tu ne peux pas oublier, ironisa-t-elle. Vu ta profession…

Le médecin serra les dents. Sa vieille mère avait décidé de gâcher ce soir de fête. Elle avait toujours été ainsi, mais, avec l'âge et la goutte qui la torturait, son caractère sardonique ne faisait qu'empirer.

— Je ne répondrai pas, dit-il tout bas. Fanchon, le manche à gigot !

Angélina écoutait en étudiant les gestes et les mimiques de chaque convive. Elle vit la petite bonne tendre à Philippe un ustensile en argent qui servait à tenir l'os du gigot pendant la découpe, sans se salir les doigts. La remarque de très mauvais goût de Camille Coste lui trottait dans la tête. « Comment ose-t-elle comparer la découpe d'un rôti au métier d'obstétricien ? C'est un manque de respect pour ces malheureuses patientes qu'on doit inciser et recoudre… Ces gens riches se croient tout permis, vraiment ! Je suppose que si j'avais été tolérée au manoir des Lesage, j'aurais assisté au même genre de repas guindé, interminable, et je me serais sentie une intruse comme à présent. »

Elle ne put avaler sa part de viande, trop saignante à son goût, et prit juste quelques pois.

— Vivement le dessert ! s'exclama soudain Didier Coste. Je n'aime que le champagne. Ce vin de Bordeaux est âcre.

— Je t'en prie, Didier, ne cherche pas querelle à maman, c'est son vin préféré, dit son épouse, agacée. Angélina, pardonnez-nous ! L'ambiance n'est pas si tendue d'ordinaire.

— Peut-être en suis-je responsable, suggéra Angélina dans un cri du cœur, envahie par une colère incontrôlable de surcroît. Peut-être ne recevez-vous jamais à votre table la fille d'un cordonnier et d'une modeste costosida de campagne ! Je suis désolée d'avoir troublé l'ordre des choses... Il vaut mieux mettre fin à cette comédie.

Sur ces mots, elle se leva brusquement et s'enfuit. Elle faillit bousculer Fanchon qui rapportait du pain.

— Angélina, voyons, Angélina, revenez ! appela Philippe.

Elle gravit l'escalier le plus vite possible en relevant sa jupe. Des larmes de rage ruisselaient sur ses joues. Une fois dans sa chambre, dont elle ferma la porte à clef, elle se débarrassa du collier de perles et ôta sa robe.

— C'est terminé ! J'ai visé trop haut et j'ai trébuché, balbutia-t-elle. Je ne veux pas vivre dans ce milieu, jamais ! Ma place est ailleurs, dans le vallon d'Encenou, à Biert, rue Maubec, partout sauf ici, chez ces gens.

Elle enfila une simple robe de velours brun et quitta ses escarpins en satin. Les sanglots la suffoquaient.

« Les Lesage ont jeté maman dehors en l'insultant. Guilhem a préféré épouser une fille de son rang. Et je suis certaine que Philippe n'a jamais eu l'intention de présenter mon père à sa famille. Il aurait trop honte, sans doute. Je vais rentrer chez moi et je reprendrai Henri.

J'en ai vraiment assez d'être séparée de lui. Il est à moi et je le clamerai haut et fort ! Papa me pardonnera si je lui raconte ce qui s'est passé. Il pourra chérir son petit-fils. J'ai eu tort, mille fois tort, de céder aux suppliques de Gersande. Je m'en fiche, de sa fortune ! Oncle Jean avait raison, mon petit aurait dû s'appeler Loubet ou Bonzom, pas de Besnac. »

Éperdue de chagrin et furieuse contre le monde entier, Angélina ouvrit une des fenêtres et respira l'air glacé de la nuit. La vision féerique des cimes enneigées, argentées par un quartier de lune, raviva sa peine. Elle prit conscience qu'elle avait été attirée par une vie facile et la promesse d'une ascension sociale, alors que les véritables trésors se trouvaient là, dans les montagnes sombres, sous les sapins centenaires ou dans un simple jardin planté de rosiers exubérants, de même qu'au chevet de toutes ces femmes en détresse, prêtes à donner la vie au prix de tant de souffrances.

— Je veux rentrer chez moi, implora-t-elle.

Ce n'était pas seulement la cité de Saint-Lizier dont elle se languissait, mais aussi de ce rêve qu'elle avait fait de succéder à sa mère, la douce Adrienne.

— Ma chère petite maman, j'ai enfin compris, chuchota-t-elle au ciel étoilé. Je ne m'égarerai plus en chemin, plus jamais…

Au même instant, Philippe Coste tambourina à sa porte.

19

Retour aux sources

Luchon, même soir

— Angélina, je vous en prie, ouvrez-moi, implora Philippe Coste pour la dixième fois. C'est ridicule, à la fin ! J'ai l'air de quoi, à cogner ainsi à votre porte ? Que va penser ma famille ?

Elle se résigna à tourner la clef. Le médecin se rua dans la chambre, dont il claqua le battant derrière lui.

— Comment avez-vous osé quitter la table ainsi ? tonna-t-il, furibond. C'est un affront pour ma mère et pour ma sœur qui ont organisé ce dîner.

De chaque côté du lit, deux lampes à pétrole répandaient une clarté dorée, très douce. Philippe remarqua tout de suite qu'Angélina s'était changée.

— Je vous prierai de remettre votre robe et de me suivre à la salle à manger. Là, vous présenterez vos excuses à tous et nous pourrons passer au dessert.

— C'est inutile, murmura-t-elle. Je ne redescendrai pas. Je n'ai pas agi par caprice ; il faut renoncer à cette comédie, Philippe. Jamais les vôtres ne m'accepteront tout à fait, pas plus que vous n'appréciez mon père.

— J'espère que vous n'avez pas eu la sottise de vous vexer à cause des taquineries de ma mère ! Depuis le décès de mon père, il y a dix ans, c'est son unique distraction, de harceler visiteurs et invités. Mais vous lui plaisez. Elle me l'a confié cet après-midi. Elle vous a trouvée très jolie, avec du tempérament, ce en quoi elle rejoint l'opinion de votre père.

— Il n'y a pas que ça. Je ne sais pas si vous pouvez comprendre ce que j'éprouve, ici. Je ne suis pas faite pour ce milieu, pour ce luxe, pour ce confort.

— Fadaises ! gronda-t-il. Quelle femme refuserait de porter de belles toilettes ou de disposer d'un intérieur confortable ? Angélina, je suis très déçu. Nous étions si gais dans le train ! Nous faisions encore des projets, tous plus charmants les uns que les autres. Allons, ma chérie, je veux bien vous pardonner votre conduite extravagante, mais faites-moi plaisir : remettez votre robe de soirée. Ma mère et ma sœur doivent s'inquiéter. Je vous assure qu'elles n'ont pas apprécié votre mouvement d'humeur.

Angélina prit place au bord du lit, les mains jointes sur ses genoux.

— Philippe, ne faites pas la sourde oreille. Je vous ai dit que la comédie était finie, celle du riche docteur qui épouse une pauvre fille née dans la montagne.

Il déambulait, extrêmement nerveux, passant et repassant les doigts dans ses cheveux blonds qui frôlaient sa nuque.

— C'est bon, je viens de comprendre, hélas ! Vous critiquez une vieille dame affligée de la goutte, qui a le verbe haut et s'en amuse, vous dédaignez notre maison et ses commodités, mais ce sont de faux arguments et je crois que vous n'avez pas trouvé d'autre moyen de rompre. Ne vous gênez pas, dites-le : vous ne m'aimez pas, vous ne m'avez jamais aimé, au fond...

— Sur ce point, vous avez tort, Philippe.

— J'espère avoir tort ! Angélina, nous discuterons de tout cela demain. Si vous avez un peu d'affection pour moi, ne m'imposez pas une telle humiliation. Tout le monde nous attend pour le gâteau. Si comédie il y a, il faut la jouer encore un peu.

— C'est la seule chose qui compte pour vous, sauver les apparences ? gémit-elle. Votre bague de fiançailles est sur la commode, dans son écrin. Reprenez-la et sortez ! Vous direz à votre mère que je me sens indigne de vous et de votre famille. Et sachez que je vous aime tendrement, malgré ma décision.

En entendant cet aveu, Philippe se jeta à genoux devant elle. Il la dévisagea, rassuré et joyeux.

— Alors, rien n'est perdu, ma chérie. Vous avez cédé à une panique naturelle et, par loyauté, vous jugez préférable de renoncer à la vie dorée que je vous offre. Angélina, vous prendrez vite goût à des bains chauds et à des séjours dans notre villa de Biarritz. Vous brillerez en société ; votre beauté si particulière sera votre meilleur atout. Je peux admettre vos hésitations et le fait que vous soyez désemparée, mais très vite vous savourerez votre nouvelle condition.

Elle faillit se laisser tenter. Elle s'imagina perchée au faîte d'un mur, en équilibre. Il lui revenait de choisir le côté où elle sauterait. « Disons qu'à droite, je serai costosida, établie rue Maubec. On viendra me chercher à n'importe quelle heure du jour et de la nuit et on me paiera avec un poulet, un sac de pommes de terre, ou bien une théière en argent. Je pourrai garder mon chien, manger une bonne soupe au lard chez papa, m'occuper de mon enfant… Mais, à gauche, je deviendrai une dame, toujours élégante, obligée de suivre mon mari à des dîners ennuyeux, et je ne serai plus jamais libre… »

— Non, Philippe, je suis désolée. J'ai cru en toute bonne foi pouvoir vous épouser ; c'était une grave erreur.

— Mais nous ne sommes pas à la veille des noces, bon sang ! protesta-t-il. Nous fêtons seulement nos fiançailles ! Aussi, je vous prie de vous rhabiller et de m'accompagner au rez-de-chaussée. Allons, hâtez-vous !

Elle le saisit aux épaules, soudain véhémente :

— Non, je ne peux pas. Je ne suis pas celle que vous croyez. Philippe, écoutez-moi, je voulais vous dire la vérité depuis des mois, mais je n'en ai pas eu le courage.

— Quelle vérité ? demanda-t-il en se relevant, ce qui la força, elle, à lâcher prise.

— J'ai aimé un homme il y a trois ans de cela, un fils de la haute bourgeoisie de Saint-Lizier. J'étais très jeune, naïve, et il m'a promis le mariage. Je lui ai accordé tout ce qu'il voulait, car je l'adorais, corps et âme. Et puis il est parti, soi-disant pour étudier, mais il en a épousé une autre. Je me suis retrouvée seule, désespérée et enceinte. Cet enfant, je l'ai gardé. Il était hors de question de l'abandonner, mais j'ai caché son existence à mon père. Vous l'avez vu, Philippe ; il s'agit de mon filleul, Henri, que Gersande de Besnac a eu la bonté de prendre sous son aile en l'adoptant.

Un silence de mort suivit cette déclaration. Angélina n'osait pas regarder le médecin.

— Je vous assure que j'avais l'intention de tout vous raconter avant notre mariage, ajouta-t-elle. Et même bien avant, mais vous étiez si jaloux, si certain de mon innocence que j'avais peur de vous blesser cruellement.

— Et vous venez de le faire ! Ciel ! Je n'ai pas de mots pour qualifier votre conduite. Décidément, je suis le dernier des crétins. Vous m'avez berné en beauté.

Elle tremblait, effrayée. De plus en plus nerveux, Philippe faisait les cent pas autour du lit.

— Vous ! Vous que je respectais tant, pour qui j'ai sollicité tant de faveurs auprès des institutions médicales ! Mais comment ai-je pu être aussi aveugle, aussi sot ? Vous vous serviez de moi...

Il se rua sur elle et la contraignit à se lever en la prenant par les coudes.

— Regardez-moi, ordonna-t-il, nom d'un chien ! Un visage d'ange pour dissimuler une âme corrompue... Certes, vous avez bien manœuvré. Vous me révélez votre passé maintenant que vous avez votre diplôme, mais cette paperasse ne vaut rien pour moi, désormais. Vous ne méritiez pas d'être admise à l'hôtel-Dieu Saint-Jacques, vu votre situation de fille-mère. Oh ! bon sang, vous me dégoûtez !

Le médecin la secoua à bout de bras, les mâchoires crispées par un rictus de rage.

— Mon plus beau rêve s'écroule, Angélina, vous piétinez sans scrupule mon bonheur, la foi que j'avais en vous. Mais quand j'y pense, vous deviez bien jubiler en jouant les effarouchées, en m'interdisant de glisser ma main sous vos jupes !

— J'avais peur que vous compreniez, en me touchant, que je n'étais plus vierge, bredouilla-t-elle, affolée.

— Et sournoise, rusée, en plus ! éructa-t-il à voix basse. Moi qui étais prêt à patienter un an avant de vous posséder !

Angélina fondit en larmes, offusquée par sa grossièreté. Il la secoua encore plus fort.

— J'aurais mieux fait de vous culbuter à la première occasion, mais je vais me rattraper, menaça-t-il en la plaquant contre lui. Pourquoi je me gênerais, hein ?

Les yeux exorbités, le teint rouge, il avait l'air d'un fou. D'une bourrade, il l'envoya sur le lit et, tout de suite, il retroussa sa robe.

— Ce n'est plus la peine que je joue les jolis cœurs, n'est-ce pas ? Hein, ma chère petite Angélina ? La voie est déjà ouverte, autant en profiter !

Philippe arracha les boutons de son corsage et déchira sa chemisette en linon. Il lui meurtrit les seins, les pinça, les caressa avec rudesse, puis il lui écarta les cuisses, déchirant également sa culotte en soie. Angélina n'avait pas l'intention de se débattre. Elle lui devait beaucoup et elle l'avait anéanti.

— Voyons un peu que je vous examine, mademoiselle, chuchota-t-il d'un ton haineux. Aussitôt, sans aucun ménagement, il la pénétra d'un doigt. Haletant, échevelé, ses lunettes de travers, il était pitoyable. Quelques secondes plus tard, il s'enfonçait en elle, les dents serrées pour ne pas crier de plaisir. Il y alla à grands coups de reins. Mais il se retira précipitamment pour répandre sa semence sur le ventre de la jeune fille.

— Vous avez bien assez d'un bâtard, je n'allais pas vous en faire un autre, grogna-t-il en rajustant son pantalon. Hélas ! vous m'avez coûté plus cher que les dames de petite vertu auxquelles j'ai recours certains soirs.

Angélina ne répondit pas, allongée en travers du lit. Les élèves de madame Bertin, surtout les trois Toulousaines, prétendaient que les docteurs de l'hôpital fréquentaient une maison close réputée tenue par une patronne discrète, qui proposait aux notables de la ville de jolies créatures, dociles et soumises à tous les caprices de ces messieurs.

— J'en suis désolée, répliqua-t-elle enfin.

Il la considéra d'un œil froid. Ce n'était plus sa fiancée, la délicieuse jeune fille qu'il avait aimée. Il luttait pour ne pas la frapper.

— Au fond, je m'en doutais, dit-il. Mon instinct me soufflait que vous étiez bien chaude et lascive, pour une pucelle. Je ne veux plus avoir affaire à vous, plus jamais. Je vais annoncer à ma famille que nous avons rompu. Le cocher vous conduira à la gare demain matin. Restons convenables, je ne peux pas vous jeter dehors la nuit par ce froid, et ma mère aurait des soupçons.

Philippe Coste reprit l'écrin contenant la bague. Il était au-delà du chagrin, revêtu d'une armure de colère et de mépris qui le préservait encore. La douleur d'avoir perdu Angélina viendrait bien plus tard. Pour l'instant, il assouvissait sa soif de vengeance.

— Quand j'ai parlé de vous à mon beau-frère, cet été, il m'a demandé si je ne faisais pas une folie en vous épousant. Didier a des principes. Il m'a conseillé de coucher avec vous, persuadé qu'une fille du peuple ne pouvait pas être honnête et que vous en vouliez à mon argent. Je l'aurais giflé ! Mais il voyait juste.

Angélina s'était assise et lissait sa jupe d'une main. Elle haussa les épaules.

— Je me moque de votre argent, affirma-t-elle. Et je connais bien des filles du peuple qui sont honnêtes.

— Alors, que me vouliez-vous à la fin ?

— J'espérais vous rendre heureux, parce que je vous aimais beaucoup.

— Taisez-vous, Angélina ! Votre hypocrisie me révulse. Soyez prête à huit heures demain ; vous prendrez le train de neuf heures. Mais afin de sauvegarder ma réputation, je vous prierai de faire vos adieux à ma mère et à ma sœur, quoi qu'il vous en coûte.

Il la regarda une dernière fois et sortit. Elle demeura longtemps figée, incrédule. Le docteur Coste ne ferait plus partie ni de son avenir ni de sa vie. Le fait qu'il l'ait quasi violée n'effleurait pas son esprit. Elle n'avait ressenti ni plaisir ni déplaisir, et son corps n'en gardait aucune trace. Ce ne fut qu'après deux heures à rester immobile et les yeux secs qu'elle éprouva de vagues courbatures aux jambes et de légères douleurs aux seins.

« Ce n'était que justice, pensa-t-elle. Il m'ouvrait de grand cœur les portes de son monde doré et il m'aimait. Oui, lui, il m'aimait vraiment. Enfin, je crois… Peut-être qu'il me voulait au point de m'épouser, qu'il rêvait de ma virginité. Les hommes tiennent tant à être les premiers ! Guilhem s'en glorifiait, et moi, j'étais fière qu'il soit si heureux. Mon Dieu ! j'ai bien changé ! »

Elle se perdit en songeries étranges, ressassant chacun des moments partagés avec Philippe. « J'ai désiré cet homme, s'avoua-t-elle. Et il m'a prise en me haïssant, tandis que j'avais pitié de lui. »

Le sommeil la terrassa, mais elle se réveilla d'un coup, surprise de voir les lampes allumées et sa robe de soirée sur le montant du lit. La pendule indiquait cinq heures et demie.

« Je dois partir », se dit-elle.

Fébrile, elle rangea ses toilettes et sa lingerie dans la malle. Elle se revit les déballer et les installer dans l'armoire et les tiroirs de la commode. Cela la fit sourire. Elle mit son manteau et sa toque de fourrure.

« Mademoiselle Gersande m'a donné une bourse avec de l'argent. Où est-elle passée ? Ah ! La voilà, vite… »

Il lui fallait encore prendre la clef qui ouvrait le passage sur l'escalier de service[1]. Elle la trouva et débloqua la serrure. Une odeur de moisi, de renfermé la saisit à la gorge. Et c'était un gouffre noir. Angélina s'y aventura à tâtons en cherchant les marches du bout du pied et en se tenant aux murs, séparés de cinquante centimètres à peine.

« Eh bien, une bonne à peine plus grosse que moi ne pouvait pas circuler là-dedans ! » se dit-elle, outrée.

La descente lui parut interminable. Deux fois, elle faillit tomber en avant à cause d'une marche endommagée. Mais elle éprouvait un tel sentiment de délivrance que rien ne l'aurait arrêtée. Ce périple hasardeux au sein des ténèbres lui semblait l'ultime épreuve pour retrouver la petite Angélina de jadis, rieuse, confiante, qui courait sur les pavés de la cité, pieds nus ou en sabots, l'enfant aux nattes rousses qui ne mentait jamais et qui promettait à sa mère d'être sage. « J'ai trop menti et je n'ai guère été sage, constata-t-elle. Mais c'est terminé. Philippe sait la vérité sur moi, il en fera ce qu'il voudra. Désormais, je suivrai mon instinct et les élans de mon cœur en n'obéissant qu'à moi-même ! »

---

1. Dans bien des maisons bourgeoises, on trouvait ce genre d'escalier aménagé dans l'épaisseur des murs pour que les domestiques soient le plus discrets possible.

Au bout de ce qui lui sembla une éternité, Angélina atteignit le sous-sol. Elle le sut en poussant le panneau qui l'empêchait d'avancer et en entrant dans une vaste pièce, basse de plafond, où il régnait une agréable tiédeur. Une énorme chaudière en fonte ronronnait, équipée d'une petite lucarne derrière laquelle rougeoyait du charbon incandescent. Cette faible clarté orange suffit à la guider vers une autre porte dont elle tourna le verrou. Immédiatement, un air glacé lui sauta au visage, tandis qu'elle devinait des bosquets de buis et une allée gravillonnée.

« Je dois être dans le parc. Je n'ai plus qu'à retrouver la sortie. »

Elle était dotée d'un bon sens de l'orientation. Bientôt, elle longea un large trottoir en plaques de schiste, qui la mena en face des Thermes. Des réverbères à gaz luisaient dans la nuit, comme de fantomatiques sentinelles. Les mains enfouies dans son manchon, elle s'engagea sur les allées d'Étigny, totalement désertes. Des pans de brouillard pesaient sur les branches hautes des tilleuls.

« C'est bizarre ! pensait-elle. Il y a quelques heures, j'étais dans la calèche, près de mon fiancé. J'étais anxieuse, joyeuse aussi, et à présent je marche vers la liberté, vers mon pitchoun, toute seule et contente de l'être. »

Elle eut l'impression de se réveiller d'un long rêve très compliqué, où elle avait agi en dépit du bon sens, fascinée par les uns et les autres, soumise à leur volonté.

— Adieu, Philippe ! dit-elle à mi-voix.

Le bruit de ses pas résonnait dans le silence. Des chats en maraude déguerpissaient en l'apercevant, silhouette menue et bien emmitouflée. Sans aucun bagage à porter, elle appréciait cette promenade nocturne.

Luchon s'éveillait doucement. Elle distingua des rais de lumière à certaines fenêtres et perçut les grincements de roue d'une charrette, quelque part. Presque à la fin des allées, une femme ouvrit sa porte et balaya la pierre du seuil.

Angélina la salua d'un signe de tête.

— On va à la première messe ? s'écria la ménagère. On est matinale pour une demoiselle !

— Eh oui ! répliqua-t-elle.

Les cloches de l'église se mirent à sonner. Elle passa devant la vitrine des Galeries luchonnaises, un des plus grands magasins de la ville, où se vendaient souvenirs, bibelots, livres, cartes postales, jouets, bijoux de pacotille et équipements de montagne. « J'aurais pu venir là acheter de petits cadeaux pour Henri, mademoiselle Gersande, Octavie, et papa... » se dit-elle sans aucun regret.

Angélina prévoyait déjà de boire un chocolat chaud au buffet de la gare lorsqu'elle arriva près de l'église. Sur les larges marches en pierre se tenait une mendiante enveloppée dans une couverture.

— La charité, mademoiselle. Dieu vous le rendra. La charité, pour le salut de votre âme !

Apitoyée, Angélina sortit sa bourse de son sac à main. C'était cela qui l'avait séparée du docteur Coste. « Il y a trop de misère dans les rues et les faubourgs. Je ne serai pas du côté des nantis, des riches, des gens opulents. Ce serait faire injure à oncle Jean, à ma mère qui secourait les plus pauvres... Mais on dirait une fillette ! Non, je me trompe ! »

Son regard plein de compassion s'attachait surtout aux chevilles de la malheureuse, nues, sales et maigres.

Elle avait entouré ses pieds de lambeaux de lainage, qui servaient de chaussettes dans des brodequins éculés.

— Tenez, de quoi manger aujourd'hui et demain, murmura Angélina en déposant cinq francs dans le couvercle en fer qui tenait lieu de sébile à la mendiante.

— Merci, madame, Dieu vous le rendra, répondit la femme, le visage dissimulé par des mèches de cheveux bruns.

Deux dames approchaient, en manteau à capuchons. Elles s'empressèrent de pénétrer dans l'église après avoir adressé un coup d'œil navré à la miséreuse. Angélina s'éloigna, mal à l'aise. Quelque chose d'indéfinissable l'obligea à ralentir.

« Cette voix, cet accent chantant, celui du Midi ! se dit-elle. Je les ai déjà entendus… »

Curieusement émue, elle revint sur ses pas et observa mieux la jeune mendiante. Son cœur fit un bond dans sa poitrine.

— Rosette ? appela-t-elle.

L'adolescente qui ramassait les pièces d'argent redressa la tête et scruta les traits de cette demoiselle si élégante. Un large sourire fleurit sur ses lèvres.

— Oh ! mais c'est vous, mademoiselle Loubet ! Ça alors !

— Rosette ! Mon Dieu, qu'est-ce que tu fais là ?

— Je mendie, pardi ! Ce que je suis contente de vous revoir !

Effarée, Angélina se rapprocha sans oser se réjouir. Elle se pencha un peu pour demander :

— Est-ce que tu vis toujours avec ta sœur et votre père ?

— Non ! Je me suis sauvée cet automne… Valentine, elle a eu un autre bébé dans le ventre et, celui-là, il est né vivant. Mais le père, il pouvait plus coucher avec elle et il a commencé à me chercher, le matin et le soir. Je lui ai craché à la figure et je me suis enfuie.

— Tu as eu raison. Et tes petits frères ?

Rosette eut tout de suite les larmes aux yeux. Elle renifla et prit un air dur.

— J'avais pas le choix, je les ai laissés. Valentine s'occupera d'eux. Bien le merci, pour les sous, mademoiselle Loubet, j'suis riche, dites donc...

Angélina était incapable de poursuivre son chemin vers la gare. Elle pensait à tous les vêtements chauds qu'elle avait laissés chez Philippe, dans sa malle, avec une paire de bottillons fourrés en cas de neige.

— Lève-toi, Rosette, dit-elle gentiment.

— Pour quoi faire ? J'ai moins froid toute recroquevillée. J'ai une combine, je me réchauffe les mains à mes aisselles...

Elle portait une jupe en toile grossière, déchirée à plusieurs endroits, et une veste d'homme. Son visage de chaton, émacié, était gris de crasse.

— Rosette, écoute-moi. Je dois prendre un train dans deux heures environ. Je voudrais t'emmener, mais même en troisième classe on ne te laissera pas monter dans un wagon. Je sais ce que nous allons faire. Il y a forcément un établissement de bains publics ici. Je vais t'y accompagner après avoir acheté des habits corrects. Nous prendrons le train suivant. Ma pauvre petite, je ne peux pas t'abandonner. J'ai eu mon diplôme de costosida. Je rentre chez moi, à Saint-Lizier, tu te souviens ? Rue Maubec. Mon père s'est remarié et il loge chez son épouse. Voudrais-tu vivre avec moi ? Je vais pouvoir exercer. Une sage-femme s'absente souvent, de nuit comme de jour. Tu me feras un peu de ménage et tu me prépareras de la soupe pour mon retour.

— Vous vous fichez de moi, m'selle ? balbutia Rosette, la bouche crispée pour ne pas pleurer.

— Non, pas du tout. Allez, viens !

Angélina lui tendait la main, inondée de gratitude envers la providence.

— Si je me suis retrouvée à Luchon, Rosette, c'est sans aucun doute parce que je devais te rencontrer et veiller sur toi. J'ai tellement besoin d'une amie…

L'adolescente se cramponna à la main tendue et se leva, titubante sur ses jambes engourdies.

— Vrai de vrai, m'selle, vous me garderez ? insista-t-elle.

— Mais oui, et je suis si heureuse que je pourrais chanter les louanges du Seigneur. Viens !

Villa Coste, même heure

Philippe, sa mère et sa sœur étaient assis devant le petit déjeuner, à la table de la salle à manger.

— Didier et les filles dorment encore, dit Marie-Pierre Coste à son frère. Tu pourrais nous dire la vérité, maintenant.

— Quelle vérité ? grogna-t-il. Je n'ai rien à ajouter à ma déclaration d'hier soir. Angélina et moi avons rompu. Elle m'a redonné la bague et tout est réglé.

— Enfin, mon fils, je n'y comprends rien, se lamenta Camille Coste. Quel gâchis ! Si tu ne me donnes pas une autre explication, je vais me croire responsable. J'ai taquiné cette jeune fille, mais tu m'avais dit qu'elle était intelligente. Les gens intelligents savent faire la part des choses.

— De toute façon, les personnes de condition inférieure se vexent plus facilement que les autres, fit remarquer Marie-Pierre. Tu aurais dû nous prévenir, Philippe, que son père était cordonnier. Tu avais parlé d'un maître artisan assez aisé… Je dois reconnaître qu'en la voyant on ne soupçonne pas ses origines.

Le docteur serra les poings. Il avait à peine dormi, brassant des idées noires toute la nuit. De plus, il se reprochait son comportement de mâle dominant. Sans cesse, troublé par le souvenir du plaisir amer qu'il en avait ressenti, il s'était revu abusant d'Angélina.

— Angélina a refusé tout net d'entrer dans notre monde, laissa-t-il tomber. Elle était certaine de ne pas s'accoutumer à nos manières et à notre richesse.

— Elle est stupide, affirma sa mère. Franchement, cette demoiselle m'a paru bien éduquée et très élégante. Tu m'aurais raconté qu'elle était issue de la haute société toulousaine, j'aurais tout gobé.

— Oh ! maman, exprimez-vous mieux ! déplora Marie-Pierre, au bord des larmes. J'étais si contente que Philippe se marie !

— Il en trouvera une autre, moins difficile, rétorqua la vieille dame. Nous avons quand même mangé un bon gâteau, hier soir, un gâteau à la grimace.

— Eugénie et Éléonore ont été bien déçues, reprit sa fille. Elles admiraient la beauté d'Angélina et l'ont trouvée très gentille. Philippe, monte donc la voir et faites la paix !

Le médecin secoua la tête. Il n'était pas fier de lui, mais de là à ravaler son orgueil, il y avait un grand pas.

— Non, elle partira par le premier train, coupa-t-il. Autant mettre les choses au clair. Hier soir, quand je suis allé lui parler, Angélina m'a confessé une page de son passé fort regrettable, qui compromet la possibilité d'un mariage entre nous. Vous me comprenez ?

— Ainsi, la belle rousse avait déjà fauté, conclut sa mère.

— On peut dire ça, soupira-t-il.

— Elle a eu l'honnêteté de te l'avouer, au moins, nota sa sœur. Cependant, je conçois ta déception. Mais pourquoi te dire ça hier soir, au beau milieu des réjouissances ?

— Je n'en sais rien. Le remords, la honte de me duper ont dû la tourmenter et elle a renoncé à feindre l'innocence, hasarda-t-il.

— Mon pauvre fils…, dit simplement Camille Coste avant de siroter sa tasse de café. La cruche était déjà cassée…

L'expression populaire arracha un soupir à Marie-Pierre, songeuse. Elle savait que son mari fréquentait des prostituées et que son frère ne se gênait pas non plus. C'était considéré comme un mal nécessaire par la plupart des femmes de notables. Accaparées par la tenue d'une grande maison et les enfants à élever, elles vieillissaient en ayant perdu l'illusion de la fidélité masculine. Il s'ajoutait à cela leur pudeur et leur crainte du péché, après avoir reçu une éducation stricte, le plus souvent dans un établissement religieux. Mais les hommes, eux, quand ils se mariaient, exigeaient une femme vierge, sage, sans expérience au lit…

— Si Angélina t'aime, est-ce si grave ? s'entendit-elle prononcer d'une voix dure.

— Marie-Pierre, qu'est-ce qui te prend ? s'écria-t-il. Jamais je n'épouserai devant Dieu une fille qui a traîné on ne sait où !

— Bref, tu aurais mieux fait de l'établir comme ta maîtresse, ricana la vieille dame. Bon, pour ma part, j'ai déjeuné, je remonte dans ma chambre. Je ne tiens pas à revoir cette pimbêche. Aide-moi donc, Marie-Pierre ! Avec ma goutte, l'escalier devient une torture.

— Je vais t'aider, mère, dit Philippe en se levant. Je dirai à Angélina par la même occasion de boucler sa malle. À l'heure qu'il est, Pierrot doit atteler le cheval.

— Moi, je tiens à saluer Angélina, avança sa sœur. Enfin, non ! Ce n'est pas la peine. Je suis trop contrariée.

Quelques minutes plus tard, le docteur Coste poussa la porte de la chambre où il croyait trouver Angélina. Le lit n'était pas défait, la malle était posée devant l'armoire. Une enveloppe bleue attira son regard, au coin de la commode. Il la décacheta et parcourut les lignes qui lui étaient destinées.

Cher Philippe, je vous demande encore pardon pour le mal que je vous ai fait. Je sais que vous m'avez beaucoup aidée et je vous en remercie encore. Vous pourrez distribuer ces vêtements aux pauvres gens de la ville ou à vos domestiques, je n'en aurai plus besoin. Adieu, je vous souhaite d'être heureux un jour, auprès d'une personne digne de vous.

Angélina

Il froissa la feuille de papier et l'enfouit au fond de sa poche de pantalon. « Comment est-elle sortie ? » se demanda-t-il.

Très vite, il s'aperçut que l'ancienne porte donnant sur l'escalier de service n'était pas enclenchée.

« Elle s'est enfuie, pareille à une voleuse. Tant mieux, je ne la reverrai pas. »

Il se prit la tête entre les mains, accablé. La gorge nouée, il avait envie de pleurer. Sa sœur le découvrit ainsi, dans une attitude de pénitent.

— Où est-elle ?

— Envolée ! Un oiseau rare ne se satisfait pas d'une cage dorée ! ironisa-t-il.

— Tu l'aimais ?

— Non, je l'adorais. Mais c'est fini. Je la méprise. Quand même, j'ai ma fierté !

— La fierté n'a jamais rendu heureux, Philippe, soupira Marie-Pierre.

Le médecin ne répondit pas.

*

Angélina et Rosette entrèrent dans le buffet de la gare à onze heures du matin. Il y avait un train pour Montréjeau à midi.

— Ne t'inquiète pas, disait la jeune fille à l'adolescente. Chez moi, tu pourras mettre une de mes robes.

Malgré toute sa bonne volonté, elle n'avait pas pu dénicher une jupe et un manteau de coupe féminine. La vendeuse des Galeries lui avait proposé avec maintes excuses un pantalon en velours et des guêtres, une tenue destinée aux pyrénéistes[1]. Angélina avait aussi acheté une chemise et des chaussettes, ainsi que des bottines. Son pécule en avait été bien écorné. « Je joue les bienfaitrices à mon tour, songeait-elle. Mais avec l'argent de mademoiselle Gersande. »

1. On nommait ainsi les grimpeurs en montagne, à l'époque, quand il s'agissait des Pyrénées et non des Alpes (alpinistes).

Par chance, dans une boutique proche des bains-douches municipaux, elle avait trouvé une veste en toile cirée fourrée de laine et une casquette.

— Il nous reste assez pour les billets de train en troisième classe, s'assura-t-elle une fois dans le hall de la gare. Et de quoi grignoter.

— Je vous rends vos sous, m'selle, avait déclaré Rosette en lui redonnant les pièces. Je n'en ai pas besoin.

Lavée à l'eau chaude et au savon, les cheveux brillants d'humidité, l'adolescente était méconnaissable. Hélas ! des poux grouillaient encore sur sa tête et, pour le voyage, Angélina lui avait conseillé de ranger soigneusement la moindre mèche sous la casquette.

— Tu as l'air d'un garçon, dit Angélina. Je te débarrasserai de cette vermine à Saint-Lizier, avec du vinaigre bien chaud et un peigne fin.

Rosette hochait la tête, d'accord pour tout ce que lui promettait son ange. Après trois mois d'errance et de famine, elle s'apprêtait à habiter dans une vraie maison, à manger chaque jour sans plus jamais avoir ni peur ni froid. Jamais elle n'en aurait espéré autant.

— Prendras-tu du chocolat chaud ou du café ? interrogea Angélina en se dirigeant vers le buffet.

— Du pain frais, ça me suffira. Ou du lait.

— Tu auras les deux !

Un employé des chemins de fer en tenue réglementaire leur barra le passage.

— Vous ne seriez pas mademoiselle Loubet ? demanda-t-il sans même regarder Rosette.

— Si, en effet !

— J'ai mis votre malle à la consigne, mademoiselle. Un domestique de la famille Coste nous l'a portée ce matin, mais vous n'êtes pas venue pour le train de neuf heures. Je l'ai donc mise de côté ; faudrait me payer vingt sous.

— Très bien ! dit Angélina.

Au fond, elle était soulagée. Sa colère passée, elle s'était jugée idiote d'avoir abandonné toutes les belles toilettes que lui avait offertes Gersande de Besnac pour éblouir les Coste. « Je n'aurai pas à lui annoncer que je voulais me séparer de ces vêtements, parce que j'avais de la rancœur à son égard, se disait-elle, prise de remords. Elle est si généreuse ! Et je n'ai jamais été mal à l'aise chez elle. Oh ! chère demoiselle, pardonnez-moi ! Cette nuit, je vous ai crue mauvaise, vous aussi, mais je me révoltais contre le monde entier. Je me répétais que vous m'aviez volé Henri, alors que je sais à quel point vous l'aimez. Vous désiriez le mettre à l'abri de tout. »

Elles s'assirent à une petite table en fonte couverte de marbre. Le marbre abondait dans les Pyrénées et il était utilisé partout, des trottoirs au manteau des cheminées, des dessus de commode aux baignoires ou aux lavabos.

— Ce que tu es jolie, toute propre ! dit Angélina. Oui, une jolie brunette aux yeux bleus ! Non, gris-bleu !

— Je veux pas être jolie, ça n'apporte que des ennuis.

— Tu as peut-être raison. Mais il ne faut pas se plaindre, quand Dieu a décidé de nous accorder une figure avenante.

— Vous, m'selle Loubet, vous êtes encore plus belle qu'avant.

— Appelle-moi Angélina…

Éperdue de joie, Rosette promit d'un sourire rayonnant. C'était un spectacle si poignant de voir son visage de chat affamé s'illuminer ainsi qu'Angélina dut se retenir de pleurer. « Le destin nous accorde à toutes les deux une nouvelle chance, se dit-elle. Nous ne la gâcherons pas, j'en fais le serment. »

Saint-Lizier, le soir

— Personne ne nous attend, puisque je ne devais pas rentrer avant samedi. Et, bien sûr, il n'y a pas un fiacre en vue. Tant pis, nous allons monter rue Maubec à pied. Il fait déjà nuit ; dépêchons-nous…

Angélina contemplait les remparts de la cité avec une sorte de passion.

— Et votre malle ? s'inquiéta Rosette.

— J'enverrai quelqu'un la récupérer demain. Le chef de gare me connaît bien ; il en prendra soin.

En dépit d'un changement à Montréjeau et d'un autre à Boussens, le trajet leur avait paru court. Elles avaient échangé bien des confidences pendant le voyage. Angélina s'était surprise à raconter tous les faits marquants de sa jeune existence, et l'adolescente l'avait écoutée en vibrant de toutes les émotions évoquées, comme s'il s'était agi d'une incroyable histoire. À présent, Rosette en savait plus sur la fille d'Adrienne Loubet que Gersande et Augustin.

Pour Angélina, c'était une nécessité. Elle voulait partager avec l'adolescente tous ses secrets, trouver en elle une amie sûre. Mais elle avait tu par pudeur ce qui s'était passé la veille avec Philippe dans la chambre. De même, au moment d'aborder le court chapitre concernant

Blaise Seguin, elle n'était pas entrée dans les détails. Le bourrelier avait dépassé les limites de la convenance une fois, dans son atelier, rien d'autre.

— Il fallait que tu saches qui je suis vraiment, disons qui j'étais avant ce matin, avait-elle répété à plusieurs reprises.

À présent, Rosette brûlait d'impatience de connaître Octavie, mademoiselle Gersande et surtout le petit Henri.

— J'ai bien compris, Angélina, avait-elle affirmé en gare de Boussens. Votre papa ne sait pas encore qu'il est grand-père et je ne dois pas lui parler de votre pitchoun.

Bien des noms tournaient dans son esprit, et son imagination créait sur la sonorité de ces noms, d'après une description hâtive, des personnages qui ne ressemblaient guère au véritable modèle. Selon Rosette, Guilhem était laid avec des yeux de chat sauvage, Gersande était courbée par l'âge et avait les dents gâtées, Octavie avait tout d'une géante au bon rire. Quant au docteur Coste, elle lui prêtait le visage bouffi d'un gendarme de Luchon, entêté dans son intention de la mettre à l'hospice pour indigents. Mais il y avait encore la nourrice Eulalie, l'oncle Jean, la belle Lulu violée et étranglée, la petite serveuse Marthe victime du même sort tragique, le saltimbanque Luigi, l'officier de police Davaud, le vieux frère apothicaire et tant d'autres.

— Allez, en route ! s'écria Angélina. La maison sera froide ; il faudra allumer le feu en arrivant. Sauveur va nous faire la fête.

— J'suis bien contente de le revoir, votre gros chien blanc, jubila Rosette. Mais vous devez passer chez m'dame Gersande d'abord, pour biser votre pitchoun !

— Oh ! malheureuse ! s'esclaffa la jeune femme. N'appelle jamais Gersande madame, mais mademoiselle. Et « biser » n'est pas très correct, il faut dire « embrasser ».

— Valentine, elle disait biser.

— Alors, d'accord pour biser.

Angélina avait beaucoup entendu parler de Valentine. C'était un sujet qui tracassait Rosette. Elle déplorait la soumission de sa sœur aînée devant ce père incestueux dont elle avait horreur.

— Je le hais, lui, je le maudis, avait-elle murmuré. Titine, il finira par avoir sa peau, s'il lui fait un gamin tous les ans. Dès qu'il s'en allait au travail, je suppliais ma sœur de partir. Ce n'était pas si difficile ! On emmenait les garçons et on demandait asile dans un couvent. J'en pouvais plus, m'selle Angélina, de trembler chaque nuit, dès qu'il y avait un bruit autour de ma paillasse. J'me disais : « Ça y est, il est là, il va te prendre ! » Même qu'un soir j'ai planqué une lame de couteau sous moi et j'aurais pas hésité à lui trouer la bedaine... À la fin du mois de septembre, quand il m'a plaquée contre le mur, en respirant fort, j'ai gueulé que j'étais indisposée. Il s'est détourné et il a picolé. Quand il s'est mis à roupiller, je me suis sauvée. Avant, j'ai dit adieu à Valentine ; elle donnait le sein à son petit. Vous savez ce qu'elle m'a répondu ? « Tu fais bien, Rosette ! Moi, j'attends qu'y crève. Après, je serai libre... » Mais il peut vivre encore longtemps, ce salaud !

À bientôt dix-sept ans, Rosette n'ignorait rien des bassesses humaines.

Elle était illettrée, et son vocabulaire était celui des rues, des usines, ce qui ouvrait à Angélina des perspectives. « Je lui apprendrai à lire et à écrire. Peu à peu, elle s'exprimera mieux. Je la sens observatrice, logique et intelligente. C'est étrange, mais je ne l'avais pas oubliée. Souvent, le soir, avant de m'endormir, je pensais à elle en me demandant ce qu'elle était devenue. Maintenant, je le sais. »

L'adolescente lui avait expliqué les faits.

— Le lendemain du jour où vous êtes venue accoucher Valentine, le père a décidé qu'on s'en allait. Il avait enterré le bébé, sans le curé… Sûrement, il avait peur de vous, que vous le dénonciez aux gendarmes. Il a récupéré sa paie à midi et on a pris le train. Ma sœur, la pauvre, elle se plaignait de son ventre. Ça saignait un peu. Le soir, on est arrivés à Saint-Gaudens et, là, le père s'est fait embaucher dans une tannerie. On logeait dans une pièce, derrière le hangar où les peaux séchaient, et ça puait… Je vous ai pas tout dit. Le père, il a placé un de mes frères pour être berger, sur les estives. Le pauvre Rémi, il chialait à me briser le cœur. Son patron l'a emmené le jour de ses huit ans et, mon frère, il avait même pas une paire de sabots aux pieds. Faut plus que j'y pense, à tout ça.

— Comment t'es-tu retrouvée à Luchon ? avait demandé Angélina.

— En me sauvant, je savais pas vers où aller. J'ai marché dans les champs, d'abord, puis au bord d'une route empierrée. Un couple qui vendait du fromage sur les marchés a eu pitié de moi. J'étais pas trop sale et je leur ai dit que je partais chercher du travail plus au sud. Ils m'ont fait monter dans leur charrette. Vu qu'ils tenaient un étal aux Halles, à Luchon, ils m'ont déposée à l'entrée de la ville. Vous savez pas, vous, m'selle Angélina, tout ce qu'on peut trouver à manger dans les haies, les bois, derrière les fermes. La nuit, je dormais où je pouvais ; ça manquait pas de granges à foin ni de remises à bûches. Les gens, y sont riches, à Luchon, parce que c'est une station thermale. Je mendiais souvent devant l'église. Après je pouvais m'acheter du pain. Mais l'hiver arrivant, j'étais pas rassurée. Je me répétais que j'allais crever de froid. Et vous êtes passée sur le trottoir. Si je croyais encore au bon Dieu, je lui dirais merci...

Rosette avait ponctué ces mots-là d'un sanglot.

Parvenue sur la place de la fontaine, Angélina jeta un regard perplexe autour d'elle. La cité était particulièrement paisible et silencieuse.

— Rosette, je crois que nous ferions mieux de ne pas nous arrêter chez mademoiselle Gersande. C'est l'heure où Octavie fait dîner Henri ; une visite le rendrait turbulent. Nous aurons tout notre temps demain. Ce soir, nous avons beaucoup de choses à mettre au point. Filons rue Maubec.

— Comme vous voulez, m'selle Angélina.

— Angélina, pas de m'selle, dit sa bienfaitrice en pouffant. Viens vite.

Elles montèrent la rue des Nobles et franchirent le clocher-porche. Les pavés glissaient un peu, car il avait plu au cours de la journée.

— Je n'ai jamais été aussi contente de retrouver ma maison, dit Angélina. Le logis des Loubet ! Oh ! Rosette, je vais enfin exercer mon métier, le métier de maman ! Je dois faire publier une annonce dans la gazette ariégeoise : « Angélina Loubet, sage-femme diplômée, vous propose ses services. » Avec mon adresse, que tout le monde connaît ici, puisque ma mère était renommée dans le pays.

Elles étaient à un mètre du large portail en bois quand un aboiement rauque s'éleva, suivi de jappements et de plaintes dignes d'un chiot.

— Sauveur, mon chien, c'est moi, c'est nous ! cria Angélina.

Elle disposait du logement d'habitation qui jouxtait l'atelier de cordonnerie. Sa clef en main, elle constata que la serrure n'était pas enclenchée. Lorsqu'elle pénétra dans la cour, un cri de désappointement lui échappa, tandis que Sauveur sautait de gauche à droite en remuant la queue.

— Oh ! Zut, il y a de la lumière dans l'écurie ; mon père est là, murmura-t-elle à Rosette. Je n'avais pas envie de lui parler ce soir.

Augustin sortit du bâtiment, une lanterne à bout de bras.

— Qui est là ? Quoi, c'est toi, Angélina ? *Foc del cel !* Et qui c'est, ce gosse ? *Diou mé damné*, en voilà, une surprise !

Angélina caressait le pastour afin de se donner une contenance.

— Je pensais que tu étais chez Germaine.

— Ben non, je suis venu nourrir la mule et le chien, puisque j'étais de corvée en ton absence. Et le docteur, où est-il ? Je te croyais à Luchon, moi !

Le cordonnier leva haut la lanterne pour mieux scruter le faciès de l'inconnu qui se cachait derrière sa fille.

— Papa, je suis avec Rosette, que j'ai engagée. Tu te souviens de Rosette ? Tu avais donné une boîte de chocolats pour ses petits frères. Ils habitaient près de la voie ferrée.

— Peut-être ! ronchonna-t-il. Et tu la paieras comment, ton engagée ? Ton fiancé te versera une rente jusqu'à la noce ?

— J'ai rompu ! C'est terminé ! Et ne crie pas, tu pourras me dire tout ce que tu veux, je ne l'épouserai pas. Je comptais t'avertir de mon retour demain matin.

— Mais... Angélina, as-tu perdu la tête ? Tu déboules à la nuit tombée avec une étrangère déguisée en garçon et en plus tu as rompu tes fiançailles. Ah ! boudiou, *qué* malheur ! Et pourquoi, hein, pourquoi tu as fait ça ?

— Parce que je suis ta fille. Et très fière de l'être. Papa, si tu m'embrassais...

Il n'était pas sot et il sut deviner ce que dissimulait cette réplique. Les Coste n'avaient pas dû se montrer accueillants, ou bien Philippe, parmi les siens, avait dévoilé une partie de lui qui avait déplu à sa petite. Embarrassé de ne pas être seul avec Angélina, il décida de patienter. Il saurait bien assez tôt le fin mot de l'affaire.

— Jolie bourrique, va ! gronda-t-il en la prenant par l'épaule. Bien sûr que je t'embrasse !

Il déposa un baiser timide sur son front, puis, sa nature pointilleuse revenant à la charge, il posa une dernière question :

— J'espère que tu lui as rendu la bague, au docteur ?

— Mais oui, papa !

— Bon... Quand même, c'est pas malin ! Je me suis vanté partout que tu faisais un beau mariage. Maintenant, je vais devoir raconter que c'est tombé à l'eau. Et ce projet de clinique ? Tu devais travailler avec Philippe. Tu t'en fiches ? *Foc del cel !* Je m'en retourne chez Germaine, tiens !

Il sortit sans rien ajouter, hochant la tête. Angélina ferma le portail à clef derrière lui.

— Ce n'est que le début, confia-t-elle à Rosette. Mon père me fera des reproches pendant un an au moins. Je le connais. J'aurai droit aussi aux lamentations de mademoiselle Gersande. Comme je te l'ai dit dans le train, elle m'a poussée à ce mariage.

— Vous avez eu raison, m'selle..., pardon, Angélina, oui, vous avez bien fait de rompre avec ce monsieur. Il était trop vieux. Et, si vous n'étiez pas partie, ce matin, j'serais toujours à mendier devant l'église.

— Le destin nous a réunies, Rosette. Allons, au travail !

La jeune fille reprenait possession de sa maison natale avec un plaisir enfantin. Elle s'empressa d'allumer la lampe à pétrole suspendue au-dessus de la table et s'assura que tout était propre et en ordre.

— Que je suis sotte ! dit-elle en riant. Je suis partie hier matin, mais j'ai l'impression de revenir d'un long séjour au bout du monde.

L'adolescente approuva en souriant. Elle entassait dans l'âtre du petit bois qui était stocké dans l'angle de la cheminée, à côté d'un tas de bûches bien sèches.

— Avez-vous des allumettes, m'selle Angélina ?

— Oui, la boîte est rangée sur le manteau de la cheminée. Tu as du papier journal aussi, dans une niche sous le four à pain.

— Bien, m'selle !

— Rosette, je t'en prie ! Fais un effort, appelle-moi par mon prénom.

— J'vas tâcher, m'selle Angélina.

— Il faudrait dire : « Je vais essayer », rectifia-t-elle. C'est tellement plus agréable à entendre.

— J'ferai attention, c'est promis.

Rosette était trop heureuse pour se vexer. En la recueillant, Angélina avait acquis sa bénédiction éternelle, et cette immense gratitude ne faiblirait pas au fil des années qu'elles passeraient ensemble.

Bientôt, un bon feu flambait, réchauffant l'atmosphère humide de la pièce. Couché sous la table, Sauveur épiait de son œil brun les déambulations de l'une ou de l'autre.

— Veux-tu visiter l'étage ? proposa Angélina. Il y a deux petites chambres et un réduit pour le seau d'hygiène. Suis-moi, il faut emprunter un couloir où il fait toujours froid. Été comme hiver, ça ne change pas. Et c'est très sombre. On doit prendre une chandelle. L'escalier est au bout. Mes parents se sont souvent demandé qui avait eu l'idée, jadis, de cet aménagement peu pratique. La construction est très ancienne.

À la lumière tremblante de la flammèche, elles longèrent le passage. Rosette fit une pause et tâta la paroi de droite qui séparait la cuisine du couloir.

— Eh bé, ils se sont pas creusé la cervelle, vos parents, m'selle Angélina. Ça, c'est pas un mur ! Touchez, c'est une cloison à croisillons de bois, remplis de torchis avec de la paille, du sable et de la chaux.

— Je le sais bien, Rosette, j'ai grandi ici.

— Y a qu'à la démolir, ça agrandira l'autre pièce et il y fera plus du tout noir ni froid ! Les anciens, ils bâtissaient comme ça pour avoir un endroit frais où ils conservaient la nourriture.

Sidérée, Angélina considéra le mur de torchis d'un air perplexe. Ni Adrienne ni Augustin n'avaient pensé à abattre la cloison.

— Mais ça me coûterait cher et, en plus, ça salirait tout, Rosette. Et à côté, c'est du plancher. Ici, c'est de la terre battue…

— Moi, j'peux m'en occuper, affirma l'adolescente, toute joyeuse. Mon papet[1], il était maçon, à Perpignan. On habitait chez lui quand j'étais petite. Il m'emmenait sur ses chantiers et il me montrait tout. Je m'y connais. Je vous dois bien ça.

— Nous verrons. Tu n'es pas assez forte, je crois, et sans aide tu pourrais te faire mal. Mais je te félicite, c'est une excellente idée.

Ravie du compliment, Rosette découvrit l'étage avec son palier flanqué de trois portes.

— Ma chambre est à gauche. Au milieu, tu as le réduit et ensuite la chambre de mes parents, enfin, de mon père. Il a laissé les meubles. Tu y dormiras. Nous n'avons qu'à faire le lit. Hélas ! ce n'est pas chauffé. Je te prêterai mon brasero pour cette nuit. Regarde, les draps sont rangés dans cette grosse armoire qui prend tant de place sur le palier.

— Je préfère coucher en bas, avec votre chien. Si vous avez une paillasse, je la mettrai près du feu. Comme ça, vous gardez votre brasero. J'sais même pas ce que c'est, alors…

Attendrie, Angélina montra les deux pièces à Rosette sans avoir vraiment conscience que, pour l'adolescente,

1. Surnom souvent donné aux grands-pères dans le Midi de la France, surtout en Provence.

c'était déjà un grand luxe de posséder un lit à montants de cuivre, des rideaux aux fenêtres et des coffres à linge.

— J'peux pas dormir là, je vous jure ! Je suis pas frileuse, ça non, mais j'ai pas droit à tant de belles choses.

« Mon Dieu, quel paradoxe ! se dit Angélina, émue. Rosette ressent chez moi à peu près ce que j'ai ressenti chez les Coste. Tout lui paraît trop beau, ici, en comparaison des taudis où elle a vécu. Et je m'apprêtais à lui dire qu'elle s'habituerait à ce modeste confort, comme le faisait Philippe avec moi. »

— Rosette, ne te fie pas aux apparences, déclara-t-elle dans l'espoir de réconforter sa jeune amie. Je n'ai pas un sou en poche. Cette maison appartenait à mes grands-parents et je n'ai aucun mérite à en hériter. Je suis pauvre, malgré mes jolies robes et ces meubles. Tout est relatif, bien sûr ! C'est un terme que m'a appris mademoiselle Gersande. Si tu veux, ma famille est moins pauvre que d'autres, je te l'accorde, mais des gens comme les Lesage, les parents de Guilhem, ou le docteur Coste jugent que nous sommes presque en bas de l'échelle sociale.

— J'comprends rien à ce que vous dites, m'selle, marmonna l'adolescente. On s'en fiche. Moi, je préfère une paillasse devant la cheminée, parce que je pourrai regarder les flammes et peut-être que votre chien, il me tiendra compagnie, qu'il se couchera à côté de moi. On ferait mieux de redescendre, faut que j'vous fasse à manger…

— Non, attends ! s'écria Angélina. Je vais prendre deux chemises de nuit dans mon coffre et des châles. Nous allons aussi transporter le matelas de mon père dans la cuisine, avec des draps et des couvertures. Pour ce soir, on dort toutes les deux près du feu, avec Sauveur pour nous protéger.

Ce fut un véritable remue-ménage. En riant, elles grimpaient et dévalaient les marches étroites aussi vite, sans même se préparer un repas. Excité par leurs allées et venues, le chien finit par aboyer et les suivre, la queue en panache.

— Sage, Sauveur ! disaient-elles en chœur.

Rosette proposa de tirer de l'eau au puits pour la toilette et l'épouillage prévu. Angélina se décida à battre des œufs et mit du lard à griller. Très satisfaite de leur campement établi entre la table et la cheminée, elle ne pouvait s'empêcher de réfléchir.

« Que c'est bon de s'amuser et de bavarder ! Je n'arrive pas à croire que j'étais assise à la table des Coste, hier soir, en robe de soirée. Seigneur, trois verres à pied devant les assiettes en porcelaine, les couverts en argent massif et les lustres, sans compter les domestiques ! Je me sens mille fois mieux sous le toit des Loubet, un tablier à la taille. Avec Rosette ! Qu'elle est drôle, hardie et futée ! Moi qui n'ai pas eu de sœur… »

Affamées, elles se régalèrent d'une omelette et d'un morceau de fromage. Le pain était rassis. Cependant, Rosette déclara qu'elle avait fait un festin de roi.

— Ma mère, elle disait ça, ajouta-t-elle. Je l'aimais tant !

— Je sais ce que c'est de perdre sa mère ! compatit Angélina. Mais, du vivant de ta maman, quand vous habitiez chez ton grand-père maçon, tu avais une maison et un lit ? Vous n'étiez pas dans la misère, n'est-ce pas ?

— Grâce au papet. Il cultivait un potager et il avait des poules. On manquait de rien. Seulement, mon papet et le père, ils se fâchaient tout le temps. Un jour, on est partis. Ma mère pleurait beaucoup, Valentine aussi. Le père, lui, il gueulait qu'il gagnerait des sous, qu'il avait pas besoin d'être à la charge de quiconque. Après ça, on a été fichus. Y avait déjà deux petits frères, et deux autres sont venus. Trop de bouches à nourrir ! J'ai pas envie d'en causer, Angélina.

— Ton papet, c'était le père de ta mère ?

— Oui. Il est mort moins de deux ans après notre départ. On l'a su par une lettre. C'est moi qui l'ai portée chez le curé pour qu'il la lise.

Angélina avait débouché une limonade de fleurs de sureau que lui avait donnée Octavie, experte en boissons fermentées. Elle en servit à Rosette.

— Ne sois pas triste ! Maintenant, tu es là, et j'ai des poux à mettre au vinaigre.

— Oui, je peux pas dormir avec vous. Si jamais je vous filais de la vermine…

Angélina mena à bien l'opération fastidieuse, qui nécessitait de la patience et de la minutie. Mais elle fut soulagée, après deux heures de labeur, de brosser et de natter les cheveux bruns de sa protégée. L'eau chaude, le savon et le vinaigre les avaient rendus brillants et soyeux. Rosette put se regarder dans un petit miroir accroché au mur.

— J'suis toute propre ! Et toute rose, on dirait !

C'était peut-être les effets d'un vrai repas et de la chaleur du feu, car Angélina la trouvait encore bien pâle et d'une maigreur affreuse. Cependant, bouleversée de lui voir cette expression de bonheur incrédule, elle la rejoignit et la serra délicatement dans ses bras.

— Il faut dormir, à présent, petite sœur, chuchota-t-elle à son oreille.

Elles furent vite couchées sur le matelas, entre des draps fleurant bon la lavande, sous deux couvertures en laine et un édredon garni de plumes d'oie. Une fois la lampe éteinte, seul le feu éclairait la cuisine. D'abord intrigué, le pastour s'allongea à leurs pieds, sa grosse tête neigeuse tournée vers les braises du foyer. Comme il avait été gardien de troupeau avant de découvrir Angélina et son bébé dans la grotte du Ker, son instinct lui disait de veiller sur ces deux faibles créatures. Il s'y emploierait de toute sa force animale, et malheur à celui qui tomberait sous ses crocs.

20

Sauveur

Saint-Lizier, chez Gersande de Besnac, le lendemain,
9 décembre 1880

Octavie laissa échapper un cri de surprise en voyant
Angélina sur le seuil du vestibule, mais, l'instant d'après,
elle dévisageait avec curiosité la très jeune fille qui
l'accompagnait, coiffée d'un foulard rose et de tresses
brunes.

— Mais, petite, que fais-tu ici ? s'exclama la domestique. Mon Dieu, il n'y a rien de grave, au moins ?

— Non, je suis rentrée plus tôt que prévu. Bonjour,
Octavie. Je te présente Rosette, qui va habiter avec moi
et tenir la maison.

Elle répugnait à employer le mot bonne ou servante,
malgré l'insistance de l'intéressée.

— Eh bien, entrez. Je vais prévenir mademoiselle.
Elle est un peu fatiguée, ce matin ; ça va lui faire un
choc.

Henri accourait, un pantin en tissu à la main. Il éclata
de rire et gazouilla :

— Ma-aine ! Bonjour, ma-aine !

— Tu ne peux toujours pas dire les r, mon pitchoun ?
dit Angélina.

Elle le souleva du sol pour mieux l'embrasser. Il la serra aussitôt par le cou et lui donna un baiser sur le nez avant de se blottir contre elle. Cela fit briller les yeux de Rosette, qui essuya discrètement une larme ; elle pensait à ses petits frères.

— Il est beau, votre fils, Angélina, s'appliqua-t-elle à dire. Je peux l'embrasser, moi aussi ?

— Bien sûr !

Octavie était effarée. Elle foudroya la jeune fille du regard.

— Enfin, pourquoi cette personne est-elle au courant ? s'enquit-elle tout bas. C'était un secret !

— Rosette va partager ma vie de tous les jours ; j'ai choisi de lui dire la vérité sur Henri.

Le ton ferme d'Angélina inquiéta la domestique. Elle leva les yeux au ciel et passa dans le salon.

— De la visite, mademoiselle, et vous serez bien étonnée.

Assise dans sa bergère, les genoux drapés d'une couverture rouge, Gersande de Besnac lisait sa gazette. Elle jeta un coup d'œil vers la porte et vit entrer Angélina, Henri pendu à son cou, ainsi qu'une adolescente en robe grise et veste noire, des vêtements qui lui étaient familiers.

— Bonjour, mesdemoiselles, dit-elle doucement. Pourquoi es-tu déjà de retour, Angélina ? Octavie, cesse de gesticuler et de soupirer. Va plutôt préparer du thé, avec du lait, je te prie. Approchez, mes enfants…

Rosette était fascinée par la distinction et la beauté fanée de la vieille dame. Elle n'avait jamais vu des cheveux aussi blancs et scintillants, ni des traits d'une telle délicatesse, ni de si grands yeux bleus. Gersande portait son corsage en brocart de soie, un collier en émeraudes et un splendide châle en cachemire. Consciente d'être l'objet d'un examen détaillé, elle eut un sourire malicieux.

— Alors, est-ce que je suis à votre goût, petite fille ? plaisanta-t-elle.

— Euh…, oui, madame, bredouilla Rosette. Pardon… mademoiselle !

— Voici une affaire réglée ; vous me plaisez aussi. C'est préférable. Je suppose que nous serons amenées à nous voir souvent.

— C'est Rosette, Gersande, dit Angélina. Vous vous souvenez ? Je vous avais parlé d'elle et de sa sœur. C'était mon premier accouchement sans l'aide de maman… et sans diplôme. Je l'ai retrouvée à Luchon.

— Oui, je mendiais devant l'église, expliqua l'adolescente. Mais m'selle Angélina m'a emmenée. Et ce matin, elle m'a donné ces beaux habits…

Gersande changea d'expression, très émue, plus grave également.

— Je n'aurais pas pu oublier cette triste histoire, Angélina ! Bienvenue dans la cité, Rosette. Asseyez-vous, enfin ! Henri, tu devrais jouer sur ton tapis avec tes cubes. Ta marraine et moi, nous devons discuter.

— Non ! répliqua le petit. Veux pas !

— Il ne me dérange pas, protesta la jeune mère qui avait pris place sur la méridienne. Je pourrais le câliner des heures.

— Mais il comprend beaucoup de choses ; il est précoce. Je pense qu'il parlera parfaitement à son prochain anniversaire, pour ses trois ans. Henri a deux ans, Rosette. Avoue qu'il est adorable.

— Oh oui ! renchérit l'adolescente.

— Alors, Angélina, vas-tu me raconter ce qui s'est passé à Luchon ?

— Si je le savais précisément… En résumé, j'ai compris que je prenais le chemin opposé à celui que je voulais suivre. Philippe pouvait répéter qu'il me permettrait d'exercer mon métier, j'ai eu peur qu'il n'en soit rien et qu'une fois mariée, je me trouve prisonnière de sa famille, de leur fortune, de leurs villas ici et là. Sa mère, Camille Coste, m'a beaucoup taquinée, une sorte de mise à l'épreuve. Au fond, elle était amusante, mais je ne me suis pas sentie vraiment acceptée. Avec de la bonne volonté et de la souplesse d'esprit, sûrement que j'aurais pu m'adapter à ce milieu.

— Je n'en doute pas, petite, s'affola Gersande. Ne me dis pas que tu as rompu tes fiançailles ! Quel gâchis, mon Dieu !

— Si, j'ai rompu et je m'en félicite, reprit Angélina. Philippe n'était plus le même, là-bas. Quelques heures m'ont suffi à cerner les mauvais côtés de son caractère. J'étais capable de supporter sa jalousie, mais de le percevoir autoritaire, obsédé par les apparences, cela m'a fait reculer. De fil en aiguille, je lui ai tout dit.

— Tout quoi ? s'inquiéta Gersande en lui prenant la main.

— Tout !

— Ah ! Vraiment ! Pauvre homme…

Subjuguée, Rosette assistait au dialogue en se retenant d'intervenir, ce qui la démangeait.

— Certes, je le plains, concéda Angélina. Mais c'est mieux ainsi. J'en avais assez de tricher. À Rosette aussi, j'ai tout dit. Et je compte avouer à papa que j'ai un enfant.

Octavie réapparut, un plateau entre les mains. Cela permit à Gersande de se calmer. Elle soupira de façon exagérée avant de demander :

— Que fais-tu de notre arrangement, petite folle ? Augustin ne devait jamais apprendre la vérité ; nous en avions convenu.

— Ma chère mademoiselle, ne m'en veuillez pas, mais j'ai beaucoup réfléchi. Papa redoute surtout le déshonneur ; or, maintenant, ce risque est écarté. Je n'ai pas l'intention d'ébruiter la chose. Je désire seulement que mon père sache qu'il a un petit-fils.

— Henri, mon trésor, insista Gersande, va jouer avec les jolis cubes en bois que tu aimes tant.

Plus bas, elle ajouta :

— Ces paroles peuvent le perturber…

— Moi, je peux jouer avec lui, proposa Rosette. Es-tu d'accord, pitchoun ? Je vais construire un château et, après, je le démolirai.

Henri quitta immédiatement les genoux de sa mère et, tout content, trottina vers le tapis. Il fixa l'adolescente en riant. Séduit, il lui montra les fameux cubes.

— Ma petite Angélina, pourquoi tout remettre en question ? interrogea la vieille dame en lui caressant le poignet. Augustin se confiera à sa femme et Germaine a la langue bien pendue… Dans un mois, toute la cité se gaussera de nous ! On dira que cette extravagante huguenote de la rue des Nobles s'est offert un descendant en te faisant miroiter un bel héritage. Et cela ne t'aidera pas à asseoir ta réputation de costosida. Nous devons songer uniquement à ton pitchounet. Quand donc auras-tu une entière confiance en moi ? Je ne l'ai pas adopté dans le but de te voler l'unique trésor que tu possèdes, mais pour vous protéger tous les deux. Oh ! mon Dieu ! as-tu parlé de son existence à Philippe Coste ?

— Hélas ! oui…

— Et s'il te dénonçait par vengeance ! Tu pourrais perdre ton diplôme.

— Je crois qu'il ne s'abaissera pas à ça.

— Quand même, c'était imprudent. Moi qui me réjouissais tant de te savoir à Luchon ! Je t'imaginais dans cette superbe robe du soir qui t'allait à merveille. Mon Dieu, tous les beaux rêves que j'avais faits pour toi s'écroulent…

— Peut-être, chère mademoiselle, mais ces rêves, c'étaient les vôtres, et j'ai compris à temps que je ne les partageais pas.

— On dirait que tu m'accuses de t'avoir poussée vers ce docteur, qui était charmant, hélas…

— Je l'admets, Philippe n'était pas méchant et je ne vous accuse pas. Mais reconnaissez que vous m'avez influencée.

— D'accord, concéda Gersande. Avec l'espoir de faire ton bonheur, petite.

Rosette, quant à elle, réussissait à jouer avec Henri sans perdre un mot de la conversation.

« Ce n'est pas simple, cette affaire ! » se disait-elle en admirant du coin de l'œil la grande pièce au décor charmant. Elle n'avait pas osé le faire auparavant, mais, agenouillée près du garçonnet, elle laissait ses yeux fureter d'un bibelot à un tableau, des lourds rideaux en velours rouge aux livres reliés de la bibliothèque.

— Angélina, pense à ton petit, poursuivait Gersande. Il ne doit pas être sali, ni dans son jeune âge ni une fois adulte. Tel que tu m'as dépeint ton père, même s'il savait son lien de parenté avec Henri, il serait assez borné pour le renier, plutôt que de lui témoigner de l'affection...

— Vous avez peut-être raison, mademoiselle, admit Angélina. Mais je tiens à prendre le risque. Je crois que papa se montrera bienveillant, à présent. J'attendrai un peu, cependant, rien ne presse.

Elle baissa la tête, songeuse.

— Angélina, appela tendrement la vieille demoiselle, que vas-tu faire, à présent ?

— Succéder à maman, être la meilleure costosida du pays, répondit-elle avec un sourire.

Saint-Lizier, 23 décembre 1880

Les manches de sa robe retroussées, son tablier bleu maculé de farine, Angélina pétrissait de la pâte à tarte. Il faisait très chaud dans la cuisine, où un énorme feu flambait dans l'âtre. Rosette et elle avaient également fait chauffer le four à pain, ce qui était un rude labeur. Il fallait garnir de petit bois la cavité tapissée de briques aménagée dans un mur perpendiculaire au fond de la cheminée. Durant plus de trois heures, elles s'étaient relayées pour entretenir des flammes bien vives, puis des braises, en ayant soin de surveiller la couleur de la voûte. On pouvait faire cuire le pain et des pâtisseries quand cette voûte, ocre rose à froid, virait au blanc.

Incommodé par la température excessive de la pièce, le pastour avait demandé à sortir. Il s'était assis devant la porte de la maison, mais il écoutait, paisible, les bavardages des jeunes filles et leurs éclats de rire.

La veille, comme l'avait annoncé mademoiselle Gersande, il était tombé une fine couche de neige qui décorait la cité.

— J'espère que papa et Germaine seront un peu en retard, dit Angélina. L'oie commence à dorer, mais l'intérieur doit être encore saignant. Tu dois me trouver bête, Rosette, mais, d'avoir des invités, cela me rend un peu anxieuse. Tu te rends compte ? C'est la première fois que je prépare un repas toute seule, enfin, un repas de fête.

— Comment ça, toute seule ? s'offusqua en riant l'adolescente. Et moi, alors ? Je me croise les pouces, peut-être ?

— Mais non et, sans ton aide, j'aurais servi de la soupe au vermicelle et du fromage blanc au miel, riposta Angélina.

— Ils n'auraient pas été à plaindre non plus, votre papa et sa dame. Ah ! si vous saviez comme j'suis contente ! Depuis des années, Noël, ça signifiait plus rien chez nous. Enfin si, encore plus de chagrin, quand je voyais mes petits frères le ventre creux et sans joujoux. Quand j'entendais sonner les cloches pour la messe de minuit, je montrais le poing au ciel, histoire de menacer le bon Dieu.

— Chut, Rosette, c'est fini, ce temps-là. Tu m'avais promis d'oublier. Ma pauvre petite, je sais bien que tu t'inquiètes sans cesse pour Valentine et tes frères.

Angélina avait obtenu un cercle de pâte bien fine et lisse. Elle le souleva et le disposa au fond d'un moule en fer-blanc. Pendant ce temps, Rosette avait tranché les pommes comme elle le lui avait demandé, en dentelle.

— Faut pas m'en vouloir, m'selle. Je me reproche d'être trop heureuse, ici, et ça me fait honte de penser à ma sœur et aux petiots. Je voudrais qu'ils puissent voir le sapin de Noël chez m'selle Gersande. J'avais jamais rien vu d'aussi beau, moi.

— Henri non plus. Il a frappé dans ses mains. Il était trop mignon, le chéri !

Elle suspendit ses gestes, le temps d'évoquer le minois ébloui de son fils devant l'arbre décoré de sucres d'orge rouges, de pommes de pin peintes en doré, de rubans en papier brillant.

— Demain soir, nous assisterons à l'éclairage du sapin. L'homme n'est jamais à court de trouvailles. J'ai été épatée par ces petites pinces en métal qui soutiennent de minuscules bougies. Et nous dînerons chez notre chère amie !

— J'en mérite pas tant, m'selle Angélina. J'suis pas obligée de venir ; je vous dérangerais.

— Veux-tu te taire ! Tu es la fille la plus courageuse que je connaisse, travailleuse et gentille avec ça ! Octavie et Gersande t'apprécient beaucoup. Tu n'as qu'un défaut...

— Lequel ? demanda l'adolescente d'un ton affolé.

— Tu continues à me donner du m'selle Angélina et à me vouvoyer.

— J'pourrais pas faire autrement ; soyez pas fâchée ! J'suis votre domestique. Vous et moi, c'est pareil à mademoiselle Gersande et Octavie. Je les écoute souvent. Y en a une qui tutoie l'autre et l'appelle par son prénom ; ça, c'est la patronne. Octavie, elle dit « vous » et « mademoiselle »... C'est très bien comme ça et puis ça serait pas correct autrement. Si quelqu'un vient là pour vous rencontrer et que, moi, je vous dis : « Angélina, tu as de la visite », non, ça se peut pas. Vrai, ça sonne mieux ainsi : « Mademoiselle Angélina, vous avez une visite ! »

Rosette avait assorti ces démonstrations de sourires polis et d'une inclinaison de la tête. Amusée, Angélina capitula.

— Très bien, tu as gagné.

Nappée de crème fraîche sucrée, la tarte aux pommes était prête à enfourner. Toute fière, l'adolescente s'en chargea. Elle referma la petite porte en fer du four et revint vers la table en chantant :

Beaucoup de gens vont en pèlerinage,
Beaucoup de gens s'en vont à Bethléem.
Je veux y aller, j'ai assez de courage,
Je veux y aller, si je peux bien marcher.

La jambe me fait mal
Boute selle, boute selle,
La jambe me fait mal,
Boute selle à mon cheval.

Tous les bergers étant sur la montagne,
Tous les bergers ont vu un messager,
Qui leur a dit : « Mettez-vous en campagne »
Qui leur a dit : « Noël est arrivé ! »

Tout en se lavant les mains dans une cuvette en zinc, Angélina se mit à danser d'un pied sur l'autre, tant l'air était entraînant et joyeux. Rosette fit mieux. Elle sautilla tout autour de la pièce en chantant de plus belle, d'une voix bien timbrée, les mains sur les hanches.

— *Qui leur a dit : « Noël est arrivé ! »* reprirent-elles en chœur avant d'éclater de rire.

— C'était ma mère, qui nous chantait ça, dit Rosette. Je m'en souvenais plus, mais, d'être dans votre maison où ça sent si bon, ça m'est revenu.

— Je suis sûre que ta chanson plaira beaucoup à mon pitchoun, affirma la jeune femme en la prenant par le bras. Surtout qu'après les fêtes tu deviens sa nounou. Et mademoiselle Gersande te paiera des gages. Cela me rassure, car Octavie n'est pas toute jeune, et Henri ne tient plus en place.

— Dites, vous croyez que ces sous, je pourrais les envoyer à ma sœur ? Peut-être que si elle avait de quoi, Valentine, elle trouverait le courage de se sauver.

— Si cela te tranquillise, tu pourras lui poster un mandat. Je m'en occuperai, tant que tu ne sais pas encore lire et écrire. Mais tu n'as pas peur que votre père lui prenne l'argent ?

— Non. À Saint-Gaudens, le facteur faisait sa tournée le matin et, le père, il débauchait de la tannerie dans l'après-midi.

— Nous ferons à ton idée, Rosette. Maintenant, au travail. Il faut mettre les pommes de terre à cuire et arroser l'oie avec son jus. Cette bête est mon premier salaire de costosida. Nous devons la traiter avec soin et nous régaler ensuite.

— Je l'arrose à la louche, ou à la cuillère ?

— Avec la louche.

Angélina eut un regard songeur pour la volaille qui rôtissait, embrochée devant le feu. Un grand plat recueillait la graisse suintant par les entailles qu'elle avait pratiquées dans la chair, sur les conseils d'Octavie.

« Oui, mon premier salaire ! se dit-elle. Pour une naissance facile, comme je voudrais en avoir encore beaucoup ! La mère était gaie, confiante, et elle gardait son calme. Le bébé est sorti très vite. Mon Dieu, que ces gens étaient aimables ! Le mari et sa belle-sœur m'avaient préparé une collation et, quand je suis repartie, ils ont promis de me payer avec une oie grasse. »

Elle avait noté dans un cahier la date de cet événement : le 18 décembre 1880. Un homme était venu frapper au portail afin de demander ses services. Par chance, le couple habitait sur la route du village de Gajan et Angélina avait pu profiter de la charrette du futur père.

« J'en aurais pleuré de joie, se remémora-t-elle. J'ai pris la mallette de maman et, une fois là-bas, au chevet de ma patiente, j'ai passé mes instruments à l'alcool et à la flamme, car deux précautions valent mieux qu'une. Je me sentais utile, respectée aussi, même si je craignais de commettre une erreur, car il n'y avait plus de madame Bertin ni de madame Garcia pour voler à mon secours. »

— M'selle Angélina, appela Rosette. En fait, j'ai mis vos patates à mijoter dans le jus de l'oie et j'ai ajouté des gousses d'ail.

— Tu as raison, ce sera encore meilleur. Ah ! qu'est-ce que je ferais sans toi !

— Vous moquez pas, m'selle. Vous feriez quand même plein de choses. Regardez donc ! Vous avez coupé du houx hier et y en a partout, au-dessus de la cheminée, sur la fenêtre… C'est bien joli ! En plus, vous avez votre couture. Ce matin, vous n'avez pas levé le nez du corsage de cette dame.

— Oh ! mon Dieu ! merci, Rosette. Le corsage de madame Faure, j'avais complètement oublié… Elle en avait besoin pour ce soir ! Quelle sotte je fais !

Dans le but de ne pas être à la charge de Gersande de Besnac, Angélina avait repris ses travaux de couture. Cela lui rapportait peu, mais assez pour remplir le garde-manger de quelques denrées peu onéreuses. Contrariée, la vieille demoiselle rusait. Octavie portait souvent rue Maubec de la viande froide, des parts de gâteau, des œufs et des sachets de légumes secs, lentilles, haricots et pois cassés.

— J'ai encore le temps de le lui livrer ! s'écria la jeune fille. Reste au chaud, Rosette. Je vais faire entrer Sauveur ; il ne faut pas qu'il divague. De plus, les Faure habitent la grande maison neuve, à trois cents mètres de la caserne des gendarmes. Si par malheur le brigadier voyait mon chien en liberté, il serait capable de l'abattre.

— Eh oui, je sais bien. Qu'ils sont couillons, ces gendarmes ! s'indigna l'adolescente. Ils vont pas vous chercher des noises pendant cent sept ans, rapport à votre pastour qu'est si bon gardien !

— Rosette, surveille ton langage, sinon, Henri répétera bientôt tous ces vilains mots. Quant aux gendarmes, que veux-tu ! J'ai eu beau leur répéter que c'était un brave chien, ils m'ont conseillé de l'attacher jour et nuit. Enfin, tant pis ! J'en ai pour une demi-heure, si je me dépêche. Tu n'auras qu'à nettoyer la table, à sortir la tarte du four et à mettre le couvert… Zut ! mes bottines sont dans la chambre.

— Mais vous dérangez donc pas, m'selle, protesta Rosette. Je n'ai qu'à y aller, moi ! Je connais l'adresse, vu que je vous ai accompagnée, l'autre matin. D'abord, je cours plus vite que tout le monde, et puis, faut vous habiller mieux que ça pour faire honneur à votre papa, et vous coiffer aussi. Dites oui, m'selle. J'serais si fière de vous rendre service ! Je sais pas comment vous remercier, moi ! Je suis si bien nourrie que j'ai déjà engraissé. En plus, vous m'avez donné deux belles robes, des bas et un châle.

— C'était des vêtements usagés, Rosette, ne me remercie pas.

Elle jeta un regard navré au paquet posé sur le buffet et conclut :

— Non, c'est à moi de faire cette course. Comment j'ai pu oublier ! Madame Faure est une très bonne cliente, et depuis longtemps. Je ne peux pas lui faire faux bond.

Le corsage était soigneusement emballé dans du papier vert, fermé par des épingles.

— J'vous promets que je causerai bien et que je ne traînerai pas. Je serai de retour avant que votre père et sa dame arrivent, insista l'adolescente. Moi, ça me plaît de faire une balade. Vous êtes fatiguée ; je vous ai entendue à six heures du matin, de la chambre. Même que je me suis dit : « M'selle Angélina est déjà debout. »

— C'est une habitude que j'ai prise à l'hôpital. Et je voulais rallumer le feu pour que tu aies chaud en descendant.

Après le premier soir où elles avaient dormi au rez-de-chaussée, elles s'étaient installées toutes deux dans la chambre d'Angélina. Rosette avait son coin, près de la petite cheminée d'angle où trônait le brasero. Sauveur s'était imposé. Il dormait près du matelas de l'adolescente ou au pied du lit d'Angélina.

Augustin, qui venait chaque jour ouvrir son atelier, leur avait dit que c'était une bonne idée.

— Vous économisez du bois et du charbon, et ça me rassure de savoir le chien avec vous, avait-il déclaré.

— Et nous pouvons bavarder, une fois la chandelle éteinte, avait répliqué sa fille.

La présence de Rosette rassurait le cordonnier. Angélina n'avait guère eu de camarades ni d'amies dans son enfance, non plus que lorsqu'elle était devenue jeune fille. Il se montrait donc bienveillant avec la nouvelle venue et s'acquittait des tâches les plus pénibles, comme fendre du bois, tirer de l'eau, curer le fumier de l'écurie.

— Alors, m'selle, vous me permettez d'y aller ? interrogea de nouveau Rosette. Ou bien, c'est que vous avez honte de moi ?

— Mais non, voyons !

— Vous croyez que j'vais me sauver avec l'argent de la dame ?

L'adolescente avait posé la question d'une petite voix triste. Son visage se crispait, au bord des larmes. Angélina caressa la joue de sa protégée.

— Comment oses-tu penser ça de moi ? Je te fais entièrement confiance, je te l'ai prouvé. Bon, si cela te fait autant plaisir, c'est d'accord, mais je vais te prêter mon manteau. Le vent souffle et il doit neiger. Je ne veux pas que tu prennes froid. Et tu seras toute belle.

Angélina décrocha de la patère la redingote neuve que Gersande lui avait offerte. Elle habilla elle-même sa commissionnaire, muette de stupeur.

— La toque à voilette et le manchon, cela te va à ravir. En fait, tu as presque la même taille que moi, juste un peu plus petite. Tu peux relever le col de fourrure ; c'est de la martre. Et voilà ! Mademoiselle Rosette, vous êtes magnifique...

L'adolescente riait en silence. Son cœur battait fort d'une émotion immense. En revêtant cet élégant manteau, elle se sentait une autre fille, passée par magie dans un univers chaud et lumineux dont elle n'aurait même pas osé rêver. Elle en était transfigurée, et son regard brillait, alors que sa bouche restait entrouverte sur son extase intérieure.

— Ne tarde pas, il fait déjà nuit, soupira Angélina. Et reviens tout de suite, sinon je vais me tracasser. Tu ferais peut-être mieux d'amener Sauveur. Papa m'a fabriqué une laisse qu'on peut attacher à son collier.

— Je préfère que le chien reste avec vous, répondit Rosette. S'il lui prend l'envie de faire des siennes, j'saurai pas le retenir et, vu qu'il neige, je risque de glisser et de salir votre beau manteau, de même que le paquet pour votre cliente. Faut pas avoir peur, m'selle, j'ai pas eu d'ennuis du côté de Luchon ; pourtant, j'étais toute seule pendant deux mois, la nuit et le jour. J'serai revenue que vous aurez même pas commencé à mettre le couvert.

— Oh oui, je sais bien. Va vite, referme le portail derrière toi, mais pas à clef, c'est inutile. Je laisserai Sauveur dans la cour.

Rosette cala le paquet sous son bras droit afin de glisser ses mains dans le manchon fourré. C'était une sensation exquise, que la douceur des poils de martre sur ses doigts. Angélina l'escorta jusqu'à la porte. Avant de sortir, l'adolescente hésita.

— M'selle, dites, est-ce que je peux vous biser ? Vous êtes si bonne pour moi !

— Bien sûr !

Elle tendit sa joue droite. Elle reçut un léger baiser qui eut le don de la bouleverser. C'était la première marque d'affection de Rosette.

Angélina dut retenir le pastour par son collier. Le grand chien aimait la neige et il avait essayé de filer.

— Non, Sauveur ! Sois sage, nous irons en promenade demain.

Elle rentra vite pour ne pas gaspiller le temps précieux que l'adolescente lui faisait gagner. En un tournemain, elle sortit la tarte du four, satisfaite de son aspect doré, le sucre ayant caramélisé, et elle la disposa sur un plat rond, entre les deux bouquets de houx qui ornaient le dessus du buffet.

L'ouvrage ne manquait pas. Angélina nettoya la table à l'aide d'un chiffon humide, sans omettre d'arroser l'énorme volaille qui dégageait une odeur appétissante.

« Je dois laver la salade et faire une sauce vinaigrée, se disait-elle. Ensuite, je monterai dans ma chambre me brosser les cheveux et changer de robe. »

Tout en s'affairant, elle réfléchissait. « Je voudrais bien avoir une autre patiente avant la fin de l'année. Les bébés qui naissent à la fin de décembre ont été conçus au printemps, à l'époque de la sève montante, des premières fleurs au bord des talus, violettes et boutons d'or. Mais peut-être qu'on ne fera pas appel à moi. Il paraît que la matrone du hameau de Moulis s'attire les bonnes grâces des femmes en couches à cause des sorts, censés éloigner le diable, qu'elle prononce en frottant leur ventre avec une huile bénite. Quelles fadaises ! »

Elle remuait les morceaux de pommes de terre enduits de graisse pour parfaire leur cuisson. La chaleur intense du feu la fit reculer.

« Enfin, j'aurai au moins une patiente au mois de mars. Samedi, quand je suis allée au marché de Saint-Girons avec Octavie, Blaise Seguin m'a annoncé que son épouse était enceinte et qu'il comptait sur mes talents pour mettre au monde son fils, car, évidemment, ce genre d'homme exige un petit gars de la providence. À ce propos, j'ai promis d'examiner sa femme à la mi-janvier. Elle serait déjà si grosse, d'après lui, qu'elle a du mal à se mouvoir et demeure alitée. Ce n'est pas très bon signe. »

Angélina ne revoyait jamais le bourrelier sans un frisson de dégoût rétrospectif. Cependant, on le disait moins querelleur et assagi depuis ses noces.

« Bah ! Il lui fallait une femme tous les soirs près de lui. Par bonheur, ce n'est pas moi. Mon Dieu, il voulait vraiment m'épouser. »

Cela lui arracha une grimace ironique. Elle prit un bol et y versa de l'huile de noix et du vinaigre de vin. Elle entreprit d'ajouter des échalotes hachées. L'opération la fit pleurer.

« Si papa n'avait pas eu ces échalotes dans la salade, il m'aurait fait grise mine. Maintenant que Germaine lui prépare de bons repas, j'ai intérêt à être à la hauteur. Maman n'était pas plus douée que moi aux fourneaux. Elle n'avait pas le loisir de cuisiner ; elle était toujours partie, ce qui n'est pas encore mon cas. J'espère qu'on finira par me demander un peu partout, si j'acquiers une sérieuse renommée de costosida. En attendant, je continuerai à accepter des travaux de couture. Je n'ai pas le choix. »

Elle avait refusé avec fermeté le soutien financier de Gersande de Besnac, qui proposait de lui allouer une certaine somme d'argent.

— Ce sera un prêt, petite ; tu me rembourseras plus tard, suppliait-elle.

— Je ne pourrai pas vous redonner le moindre sou et vous le savez parfaitement, rétorquait-elle. Je suis déjà assez confuse de vous avoir fait dépenser une fortune pour ma garde-robe.

Cette fameuse garde-robe, confectionnée en vue de son séjour à Luchon et d'éventuelles autres festivités, pesait sur la conscience d'Angélina. Le cocher de Gersande avait récupéré la lourde malle le lendemain de son retour. Elle restait fermée sur le palier, tel un rappel constant de son coup de tête… et, par la même occasion, de Philippe Coste.

« Est-ce qu'il me déteste vraiment ? s'interrogeat-elle, les yeux irrités par les échalotes. Quand même, il n'aurait pas dû se jeter sur moi et me prendre ainsi, sans tendresse. Il avait tout d'un soldat en campagne qui force une fille au bord d'un chemin. Mais je m'en moque, c'était le prix à payer pour être libre. Tant pis s'il me méprise ! Je crois que je ne l'aimais pas assez. »

Elle était loin d'imaginer qu'à la même heure le médecin planchait sur une lettre qui lui était destinée et dont il n'était jamais content ; preuves en étaient les nombreuses boulettes de papier jonchant le parquet autour de lui. Assis à un secrétaire en marqueterie, le docteur Coste, un porte-plume à la main, relisait à mi-voix ce qu'il venait d'écrire.

Dehors, il neigeait, les cloches de l'église sonnaient.

Angélina,

C'est bien à regret que je ne peux me résoudre à vous dire : « Ma très chère Angélina », mon cœur et mon âme étant encore profondément blessés par votre conduite. Si je peux accepter certains défauts typiquement féminins, je ne supporte pas le mensonge, non plus que la sournoiserie. Je vous aurais préférée coquette, dépensière, voire intrigante, plutôt que dissimulatrice et rusée.

Quinze jours se sont écoulés depuis votre départ, qui n'est pas en votre honneur. C'était bien lâche de vous enfuir avant l'aube sans chercher à me revoir ni à prendre congé de ma mère et de ma sœur.

Hélas ! vos aveux honteux et votre veulerie, tout en peinant Marie-Pierre, si indulgente et affectueuse, ont donné raison à mon beau-frère Didier, qui m'exhortait à la méfiance. Un peu plus et ma sœur vous défendait quand j'ai dû expliquer les véritables causes de notre rupture.

Cependant, j'ai eu soin de ne pas révéler l'existence de votre bâtard, car bâtard il est et bâtard il restera, même si votre amie Gersande a eu la bonté de l'adopter et de lui donner un nom. Dieu m'a épargné et je l'en remercie, puisque j'ai la certitude que vous auriez réussi à me faire élever cet enfant un jour ou l'autre, votre prétendu filleul.

Enfin, je ne vais pas étaler mes griefs sur des pages et des pages. Je tenais seulement, par la présente lettre, à vous présenter mes excuses. En effet, rien ne saurait justifier mon comportement avec vous, le soir où j'ai su la vérité sur votre passé.

J'ai abusé de mes prérogatives de mâle, je vous ai violentée et, croyez-le, j'en suis navré et je vous demande pardon. Certes, la fureur me brouillait l'entendement, je ne me dominais plus, mais le remords est là, jour et nuit, et vous l'avouer est une façon de m'en libérer.

En aucun cas je n'avais à agir de la sorte. Parfois, je me pose une question. Pourquoi ne vous êtes-vous pas débattue ? Sans doute par peur de causer un scandale... Ou bien est-ce dans votre nature, de céder au désir de tout homme un peu brutal ? Quoi qu'il en soit, ce n'est pas un bon souvenir pour moi, ni pour vous, je suppose.

Malgré ma rancœur et mon immense chagrin, je vous adresse mes vœux pour l'année 1881.

Philippe

Le docteur Coste froissa cette lettre-là aussi, qu'il jugeait insultante pour Angélina. Furibond, exaspéré, il ramassa les précédents brouillons et jeta le tout dans la petite cheminée où vivotaient deux bûches de chêne comme feu d'agrément, la villa familiale possédant le chauffage central.

« Je lui écrirai l'an prochain, quand je serai calmé ! se dit-il. Une simple carte de vœux… Non, je tiens à lui exprimer encore une fois mon indignation et le désespoir où je suis, par sa faute. Seigneur ! plus rien ne m'intéresse, je tourne en rond comme un fauve en cage. »

Désemparé, Philippe s'assit au bord de son lit. Il entendit une de ses nièces qui jouait du piano dans le salon, sûrement Eugénie, la plus douée. L'instant suivant le chien de sa mère se mit à aboyer. Il y eut des cris et des rires.

« La vie continue, pensa-t-il en observant les feuilles qui se consumaient. Le 2 janvier, je repars pour Toulouse et, là-bas, je chercherai partout, dans les couloirs et dans les salles, la gracieuse silhouette d'Angélina. Mon Dieu, elle me manque tant ! Comment envisager l'avenir sans elle ? Nous étions fiancés, bon sang ! Et c'est fini. Si seulement elle m'avait confié ses erreurs passées dans d'autres conditions ! Un soir où nous aurions été ensemble, dans un fiacre ou dans un jardin. Elle se serait blottie contre moi en larmes, pour implorer ma clémence, mon pardon. Au début, j'aurais été choqué, furieux sûrement, mais peut-être que, apitoyé par sa détresse et sa honte, je serais parvenu à lui pardonner. Hélas ! non ! Je la vois encore, très digne, très froide, me jetant à la figure qu'elle avait aimé un autre homme. De surcroît, elle a eu l'audace de me présenter l'enfant né de cette liaison comme son filleul. Ciel, quelle hypocrite ! Je ne me rappelle pas l'avoir vue rougir ou bredouiller pendant qu'elle tenait ce petit garçon sur ses genoux. »

Il se leva et alla appuyer son front à la vitre. Le parc nappé de neige fraîche avait une allure romantique, féerique.

— Mais j'ai le double de son âge, marmonna-t-il. Je suis affublé de lunettes, et grisonnant, comme disent mes nièces. Et j'ai cru qu'une fille aussi jeune et belle qu'Angélina pouvait m'aimer sincèrement. Quel imbécile je suis ! Elle avait besoin de mon appui pour obtenir son diplôme, en dépit de ses frasques et de son indiscipline.

Accablé de tristesse, il soupira. Au fond, il savait bien qu'il se mentait à lui-même.

« N'importe quelle femme sûre de son pouvoir aurait sauté sur l'occasion d'épouser un médecin fortuné. Emporté par la passion, fou de désir, je n'aurais peut-être pas prêté attention à sa prétendue virginité, le soir de notre nuit de noces. J'ai examiné des pucelles dont l'hymen semblait défloré et souple. Je dois oublier, oui, oublier Angélina, son regard d'améthyste, ses sourires, le parfum de sa peau, ses cuisses si douces, son ventre… Et c'est curieux, pour une rousse – car, même si ses cheveux sont très foncés, elle est bel et bien rousse –, elle n'a pas de taches de rousseur. Son teint est clair et ravissant. »

Le cœur serré, il reprit sa place devant le secrétaire. Sa plume courut sur le papier.

Angélina, ma chérie,

Jamais je ne pourrai me résigner à vous perdre, malgré toute cette colère que je garde en moi. Certes, vous m'avez honteusement menti, par peur de ma réaction, je le conçois, et moi, de mon côté, j'ai abusé de vous à l'égal d'un rustre et, croyez-moi, j'en éprouve du remords. Pardonnez-moi comme je vous pardonne, à l'approche de Noël.

Nous aurions pu être si heureux, tous les deux ! Je vous supplie de me répondre.

Votre Philippe

Soulagé, le docteur Coste s'empressa de plier la feuille et de la mettre sous enveloppe. Une heure plus tard, le cocher allait poster la lettre.

*

Pendant ce temps, Rosette marchait d'un pas énergique sur la route en pente douce menant à Saint-Girons. Elle avait dépassé la place du foirail et ses tilleuls dénudés par les vents d'hiver. L'orgueilleuse petite cité médiévale n'avait plus aucun secret pour l'adolescente, à peine deux semaines après son arrivée chez Angélina.

Cette escapade imprévue la grisait. Ivre d'une joie enfantine, elle avançait au sein d'un décor déjà cher à son cœur, embelli ce soir-là par une neige duveteuse qui enrobait la moindre brindille d'un blanc scintillant.

— Je suis m'selle Angélina, en toque et voilette, les mains au chaud dans mon manchon, chon, chon ! fredonnait-elle tout bas quand elle était sûre de n'avoir aucun témoin.

Rue des Nobles, Rosette avait croisé le sonneur de cloches, Saturnin. Il l'avait prise pour Angélina, sous sa voilette en tulle mordoré, sûrement à cause du manteau dont la coupe, le tissu et les parements en fourrure attiraient l'attention.

— Eh non, ce n'est pas m'selle Loubet, je suis sa servante, l'avait-elle démenti gentiment.

Place de la fontaine, deux messieurs en costume noir et haut-de-forme l'avaient saluée d'un signe de tête.

« Ils pensaient que j'étais une dame, une jeune et belle dame », s'était-elle dit, toute fière.

Ce fut donc envahie par un sentiment d'euphorie qu'elle sonna enfin à la porte des Faure, une riche famille de papetiers, tout en s'exhortant à être très polie, à s'exprimer de façon correcte. Mais elle se trouva nez à nez avec une domestique vêtue de noir, en tablier et coiffe d'un blanc immaculé.

— Bonsoir ! Je livre le corsage de madame votre patronne, de la part de mademoiselle Loubet ! déclarat-elle plus fort qu'elle ne l'aurait voulu.

— Très bien, entrez, répliqua la bonne. Je croyais que c'était mademoiselle Angélina en personne. Vous n'êtes pas obligée de crier ainsi.

— Je suis désolée, murmura Rosette, confuse.

— Madame est occupée. Patientez ici, je reviens vous payer, ajouta la femme, la mine pincée, en lui prenant le paquet des mains.

L'adolescente retint un soupir. Elle resta prudemment sur le paillasson, ce qui ne l'empêchait pas d'observer les lieux. C'était une profusion de cadres dorés sur les murs tendus de velours vert, du carrelage en damier noir et blanc au sol et, en enfilade, des portes vitrées derrière lesquelles on devinait d'autres merveilles, des lustres étincelants, des meubles cossus.

« Ce que c'est beau, boudiou ! s'étonna-t-elle. Sûr, ils sont riches, ceux-ci, bien plus encore que mademoiselle Gersande. »

La bonne réapparut presque aussitôt. Elle tendit une pièce d'un franc à Rosette qui la remercia.

— Bonne soirée à vous, ajouta-t-elle.

Son accent du Midi et ses manières un peu maladroites ne concordaient pas avec son élégance.

— Bonne soirée, mademoiselle, répliqua cependant la domestique en lui ouvrant la porte.

Rosette descendit les marches du perron et fut surprise par une bourrasque de vent glacé. Le temps se gâtait. Elle eut un coup d'œil amical pour le bec de gaz qui se dressait à une cinquantaine de mètres, entre la maison des Faure et la grosse bâtisse abritant la gendarmerie.

— Dommage, le prochain lumignon, c'est celui du foirail, en bas de la cité, chuchota-t-elle. Heureusement que j'ai une bonne vue et que j'ai pas peur la nuit !

Cela équivalait à parcourir plus de cinq cents mètres dans une obscurité relative, le tapis neigeux dégageant une vague luminosité. Elle se mit en chemin, pressée de rentrer rue Maubec et de se retrouver près d'Angélina. Un fiacre la dépassa. Le cheval allait au grand trot, si bien que les roues projetaient des éclaboussures alentour.

— Et zut ! Saleté de canasson ! Le manteau doit être tout sale !

Afin d'éviter que l'incident ne se reproduise, Rosette choisit de marcher dans l'herbe du pré qui longeait la route, à bonne distance de celle-ci.

Quelqu'un l'observait, attentif à ses moindres mouvements. C'était un homme engoncé dans une épaisse pelisse, un chapeau à large bord enfoncé jusqu'au milieu du front. Lui aussi avait la certitude qu'il s'agissait de la belle Angélina Loubet. Il l'avait vue quitter la demeure des Faure et il la suivait le plus discrètement possible. Cette traque silencieuse l'exaltait ; c'était le moment qui décuplait ses instincts de chasseur. Pister le gibier, le débusquer sans se montrer, guetter l'instant propice à l'attaque… La première fois, il avait juste quinze ans, et c'était dans les bois, sur la colline de Montjoie, au début de l'automne. Son père lui avait prêté son fusil en lui faisant promettre de rapporter des perdrix, ou bien un lièvre.

Mais, à la lisière des vieux chênes se trouvait Amélie Bernou, une gosse de treize ans qui gardait ses brebis. Elle était rousse et bien en chair. Ils avaient plaisanté. Le soleil tapait. Amélie ne portait qu'une chemise en lin dont le col dévoilait des seins déjà formés.

Il s'était vite éloigné, le corps parcouru par un désir primaire qui le faisait transpirer. Au crépuscule, il l'épiait encore, caché derrière un arbre. Avant de regagner la ferme de ses parents, elle avait relevé sa jupe pour uriner et, lui, il avait eu la vision de ses jambes robustes, de ses cuisses et de ses fesses. Alors, tout s'était brouillé dans son esprit. Il s'était décidé à la suivre sans trahir sa présence et, quand Amélie avait dû traverser un bois de sapins où il faisait très sombre, il s'était rué sur elle. Son chien, un petit berger des Pyrénées, il l'avait assommé d'un coup de crosse. Il voulait la forcer, découvrir le plaisir de la possession virile, mais elle criait et se débattait. Une pierre en pleine face avait suffi à la faire taire et, par prudence, il l'avait étranglée. Puis excité, affolé, il avait pu enfoncer son sexe en elle. C'était étroit, chaud, de quoi s'acharner jusqu'à l'explosion de la jouissance, de la semence délivrée.

Cela datait de l'année 1862. Personne n'avait jamais su qui avait tué Amélie Bernou.

Rosette apercevait un halo jaune au loin. Cela lui redonna de l'entrain. Elle serait vite arrivée, à l'allure où elle marchait.

« Ce n'est pas très rassurant, ce noir partout ! songeat-elle. Je vois même pas ce qu'il y a sur la droite ! Des prés qui grimpent vers les collines, je crois ; à gauche, encore des prés, surtout cette grande pâture qui descend à la rivière, et des haies d'aubépine et de saules. »

Elle était venue avec Angélina en plein jour et, pour s'amuser, elle essayait de se souvenir du paysage. Soudain, elle tendit l'oreille, certaine d'avoir perçu un bruit en arrière, comme une pierre qui dégringolerait sur une pente caillouteuse.

« Peut-être un autre fiacre qui va débouler ! se dit-elle. Reste à souhaiter que m'selle Angélina conduise pas si vite. »

Elle s'illumina d'un grand sourire malicieux. La veille, Gersande de Besnac l'avait mise dans la confidence.

— Rosette, tu dois nous aider pour le cadeau de Noël que j'ai acheté à Angélina. Il me sera impossible de le placer sous le sapin. Aussi, j'aurai besoin de toi. Je lui offre un cabriolet et une jument bien docile. Mon cocher, Alphonse, conduira la voiture et le cheval dans l'écurie de la rue Maubec. Il faudra que tu ne fermes pas à clef quand vous viendrez dîner. Arrange-toi pour sortir en dernier de la cour.

Flattée d'une telle preuve d'estime, l'adolescente avait promis de faire au mieux.

« Oui, elle aura une belle surprise, m'selle, pensat-elle encore, ravie. Mais faut pas que je vende la mèche ! Ça va être dur de tenir ma langue pendant tout le repas, parce que, mademoiselle Gersande, elle voudrait que notre Angélina trouve le cabriolet après la messe de minuit, quand on rentrera se coucher toutes les deux. J'serai bien obligée d'y aller, à la messe ! »

Rosette avait envie de frapper dans ses mains comme le petit Henri, mais elle se retint. Cette fois, quelqu'un marchait dans la nuit sur ses talons. Elle virevolta, plus curieuse qu'apeurée. Une forme massive lui apparut, sûrement un homme. Tout de suite, il la bouscula et la saisit par un bras.

— Alors, Angélina ? Je savais bien que je finirais par t'avoir, sale garce ! Ne crie pas, t'es prévenue. Si tu gueules, je réponds plus de moi. J'te ferai pas de mal, à toi, rien que du bien.

— Mais t'es cinglé, gros porc ! riposta Rosette, accoutumée à se débarrasser des ouvriers de la tannerie qui la coinçaient souvent dans un coin du hangar. Me touche pas, t'entends, barre-toi ! Et t'as pas intérêt à causer comme ça de ma patronne !

D'abord désemparé de s'être trompé, Blaise Seguin ne lâcha pas prise. Il resserra ses doigts noueux sur la taille de Rosette.

— Qui tu es ? éructa-t-il. Ah ! je sais ! Tu serais pas la jolie brunette qu'elle a engagée, Angélina ?

— Fiche le camp ! hurla l'adolescente. Moi, j'te connais pas, mais tu pues la vinasse.

Furieuse, mais envahie par un début de panique, Rosette frappa le bourrelier au hasard avec ses poings menus. Il eut un rire bas, rauque, effrayant.

— Faute de grives, on mange des merles, marmonnat-il. Hein, poulette, ce que tu gigotes, dis donc !

Il la plaqua contre lui. Son sang s'échauffait et cognait à ses tempes. La mauvaise fièvre courait dans ses veines. Il chuchota à l'oreille de la jeune fille :

— Je suis pas si méchant ; ça me prend comme ça. Angélina, je l'ai demandée en mariage. Son père m'a ri au nez et elle, c'était pire. Si tu l'avais vue me traiter de haut, la garce, me narguer ensuite, chaque fois que je l'approchais ! Fallait bien que je me venge, rapport au coup de genou dans mes parties ! Une salope, j'te dis, qui pète plus haut que son cul. C'est à cause d'elle, tout ça, ouais !

La respiration de Seguin ressemblait à un soufflet de forge. Dotée d'une intelligence instinctive, habituée aussi à côtoyer des brutes avinées, dont son propre père, Rosette avait tout compris. Elle le griffa en appelant au secours de toutes ses forces, d'une voix stridente.

Ce fut une erreur. Le bourrelier la contourna et plaqua une main sur sa bouche pour la faire taire. De l'autre, il la souleva et l'entraîna dans le pré en contrebas. Elle eut beau se débattre avec l'énergie du désespoir, il avait la force d'un taureau en rut.

« Faut pas m'insulter, moi, se répétait-il. Faut pas se foutre de ma gueule non plus. »

Il emportait sa proie, pareil à une bête sanguinaire qui aurait frémi dans l'imminence de la mise à mort. En pleine confusion, il ne pouvait plus ruser ni se montrer prudent. La raison lui revenait après, une fois le crime accompli. Il en avait été de même pour Amélie. Ses parents ne s'étaient rendu compte de rien. Lui, de son côté, il avait évité de se promener seul et il fuyait les filles par précaution. Ensuite, il était parti au service militaire plusieurs années. La guerre contre les Prussiens avait éclaté, et Blaise Seguin, sur le front, en avait vu, des cadavres, des corps disloqués et ensanglantés. Il s'était dit qu'au fond, avoir tué Amélie Bernou n'était pas si grave. Soldat parmi les soldats, il avait violé comme les autres et coupé des têtes au fil du sabre.

À son retour, son père l'avait admiré, le prenant pour un héros. Mais pas les filles du pays. Surtout pas la belle Angélina Loubet. Celle-là, elle avait éveillé un sentiment inconnu en lui, plus douloureux que le désir. C'était proche de l'amour, dont il ignorait les pièges. Seguin se persuadait qu'il se conduirait bien, s'il épousait Angélina. Elle le guérirait en flattant son orgueil d'homme laid et grossier. Aussi, malgré l'échec cuisant qu'il avait essuyé, il n'avait pas pu s'empêcher de rôder dans son sillage. Elle étudiait à Toulouse ? Le bourrelier décidait d'acheter du cuir là-bas, et non plus à Saint-Gaudens. Et il y avait eu ce jour du mois de juin où il flânait au bord du canal en compagnie d'un autre commerçant. Il faisait chaud, et les deux hommes avaient beaucoup bu, à table. Sur la berge voisine, ils avaient observé des jeunes filles en robe claire qui riaient et s'amusaient. Seguin avait reconnu Angélina, et son cœur de brute avait battu comme un fou. Le soir, il avait traîné devant l'hôtel-Dieu Saint-Jacques, jusqu'à l'heure tardive où Lucienne Gendron en sortait pour courir à un rendez-vous galant.

Le démon de la chasse l'avait terrassé à nouveau, sur les traces de cette autre beauté aux seins arrogants et aux cheveux noirs, qui l'avait gratifié d'un regard méprisant. Elle n'avait pas résisté longtemps. Il lui avait brisé le cou, tout simplement, et il s'était débarrassé du corps. Le soir de la Saint-Jean, à Biert, il avait cédé au même besoin lancinant de forcer une créature innocente après avoir suivi Angélina dans les ruelles sombres. Bien que marié à Céleste, une union arrangée par son père à lui, il voulait toujours la demoiselle Loubet. Sans ce maudit pastour, il l'aurait enfin possédée, meurtrie, humiliée et tuée. Marthe avait payé le prix fort, pour avoir croisé le bourrelier sur la route de Massat. Il dormait là-bas, à l'auberge du Coq d'or, sa cousine d'Encenou n'ayant pas de place pour l'héberger.

À présent, Angélina lui échappait encore. Pourtant, il était certain que c'était elle, à cause de ce manteau luxueux qu'elle portait le samedi précédent, au marché.

Rosette trouva le courage de mordre la main qui écrasait sa bouche. Vite, elle hurla de nouveau. Tout se mêlait dans sa tête. Cela pouvait-il se terminer ainsi ? Ne s'était-elle préservée, avec vaillance et obstination, contre le père indigne qui avait mis sa sœur dans son lit et lui avait fait deux enfants, que pour mourir par une nuit froide, avant ou après avoir été violée par un salaud de la pire espèce ? Il la jeta par terre et tomba à genoux. Elle voulut profiter du bref instant où il l'avait lâchée pour s'enfuir à quatre pattes, mais Seguin la rattrapa par une cheville et la ramena vers lui comme si elle n'était qu'une poupée de chiffon.

— T'as le diable au corps, toi ! grogna-t-il. J'vais t'apprendre !

Il noua ses mains autour de son cou et serra. Privée d'air, Rosette perdit connaissance, sans même avoir eu le temps de comprendre tout à fait son infortune.

Rue Maubec, même heure

Angélina inspectait sa cuisine d'un air satisfait. La pièce était propre, en ordre, toute pimpante grâce aux bouquets de houx et à la clarté joyeuse du feu. Elle avait retiré le plat en fer contenant les pommes de terre pour le mettre dans le four à pain, ce qui achèverait de cuire les légumes et les garderait au chaud. L'oie rôtissait lentement, mais elle devait tourner la broche à intervalles réguliers. Chaque fois qu'elle piquait la chair de la pointe d'un couteau, un jus rose perlait encore.

— La viande doit être brune, fondante… Ce sera à point pour le repas. Papa et Germaine viennent à sept heures.

Avant de monter dans sa chambre se coiffer et changer de robe, elle consulta la petite horloge ronde accrochée au-dessus du buffet.

— Rosette va arriver d'ici dix minutes environ, calcula-t-elle à voix basse, sachant exactement le temps nécessaire pour l'aller et le retour. Si elle ne traîne pas en chemin…

Le vent soufflait fort, déferlant sur la cité depuis la plaine qui, au nord, s'étendait jusqu'à Toulouse. Malgré l'épaisseur des murs, Angélina en devinait les assauts.

« Dieu merci, j'ai prêté mon manteau à Rosette, se félicita-t-elle. Il est si chaud, elle ne sentira pas le froid. Je parie que demain matin il gèlera. »

Renonçant à ses projets de coiffure, Angélina retourna au coin de la cheminée. Elle aurait tout loisir de veiller à son apparence quand l'adolescente serait rentrée. Malgré la douce atmosphère qui régnait dans sa maison natale, elle luttait contre une vague appréhension. « C'est plus fort que moi, se reprocha-t-elle. En imaginant Rosette seule, à la nuit tombée, voilà que je repense au sort tragique de Lucienne et de Marthe, même s'il n'y a eu aucun autre crime dans la région depuis l'été. Cela me paraît à la fois lointain et très récent. Sans doute parce que j'ai été mêlée à ces drames affreux ? Mais les journaux n'en parlent plus, ni la gazette. Et les dernières lignes que j'ai lues à ce sujet fin août avançaient la possibilité que les deux meurtres ne soient pas le fait du même homme, malgré des points communs indéniables. »

Néanmoins, un des coupables présumés demeurait Luigi, dont l'évasion avait tenu lieu d'aveux. « Tout l'accusait, mais je ne parviens plus à le croire capable de tels actes, se dit-elle. Je peux toutefois me tromper. Il faut souhaiter, bien égoïstement, que le tueur ait quitté la région, et qu'il n'y revienne jamais, que ce soit Luigi ou quelqu'un d'autre. Pour l'instant, j'ai tort de m'inquiéter. Il est encore tôt, il y a des gens dehors et notre maire a fait installer deux becs de gaz supplémentaires. Hélas ! ce sont les journées les plus courtes de l'hiver et la route de Saint-Girons est mal éclairée. »

Elle soupira et tendit l'oreille dans l'espoir de surprendre, en dépit de la farouche chanson du vent, un pas rapide sur les pavés de la cour.

— Je vais regarder dans la rue, décida-t-elle en cédant à une angoisse irraisonnée.

Elle alluma une lanterne, s'enveloppa de son châle et sortit.

— Sauveur ? Où es-tu, mon chien ? appela-t-elle. Sauveur ? Oh non, le portail était mal fermé. Il est parti. Flûte !

Elle se glissa dans l'entrebâillement et scruta la rue. Il n'y avait personne en vue, ni Rosette ni passant, encore moins de pastour. Entre deux rafales, la jeune femme crut entendre des aboiements étouffés par la distance.

— Où est-il allé courir ?

La veille, son père l'avait prévenue : la chienne du forgeron était en chaleur et il fallait redoubler de vigilance. Exaspérée, Angélina courut vers le clocher-porche. « Maintenant que je suis dehors, autant avancer à la rencontre de Rosette. Avec un peu de chance, elle aura croisé Sauveur. »

La fine couche de neige qui nappait les pavés commençait à verglacer. Angélina remarqua des empreintes de belle taille que seul le pastour avait pu laisser. Elle les suivit, mais la peur de faire une mauvaise chute l'obligea à ralentir. Parvenue en bas de la rue des Nobles, elle distingua à nouveau des aboiements assez lointains. La place de la fontaine était déserte.

— Rosette ? Sauveur ? s'écria-t-elle, de plus en plus anxieuse.

Il se passait quelque chose d'anormal. Angélina en eut l'intime conviction. Une indescriptible angoisse atteignait chaque fibre de son être. Elle s'élança vers le bassin en marbre qu'elle contourna pour couper au plus court et rejoindre la route menant à Saint-Girons. Son pied droit dérapa et elle tomba de tout son long. Un homme sortait de la cathédrale. Il la vit qui se relevait et se précipita.

— Angélina !

— Papa ! Oh ! papa ! gémit-elle, une fois debout.

— J'étais à confesse. Mais toi, qu'est-ce que tu fiches ici, sans manteau ? Il gèle, ma pauvre petite !

— Sauveur s'est échappé ; je voulais le retrouver. Et je ne suis pas tranquille : Rosette a insisté pour livrer son corsage à madame Faure et je pensais la croiser. Elle tarde trop, papa.

— Enfin, il n'y a pas de quoi t'affoler. Elle a très bien pu traverser le foirail et remonter par la ruelle du bureau de poste. Le plus ennuyeux, c'est que ton pastour traîne dans la cité. Si seulement tu l'attachais !

Angélina haussa les épaules. Elle redoutait bien autre chose, tous ses sens étant en éveil. Cela la ramena à cette nuit de la Saint-Jean, dans les rues de Biert, où elle avait eu la prescience d'une menace. Mais Sauveur était arrivé à temps. De nouveau, elle entendit aboyer. Affolée, elle secoua son père par le bras.

— Écoute, papa, écoute bien, ça recommence. Un chien aboie, et quelqu'un crie, on dirait ! Je ne rêve pas. Tu entends, toi aussi ?

— *Foc del cel !* Oui, j'entends ! Ta fichue bête doit encore faire des siennes.

— Je t'en prie, viens, allons voir, et tiens-moi bien, que je ne glisse pas.

Le cordonnier était chaussé de gros godillots munis de crampons. Il les portait chaque hiver depuis plus de douze ans. C'était du solide, cousu par ses mains dans du cuir de bœuf. Cramponnée au bras de son père, Angélina put dévaler avec lui la route enneigée en pente douce.

— *Diou mé damné !* Il se passe du vilain quelque part. Regarde, tu vois ces lumières ! On dirait des lanternes, là-bas, dans le pré, à notre droite.

Des bruits leur parvenaient avec un inquiétant mélange de grognements et de clameurs humaines. Alarmés, ils coupèrent à travers champs.

Blaise Seguin n'avait pas compris qu'il était perdu quand une masse de muscles et de poils s'était jetée sur lui. Pareil à un animal enragé, Sauveur l'avait mordu dès la première attaque, lui arrachant un morceau de joue. La douleur atroce obligea le bourrelier à lâcher Rosette pour se défendre.

Mais lutter contre un pastour de grande taille, dans le vent et l'obscurité qui s'épaississait, n'était pas facile. Seguin cognait à poings fermés sur le crâne de la bête en espérant l'assommer, mais il se fatiguait en vain. Et Sauveur ne lâchait pas prise, jouant des crocs là où il pouvait atteindre la chair, aux poignets et encore au visage. Cet homme-là, il s'en méfiait depuis longtemps, sachant d'instinct qu'il s'agissait d'un prédateur. Des générations de chiens de berger dont il était issu avaient aiguisé sa perception du danger. Les loups, les ours, il en pressentait l'approche et il lui appartenait ensuite de les débusquer pour les éloigner du troupeau. Depuis des siècles, tous les pastours des Pyrénées s'étaient acquittés de cette tâche à coups de dents, également par leur seule présence imposante, assortie d'aboiements profonds d'une sonorité grave, qui pouvaient suffire à faire fuir les intrus.

Les gens des montagnes appréciaient cette race pour ses qualités, et certains bergers avaient coutume de placer les chiots parmi les brebis et les agneaux dès leur plus jeune âge.

— Le troupeau devient sa famille, au pastour, avait expliqué un jour Jean Bonzom à Angélina. Mais, à défaut de moutons, si l'animal vit chez les hommes, il garde le même comportement et il est prêt à mourir pour sauver son maître. Cela dit, ma nièce, ces chiens-là, y a pas beaucoup de personnes capables de les combattre, à moins d'avoir un fusil et de s'en servir.

La jeune femme crut entendre ces paroles dans sa tête, à l'instant précis où elle aperçut Sauveur dans la clarté mouvante des lanternes. Sa fourrure paraissait jaune sur le paysage blanc, mais de cela elle se moquait. La seule chose qu'elle voyait, c'était sa gueule refermée sur la nuque d'un individu gisant au sol, face contre terre. Augustin, lui, se rua vers les deux gendarmes qui éclairaient la scène.

— Qu'est-ce qu'il y a ? hurla-t-il. Un malheur ? C'est notre chien. Mais tirez donc, bon sang ! qu'il lâche ce malheureux !

— Sauveur, appela Angélina, viens là, viens !

Elle éprouvait un effroi sacré. Son pastour avait commis l'irréparable. D'une minute à l'autre, une détonation retentirait dans la nuit, et Sauveur mourrait. Mais un autre corps allongé derrière les gendarmes attira son regard. Ce fut le coup de grâce. Elle crut que son cœur explosait, qu'il se dispersait en miettes.

— Oh non ! Mon Dieu, non ! hurla-t-elle à son tour. C'est Rosette, c'est ma Rosette…

— *Foc del cel !* brailla Augustin en devançant sa fille.

Il voulait lui épargner une vision d'horreur. Mais elle le bouscula, à demi folle, sanglotant et gémissant.

— Laisse-moi passer, papa. C'est ma faute, je l'ai envoyée à la mort ! Oh ! Seigneur Dieu, Vierge Marie, non, pitié !

Ses cris de désespoir firent se redresser Rosette. Appuyée sur un coude, elle tendit sa main libre vers la jeune femme.

— Ce fumier a failli m'avoir, m'selle, haleta l'adolescente. Le bourrelier, ce gros porc ! J'ai eu du bol, dites, vot' chien lui a foncé dessus. Quand je me suis réveillée, ça bardait et j'ai eu peur pour vot' Sauveur. Puis, les gendarmes sont arrivés. Mais je peux pas bien causer rapport à mon cou, parce que, l'autre salaud, il a essayé de m'étrangler, même que je suis tombée dans les pommes.

À genoux, Angélina étreignit Rosette de toutes ses forces. Elle l'embrassa sur le front, sur les joues, sur le nez tout en pleurant de joie.

— Tu es vivante ! Merci, mon Dieu, merci !

— Faudrait plutôt remercier vot' chien, m'selle ! Le bon Dieu, y s'est pas trop fatigué, ce coup-ci !

— As-tu mal ? demanda Angélina. Pourquoi étais-tu couchée ? Tu ne peux plus marcher, c'est ça ?

— Non, mais le brigadier, il m'a dit de pas bouger et j'ai pas bougé. En plus, m'selle, j'ai trop de chagrin, parce que, votre beau manteau, il est tout esquinté.

— Ce n'est que du tissu. On s'en fiche bien, tu es vivante !

— Et toujours neuve, ça, j'vous le jure, y m'a pas touchée, l'autre.

Infiniment soulagée, Angélina aida Rosette à se lever. Elle la prit par l'épaule et l'embrassa à nouveau.

— Eh bien, eh bien ! ronchonna Augustin Loubet qui avait eu une des plus belles peurs de sa vie. Brigadier, vous avez entendu les déclarations de cette demoiselle. Blaise Seguin allait la tuer. Qu'est-ce que vous attendez pour l'arrêter, ce fumier ? Il n'est pas mort, je viens de le voir bouger un pied.

— Oui, cette personne nous a dit qu'elle avait été attaquée à cent mètres d'ici. On attend seulement que, vous ou votre fille, vous emmeniez le pastour. Il ne veut pas lâcher prise.

Très digne et la mine arrogante, le cordonnier marcha droit sur le chien et le saisit par son collier.

— Laisse cette ordure, Sauveur ! ordonna-t-il. Tu es une brave bête, une très brave bête.

Angélina et Rosette se précipitèrent sur le chien. Il reçut sa part de caresses et de félicitations. Les gendarmes, eux, avaient redressé la lourde carcasse du bourrelier. Il leur présenta une face sanglante, affreuse à voir. Bouche bée, les yeux hagards, il ne prononçait pas un mot. Son attitude troublait les policiers, comme s'ils hésitaient à identifier Blaise Seguin. Ils peinaient à reconnaître en cet homme hébété, défiguré par les morsures du pastour, celui qui leur avait rendu visite moins d'une demi-heure auparavant pour déposer une énième plainte à l'encontre d'un voisin, car les Seguin avaient l'esprit à la chicane.

— C'est moi aussi, les autres, déclara-t-il soudain en tendant ses mains maculées de sang et de boue. Par la faute de celle-là, Angélina, cette catin !

Personne n'était préparé à un pareil aveu. Le brigadier sortit son sabre et le pointa en avant.

— De quoi parlez-vous, Seguin ? interrogea-t-il sèchement.

— Lucienne Gendron, à Toulouse, et Marthe Piquard, à Massat. Mais c'est pas ma faute, brigadier ! J'vous le redis : la coupable, c'est elle, Angélina Loubet, qu'a dû me jeter un sort. Tout le temps, la garce, elle se foutait de ma gueule, alors que moi, je voulais la marier. Vous entendez, brigadier, la marier !

Augustin étouffa un juron de fureur, tandis que les gendarmes échangeaient des coups d'œil consternés. Les deux affaires avaient fait beaucoup de bruit au début de l'été.

— C'était toi ! s'exclama Angélina d'un ton horrifié. Toi ! Seigneur ! et tu vas être père !

Après avoir lancé ce cri du cœur, elle fondit en larmes. Elle plaignait l'épouse du bourrelier, unie par des liens sacrés à un assassin, un fou.

— Blaise Seguin, vous êtes en état d'arrestation, dit le brigadier sur un ton solennel. Il faut nous suivre. Vous devrez nous faire sur l'heure des aveux complets.

Le coupable baissa la tête sans répondre. Il se mit péniblement en chemin en boitant, semblable à un taureau que l'on aurait conduit à l'abattoir et qui aurait renoncé à se battre. La scène avait quelque chose d'oppressant. Plus tard, Angélina se souviendrait de plusieurs détails. Elle raconterait comment le halo des lanternes soulignait les blessures suintantes du coupable, alors que Sauveur continuait à grogner, son regard brun rivé sur Seguin. Elle dirait également que les gestes de chacun étaient ralentis, pesants, sans doute en raison de la présence malsaine du criminel. En énonçant les noms de ses victimes, il leur avait redonné une terrible importance, une sorte de seconde vie durant quelques minutes. Lucienne, son rire aigu et sa frange brune, Marthe, douce et discrète, aux rondeurs charmantes. Même ceux qui n'avaient jamais vu ces jeunes filles, comme Augustin, Rosette et les policiers, se les étaient représentées fraîches, joyeuses, puis fauchées par une mort odieuse, salies, privées de leur devenir.

— C'est la guillotine qui t'attend, Seguin ! hurla enfin le brigadier. Tu iras d'abord aux assises, à Toulouse. Et vous, mademoiselle Rosette, vous devez venir faire une déposition.

— Maintenant ? protesta Angélina. Elle est sous le choc, et son cou est tout rouge. Elle a besoin de repos et il faut qu'elle se réchauffe.

— Je vous ai déjà dit ce qui s'est passé, gémit l'adolescente. Je rentrais de chez madame Faure. J'ai compris qu'on me suivait et lui, là, il m'a attrapée. Il croyait que c'était m'selle Angélina, à cause du manteau. Ce soir, tout le monde m'a prise pour ma patronne. Je vous l'ai dit, ça aussi, que j'étais sa bonne depuis une quinzaine.

— Allons-y donc, coupa Augustin. Et que justice soit faite !

Chez Gersande de Besnac, le lendemain, 24 décembre 1880

— Entrez, entrez mes petites, chuchota Octavie avec un air affligé. Mademoiselle dort ; ne faites pas trop de bruit, surtout. Henri est dans la cuisine, il finit son dessert.

Angélina et Rosette, escortées par Sauveur, la suivirent sur la pointe des pieds.

— Ah ! vous avez bien fait d'amener ce brave chien, ce héros ! ajouta-t-elle. Mademoiselle sera contente.

— Est-ce qu'elle va mieux ? s'inquiéta Angélina. Quand je suis passée hier soir, cela m'a fait beaucoup de peine de la trouver alitée. Je ne l'avais jamais vue comme ça.

— Oh ! Il n'y a pas que le corps qui souffre. Elle est souvent triste, ces derniers temps. Enfin, ça me rassure que tu veilles sur elle pendant notre promenade. J'ai bien besoin de prendre l'air, avec notre petit chéri, et je suis bien contente que Rosette nous accompagne. Maintenant que cette brute ne peut plus nuire à personne…

— Ne dis rien devant Henri, s'empressa d'indiquer Angélina.

— Bien sûr, je ne suis pas si bête ! s'offusqua Octavie.

Le garçonnet s'illumina en voyant apparaître sa marraine. Il lui montra le biscuit dans lequel il allait croquer.

— Bonjour, mon pitchoun. Marraine est là et elle va te dévorer de bisous.

Elle mit sa tendre menace à exécution. Le petit s'accrocha à son cou en riant.

« Que tu es beau, mon petit Henri ! se disait-elle. Et si joyeux, si câlin ! Tu es ma lumière, mon soleil, mon petit ange. »

— Vous allez l'user, m'selle, à le biser autant, dit Rosette en pouffant. Dites, je peux lui mettre son paletot et son bonnet ? Y fait soleil, mais le vent est froid.

— Mais oui, et dépêchez-vous de sortir, le temps peut se gâter, recommanda la jeune mère. Je préparerai le goûter pour votre retour.

Octavie enfila une veste en laine et protégea sa tête d'une écharpe. Henri trépignait d'impatience.

— Tes gants, mon petit chou, et le bonnet... Si, si ! lui disait Rosette. On va faire le tour de la cité et, si tu es fatigué, je te porterai sur mes épaules.

Quelques minutes plus tard, Angélina se retrouvait seule dans le vestibule. Elle ôta sa pèlerine et passa dans le salon où dormait Gersande de Besnac, confortablement installée sur la méridienne, un oreiller sous la tête, son corps menu recouvert d'un gros édredon en satin rouge.

« Mon Dieu qu'elle paraît fragile ainsi ! s'étonna-t-elle. J'espère qu'elle se rétablira vite. Pourvu que ce ne soit pas l'influenza. Octavie pensait à un coup de froid. »

Elle prit place dans la bergère où tant de fois elle avait vu sa chère et vieille amie assise, un livre à la main. Le feu crépitait dans la cheminée, et le sapin de Noël embaumait ce parfum envoûtant si particulier des résineux.

« Réveillez-vous, mademoiselle, j'ai tant de choses à vous dire ! pensa-t-elle. Je vous aime tant ! Sans vous, je ne serais jamais devenue une costosida, jamais. »

Angélina eut un sourire mélancolique. Aussi loin qu'elle s'en souvînt, dans l'ombre de ses parents, il y avait eu Gersande, discrète, mais attentive.

« Après la mort de maman, vous avez su me consoler et me soutenir. Mon Dieu ! Que la vie est étrange ! Faut-il croire au destin, à la justice divine ? »

Ses beaux yeux violets se voilèrent quelques instants. La face haineuse et ensanglantée du bourrelier lui apparut, tandis qu'il l'accusait de l'avoir ensorcelé, méprisé et, ainsi, poussé au crime. Un frisson la parcourut. À l'aube, Blaise Seguin s'était pendu dans le cachot de la gendarmerie. Le brigadier avait pris la peine de venir annoncer la chose à Angélina, rue Maubec.

« Il aura été lâche jusqu'au bout, se dit-elle. Pas de procès, pas de guillotine. Par chance, la police a pu consigner ses aveux complets. J'aurais dû le soupçonner, lui, au lieu de m'obstiner à accuser Luigi. »

Le fantasque violoniste au regard de jais était innocent. Quand Angélina en avait fait le constat, une sensation de délivrance, d'euphorie l'avait envahie. Celui qu'elle ne pouvait pas oublier n'avait pas de sang sur les mains. Le fils de Gersande de Besnac n'était pas un assassin. « Réveillez-vous, ma douce amie, j'ai tellement hâte de vous redonner un peu d'espoir. Hélas ! je n'ai rien d'autre à vous offrir ! » se dit-elle.

Angélina craignait maintenant le pire. Luigi, blessé, traqué, avait pu agoniser dans un fossé au fond des bois. Lui qui errait en quête de sa famille, il était peut-être mort.

« Non, il ne faut pas ! Je voudrais implorer son pardon et lui annoncer que sa mère l'a cherché durant des années et l'a aimé. »

Pendant qu'elle songeait, le pastour, jusque-là couché à ses pieds, se redressa et posa sa belle tête sur ses genoux. Il la fixa avec amitié. Angélina le caressa, émue.

— Mon chien, chuchota-t-elle, tu mérites bien ton nom. Tu as veillé sur moi et tu as sauvé Rosette. Tu le savais depuis le début, toi, d'où venait le danger, tu le savais, oui !

Elle s'assura que Gersande dormait toujours paisiblement. Rassurée, elle sortit une enveloppe décachetée de son sac, une pochette en velours brodé qui appartenait à sa mère. Vers midi, le facteur lui avait remis une lettre de Philippe Coste.

D'abord très surprise, elle s'était ensuite isolée dans sa chambre pour la lire, le cœur battant, à la fois inquiète et curieuse.

« Pauvre Philippe, il me demande déjà pardon, bien qu'il soit toujours en colère, atteint dans son orgueil. Mais, au fond, il a profité de la situation. Ce n'est pas en son honneur, d'autant moins qu'il fréquente des prostituées, il l'a avoué. J'étais dans un tel état de confusion que je n'ai pas jugé bon de me défendre. Je parie que, le mois prochain, il souhaitera me revoir. Pas moi. Sous ses allures mondaines et sa politesse, il ne vaut guère mieux que Guilhem. Bien des messieurs de la bourgeoisie se croient tout permis. S'ils désirent ardemment une femme de condition inférieure et qu'elle se refuse à eux, ils lui promettront le mariage pour parvenir à leurs fins, ou ils se résigneront à l'épouser. J'en ai fait la triste expérience. Seigneur, comment résister à la volonté impérieuse de Guilhem ? J'étais trop jeune et je lui ai cédé en croyant au grand amour. Quant à Philippe, même si je le pense sincèrement épris de moi, il avait du mal à dominer ses ardeurs de mâle. Je ne sais pas ce que me réserve l'avenir, mais je voudrais rencontrer un homme patient, qui ne se jetterait pas sur moi à la moindre occasion, quelqu'un capable de me faire la cour, de me charmer, et ce serait à moi de lui montrer que je le désire, qu'il m'attire. Luigi ! Je voudrais retrouver Luigi ! »

D'un coup, le rouge lui monta aux joues et son cœur s'emballa. Elle revit le violoniste, son teint doré, ses boucles noires et l'éclat de ses dents, cet air ironique qu'il arborait, mais que démentait son regard sombre et intense.

— Je me méfiais de lui. Pourquoi ? s'interrogea-t-elle à mi-voix.

— De qui te méfiais-tu, ma petite Angélina ? murmura Gersande qui l'observait.

— Oh ! mademoiselle, je suis désolée, je vous ai réveillée ! s'écria Angélina en se précipitant au chevet de son amie.

— Non, ce n'est pas toi ; je me suis suffisamment reposée, voilà tout, ma chère enfant.

756

La vieille dame lui prit la main. Auréolée de sa chevelure blanche et les traits détendus, elle semblait sereine, mais d'une profonde tristesse.

— Comment vous sentez-vous ? s'inquiéta Angélina. Vous n'étiez pas malade ces derniers jours. Avez-vous eu beaucoup de fièvre ?

— J'étais fatiguée, rien d'autre. Octavie s'affole toujours dès que je tousse ou que je manque d'appétit. Elle m'a résumé ce qui s'est passé hier soir. Raconte-moi tout, s'il te plaît. Je n'ai pas bien compris, hormis une chose : cet ignoble bourrelier était le meurtrier. Cet été, les gendarmes ont parcouru toute la région pour arrêter le coupable, mais il se trouvait sous leur nez, dans sa boutique.

— Oui, il a berné tout le monde. Moi qui avais eu à subir ses gestes déplacés et sa hargne, je n'ai pas songé une seconde à le soupçonner. Mais Sauveur ne s'y est pas trompé.

Gersande voulut se redresser. Angélina l'aida et ajouta des coussins dans son dos pour lui permettre de rester assise sans effort.

— Viens là, mon brave chien, dit la vieille demoiselle. J'avais hâte de te caresser. Tu auras du sucre au goûter. Eh bien, petite, ne me fais pas languir. Raconte !

La jeune fille commença son récit, depuis la préparation du repas destiné à son père et à Germaine, jusqu'au moment tragique où elle avait cru Rosette morte.

— La pauvre, elle venait d'échapper à une mort atroce et elle se préoccupait surtout de l'état du beau manteau que je lui avais prêté. Elle faisait peine à voir, je vous assure, avec ces marques autour du cou. Quel courage aussi ! Quand je l'ai écoutée faire sa déposition à la gendarmerie, j'ai su qu'elle s'était débattue de toutes ses forces. Mais, contre un Blaise Seguin, elle n'était pas de taille. Sans l'intervention de Sauveur, elle était perdue. Moi qui étais prête à le punir de s'être échappé ! Il a perçu le danger et il a volé au secours de Rosette. Ou bien il a voulu la suivre et, par chance, il est arrivé à temps sur la route de Saint-Girons, peut-être guidé par ses cris et ses appels, car le brigadier et ses hommes les ont entendus aussi. Figurez-vous qu'ils avaient reçu une demi-heure plus tôt la visite de Seguin. Il a déposé une plainte contre un de ses voisins ; il a bavardé avec les gendarmes, sa manière à lui de se faire passer pour un honnête personnage.

— Mon Dieu ! heureusement que Rosette a pu crier assez fort pour les alerter !

— Oui, car le brigadier est sorti aussitôt en emmenant son adjoint. Ils sont arrivés très vite sur les lieux, guidés par les aboiements furieux de Sauveur. Là, ils ont vu le bourrelier aux prises avec le chien et, un peu plus loin, à deux mètres à peine, gisait Rosette. Après le bref évanouissement causé par l'étranglement, elle avait repris connaissance ; elle a pu désigner son agresseur et expliquer la situation. Sans cela, m'a avoué l'autre gendarme, ils auraient tenté de tuer Sauveur, le croyant devenu fou, enragé.

— Ciel, quelle horreur !

— Ce n'est pas terminé, reprit Angélina. Mon pastour avait mordu Seguin aux mains et au visage. Accablé de douleur autant qu'épuisé, ce porc s'était plaqué au sol. Sauveur a pu le prendre à la gorge, seulement pour l'immobiliser. Il le tenait à sa merci, ainsi, et je crois qu'il m'attendait. Jamais il n'aurait osé serrer les dents et tuer un être humain.

— Et on dit que les bêtes n'ont pas d'âme ni d'intelligence ! s'indigna Gersande. Dieu soit loué, ce monstre est derrière les barreaux. Il ne pourra plus nuire à personne.

— En effet ! Octavie a dit la même chose tout à l'heure, mais vous ignorez le dénouement. Blaise Seguin s'est pendu dans son cachot, à l'aube.

— Ah ! Il a fui le châtiment des hommes ! Souhaitons qu'il ne puisse éviter la justice divine. Quand je pense à Marthe, la jeune serveuse, et à ton amie Lucienne… Petite, sers-moi donc un verre de liqueur. Cela me requinquera.

Angélina s'empressa de satisfaire sa vieille amie, très pâle et visiblement bouleversée.

— Et ton dîner ? Autant causer de choses plaisantes, à présent ! J'en ai assez entendu sur ce sadique à la trogne de sanglier.

— Ce fameux repas ! s'exclama la jeune femme. Quand nous sommes partis, mon père, Rosette et moi, de la gendarmerie, huit heures sonnaient à la cathédrale. Germaine errait sur la place de la fontaine, malade d'inquiétude. Elle était montée rue Maubec et avait trouvé la table mise, mais la maison vide. Il faut la comprendre : papa s'était absenté pour se confesser, et il n'était pas rentré au bercail. Dès qu'elle a su le fin mot de l'histoire, elle a fondu en larmes et elle a embrassé Rosette. J'étais si nerveuse, encore secouée par tout ça, que j'ai décidé de reporter mon dîner de fête. Je préférais me retrouver seule avec Rosette pour la réconforter, mais c'était mal la connaître. Savez-vous ce qu'elle nous a dit ? « M'sieur Augustin, m'dame Loubet, et vous, m'selle Angélina, faut pas gâcher vot' soirée pour moi ! J'en ai vu d'autres, des vertes et des pas mûres. Y faudrait pas laisser perdre une oie rôtie ! Sûr qu'elle est à point. » Hélas ! Gersande, le feu s'était éteint. La volaille était tiède, brûlée d'un côté et mal cuite de l'autre. En fin de compte, nous avons pu en manger un peu. Heureusement, les pommes de terre étaient délicieuses, ma tarte aux pommes aussi.

— Oh ! Angélina, ma chère Angélina ! s'écria en souriant la vieille dame. Comme je t'aime, petite ! Crois-moi, j'éprouve déjà beaucoup de tendresse aussi pour cette jolie fleur de misère, notre Rosette. Je me ferai un devoir et une joie de lui apprendre à lire et à écrire. Mais tu ne m'as pas répondu. Pourtant, je n'ai pas rêvé, tout à l'heure. Tu disais : « Je me méfiais de lui. Pourquoi ? » Donc, tu ne parlais pas de Seguin !

La jeune fille s'agenouilla près de la méridienne et prit dans les siennes les mains de Gersande.

— Non, mademoiselle, je parlais d'un innocent à qui j'ai causé un grand tort : Luigi, le violoniste. Par ma faute, il a failli être jugé et condamné. Et, à Biert, la foule lui a jeté des pierres. Sans compter que le père de Marthe lui a tiré dessus et l'a blessé, peut-être à mort.

— Ne te reproche rien, allons. Ce jeune homme se trouvait chaque fois sur les lieux du crime, comme l'ont souligné les journaux.

— Mais il clamait son innocence. J'aurais dû lui accorder le bénéfice du doute. Pendant que vous dormiez, j'y réfléchissais. Dès notre première rencontre, je me suis méfiée de lui parce qu'il avait volé ma mule. Et il cachait une dague dans une de ses bottes. Bien sûr, il s'en était expliqué en me confiant que sa vie d'errance n'était pas sans danger. Je n'ai vu en lui qu'un saltimbanque, un bohémien coureur de jupons, lui qui était un musicien de talent en quête de ses origines.

Gersande de Besnac se crispa tout entière à ces mots. Le cœur d'Angélina se mit à cogner à grands coups dans sa poitrine. Elle en tremblait et avait la bouche sèche tant elle était émue.

— Mademoiselle, j'ai quelque chose à vous montrer. Voulez-vous d'abord un petit verre de liqueur ?

— Non, merci ! Que veux-tu me montrer ? Ce n'est pas encore la distribution des cadeaux ! Il faut attendre ce soir. À propos, petite, je n'y tiens plus. Tant pis pour la surprise. Rosette sera déçue, mais elle me comprendra et…

— Je vous en prie, mademoiselle, écoutez-moi !

— Angélina, aie pitié d'une vieille femme souffrante ! Voilà, tu vas me gronder, protester encore et encore, mais je t'ai acheté un cabriolet et une jument douce comme un agneau. Tu pourras te rendre chez tes patientes bien plus vite qu'à pied ou à dos de mule. Ce soir, Alphonse devait conduire la bête et la voiture chez toi, avec la complicité de Rosette.

— Oh ! merci, mademoiselle Gersande, merci ! J'en rêvais, mais je ne savais pas quand je pourrais m'offrir un tel luxe. Vous n'auriez pas dû. Je suis tellement confuse !

Tremblant de plus belle, Angélina enlaça délicatement sa vieille amie et l'embrassa sur la joue.

— Tu ne refuses pas mon cadeau ? Tu t'en réjouis ? Mon Dieu, serais-tu malade à ton tour, ma fille ? Il n'y a pas de quoi pleurer ni trembler, Angélina, mais…

La jeune fille s'était reculée pour lui présenter sa paume, où reposait une médaille en or.

— Qu'est-ce que c'est ? Seigneur ! Où l'as-tu trouvée ?

Livide, ses prunelles bleues écarquillées, Gersande de Besnac s'empara du bijou en tremblant à son tour. Elle put lire au revers ses propres initiales.

— Mon Dieu, d'où sors-tu cette médaille ? Autrefois, elle m'appartenait. Je l'avais accrochée au bonnet que portait Joseph, mon fils. Angélina, ne me regarde pas comme ça, parle, je t'en prie, parle !

— Je l'ai trouvée fixée par une épingle à l'intérieur d'une boîte à violon, le violon de Luigi que la foule en colère avait piétiné. Il s'en est fallu de peu, d'un rayon de soleil au bon moment, sinon je ne l'aurais pas vue.

La vieille dame écoutait, les doigts serrés sur la médaille. Les paroles d'Angélina pénétraient avec lenteur son entendement.

— Crois-tu qu'il l'aura volée à mon fils, par le passé ? Dans ce cas, il l'aurait croisé on ne sait où, balbutia-t-elle.

— Non, chère demoiselle, je crois, moi, qu'il la gardait précieusement dans l'espoir de retrouver sa mère, dit Angélina tout bas. Il y a un autre détail. À Toulouse, Odette, une de mes amies, a prétendu que Luigi avait une tache de naissance en forme de cœur au bas du dos. Elle l'aurait vue pendant qu'il faisait des acrobaties. Pardonnez-moi, je ne vous ai rien dit, mais je le soupçonnais déjà d'avoir tué et violé Lucienne. Je ne pouvais pas admettre que votre fils, si c'était lui, soit un assassin de la pire espèce.

Gersande s'abandonna un instant, la tête renversée sur les coussins. Effrayée, Angélina la soutint.

— Je vous en prie, pardonnez-moi ! supplia-t-elle. Luigi est votre enfant, celui que vous avez tant cherché. Je n'ai plus eu aucun doute en ramassant cette médaille. Et j'étais impatiente de vous apprendre la bonne nouvelle, puisque j'avais enfin la certitude de son innocence.

— Mon fils ! Mon cher petit Joseph ! Mais, alors, c'était peut-être ce jeune homme que j'ai observé de la fenêtre de ma chambre, à Biert. Son visage me troublait et, plus je le regardais, plus le passé s'imposait et me terrassait. Je ne comprenais pas pourquoi. Je me souviens avoir pensé à William, à cette passion qui nous avait unis, et j'ai beaucoup pleuré cet après-midi-là, oui j'ai pleuré sur le sort de mon enfant. Angélina, c'était lui, Joseph, j'en suis sûre. Seigneur, il faut le retrouver ! Où peut-il être ? Il s'est évadé de l'hôpital. Où a-t-il pu aller ensuite, blessé, affaibli ? Tu m'aideras, dis ? Il n'a pas pu mourir, pas sans que je le revoie, que je lui demande pardon, que je le serre enfin dans mes bras.

— Non, il n'a pas pu mourir, affirma Angélina. Il n'a pas réussi à s'enfuir pour agoniser un peu plus tard. S'il a eu la force de s'évader, c'est sûrement parce qu'il avait la ferme intention de survivre. Mademoiselle, vous le reverrez, je vous le promets.

Gersande se redressa, le teint plus vif. Ses yeux de saphir étincelaient.

— Tu me le promets, petite ? Oh ! Doux Jésus, je ne mourrai pas avant d'avoir retrouvé mon Joseph, tu entends ! Je me sens beaucoup mieux. Tu m'as rendu l'espoir, Angélina. Merci, ma chère enfant. Ne t'en veux surtout pas. Tu as agi selon ta conscience. Je ne sais pas si j'aurais supporté d'imaginer mon fils dans la peau d'un pervers. Là, tu me le rends lavé de tout soupçon, digne de ses ancêtres. Un musicien, un artiste ! Un homme d'honneur, j'en suis sûre, même s'il a vécu sur les routes !

La vieille dame déposa un baiser sur la médaille en or, après quoi elle caressa la joue de la jeune fille qui lui dit :

— Je le retrouverai, mademoiselle. J'irai au bout du monde s'il le faut, mais un jour il franchira le seuil de ce salon. Moi aussi, je dois lui demander pardon.

Elle se tut, vibrante d'un sentiment étrange, exaltant. La folle promesse qu'elle venait de faire, il lui faudrait la tenir. Ce n'était pas seulement pour le bonheur de sa vieille amie, mais aussi pour son bonheur à elle.

« Je le retrouverai, se répéta-t-elle. Quand il se trouvera en face de moi, je pourrai enfin lui sourire. Je pourrai enfin l'aimer ! »

Composition et mise en pages réalisées
par IND - 39100 Brevans

Achevé d'imprimer
en mars 2012
par Rotocayfo
pour le compte de France Loisirs, Paris

Numéro d'éditeur : 67604
Dépôt légal : février 2012
Imprimé en Espagne